EIN GESPENST TRITT AB IN EUROPA

CARL-HEINZ BOETTCHER · HELMUTH SCHEFFLER

Ein Gespenst
tritt ab
in Europa

Aufstieg und Niedergang
des Kommunismus

MARKUS - VERLAG GMBH · KÖLN

Markus-Verlags-Gesellschaft m. b. H. 1967
Nachdruck, auch auszugsweise, nur mit ausdrücklicher Genehmigung des Verlages
Printed in Germany
Umschlagentwurf: Ludwig Klockmann
Gesamtherstellung: Buchdruckerei Albert Hertel, Kulmbach/Bayern.

Das Titelbild sowie die Bilder auf den Seiten 73, 107 und 114 entnahmen wir der Sammlung „Plakate der Russischen Revolution 1917—1929", Gerhardt Verlag, Berlin.

INHALT

I Eine uralte Idee 13

Am Anfang ein Brudermord — Alle Jobeljahre einmal — Rom
zwischen Reform und Umsturz — Ans Kreuz geschlagen — Hörige und Leibeigene — Der Bauer erhebt das Haupt — Bauernkrieg in Deutschland — Karmat und Mazdak — Wo liegt die
Insel Nirgendwo? — Die Französische Revolution und der „Aufstand der Gleichen"

II Hoffnung der Unterdrückten 43

Pams proklamiert das Recht auf Arbeit — „Kommunisten, auf
nach Ikarien!" — Das Gesicht des Frühkapitalismus — Eine „ma-
terialistische" Welt — „Proletarier aller Länder, vereinigt Euch!"
— „Mehrwert" und Wirtschaftskrise — „Diktatur des Proleta-
riats" — Das Jahr 1848 — Die Entwicklung geht weiter — Die
Erste Internationale entsteht — Aufstand der Kommune in Paris
— Die Rote Fahne sinkt — Die „roten Preußen" organisieren sich
— Die Zweite Internationale: „Nie wieder Krieg!"

III Die russische Fassung 75

Bauern ohne Land und ohne Rechte — Die Nihilisten fragen:
„Was tun?" — Ein Mann, der sich Lenin nennt — Lenin wird
aktiv — Bolschewisten und Menschewisten — Der Rote Sonntag
und die Revolution des Jahres 1905 — Stalin tritt auf den Plan
— Der Zar stürzt — Im „plombierten" Eisenbahnwagen nach
Rußland — Die Oktoberrevolution — Die Kosaken marschieren
— Vom Weltkrieg zum Bürgerkrieg — Koltschak sammelt die
Weißen — „Völker, hört die Signale" — Der „Kriegskommunis-
mus"

IV Auf dem Weg zum Sowjet-Imperialismus 117

Kampf um Lenins Erbe — Das große Bauernlegen beginnt —
Industrialisierung mit Blut und Tränen — Rückkehr zur Nation —
Der Tod des „roten Napoleon" — Volksfront in Frankreich und
Spanien — Niederlage im Spanischen Bürgerkrieg — Stalins Pakt
mit Hitler — Der Große Vaterländische Krieg — Schlacht vor

Moskau und um Stalingrad — Die Kommunistische Internationale
wird aufgelöst — „Hiwis" und Partisanen — Stalins Beute: Das
halbe Europa

V Stalins Triumph und Verdammung 155

Wiederaufbau nach dem Krieg — Stalins Tod — Tauwetter —
Der neue Kurs — Jugoslawien, Brutstätte des „Titoismus" — Ein
Abgott wird gestürzt: Entstalinisierung — Chruschtschows Ge-
heimrede — Lähmung in Rußland, Unruhe im Ostblock

VI Moskaus Macht auf dem Höhepunkt 181

Die kommunistische Herrschaft in Osteuropa — Staatsstreich in
Prag — „Polnischer Frühling" — Von Béla Kun bis Imre Nagy
— Volksaufstand in Ungarn — Alle Macht für Chruschtschow —
Expansion ohne Krieg?

VII Wird Peking den Kommunismus retten? 207

Soziale und nationale Revolution im Reich der Mitte — Chinas
Kommunisten gründen ihre Partei — Vom „Langen Marsch" zum
Sieg im Bürgerkrieg — Keine Atempause für die Chinesen —
„Volkskommunen sind das Paradies" — Chinas Bruch mit Mos-
kau — „Die Sowjetratten haben zu fressen . . ." — „Laßt hundert
Blumen blühen" — Die „Große Kulturrevolution"

VIII Die Deutschen und der Kommunismus 243

9. November 1918: Der Kaiser geht — Die Gründung der KPD
— Spartakus-Aufstände in Berlin — Räterepublik in Bayern —
Kapp-Putsch und Rote Ruhrarmee — Der „deutsche Oktober" findet nicht statt. — Die Ära Thälmann — Im Zeichen der Wirtschaftskrise — Hitler kommt an die Macht — KZ oder Emigration — Hinter der Front

IX Erfolg und Mißerfolg im Nachkriegsdeutschland 287

Die SED entsteht — Hin zum „Aufbau des Sozialismus" — Die
„Deutsche Demokratische Republik" wird proklamiert — Der
Statthalter Stalins — Der 17. Juni 1953 — „Neuer Kurs", fal-
scher Kurs — Der Schock der Entstalinisierung — Die große
Flucht — Mauer und Stacheldraht — Fehlschlag im Westen —
Jahre der Konsolidierung — Tauziehen um den Redneraustausch
— An Moskaus Rockzipfel

X Das Ende des Experiments 333

Wettlauf um Afrika und Südamerika — Chruschtschows Sturz —
Ein neues Schlagwort findet Freunde: Polyzentrismus — Sturm
über Asien — Mit gedrosseltem Motor ins Konsumzeitalter

VORWORT

In der Sowjetunion proben Junge Pioniere festliche Gesänge, die Fahnenindustrie läuft auf Hochtouren und die Gardetruppen üben einen besonders exakten Paradeschritt: Das Land feiert in diesem Herbst die fünfzigjährige Wiederkehr der „Großen Sozialistischen Oktoberrevolution". Der von Lenin und Trotzki gegründete und von Stalin zu machtvoller Größe emporgeführte Staat der „Arbeiter und Bauern" steht auf dem Gipfelpunkt seiner Entfaltung. Als einer der beiden Atomgiganten, die schwer an ihrer Bürde tragen, liegen Fortbestand und Vernichtung der Menschheit mit in seiner Hand.

Sein Ausgangspunkt ist der Kommunismus. Zum Kommunismus bekennt er sich noch heute. Vorkämpfer des Kommunismus will er nach wie vor sein. Doch im Gegensatz zur Weltmacht Sowjetunion hat die Weltbewegung Kommunismus zumindest auf dem europäischen Kontinent den Zenith längst überschritten.

Marx und Engels begannen ihr Kommunistisches Manifest im Jahre 1848 mit den herausfordernden Worten: „Ein Gespenst geht um in Europa — das Gespenst des Kommunismus." Damals setzte der Aufstieg einer faszinierenden Idee und einer den Erdball erschütternden Bewegung ein. Heute erleben wir ihren Niedergang.

Was ist von dem stolzen geistigen Bau übriggeblieben, den die Erzväter errichteten? Wer folgt noch den Visionen, die sie einer flatternden blutroten Fahne gleich über den Proletarierheeren aufpflanzten? Wer in der modernen Industriegesellschaft des Westens hat noch Angst vor der proletarischen Revolution?

Was den ideellen Erben des Marxismus geblieben ist, heißt Waffen, heißt Wirtschaftspotential, heißt Macht. Und wo die Kommunisten regieren, da betreiben sie Machtpolitik. In den strategischen Vorstellungen der sowjetischen Militärs wird die Idee des Klassenkampfes zur Durchsetzung imperialistischer Ziele eingesetzt. Seine soziale Brisanz erweist der Kommunismus nur noch in den Entwicklungsländern Asiens, Afrikas und Lateinamerikas.

So bietet sich für eine allgemeinverständliche Geschichte des Phänomens, das auf den Lehren von Marx und Engels basiert und dem der Russe Lenin die bis heute gültige organisatorisch-politische Form gab, wie von selbst das Anti-Fanal „Ein Gespenst tritt ab in Europa" als Titel an.

Auf ein einleitendes Kapitel, das in kurzer Form auf kommunistische Vorläufer hinweist und die sozialen Probleme des Altertums, des Mittelalters und der beginnenden Neuzeit anklingen läßt, wurde nicht verzichtet.

Verlag und Autoren danken allen, die mitgeholfen haben, dieses Buch vorzubereiten und herauszubringen.

Köln, im August 1967

Manifest

der

Kommunistischen Partei.

Ein Gespenst geht um in Europa–das Gespenst des Kommunismus. Alle Mächte des alten Europa haben sich zu einer heiligen Hetzjagd gegen dies Gespenst verbündet, der Papst und der Czar, Metternich und Guizot, französische Radikale und deutsche Polizisten.

Wo ist die Oppositionspartei, die nicht von ihren regierenden Gegnern als kommunistisch verschrieen worden wäre, wo die Oppositionspartei, die den fortgeschritteneren Oppositionsleuten sowohl, wie ihren reaktionären Gegnern den brandmarkenden Vorwurf des Kommunismus nicht zurückgeschleudert hätte?

Zweierlei geht aus dieser Thatsache hervor.

Der Kommunismus wird bereits von allen europäischen Mächten als eine Macht anerkannt.

Es ist hohe Zeit, daß die Kommunisten ihre Anschauungsweise, ihre Zwecke, ihre Tendenzen vor der ganzen Welt offen darlegen, und den Mährchen vom Gespenst des Kommunismus ein Manifest der Partei selbst entgegenstellen.

Zu diesem Zweck haben sich Kommunisten der verschiedensten Nationalität in London versammelt und das folgende Manifest entworfen, das in englischer, französischer, deutscher, italienischer, flämmischer und dänischer Sprache veröffentlicht wird.

Im Revolutionsjahr 1848 veröffentlichten Karl Marx und Friedrich Engels das Kommunistische Manifest

I

EINE URALTE IDEE

Am Anfang ein Brudermord

Wann und wie hat der Mensch eigentlich angefangen, etwas zur planmäßigen Befriedigung seiner Bedürfnisse zu tun? Die Beobachtung der Tiere oder auch sehr primitiver Menschenstämme lehrt uns, daß es keineswegs selbstverständlich ist, über einen längeren Zeitraum vorsorgend in die Zukunft zu blicken, einen für notwendig erachteten Gütervorrat zu beschaffen und sinnvoll zu verwenden. Noch schwieriger ist die Organisation dieser Güterbeschaffung.

Kaum ein Jahrhundert liegt die Zeit zurück, in der ernste Forscher den Anfang bei Adam und Eva erblickten und nach den Angaben in der Bibel allzu einfach berechneten. Dabei gelangten sie dann zu dem Ergebnis, daß jener sechste Tag, an dem der Mensch nach dem Bild Gottes „männlich und weiblich" geschaffen sein sollte, in das Jahr 3240 vor Christus fiel. Nur wenige Jahrzehnte später wären dann Kain und Abel in ihren Streit geraten, ob die Viehzucht oder die Landwirtschaft und das Handwerk vor Gottes Augen die größere Gnade fänden. Er endete mit dem Tod des Viehzüchters, und damit stand am Anfang der Wirtschaftsgeschichte des Menschen ein Mord, ein Brudermord!

Daß die Entstehung und Entwicklung des Menschen in Wirklichkeit zu anderer Zeit und in anderer Weise erfolgt sein muß, wissen wir vor allem seit Darwin und Lamarck, den Begründern der modernen Abstammungslehre in der ersten Hälfte des vorigen Jahrhunderts. Inzwischen ist die Archäologie als Wissenschaft entstanden. Sie hat gegraben, hat Dokumente gefunden und entziffert, und sie hat den Weg unseres Erkennens um Hunderttausende von Jahren zurückgebahnt. Vor allem alte Feuerstätten wurden zu Denkmälern der Zeit.

Holzstücke zu entzünden vermag außer Vulkan und Blitz nur der Mensch. Während man das Auftreten der ersten Menschen heute etwa auf das Jahr eine Million vor unserer Zeitrechnung ansetzt, haben die ältesten Reste künstlich geschichteter Feuerstätten, auf welche die Archäologen bisher gestoßen sind, ein Alter von etwa dreihunderttausend Jahren. Schon zu dieser frühen Stunde muß der Mensch also eine so hohe Intelligenz besessen haben, daß er imstande war, die sehr schwierigen Verfahren der Entfachung von Feuer zu ersinnen. Wie er dann die Geheimnisse des Feuerfluges, des Feuerbohrers und des Zunders ertüftelt haben mag, wissen wir nicht. Und ebensowenig können wir sagen, wie er überhaupt den Entschluß zu fassen vermochte, Holz zum Brennen zu bringen. Einschlagende Blitze oder Vulkanausbrüche sind ihm dabei gewiß keine Lehrmeister gewesen. Wahrscheinlich jedoch hatte er beobachtet, daß aufeinandergeworfene Steine Funken sprühten, vielleicht auch, daß vom Sturm aneinandergeriebene Zweige glühten und brannten. Die Problematik ist mit solchen Datierungen und Folgerungen noch nicht erschöpft. Denn hinter ihr steht das Leben des Urzeitmenschen in seiner ganzen Weite und Fülle. Wir fragen: Wie lebten diese Menschen? Wie wurden sie satt? Wie wirtschafteten sie? Wie ordneten sie ihre Beziehungen zueinander? Wie waren ihre Vorstellungen von Recht und Unrecht? Auch darüber erteilen uns die Feuerstellen und das Material, mit dem sie beschickt wurden, einige Antworten.

Sie lehren uns: Der Mensch der Urzeit findet Kokosnüsse und Bucheckern, stärkehaltige Wurzeln, Obst und Beeren. Hinzu kommen Wild, Käfer und Fische. Gewiß bildet das Geschenk dieser Reichtümer überhaupt die Lebensvoraussetzung für ihn: Dieses neue Wesen ist ein Allesfresser, und Nahrung gibt es genug. Trotzdem ist seine Existenz nicht leicht, denn es lebt in der Nachbarschaft von Löwen, Tigern, Wölfen, Giftschlangen und sonstigen Raubtieren und ist ihnen gegenüber so gut wie wehrlos. Auch im Verhältnis zu den meisten anderen Lebewesen ist der Mensch von Natur her besonders schlecht ausgestattet: Er kann weniger schnell laufen, besitzt keine Flügel und keine Flossen. Seinen Händen fehlen die Krallen, seinem Mund die Reißzähne der Räuber.

Daß der Mensch trotzdem leben und bestehen und sich in dem grausamen Existenzkampf der Wildnis behaupten kann, die voller Feinde und Hinterhalte steckt, scheint beinahe jeder vernünftigen Überlegung zu widersprechen. Daß er sich trotzdem durchsetzen kann, hat vor allem die Ursache in der menschlichen Intelligenz. Sie lehrt ihn nicht nur Feuer zu machen, sondern auch Werkzeuge und Waffen zu schaffen und sie in den Dienst seiner Lebenserhaltung zu stellen. Er lernt, mit Steinen und Knütteln zu jagen und sich zu verteidigen, mit ihrer Hilfe sogar in die Weite zu wirken. Und er lernt, sich als Gesellschaftswesen zu begreifen: Was er als einzelner nicht vermag, das erzwingt er in der Gemeinschaft der andern. Die Sippe und die Horde werden ihm zu Helfern.

Gewiß — er hat auch Vorbilder. Er beobachtet Bienen, die Waben schaffen, und Ameisen, die sich Bauten errichten. Er sieht Biber bei der Arbeit an ihren Dämmen. Gänseherden verteidigen ihre Jungen gemeinsam. Gans und Ganter wechseln einander bei der Brut ab. Schwalben, Stare und Störche versammeln sich zu gemeinsamen Flügen. Wölfe schließen sich zu Jagden zusammen auf Tiere, die der einzelne nicht erbeuten könnte.

Dies und zahllose andere Beispiele öffnen dem Menschen der Urzeit die

Augen. Er begreift, daß es leichter ist, Feuer zu entfachen, wenn einer das Holz reibt, der andere das Brett hält, der dritte mit Gras und Zunder nachhilft, der vierte mit vorsichtigem Atem in das erste Glimmen bläst. Er versteht, daß Raubtiere sich an die Horden weniger wagen als an den einzelnen Jäger. Er spürt, daß er die kalten Nächte des Winters leichter übersteht, wenn er seinen nackten Körper an die nackten Körper anderer Menschen schmiegt und sich mit ihnen gemeinsam erwärmt. Gemeinsame Verteidigung, gemeinsames Jagen beweisen die Abhängigkeit jedes einzelnen von den vielen anderen.

Notwendigerweise wird der gemeinsam errungene Erfolg gemeinsamer Vorteil: Die erlegte Beute gehört allen und niemals einem einzelnen. Der Baum bietet seine Früchte jedem, der danach greift. Die Vorstellung vom ausschließlichen Eigentum des einzelnen ist noch nicht erdacht, ist noch nicht möglich, ist noch nicht nötig.
Mag sein, daß ein erfolgreicher Jäger sich mit den Zähnen des von ihm erbeuteten Tieres schmückt. Vielleicht legt er eine besonders schöne Muschel an seinen Hals oder an den der Geliebten. Vielleicht beansprucht er einen derben Knüttel oder einen Stock, mit dem er einen Sieg erkämpft hat, für sich allein. Wenn es so ist, so bleiben doch alle diese Dinge ohne wirtschaftlichen Wert. Und vermutlich steht nicht einmal der Besitz eines Mannes oder einer Frau oder gar eines Kindes dem einzelnen zu: Man lebt höchstwahrscheinlich in der Gruppenehe. Die Frau ist die Gebärerin der Kinder, der Bruder der Frau der Beschützer dieser Kinder. Einen Vater „gibt" es nicht. Niemand vermag ihn sich vorzustellen. Niemand hat einen Begriff von der Möglichkeit einer Zeugung, erst recht keine Vorstellung davon, daß ein bestimmtes Kind zu einem bestimmten Manne gehört. Wenn und soweit sich also überhaupt schon in der Frühzeit eine gesellschaftliche Gliederung aufbaut, dann ist sie von der Mutter bestimmt. Deutlich wird dies alles allerdings erst Jahrtausende später, als die Mutter bewußt in den Mittelpunkt der Horde, der Sippe, des Stammes rückt und ihr eine Ordnung verleiht, die folgerichtig ein „Mutterrecht" ist.
Natürlich hat man sich über die Form des Zusammenlebens der Menschen der Urzeit und der frühen Altsteinzeit Vorstellungen gemacht. Man hat diesen Zuständen gern den Namen „Kommunismus" gegeben. Jedoch verstehen wir im allgemeinen unter Kommunismus eine bestimmte Form des Wirtschaftens — gerade eben die „Wirtschaft" liegt dem Menschen der Urzeit völlig fern. Er wirtschaftet nicht — er gewinnt und er verzehrt. Alles andere liegt jenseits seiner Vorstellungen und seiner Interessen. Die Geschenke der Natur sind zu allen Jahreszeiten reich genug und lassen eine Vorsorge für die Zukunft überflüssig erscheinen. Und überflüssig ist auch jede persönliche Aneignung.
Diese Verhältnisse ändern sich erst, als die Bevölkerung so weit anwächst, daß sie nicht mehr durch die Jagdbeute ernährt werden kann. Jetzt muß der Mensch umdenken, umlernen. Er wird zum Bauern und

zum Hirten. Er züchtet aus Wildgräsern das Getreide und zähmt die geeigneten Tiere — zunächst sind es Schafe und Ziegen, erst seit etwa dem vierten Jahrtausend vor Christus Rinder.

Solange die Bevölkerung der Erde noch von der Jagd lebt, ist sie an Grund und Boden nicht interessiert. Was soll der Mensch mit ihm anfangen? Das ändert sich auch nicht gleich, wenn der Mensch Pflanzer und Viehzüchter wird und als Hirte oder Bauer lebt. Die Nutzung der Weiden und Äcker steht allen — Menschen wie Tieren — frei. Der Boden ist in der Welt im Überfluß vorhanden. Wer davon ein Stückchen in Kultur nimmt, wer es urbar macht, wer sich ein paar Bäume oder Gemüsepflanzen setzt, will ernten — nichts weiter als ernten. Wer den Acker gepflügt hat, der besitzt seine Frucht. Vom Eigentum am Acker selbst ist keine Rede, er gehört keinem Menschen. Diese Überlegung führt dann irgendwann zu der Folgerung: Er ist Eigentum der Götter! Und nun gibt es also auch einen Rechtsgrund, der die Aneignung durch einen Menschen verbietet.

Darf man das Kommunismus nennen? Die Frage ist schwer zu beantworten. Das Wort kommt vom lateinischen „communis" und bedeutet „gemeinsam". Darum ist für uns Kommunismus jede Gesellschafts- und Wirtschaftsform, in der es nach Abschaffung der Standes- und Klassenunterschiede kein Privateigentum mehr gibt und bei der alle Menschen an allen materiellen oder geistigen Gütern den gleichen Anteil haben. Damit ist deutlich gemacht, daß jener „Kommunismus" der Vorzeit eine Wirtschafts- und Rechtsform ist, die wir mit unseren Verhältnissen in beinahe keiner Beziehung gleichsetzen können. Wenn Grund und Boden außerhalb jeglichen menschlichen Eigentums stehen, kann es Gegensätze zwischen dem Eigentümer einer Sache und dem Nichteigentümer nicht geben. Das Spannungsverhältnis existiert nicht.

Alle Jobeljahre einmal ...

Die wohl umfassendsten und grundsätzlichsten Bestimmungen über das Gemeineigentum an Grund und Boden bringt das Alte Testament im 3. Buch Mose, dem sogenannten Leviticus. Hier wird Gott selbst die Bestimmung zugeschrieben, daß alle sieben Jahre die Eigentümer von Weinbergen, von Getreidefeldern oder von Herden den „Großen Sabbat des Herrn" feiern sollen. Das bedeutet zunächst gewiß ein religiöses Ereignis, das in den letzten Ursachen auf astrologische Vorstellungen von den sieben Planeten zurückweist. Aber es führt zu einer sozialen Folgerung, die beispiellos ist: Die Erträgnisse der Land- und Viehwirtschaft müssen den Knechten, den Mägden, den Tagelöhnern, den Beisassen oder sogar den Fremden überlassen werden.

Unverkennbar werden hier die — vermeintlichen — Erinnerungen an ein Goldenes Zeitalter lebendig, in dem es noch keine Unterschiede in

Besitz und Eigentum gibt. Alle sieben Jahre wird dieser Zustand auf den Befehl Gottes wieder hergestellt — für die Dauer eines Jahres. Für die gleiche Zeit rührt sich im Weinberg und auf dem Acker keine Hand. Alles soll wachsen, wie es will. Also auch der Acker feiert sein Sabbatjahr.

In den Berichten spiegelt sich nicht allein die eigene Lebenswelt der Israeliten, sondern die seit Jahrtausenden von Mund zu Mund weitergesprochene Erinnerung an das Leben und Brauchtum jener Hebräer wider, die im Anfang des 2. Jahrtausends v. Ch. als „Chabiru" oder „Hapiri" aus Mesopotamien nach Palästina drängten, dort zunächst jahrhundertelang als Nomaden lebten und schließlich als Siedler Fuß faßten. Nicht nur die Bibel, sondern auch die in den mesopotamischen Städten Nuzi und Mari von den Archäologen ausgegrabenen Dokumente wissen von ihnen.

Um 1000 v. Chr. zeichnen die Israeliten in den Fünf Büchern Mosis ihre eigene Geschichte im Zusammenhang mit den Offenbarungen Gottes auf. Die Gesetze aus der Vergangenheit, für die es keine Aufzeichnungen gibt, gelten als von Gott selbst verkündet und befohlen. Diese Charakterisierung erweist zugleich das hohe Alter der beschriebenen Einrichtungen, Gesetze und Bräuche. Sie stammen, wie man im deutschen Rechtssprachgebrauch sagen würde, aus „vordenklicher" Zeit. Darum gelten sie auch als heilig.

Besonders bemerkenswert ist eine religiöse Einrichtung, die ihrem Wesen nach zweifellos in die Zeit der ersten Eigentumsbildung zurückführt. Sie gibt dem Enteigneten, das heißt demjenigen, der irgendwann in den letzten fünfzig Jahren zum Verkauf seines Landes gezwungen war, das Verlorene wieder zurück. Zu diesem bedeutsamen Zweck wird das Jahr, das siebenmalsieben Großen Sabbatjahren folgt, als Jobeljahr gefeiert. Diesen Namen erhält es nach dem jobel, dem „Lärmhorn", der Posaune, die am zehnten Tage des siebenten Monats, also am Versöhnungstage, zu dem großen Ereignis ruft. Die Posaunenstöße sind dabei zugleich das Zeichen dafür, „daß jedermann zu seinem alten Eigentum komme".

Dabei ist dieser Begriff weit auszulegen. Er meint auch das Eigentum, das der Mensch an sich selbst hat. Wer sich also in den verflossenen fünfzig Jahren irgendwann als Knecht verkaufte, weil er etwa seine Schulden nicht bezahlen konnte, muß jetzt wieder freigelassen werden. Eine Entschädigung braucht er nicht zu bezahlen. Der Grundbesitz der Familie, der ja doch ursprünglich Eigentum Gottes war und dies noch immer ist, also nur als eine Art Erblehen von Gott übernommen und an Dritte weiter übertragen werden kann, muß an den früheren „Eigentümer" zurückgegeben werden, sofern dieser ihn irgendwann aus Not oder Verarmung veräußert hat. Ausgenommen sind allein Häuser in ummauerten Städten und Äcker, die im Besitz des Heiligtums stehen. Bei diesen versteht sich die Sonderregelung von selbst: Sie liegen ja in der

Hand der Priester, die das Vermögen des wirklichen Eigentümers Gott verwalten.

Das Jobeljahr hat also, wie es scheint, eine doppelte Aufgabe: Es soll die Ansammlung großer Reichtümer in einer Hand verhindern. Und gleichzeitig soll es der Verarmung entgegenwirken. Damit zielt es hin auf Wiederherstellung jener Gleichheit, wie sie zu der Zeit bestand, als jeder so viel Land an sich nahm, wie er beackern konnte.

In dieser Sicht erscheinen die Anordnungen des Leviticus, die vor dreitausend Jahren zum ersten Male niedergeschrieben wurden, beinahe modern. Es liegt auf der Hand, daß sie zu ständig wechselnden Bewertungen insbesondere der landwirtschaftlichen Betriebe führen. Denn ein Acker, den der Erwerber im ersten Jahr des Fünfzigjahrabschnittes erwirbt, wird ihm verständlicherweise sehr viel mehr wert sein als ein Acker, den er erst gegen Auslaufen der Zeit kauft und darum nur für kurze Zeit nutzen kann.

Dieser Folgerung können sich schon die Israeliten der frühen Antike nicht verschließen. Und damit kommen sie zu einer Einrichtung, die heute wieder zur Diskussion steht: Sie führen eine gleitende Preisskala ein. Wieder spricht Gott selbst zu Mose: „Nach der langen Anzahl der Jahre sollst du das Kaufgeld steigern, und nach der kurzen Anzahl der Jahre sollst du den Kaufpreis verringern. Denn der Käufer soll dir das Land nach dem, was es tragen kann, verkaufen." Mit anderen Worten: Der Erfinder dieser Regelung hat sich die Folgen überdacht, die ein Verkauf auf Zeit nach sich ziehen muß. Nach Ablauf dieser Frist muß der Erwerber das Land herausrücken, der Veräußerer kann die Rückgängigmachung des Kaufgeschäfts ohne Rückentschädigung verlangen. Sinngemäß steigert sich oder mindert sich der Nutzungswert des erworbenen Ackers. Darum müssen die Verkäufer die Höhe des Kaufpreises dieser Sachlage anpassen: „So übervorteile nur keiner seinen Nächsten ... Darum sollt ihr das Land nicht verkaufen für immer; denn das Land ist mein!"

Nirgends finden wir allerdings den geringsten Hinweis, daß das Jobeljahr im Sinne der hier zitierten Befehle Gottes auch tatsächlich gefeiert wurde. Es ist ein Ideal, nicht soziale Realität.

Besonders ins Auge springen die Verhältnisse im alten Griechenland. Dort feiert schon Platon, neben Aristoteles der größte Philosoph des Altertums, den Kommunismus in seinem Buch über den „Staat". Der Sohn eines athenischen Aristokraten und einer Mutter, die sich der Verwandtschaft mit den Nachkommen Solons rühmen darf, stellt den kommunistischen Staat als das Staatsideal überhaupt hin und sieht in ihm die griechische Staatsidee verwirklicht. Bald aber kommen ihm Bedenken, und er macht Einschränkungen: Nicht die volle, sondern nur eine teilweise verwirklichte Gütergemeinschaft soll in dieser Republik herrschen.

Platons Lehren bleiben unvergessen — noch zur Zeit der großen Französischen Revolution klingen sie nach. Dabei steckt er selbst in seinem

Alterswerk „Nomoi" — es behandelt die Anlage einer Stadt — weit zurück. In ihm gibt es Privateigentum ebensosehr wie die Ehe. Da man zwölf Götter verehrt, müssen Stadt und Land in zwölf Teile zerlegt werden. Bei schlechtem Boden sind diese größer, bei gutem Boden kleiner. So darf sich kein Gott beklagen, jeder wird gerecht behandelt. Aus den Teilen werden 5040 Landlose gebildet und jedes einzelne davon wird nochmals in zwei Abschnitte geteilt. Eines liegt in der Nähe der Stadt, das andere weiter entfernt. Schließlich werden auch die Männer in zwölf Gruppen geteilt. An sie erfolgt die Verlosung: „Und sodann soll man zwölf Lose für die Götter mischen und den einem jeden Gott durch das Los zufallenden Teil nach ihm benennen." Damit ist der Grundbesitz in die Hände der göttlichen Ureigentümer zurückgelegt.

Platon hat dafür augenscheinlich zwei Gründe. Zunächst bestätigt diese Ordnung den Göttern ihr eigenstes Recht. Dann aber setzt es die Götter in den Stand, zu gehöriger Zeit eine Neuverteilung der Bodenbenutzung vorzunehmen. Es gibt mehrere Zeugnisse, die auf solchen Brauch hinweisen. So berichtet Aristoteles von Agrarreformen im 6. Jahrhundert v. Chr.: In Attika fordern die von Schuldzinsen bedrückten Bauern von dem „weisen Solon" eine Neuaufteilung des Bodens. Er erkennt die Schwierigkeiten und zieht sich durch gesetzliche Entschuldungsaktionen und Beschränkungen des Bodenerwerbs aus der Klemme.

Hundert Jahre später verlangen nach einem Bericht des Geschichtsschreibers Thukydides die Bauern von Leontinoi im griechisch besiedelten Sizilien ebenfalls eine Neuaufteilung des Bodens. Man stellt Forderungen, die sich aus dem alten Recht der Götter ergeben. Diese fordern durch Menschenmund das gleiche, was Jahwe dem Mose mit der Einrichtung des Jobeljahres aufgetragen hatte. Die alten ungeschriebenen Satzungen der Frühzeit sind weder hier noch in Kanaan, in Indien oder sonst irgendwo auf der Erde vergessen. Und wie ernst die Götter es mit ihnen meinen, zeigt sich besonders in Ägypten, wo die von den Göttern gesandte Nilüberschwemmung alljährlich die Grenzmarkierungen verwischt und eine regelmäßige Neuaufteilung notwendig macht.

Es scheint also überall auf der Erde die gleiche Geschichte zu sein. Wie wir bei dem Geographen Strabon lesen, der von 63 v. Chr. bis 20 n. Chr. lebt, verlosen die Dalmatier ihr Land alle acht Jahre. Die Saccaci in Spanien machen es hingegen wie die Ägypter und verteilen den Ackerboden jedes Jahr von neuem.

Besonders eindrucksvoll ist der Bericht des griechischen Geschichtsschreibers Diodor, eines Sizilianers. Er weist wiederum auf den Beginn des 6. Jahrhunderts v. Chr. zurück: Damals verlassen Griechen vom Stamme der Dorer die Inseln Knidos und Rhodos. Sie segeln hinüber zu den Ligurischen Inseln, werden dort freundlich aufgenommen und schließen mit der Bevölkerung einen Staatsvertrag über die Teilung des Landes. Was sich dann ereignet, gleicht den uns bekannten Vorgängen in der Frühzeit fast auf ein Haar: Man verwaltet den Besitz und hält die Mahlzeiten gemeinsam, „schließlich teilten sie alle Inseln für den Zeitraum von jeweils zwanzig Jahren auf und nahmen nach Ablauf dieser Frist jeweils eine Neuverteilung vor".

Im 4. Jahrhundert v. Chr. macht sich Aristoteles, der Lehrer Alexanders des Großen, im dritten Buch seiner „Politik" Gedanken über den einzelnen Menschen in seinem Verhältnis zur Gruppe. Der Autor gelangt zu dem Ergebnis, daß der einzelne der Gemeinschaft unterlegen ist. Also sagt er: „Die Ansicht, es sei immer noch besser, wenn die Menge den Ausschlag gebe als die Minderzahl der Vornehmen, scheint sich als letzte Folgerung zu ergeben. Denn da es viele sind, so kann jeder einen Teil an Tüchtigkeit und Klugheit besitzen, und die Menge kann, wenn sie sich versammelt hat, gewissermaßen einen einzelnen Mensch bilden mit vielen Armen und Beinen und einem vielfachen Wahrnehmungsvermögen."

Diese Anschauungen bleiben nicht auf Hellas beschränkt. Durch die Waffentaten Alexanders werden sie nach Asien und Afrika getragen. Unter der Regierung der Ptolemäer wurzelt griechisches Denken in Ägypten ein. An der Universität von Alexandria lehren israelitische Philosophen und lernen israelitische Studierende an der Seite von Römern, Persern, Galliern, Syrern. So fließen die Anschauungen von Ost und West, von Nord und Süd, von Semiten und Indogermanen ineinander und befruchten sich gegenseitig.

Besonders die Römer machen sich Gedanken über die Ungerechtigkeiten in der Besitzverteilung. Als geradezu revolutionär erweisen sich die Bestrebungen zweier Volkstribunen, der Gracchen.

Rom zwischen Reform und Umsturz

Man zählt das Jahr 133 v. Chr. Das Römische Weltreich formt sich. Italien, Spanien, Portugal, Griechenland und das heutige Tunesien sind bereits von den ehrgeizigen Bauernkriegern der emporstrebenden Stadt in der Mitte der italienischen Halbinsel erobert worden. Nun wollen sie auch in Kleinasien Fuß fassen.

Der Reichtum der Unterworfenen fließt nach Rom. Sie zahlen Tribut. Sie liefern Sklaven. Sie müssen den Siegern ihren Grund und Boden als staatliches Eigentum überlassen. Die Schatzkammern der Stadt und der Bürger füllen sich mit gemünztem Metall und stoßen eine Gesellschaft, die gesund und solide auf Landwirtschaft und spärlichen Handel aufgebaut ist, Hals über Kopf in die arbeitsteilige Geldwirtschaft. Nur wenige verstehen es, mit den glänzenden Metallscheiben aus Gold oder Silber umzugehen und ihr Eigentum zu mehren. Schnell entwickelt sich eine Kapitalistenklasse, die eng mit dem alten Grundadel verbunden ist. Man nennt die herrschende Schicht die Optimaten, die „Besten".

Kriegsgefangene werden zu Spottpreisen als Sklaven verkauft. Gewerbliche Großbetriebe entstehen, die billig produzieren können und den herkömmlichen Handwerksbetrieb ruinieren. Der Staat sucht seinen toten Besitz, die gewaltigen Ländereien rings um das Mittelmeer, nutzbar zu machen. Er verpachtet sie preiswert. Doch nur wer über Geld und Sklaven verfügt, vermag die Möglichkeiten zu nutzen. Auch in der Landwirtschaft verdrängt der Großbetrieb die kleineren und mittleren Betriebe, die bis dahin das wirtschaftliche Rückgrat Roms waren.

Nur der Großbetrieb kann rationell arbeiten. Ein Gutsherr nach dem andern geht dazu über, den Boden intensiv zu bestellen. Oliven und Wein werden bevorzugt angebaut, das Getreide wird vernachlässigt. Denn riesige Weizenmengen kommen aus Sizilien und Nordafrika konkurrenzlos auf den römischen Markt. Der kleine Landwirt verarmt und verkauft seinen Besitz. Er gliedert sich ins mittellose städtische Proletariat ein, das ohne richtige Arbeit und ohne regelmäßiges Einkommen in den Straßen der werdenden Weltstadt herumlungert und sich mit Hilfe der öffentlichen Weizenverteilung über Wasser hält. Seine einzige Bedeutung für die Allgemeinheit, so sehen es die herrschenden Schichten, liegt in der Zeugung von Nachkommen, von proles, wie es im lateinischen heißt. Daher kommt der Begriff Proletarier.

Auf diesem Weg schwindet die Substanz des römischen Heeres. Ein Mann ohne Grundbesitz gilt nicht als vollwertiger Bürger und braucht nicht zu dienen. Wenn Rom sein Reich halten oder gar noch vergrößern will, muß es in Zukunft auf Söldnerheere und Bündnispartner zurückgreifen, sein Schicksal fremden Händen anvertrauen (und so den Keim zu dem späteren Untergang legen). Aber das gefällt insbesondere den konservativen Kreisen nicht, die auf die Pflege des Herkömmlichen und der alten Bräuche Wert legen. Und sie finden überraschend Bundesgenossen auf der „Linken", wie man heute sagen würde: bei fortschrittlich denkenden jungen Bürgern. Ihr Wortführer ist der begabte Tiberius Gracchus, ein Enkel des Eroberers von Nordafrika, 29 Jahre alt. Er läßt sich zum Volkstribunen wählen.

Die zehn Volkstribunen sind Sonderbeamte zum Schutz der Bevölkerung gegen Willkürakte der vom Adel beherrschten Stadtverwaltung. Sie werden jeweils für ein Jahr gewählt. Jeder von ihnen hat ein Einspruchsrecht gegen Amtshandlungen seiner Kollegen oder der Verwaltung, aber auch gegen die Beschlüsse des Senats und der Volksversammlungen. Ihre Person genießt erhöhten Rechtsschutz.

Tiberius Gracchus bringt sofort ein Gesetz ein, das die schrankenlose Aushändigung des öffentlichen Grund und Bodens an die Reichen stoppen soll. Eine Bodenreform wird angekündigt. Niemand darf künftig mehr als 500 Morgen staatlichen Landes bewirtschaften, wobei zwei erwachsenen Söhnen noch toleranterweise je weitere 250 Morgen zugebilligt werden. Obendrein ist für die bisherigen Besitzer eine Entschädigung aus der Staatskasse vorgesehen.

Jeder arm gewordene Bauer aber soll 30 Morgen geschenkt erhalten, allerdings mit der Auflage, sie nicht wieder verkaufen zu dürfen. Der Senat, der Rat der Alten, zögert. Die Optimaten versuchen, das Gesetz zu Fall zu bringen. Tiberius Gracchus wendet sich ans Volk. Er ist ein glänzender Redner. Plutarch, der erste große Biograph der Weltgeschichte, hat eine seiner Reden überliefert:

„Die wilden Tiere Italiens haben ihre Höhlen und Lager, aber den Bürgern, die für Italien kämpfen und bluten, ist nichts geblieben als die Luft und das Licht. Heimatlos irren sie umher mit Weib und Kind in dem von unseren Vätern eroberten, von den Söhnen verteidigten Land. Sind es nicht eitel Lügen, wenn die Feldherrn unsere Krieger beim Beginn des Kampfes ermahnen, die Gräber ihrer Ahnen und die Altäre ihrer Häuser zu beschützen? Wer hat noch Hausaltar und Ahnengrab? Sie kämpfen und sterben für die Üppigkeit und den Reichtum anderer. Sie heißen Herren der Welt und haben nicht eine Scholle zu eigen!"

Doch die Hoffnung, die Gegner werden die Segel streichen, erweist sich als trügerisch. Den Senatoren gelingt es, einen Volkstribunen, einen gewissen Octavius, zum Einschreiten zu bewegen. Das Gesetz wird blokkiert. Tiberius Gracchus beschwört den früheren Freund mit Tränen, den Einspruch zurückzuziehen — vergebens. Der Sieg, den die Reformer schon in den Händen wähnten, scheint zerronnen.

Da geschieht etwas bis dahin ungeheuerliches. Der Gracche verlangt vom Volk, es möge Octavius absetzen. Noch nie ist so etwas geschehen. Volkstribunen gelten als unabsetzbar. Die Volksversammlung folgt einmütig dem zielstrebigen jungen Politiker, der damit die ersten Schritte vom Reformator zum Revolutionär geht. Er peitscht seine Bodenreform doch noch durch. Eine Dreier-Kommission beginnt mit der Verteilung des Staatslandes an die kleinen Leute. Dann ist die einjährige Amtszeit des Volkstribunen abgelaufen. Die rechtliche Unverletzlichkeit, die Immunität erlischt.

Die Gegner frohlocken. Sie wollen Tiberius Gracchus wegen Verfassungsbruchs vors Gericht zerren. Nur ein weiterer Vorstoß gegen die Überlieferungen kann ihn retten: Er will sich den geltenden Bestimmungen zum Trotz ein zweites Mal zum Volkstribunen wählen lassen. Das bringt ihm den Tod. Bevor das Volk entscheiden kann, greifen die aufgebrachten Senatoren zur Selbsthilfe. Mit Knütteln und Stuhlbeinen bewaffnet, mischen sie sich unter die Menge, die ängstlich zurückweicht und untätig zuläßt, daß Tiberius und sein Gefolge wie räudige Hunde erschlagen werden.

Der Senat verkündet den Staatsnotstand, amnestiert die Mörder und geht gegen die engsten Anhänger des Gracchus, soweit sie noch am Leben sind, mit Gesetzesstrenge vor. Etwa 300 finden den Untergang. Die Bodenreform selbst aber wagt man nicht anzutasten. 76 000 neue Bauernstellen entstehen im Laufe der nächsten Jahre. Schließlich jedoch finden die Optimaten wieder eine Möglichkeit zur Sabotage.

Nicht nur die Römer, sondern auch die Bürger der anderen italienischen Städte, die sogenannten Bundesgenossen, haben ursprünglich Staatsland in Besitz nehmen können. Nach den Reformgesetzen bleiben sie davon ausgesperrt. Sie murren. Das Gefüge des Römischen Reiches droht ins Wanken zu geraten. Der Senat dramatisiert diese Gefahr und sieht in ihr die willkommene Gelegenheit, die Befugnisse der Verteilungskommission auf dem Verwaltungswege zu beschränken und ihre Tätigkeit lahmzulegen.

Die Volkspartei wählt daraufhin im Jahre 123 v. Chr. Gajus Gracchus, den jüngeren Bruder des Ermordeten, zum Volkstribunen. Er versucht, den Stier bei den Hörnern zu packen und den Bundesgenossen das volle römische Bürgerrecht zu erteilen. Schon weichen die Gegner zurück.

Gajus gilt als wahrer Herrscher der Stadt auf den sieben Hügeln. Da bahnt sich ein Umschwung an. Sein Vorstoß im Sinne der Bundesgenossen kostet dem Gracchen die Gunst der Massen. So arm und ohnmächtig sie auch sind, das kaum mehr als papierene Vorrecht, Bürger Roms zu sein, wollen sie niemandem sonst gönnen. Und als dann noch ein Konkurrent des Volkstribunen auftritt, der den Eigentümern der neuen Bauernstellen das Recht verheißt, ihre 30 Morgen Land künftig verpfänden oder veräußern zu können (womit der Bodenreform ihr eigentlicher Sinn genommen wird), verliert Gajus den letzten öffentlichen Einfluß.

Wieder kommt es zu Unruhen. Der jüngere Gracche ruft seine Gefolgsleute zum Widerstand auf und tut ein übriges: Er appelliert an die Zehntausende von unterdrückten Sklaven, sich ihm anzuschließen und sich die Freiheit mit Waffengewalt zu erkämpfen. Doch er bleibt ohne Erfolg. Auf der Flucht vor den Verfolgern läßt er sich in auswegloser Lage von seinem Leibsklaven töten. Die Optimaten wiegen dem Überbringer den Kopf des Toten in Gold auf. 3000 Mitstreiter werden hingerichtet.

Ans Kreuz geschlagen

Nicht nur Geld und Gold strömen aus den besiegten und eroberten Provinzen nach Rom, vor allem kommen Sklaven im Überfluß. Die Bewohner volkreicher Städte werden oftmals geschlossen als Kriegsgefangene an den Tiber geführt — Männer, Frauen und Kinder. Angebot und Nachfrage bilden selbstredend schon bei den alten Römern den Preis. Die Ware Mensch ist damals so billig wie nie — billig auch der Wert des Menschenlebens.

Noch um 200 v. Chr. galt als wohlhabend, wer mehr als einen Sklaven besaß. Und obgleich der Eigentümer eines Sklaven diesen behandeln konnte wie ein Stück Möbel oder wie ein Pferd, obgleich er ihn, stand ihm der Sinn danach, auch bedenkenlos töten konnte — er tat es nicht. Denn Sklaven waren rar. Nun aber, hundert Jahre später, wird es geradezu alltäglich, kranke oder unbotmäßige Sklaven in öffentlichen Vorstellungen im Amphitheater wilden Tieren vorzuwerfen, sie auszupeitschen, zu entmannen, zu blenden, zu ertränken oder, mit Pech bestrichen, als lebende Fackel zu verbrennen.

Natürlich bleibt die Mehrzahl dieser Unglücklichen von solcher Unbill bewahrt, vor allem, soweit sie im Haushalt ihrer Herren leben und sich

anzupassen verstehen. Weil viele von ihnen in ihrer Heimat, als sie noch
Freie waren, den vornehmen Schichten angehört haben und oftmals über
hohe Bildung verfügen, gelingt es ihnen, auf ihre Eigentümer persönlichen Einfluß zu gewinnen, als Berater tätig zu sein und sich ein, wenn
auch ungewisses und abhängiges, so doch behagliches Leben zu verschaffen. Besonders gilt das natürlich für junge und wohlgebaute Frauen,
die wenig zimperlich sind und sich den Wünschen ihrer männlichen Besitzer nicht nur gefügig zeigen, sondern ihnen noch entgegenkommen.
Weniger Glück hat dagegen das riesige Heer der Feld- und Arbeitssklaven auf den großen Gütern und in den großen Gewerbebetrieben.
Ihre Zahl beträgt allein in Rom selbst zeitweise an die 400 000. Sie leben ein freudloses Dasein, kahl und karg, der Willkür der Aufseher
ausgesetzt, in kasernenartigen Anlagen, den „Arbeitshäusern", zusam-
mengepfercht. Nie zuvor und nie nachher wieder in der menschlichen
Geschichte hat es derartige Massierungen von Sklaven gegeben — sehen
wir von den Konzentrations- und Arbeitslagern moderner totalitärer
Staaten ab. Und diese Zusammenballung ruft unter den Sklaven des
2. und des 1. Jahrhunderts vor Christus erstmals auch das Gefühl der
Zusammengehörigkeit und der eigenen Stärke wach. Es kommt zu einem
für die ganze Ära bezeichnenden Phänomen: den Sklavenkriegen.

Der erste große Sklavenaufstand bricht 135 v. Chr. auf Sizilien aus und
greift nach Griechenland über. Auch in Rom rührt sich der Aufruhr. Doch
während er hier rasch unterdrückt werden kann, wütet er auf Sizilien
vier Jahre lang. Es ist ein gewaltiger Aufschrei des Hasses der Unterdrückten gegen ihre Peiniger, der sich in grausamen Exzessen entlädt.
Ein „König" Eunus hat die Führung, ein Mann, der sich auf das Feuer-
schlucken und andere „übernatürliche" Dinge versteht. Aber auch das
Kriegshandwerk beherrscht er, denn er baut eine militärische Organisation auf, die die kriegserfahrenen Römertruppen in Atem hält.
Seinem Unternehmen ist allerdings ebensowenig Erfolg beschieden wie
den Aktionen seiner vielen Nachfolger in den nächsten Jahren und Jahr-
zehnten. Immer handelt es sich bei den Empörungen nur um einzelne
Impulse. Ein zielstrebiger Wille, ausgerichtet auf die Veränderung der
Gesellschaft, steht nicht dahinter. Nur ein einziger der späteren Auf-
stände übertrifft in seinen Ausmaßen diesen ersten und erschüttert das
Römische Reich. Er ist mit einem Namen verbunden, der in unserer
Epoche wieder revolutionären Klang und umstürzlerische Farbe erhalten sollte: Spartakus.
Spartakus, der aus Thrakien, dem östlichen Teil Griechenlands stammt,
wird in der Gladiatorenschule in Capua zum Fechtsklaven ausgebildet.
Fechtsklaven oder Gladiatoren dienen der Volksbelustigung. Sie haben
in öffentlichen Schaustellungen auf Leben und Tod miteinander zu
kämpfen. Je mehr Blut fließt, desto begeisterter johlt die Menge, die
dichtgedrängt und erregt die Ränge im weiten Rund der großen Are-
nen füllt. Hin und wieder hat ein tapferer Verlierer das zweifelhafte

Der Tod des Spartakus im dritten Sklavenkrieg gegen Rom, 71 v. Chr. (nach einer Darstellung im Besitz der Staatsbibliothek Berlin, Bildarchiv-Handke)

Glück, sich dem Todesstoß entziehen zu können, wenn die Zuschauer es lautstark verlangen; er lebt künftig als Krüppel fort. Auch die Sieger entgehen auf die Dauer ihrem Schicksal nicht. Sind die Wunden ausgeheilt, lauert der nächste Kampf. Ständig droht ein elendiger Tod.

Dem sprachgewandten Spartakus gelingt es im Jahre 73 v. Chr., 470 seiner Schicksalsgenossen zum Ausbruch aus ihrer Kaserne zu bewegen. Sie verstecken sich in den Hängen des Vesuvs, der damals als erloschen gilt, und schicken Sendboten ins Land. 60 000 Sklaven strömen herbei, vor allem Kelten und Germanen. Ein kampfkräftiges Heer entsteht, von waffengeübten Gladiatoren geführt, und bricht zum Stoß nach Norden auf. Das Ziel sind die von den Römern noch nicht unterworfenen Gebiete des heutigen Frankreichs und Deutschlands.
In mehreren Gefechten Sieger, treibt Spartakus die römischen Truppen vor sich her. Schon ist Oberitalien erreicht, der Weg freigekämpft, liegt die Freiheit greifbar nahe. Da erlahmt die Wucht der Sklavenstreitmacht. Längs der Vormarschstraßen lockt das Wohlleben, Schmuck und Frauen sind leicht erreichbare Beute. Den Luxus Roms gibt es jenseits der Alpen nicht. Immer mehr Heerhaufen kündigen dem Anführer den Gehorsam. Um die letzten zu halten, ist der Rebell gezwungen, zum Räuberhauptmann herabzusinken.
Der römische Feldherr Crassus stellt sich Spartakus mit frischen Verbänden entgegen. Die Sklaven weichen zurück. In Lukanien, im südlichen Italien, kommt es 71 v. Chr. zur Entscheidungsschlacht. Das Sklavenheer wird vernichtet. Spartakus fällt in vorderster Front. Die Überlebenden trifft das Strafgericht. Genau 6472 Gefangene werden entlang der Landstraße von Capua nach Rom ans Kreuz geschlagen.

Ebenfalls den Kreuztod erleidet kaum hundert Jahre danach im fernen Jerusalem ein Mann, dessen Lehre ihren späteren Siegeszug nicht zuletzt der Tatsache verdankt, daß gedemütigte und in den Staub getretene Sklaven sich in Scharen zu ihr bekennen: Jesus von Nazareth. Er lehrt, es sei leichter, daß ein Kamel durchs Nadelöhr gehe, als daß ein Reicher in den Himmel käme.
Vermutlich steht er der Sekte der Essener nahe. Aus den Dokumenten von Qumran wissen wir näheres über sie. Sie ist klein und ohne direkten Einfluß. Josephus, der jüdische Schriftsteller, gibt ihre Zahl mit 4000 an. Und er schreibt über die Essener:
„Ein Teil von ihnen beschäftigt sich mit Ackerbau, ein anderer mit Handwerken. Sie helfen und unterstützen sich gegenseitig ... Sie sind beinahe die einzigen Menschen, die aus Neigung und freiem Antrieb ohne Privateigentum leben. Märkte, Läden, Handwerksbetriebe können sie sich nicht vorstellen ... Keiner von ihnen besitzt ein Haus, das nicht tatsächlich Eigentum aller wäre. Die Vorräte, die sich darin befinden, gehören allen. Essen und Kleidung sind allen gemeinsam. Von dem, was sie am Tage durch ihre Arbeit verdient haben, behalten sie nichts für

sich. Alles legen sie in die gemeinsame Kasse und lassen es damit allen zugute kommen."

Was hier beschrieben wird, ist zweifellos Kommunismus. Aber es ist ein Kommunismus völlig anderer Art als der unserer Gegenwart, auch anderer Art, als ihn sich 1800 Jahre später Marx und Engels vorstellen werden. Denn er ist keineswegs Selbstzweck oder auch nur Ausdruck einer wirtschaftlichen Lebensauffassung. Sondern sein Zweck besteht darin, Mittel und Voraussetzung zu sein, daß der Mensch sich der Verinnerlichung und Selbstversenkung hingeben kann, frei von allen irdischen Leidenschaften und Begierden. Das heißt: Dieser Kommunismus stellt nicht eine Wirtschaftsform dar, sondern er ist Teil der Religion. Er dient den Menschen nicht bei ihren irdischen Möglichkeiten, Notwendigkeiten und Aufgaben, sondern er ist Voraussetzung für Gottesdienst und Gottesbegegnung.

„Trachtet zuerst nach dem Reich Gottes", mahnt Jesus. Um Sittlichkeit und Gottesdienst geht es, nicht um Güterproduktion und Güterverteilung. Kein Kommunist der Gegenwart kann sich also auf Jesus Christus berufen. Nicht im Dienst der sozialen Revolution legen die ersten Christen den beim Verkauf ihrer Häuser erzielten Erlös zu Füßen der Apostel, sondern weil sie dem Mitmenschen helfen wollen. Nicht äußerer Zwang bestimmt sie, sondern die sittliche Verpflichtung. Der Mensch denkt zwar „kommunistisch", jedoch wird er damit nicht Teil einer Produktions- und Verteilungsmaschinerie.

Um was es wirklich geht, zeigt die Geschichte von Ananias und Sapphira: Sie verkaufen ihren Acker. Aber nur einen Teil des Erlöses bringen sie den Aposteln. Dabei belügen sie Petrus, dies sei der ganze Erlös. Wegen dieser Unaufrichtigkeit müssen sie sterben — nicht darum, weil sie einen Teilbetrag der Verkaufssumme für sich behalten haben.

Immerhin, die Berichte zeigen übereinstimmend, daß die ersten christlichen Gemeinschaften auf kommunistischer Grundlage aufgebaut sind. Jeder legt seine Habe in die gleiche Kasse, und die Hände der Apostel geben jedem den gleichen Teil zu seinem Unterhalt. Gemeinschaftseigentum ist Ausdruck des Gehorsams gegen Gottes Gebot.

Hörige und Leibeigene

Christentum und Germanentum verbinden sich in der Folgezeit, um das römische Erbe zu übernehmen. So wird das Mittelalter heraufgeführt. Wer aber sind die Germanen und wie stehen sie zum Eigentum? Als erster berichtet über sie Pytheas von Massilia, der Stadt, die heute Marseille heißt. Um 350 v. Chr. bereist dieser Mann, Kaufmann und Gelehrter zugleich, die Küsten der Nord- und Ostsee. Wie wir später erfahren, leben damals in dieser Gegend die Stämme der Kimbern und Teutonen.

Die Germanen sind Teil der indogermanischen Völkergruppe und stammen möglicherweise wie die Kelten, Griechen, Balten, Italiker, Illyrier, Slawen, Iranier und Indo-Arier von einem gemeinsamen Urvolk ab. Lange Zeit nahm man als Herkunftsland der Indogermanen das Gebiet zwischen Aralsee und Hindukusch an. Später wurden Nord- und Mitteleuropa als Kernbereich angesehen. Neuerdings mehren sich wieder die Stimmen für eine asiatische Urheimat. Trotz großer Schwierigkeiten ist es den Vorgeschichtsforschern gelungen, die Heraufkunft dieser Völker aus dem Dunkel der Vergangenheit bis in die jüngere Steinzeit zurückzuverfolgen und ein einigermaßen zuverlässiges Bild von den Zuständen zu gewinnen, die gegen Ende des 3. Jahrtausends v. Chr. herrschten.

Grundlage der Wirtschaft ist zu dieser Zeit die Rinder- und Schafzucht. Das Pferd dient als Reittier. Daneben blüht der Ackerbau. Die Gesellschaftsordnung baut sich über einer vaterrechtlich organisierten Sippe auf, die sich zur Großsippe erweitert und im Stamm gipfelt. Der einzelne Mensch hat kein Eigentum an Grund und Boden. Dieser gehört der Gemeinschaft. Wohl aber gibt es ein Eigentum an der beweglichen Habe. Doch auch dieses ist beschränkt, denn der Unmündige ist rechtlich benachteiligt, er kann beispielsweise nicht erben.

Hier kündigen sich bereits jene Rechtsanschauungen an, die um 450 v. Chr. im römischen Zwölftafelgesetz fixiert werden: Der Vater ist der Eigentümer der unmündigen Kinder. Diesen fehlt jegliche Rechtspersönlichkeit. Sie sind nicht mehr als irgendeine Sache. Der Vater kann sie verschenken oder verkaufen, und wenn er dies tut, dann begibt er sich auf den Marktplatz und läßt das Kind dem Erwerber durch den „staatlich bestellten" Waagehalter zuwiegen: Der Waagehalter „erschüttert" mit einem Stück Kupfer die Waage und täuscht damit jenes Auf- oder Absinken der Waage vor, wie es bei jedem sonstigen Zuwiegen einer Ware eintritt.

Daß Menschen, die in dieser Weise Gegenstand von Kaufgeschäften sein können, nun selbst außerstande sind, Eigentum oder Erbschaften zu erwerben, versteht sich von allein.

Gegen Ende der jüngeren Steinzeit spalten sich die Germanen von den Indogermanen ab. Auf Grund der Bodenfunde liegt ihre Heimat in Südschweden, Schleswig-Holstein und Ostniedersachsen. Nach der folgenden Bronzezeit breiten sie sich bis zur Weichsel, zum Rhein und zur Donau aus. Sie bauen Weizen und Gerste, später Hafer und Roggen. Hirse, Flachs und verschiedene Gemüse an. Die Wirtschaft beruht vor allem auf der Viehzucht. Daneben findet sich der immer mehr Einfluß gewinnende Ackerbau.

In der Eisenzeit sind die Felder getrennt und durch Hochraine gegen den Nachbarn abgesichert. Das macht wahrscheinlich, daß sie Privateigentum sind. Für die weiter zurückliegende Vergangenheit haben wir mit Gemeinschaftseigentum zu rechnen. Deswegen erfolgt damals die Beisetzung der Toten noch in Massengräbern, während die um das Ende der jüngeren Steinzeit einwandernden Streitaxtleute ihre Toten einzeln unter Hügeln beerdigen und damit augenscheinlich einer Rechtsvorstellung folgen, die das Einzeleigentum an Grund und Boden kennt.

Der römische Geschichtsschreiber Cornelius Tacitus berichtet um 98 n. Chr.: „Über die Herkunft, die Lage, die Sitten und die Völker der Germanen". Unter „Germanien" versteht dieser Römer der Kaiserzeit das Land zwischen Donau, Rhein und Weichsel. Es gibt drei Stände: Freie, Halbfreie und Sklaven. Der Halbfreie ist zwar persönlich frei, aber er bleibt an die Scholle, auf der er geboren ist, gebunden. Er besitzt keine Freizügigkeit. Der Sklave dagegen ist eine Sache, mit der sein Eigentümer tun kann, was er will. Die Masse der Bevölkerung besteht aus Freien. Und es gibt auch einen Adel; doch er ist vorerst noch ohne rechtliche Sonderstellung.

Die höchste Gewalt liegt nicht beim Fürsten, nicht beim König, sondern bei der Landgemeinde. Unverkennbar klingt hier also die Erinnerung an einen „Kommunismus" der Vergangenheit an, der noch kein Grundeigentum des einzelnen kennt, sondern den gemeinsamen Lebensraum als Gemeinschaftseigentum — vielleicht auch als Eigentum der Götter — betrachtet und die Herrschaft über ihn einfach als Nutzung versteht.

Die gleichen Ideen stellen sich später in der Allmende dar. Man begegnet ihr heute noch im südwestlichen Deutschland und in der Schweiz. Sie besteht aus Acker, Wald und Wiese. Als Gemeingut der Gemeindegenossen wird sie grundsätzlich von allen gemeinsam bestellt und genützt. Der Ertrag kann aber auch geteilt werden. Oder es ist schließlich möglich, daß die Allmende von Jahr zu Jahr durch das Los aufgeteilt wird.

Jener von Tacitus erwähnte Zustand geminderter persönlicher Freiheit, der „Hörigkeit", der „Leibeigenschaft", der „Grundhörigkeit" oder Knechtschaft schlechthin, ist auch bei den Nachbarn der Germanen in Ost und West bekannt. Er wird in den folgenden zwei Jahrtausenden zur eigentlichen Ursache unzähliger Aufstände und Revolutionen, deren Erschütterungen des sozialen Gefüges bis in die Gegenwart hineinreichen.

Im Gegensatz zu den Sklaven sind die Hörigen keine rechtlosen Menschen, über die der Eigentümer wie eine Sache verfügt. Sie leben lediglich im Zustande verminderter Rechtsfähigkeit. Im 13. Jahrhundert gehören sie zur „Gewere" — zum Grundbesitz des Gutsherrn. Will sich der Leibeigene verheiraten, muß er die Erlaubnis dazu einholen. Frauen müssen in diesem Fall eine besondere Abgabe leisten. Wirtschaftsrechtlich kann der Leibeigene nicht Eigentümer der von ihm bewirtschafteten Äcker sein. Er hat sie in einer Art Erbpacht. Somit muß er Zinsen und Abgaben dafür leisten. Hinzu kommen noch Fron-, also Herrendienste.

Das Los ist oft schwer. Erst Ende des 18. und zu Beginn des 19. Jahrhunderts wird in Deutschland die Leibeigenschaft aufgehoben. In Rußland dauert es länger. Peter der Große bestimmt die persönliche Leibeigenschaft durch Gesetz und räumt dem Grundadel ein freies Verfügungsrecht über seine Bauern ein. Umgekehrt bekommen die Herren allerdings die Verpflichtung zur Ernährung und zum Unterhalt ihrer Leibeigenen auferlegt.

Der Bauer erhebt das Haupt

Immer wieder kommt es in den Ländern Europas zu Bauernunruhen und Wirren. Frankreich macht keine Ausnahme. Der Norden des Landes ist für besonders tiefgreifende Gegensätze bekannt. Die Edelleute sind rücksichtslos und despotisch. Der Bauer bleibt trotzdem duldsam und ergeben. „Jacques Bonhomme" heißt er darum bei den Herren, die sich über den „guten Kerl", den Tropf, den Simpel, lustig machen und seine Nöte nie recht ernst nehmen. Doch der Krug geht auch hier nur so lange zum Wasser, bis er bricht. Den ersten Stoß versetzt ihm ein Aufstand in Paris.

Dort empört sich Étienne Marcel, der Vorsteher der Kaufmannschaft, im Jahre 1356 auf der Ständeversammlung gegen den Mißbrauch der Macht durch das Königtum. Er fordert die Entlassung ungetreuer Beamter und eine aus den Ständen gebildete Aufsichtsbehörde über die Finanzen. Der Bischof von Laon unterstützt ihn. Und so gibt dann schließlich Kronprinz Karl, der für seinen von den Engländern gefangenen Vater die Regentschaft führt, nach.

Marcel glaubt, darin eine Schwäche des Königtums zu erkennen. Also fordert er weiter. Er verlangt eine Vermehrung der Freiheiten von Paris. Als der Thronfolger ablehnt, verbündet sich Marcel mit König Karl dem Bösen von Navarra. Er bewaffnet die Arbeiter und Handwerker, gibt ihnen blaurote Mützen, erkämpft mit ihnen die Herrschaft über die Stadt und ermordet zwei Marschälle vor den Augen des Kronprinzen. Am 31. Juli 1358 wird er dann selbst durch einen früheren Genossen, der zur anderen Seite übergelaufen ist, mit der Streitaxt erschlagen. Darauf unterwirft sich Paris.

Aber inzwischen haben sich die Bauern von Beauvais und Clermont erhoben. Jacques Bonhomme leiht ihnen seinen Spottnamen her. Als „Jacquerie" brechen sie gegen die Gutsherren los. Sie zerstören, zerschlagen, verbrennen Hunderte von Edelsitzen und ermorden die Eigentümer. Nach diesen Erfolgen breitet sich der Aufstand aus. Er greift über nach Brie, nach Soissonnais, nach Laonnais und an die Ufer der Oise und der Marne. Erst als die französischen Edelleute aus den benachbarten Provinzen ihren bedrängten Standesgenossen zur Hilfe eilen, gelingt es, den Bauernaufstand in Strömen von Blut zu ertränken.

Solche erregenden Beispiele bleiben selbstverständlich dem deutschen Bauern nicht verborgen. Schon bald nach den Unruhen in Frankreich kommt es auch im Reich zu Aufständen. Die Aufrührer tragen hier nicht die blaurote Mütze, sondern den „Bundschuh" als Abzeichen. Er ist ein flacher, grober Bauernschuh, der mit Riemen „drei Ellenbogen lang" um die Fesseln und Waden gebunden wird und damit das Zeichen der Armen ist, die sich kein besseres Schuhwerk leisten können.

Die Empörung des „Bundschuhs" richtet sich gegen die Grundherren, das sind Adel, Kirche und Klöster. Immer wieder haben diese die Abgaben und Fronden erhöht. Der Bauer wurde zum meist verachteten Glied der Gesellschaft. Die Mißachtung und die Zumutung ständig neuer Lasten empört ihn. Er blickt nach der Schweiz, wo es die Bauern verstanden haben, sich gegen den Adel durchzusetzen. Damit wächst sein Selbstbewußtsein. Jetzt lernt er, sich auf das Psalmwort zu berufen: „Der Herr richtet die Elenden auf, und die Gottlosen stößt er zu Boden."

Um 1438 verfaßt ein Geistlicher in Augsburg eine Schrift, die sogenannte Reformation des Kaisers Sigismund, und gibt den ein Jahr zuvor verstorbenen Herrscher als den Verfasser aus. Darin wird eine gar zu gern gehörte Stimme laut, jene Stimme, die sich gegen „die Gelehrten, die Weisen und die Gewaltigen" wendet und sich „der Kleinen" annimmt. Bei der Gemeinde der Kleinen ist Hoffnung auf Rettung. Die Gewaltigen setzen wider die „göttliche Ordnung".

In dieser Schrift, die also angeblich den Kaiser selber zum Verfasser hat, steht dann auch der Satz von der Arbeit des Bauern: „Ohne sie mag niemand bestehen!" Das sind Anschauungen, die man gut als einen frühen Sozialismus bezeichnen kann. Hans Rosenplüt, der Nürnberger Dichter um 1450, sieht nun die Arbeit gleichsam von einem Heiligenschein überstrahlt. Wer im Schweiß sein Antlitz netzt, dessen Seele wird geläutert, und die Schönheit dieser Seele reicht bis an den Himmel, wo Gott selbst um sie buhlt.

Im Jahre 1502 stellt der Bundschuh seine Satzung auf: „Wir wollen alle Joche der Leibeigenschaft zerbrechen und mit Waffen uns freien (befreien) weil wir (wie die) Schweizer sein wollen ... Alle Landesobrigkeit und Herrschaft wollen wir abtun und austilgen und wider dieselbe ziehen mit Heereskraft und mit gewehrter Hand; und alle, so uns nicht huldigen und schwören, soll man totschlagen. Niemals mehr wollen wir Obrigkeit über uns dulden und niemand Zins, Zehnt, Steuer, Zoll oder andere Bete (Abgabe) bezahlen, sondern uns alle dieser Beschwernisse auf ewig erledigen."

Fürsten und Edelleute sollen zuerst überfallen und ihre Burgen gebrochen werden, Domherren, Stifte und Abteien folgen. „Die wollen wir gewalten und austreiben und totschlagen samt allen Pfaffen und Mönchen. Ihre Güter wollen wir teilen ... Wasser, Wald und Heid, Wildbann, Vogeln, Birschen und Fischerei, so bisher von Fürsten und Herren und Pfaffen gebannt gewesen, sollen frei und offen und jedermann sein, so daß jeder Bauer holzen, jagen und fischen mag, wo und wann er will — allzeit und überall."

Ein Dutzend Jahre später bringt die liederliche und anspruchsvolle Lebenshaltung des jungen Herzogs Ulrich die Württemberger zur Verzweiflung. Bauern und Proletariat aus Stadt und Land sind empört. Sie erheben sich. Unter dem Namen des „Armen Konrad" rotten sie sich zusammen, um „der Gerechtigkeit und dem göttlichen Recht einen Beistand zu tun". Damit geben sie zugleich den Schicksalsgefährten in der Steiermark, in Kärnten und Krain das Zeichen zur Empörung.

Wie groß und tiefgreifend diese Bewegung ist, welchen Widerhall sie überall im Deutschen Reich findet und mit wie schwerer Besorgnis sie von den Staatsmännern betrachtet wird, das zeigt dann der Reichstag von Mainz im Jahre 1517. Er macht klar, daß man vor dem Ausbruch einer großen sozialen Revolution zittert. Man weiß, daß jede Unvorsichtigkeit zur Explosion treiben kann. Als Kaiser Maximilian gerade jetzt die Bewilligung einer neuen drückenden Abgabe fordert, verweigern die Reichsstände ihre Zustimmung. Warnend erinnern sie den Kaiser an die „Unruhigkeit des gemeinen Mannes in Stadt und Land". Sie machen dabei kein Hehl daraus, daß dieser in seinem „wütenden Gemüt" noch mehr gereizt werden könne, das zu tun, was ihm schon seit langem „im Herzen steckt". Also muß der Kaiser nachgeben.

Im gleichen Jahr schlägt Martin Luther seine fünfundneunzig Thesen „Über die Kraft des Ablasses" an die Tür der Schloßkirche von Wittenberg. Drei Jahre später schreibt er „Von der Freiheit eines Christenmenschen". Die gegen ihn geschleuderte Bannbulle des Papstes verbrennt er öffentlich.

Dann geht die Saat des Armen Konrad auf: Die Stühlinger Bauern reichen dem Kammergericht ihre Beschwerde über wirtschaftliche und soziale Notstände ein und berufen sich dabei auf das „alte Herkommen" und das „gemeine geschriebene Recht". Auch vergessen sie nicht, das „göttliche Recht" zu erwähnen. Empört rufen sie: „Man soll nit leiden, daß Gottes Wort also von diesen Säulen zertreten wird und zerrissen werden alle Bekenner Gottes von diesen Hunden!"

In Stuttgart ruft zu gleicher Zeit ein Pfarrer von der Kanzel nach den Jobeljahren Israels. Aus dem Alten Testament weiß er, daß sie dem Leibeigenen die Freiheit und dem Verarmten sein einst veräußertes Familienerbgut zurückversprachen.

Bauernkrieg in Deutschland

Auch auf die „Reformation Kaiser Sigismunds" berufen sich die Bauern. Jetzt wird sie zum Sturmsignal des Bauernkrieges. Dabei wandeln sich die „sozialistischen" Forderungen von damals gelegentlich unter der Hand und nehmen mehr und mehr ein kommunistisches Gepräge an.

In zwölf Artikeln legen die Bauern von Memmingen ihre Grundsätze fest: Den „Großen Zehnten" von Korn, Heu und Wein weiterhin zu leisten, sind sie bereit. Er soll dem Pfarrer und den Armen Unterhalt geben, zur Not weiterhin für Kriegslasten herhalten. Den „Kleinen Zehnten" vom Vieh aber lehnen sie ab: „Denn Gott, der Herr, hat das

Aufständischer Bauer — Holzschnitt von Murner, 1522 (zur Verfügung gestellt von der Staatsbibliothek Berlin, Bildarchiv-Handke)

Vieh frei für jeden Menschen geschaffen." Im dritten Artikel lehnen sie die Leibeigenschaft ab „in Hinsicht dessen, daß uns Christus mit seinem kostbaren Blut erlöst und erkauft hat". Weiterhin fordern sie freie Jagd, freien Bezug von Brenn- und Bauholz, Verbot neuer Fronden und Abgaben und Schutz gegen willkürliche Strafen.

Das alles klingt eher nach Reform als nach Revolution. Doch der Schein trügt. Denn zur gleichen Stunde, in der die „Zwölf Artikel" erscheinen, ist in Oberschwaben und an den südlichen Rändern des Schwarzwaldes die Revolution in ihrer offenen Form ausgebrochen. Einen Monat später erfaßt sie die Vogesen. Sie greift über nach Württemberg, Franken, Hessen und Thüringen. Sie beschränkt sich nicht auf die Bauern, sondern reißt auch die Handwerker mit. Kleine Landstädte und sogar Reichsstädte wie Rothenburg ob der Tauber schlagen sich auf die Seite der Bauern. Im Schwarzwald drohen die Bauernführer jedem Gegner mit dem „weltlichen Bann". Adel, Pfaffen und Mönche werden gezwungen, dem Bunde beizutreten. Die Grafen von Hohenlohe werden als „Bruder Georg und Albrecht" aufgefordert, die Bauern ebenfalls als „Brüder" zu halten: „Denn auch ihr seid nun nicht mehr Herren, sondern Bauern."

Und die Ansprüche wachsen weiter mit den Erfolgen. Sämtliche geistlichen Güter des Reiches sollen eingezogen, alle geistlichen Fürstentümer verweltlicht werden. Die weltlichen Herren mögen sich daraus bezahlt machen für die Verluste, die sie durch die Bauernbefreiung erlitten haben. Das klingt sehr nach dem Bemühen um einen rechtlichen und einen ökonomischen Ausgleich.

Indessen denkt man auf anderer Seite radikaler. Die Tiroler „Landesordnung" Michel Gaißmairs verlangt: „Alle Ringmauern an den Städten, desgleichen alle Schlösser und Befestigungen im Landes sollen niedergebrochen werden und hinfür nimmer Städte, sondern Dörfer sein, damit eine ganze Gleichheit im Lande sei." Eine ganze Gleichheit! Gaißmair ist Sekretär des Bischofs von Brixen. Er hat also sicher das Format, zu erkennen, daß solche Erfolge nicht von selbst kommen, sondern blutig erkämpft werden müssen. Darum fordert er von seinen Anhängern den Schwur, „alle gottlosen Menschen, die das ewige Wort Gottes verfolgen, den armen Mann beschweren und den gemeinen Schutz verhindern", auszurotten. Wie genau man ihn versteht, das lehrt eine Flugschrift, eine „Göttliche Schrift" an die Bauern. Sie fordert: „Blutsauger und Peiniger gehören in den Turm. Die Sturmglocken sollen läuten. Gott wird Gnade geben, daß der Schlachttag soll angehen über das gemästete Vieh, die ihre Herzen geweidet haben mit Wollust an des gemeinen Mannes Armut."

Nun kann auch Thomas Münzer, Prediger in Allstedt in Thüringen, fordern: „Man muß sie erwürgen wie die wütenden Hunde — die Veränderung der Welt steht vor der Tür!" Und den Mannsfelder Bergknappen ruft er zu: „Dran! Dran! Es ist Zeit! Die Bösewichter sind frei, verzagt wie die Hunde. Lasset euch nicht erbarmen ... Sie werden

euch freundlich bitten, greinen, flehen wie die Kinder ... Dran, dieweil das Feuer heiß ist. Lasset euer Schwert nicht kalt werden von Blut!"
Was er letztlich im Auge hat, das sagt er später in Mühlhausen: Es geht ihm um die Freiheit des Volkes. Unter Berufung auf die Bibel fordert er eine Neuverteilung der Güter und die Zerstörung jeden Reichtums und jeden Prunks bis zu dem zinnernen Geschirr an den Wänden, dem Kleinod, dem Silberwerk und dem baren Geld im Kasten. Von der Obrigkeit will Münzer nichts wissen — von keiner Obrigkeit. Staat, Kirche und Gesellschaft müssen gestürzt werden. Weg mit dem Eigentum!
Und nun ist der Bauernkrieg da. Schon im Februar 1525 zählt der „Baltinger Haufen" in Oberschwaben dreißigtausend Mann. Das Heer des Schwäbischen Bundes der Fürsten, Städte und Ritter ist schwach. Die Herren sind also gezwungen, mit den Aufständischen Verträge zu schließen. In Thüringen und im Harz brennen siebzig Klöster. Zahllose Schlösser werden in Trümmer geschlagen. Die Fürsten sind verzweifelt und hilflos. Sie wagen kaum noch Widerstand — gewiß vor Angst, gewiß auch im Bewußtsein der Schuld, der Reue und der frommen Ergebung in den sich hier so deutlich darbietenden Willen Gottes.
Weinsberg wird erobert. Der Graf von Helfenstein und seine Gattin mit ihrem Kinde auf dem Arm werfen sich den Siegern zu Füßen. Der Graf bietet ein Lösegeld von dreißigtausend Gulden an. „Und wenn du uns zwo Tonnen Goldes gäbest, so müßtest du doch sterben!" ist die Antwort. Verzweifelt wirft sich der Graf in die Spieße. Die Gräfin — eine Tochter Kaiser Maximilians — wird auf einen Mistkarren geworfen.
Der Ritter Götz von Berlichingen mit der eisernen Hand hat Vertrauen zu den Bauern und Sympathie zu ihrer Sache. Sie wählen ihn zum Führer. Er bringt sie nach Würzburg — und ohne Schwertstreich in die Stadt, deren Bürger die Bauern begrüßen, weil sie hoffen, nun selbst mit ihrer Hilfe zu reichsstädtischen Freiheiten zu kommen. Man schwört sich gegenseitig Treue und Standhaftigkeit.
Damit ist dann auch die Stunde gekommen, in der Luther Partei ergreift. Die Bauern schicken ihm ihre zwölf Artikel. Er antwortet mit einer „Ermahnung zum Frieden". Offen und rückhaltlos gibt er zu, daß manche Forderungen, die da gestellt werden, berechtigt seien. Die Fürsten müßten sich ändern und dem Wort Gottes weichen. Indessen macht Luther auch seine Vorbehalte. Die evangelische Freiheit dürfe nicht zum Schanddeckel unchristlichen Treibens werden. Von der Kanzel herab ruft er: „Es ist uns angeboren und steckt tief in uns, daß uns die Leute günstig sind. Wenn sie von uns abfallen, dann verdreußt es uns!" Im Grunde seines Herzens hat er viel Mitgefühl für die Bauern. Er stammt ja selbst aus dem Volk. Er „schaut ihm aufs Maul", wenn er die rechten Worte finden will. Er weiß um Härte und Ungerechtigkeit.
Indessen ändert sich diese Einstellung bald. Die Maßlosigkeiten und Grausamkeiten der Empörer erschrecken Luther. Der „Pöbel", der „Herr Omnes"* muß im Zügel gehalten werden. Er schreibt darum „Wider die

---
* Omnes, aus dem lateinischen: alle, jedermann.

räuberischen und mörderischen Bauern". Darin verlangt er: Jedermann müsse jetzt zum Schwert greifen, um die Mordpropheten und Rottengeister niederzuschlagen. Hundertmal solle ein frommer Christ den Tod erleiden, ehe er eine Haaresbreite in die Sache der Bauern willige. Die Obrigkeit dürfe kein Erbarmen zeigen. Die Zeit des Zornes und des Schwertes sei da. Bei dem Kampf gegen die Empörer gehe es um eine göttliche Pflicht; wer in diesem Dienst umkomme sei ein Märtyrer Christi.

Die Fürsten raffen sich auf. Bei Frankenhausen in Thüringen zerschlagen sie die Hauptmacht der Thüringer Bauern. Münzer wird gefangengenommen und stirbt unter dem Beil des Henkers. Auch in Württemberg, im Elsaß und in Lothringen werden die Bauernaufstände in grausigen Blutbädern erstickt. Der Schwäbische Bund und die Kurfürsten von der Pfalz und von Trier vernichten mit ihren Heeren die Revolutionäre. Über weitere Schlachten, die oft nur noch Schlächtereien sind, geht der unselige Bauernkrieg zu Ende. Zu Ende ist damit auch ein Kampf für vieles, das recht war und der Freiheit hätte dienen können, wenn es besser angefaßt worden wäre. Am Ende steht eine Bauernschaft, die nach ihrer furchtbaren Niederlage noch schwerer, noch härter unterdrückt werden kann. Deutschland ist tiefer als vorher in sich selbst gespalten. Jahrhundertelang wird die Lähmung, die es jetzt erleidet, anhalten. Generationen werden vergehen, ehe das Volk wieder daran denken kann, Gerechtigkeit, Sicherheit und Geborgenheit zu verlangen.

Karmat und Mazdak

Der deutsche Bauernkrieg hat nicht nur Vorläufer aufzuweisen wie die „Jacquerie" in Frankreich, sondern auch geistige Wegbereiter, vor allem in England und Böhmen. Zu ihnen zählen der englische Pfarrer John Wiclif (1320—1384) und der auf dem Konzil von Konstanz als Ketzer verbrannte böhmische Reformator Johannes Hus (1340—1415). Vor allem die Taboristen, die radikaleren Anhänger des Böhmen, haben versucht, die christlichen Lehren und die Bestrebungen des brüderlichen Teilens in Übereinklang zu bringen. Den an die großen Kirchen gebundenen Christen wird jeder Kommunismus jedoch zu einer Art Götzendienst, wird er Baalsdienst.

Nicht anders reagieren auf ihn die Mohammedaner, deren Glaube im Grunde ebenfalls auf dem Alten Testament der Juden fußt. Beide Weltreligionen, Christentum und Islam, verbindet eine tiefe Ablehnung des Materialismus, ob dieser nun das Gesicht des Kapitalismus oder des Kommunismus trägt. Weder des Herrgotts noch Allahs Reich sind von dieser Welt.

Um die sozialen Spannungen auszugleichen, von denen die irdische Wirklichkeit gekennzeichnet wird, entwickeln Christen und Moslems gleichermaßen Systeme des „öffentlichen Erbarmens". Die Rolle, welche diese Form der Nächstenliebe spielt, ist bekannt. Und bei den Mohammedanern gehört das Almosengeben an die Armen und Bedürftigen zu den fundamentalsten religiösen Pflichten. Dennoch kommt es auch im mohammedanischen Lager zu einem religiös begründeten Kommunismus. Er ist mit dem Namen Hamdan Karmat verknüpft.

Karmat lebt um 890 bei Kufa am Euphrat, im heutigen Irak. Seine Anhänger führen Gütergemeinschaft an Vieh, Mobiliar und Juwelen ein. Einkünfte und Arbeitsertrag müssen an die Gemeinde abgeliefert werden. Die Bedürfnisse werden aus dem Gesamtbesitz versorgt. Vielerorts errichten die Karmaten kommunistische Gemeinden. Ihr Musterstaat auf der Insel Bahrain hält sich Jahrhunderte. Die Ausstrahlungskraft dieser Sekte und ihre militärische Bedeutung sind so stark, daß ihre Krieger sogar Mekka bedrohen und den Heiligen Stein der Mohammedaner, die Kaaba, vorübergehend in ihren Besitz bringen können.

Hamdan Karmat ist Schiit, gehört also zu jener Richtung im Islam, die den zunächst in Damaskus, dann in Bagdad residierenden Nachfolgern des Propheten, den Kalifen, die Rechtmäßigkeit bestreitet. In ihr findet das persische Element die politisch-religiöse Plattform, um die Vorherrschaft der Araber zu brechen. Mit der Ausweitung des schiitischen Einflusses erleben dann auch persische Kultur und persische Zivilisation unter mohammedanischem Vorzeichen eine Wiedergeburt.

Und gerade Persien ist es, das knapp ein Jahrhundert vor seiner Eroberung durch die Heere des Kalifen ein kommunistisches Experiment von einschneidender Bedeutung erlebt hat, die Revolte der Mazdakiten. Sicherlich ist Mazdaks Lehre dem Kommunisten Karmat nicht unbekannt gewesen.

Im 5. Jahrhundert erschöpft sich die Macht des persischen Königtums im Kampf gegen die Weißen Hunnen. Als König Peroz 484 fällt, ist der Adel im Besitz aller Macht. Der Nachfolger auf dem Thron vermag gegen ihn ebensowenig auszurichten wie die Bauern. Da kommt es zum Aufstand. Die Führung liegt bei einem Geistlichen — bei Mazdak. Er fordert, daß alle Güter gleichmäßig verteilt werden sollen. Die Rebellen greifen nach Geld und Besitz, nach Frauen und beweglicher Habe der Reichen. Bald ist ihr Zulauf so stark, daß sie überall Wohnung, Gut und Geld, ja sogar die Frauen des Königs an sich reißen können.

Ein Zeitgenosse berichtet von Mazdak: „Er hetzte das gemeine Volk gegen die Vornehmen auf. Elende aller Art mischten sich mit dem besten Blut. Und denen, die nach fremdem Gut griffen, war es leicht gemacht, es zu erlangen. Die Frevler durften nun freveln, die Ehebrecher ihrer Lust frönen und zu den edlen Frauen gelangen, an die sie früher kaum hatten denken können." Und die letzte Folgerung aus dem allen? Sie klingt besonders bitter: „Alle Menschen waren in gemeinsamem Elend, noch nie hatte man Ähnliches gehört."

Indes trägt die Sache noch ein zweites Gesicht: Die Vorherrschaft des Grundadels ist gebrochen. Und wer ist der Sieger? Der König! „Er brachte die andern um", sagt ein zeitgenössischer Bericht. Darum ist er nun imstande, das Land des entmachteten Adels an sich zu bringen und noch reicher zu werden, als er je vorher war. Und nun plant er eine Grundsteuer, die für alle Betroffenen die gleiche Höhe haben soll. Der Boden wird zu diesem Zweck vermessen und dem König genehmen Männern zugeteilt. Der Herrscher thront wieder über Adel und Volk. Mazdak wird an den Hof gelockt und ermordet.

Die Einführung von Gütergemeinsaft und Weibergemeinschaft kennzeichnen Mazdaks Revolte und lassen an ihrem Inhalt keine Zweifel. Dennoch ist Mazdak ein frommer Mann. Was er tut, geschieht in seinen Augen gleichsam im göttlichen Auftrag.

Wo liegt die Insel Nirgendwo?

Mit kommunistischen Gedanken spielt — rund 1000 Jahre nach Mazdak — Thomas More, der englische Staatsmann und Lordkanzler des sechsmal verheirateten Königs Heinrich VIII. Er ist der Sohn eines Richters am Königlichen Gerichtshof und in seiner Jugend Page des Kardinals Morton, Erzbischof von Canterbury. So sind ihm staatliches wie kirchliches Recht gleichermaßen vertraut. Trotzdem kommt er mit beiden nicht zurecht. Darum schreibt er eine Art Staatsroman: „Über den besten Zustand des Staates und über die neue Insel Utopia".

Utopia — das ist die Insel Nirgendwo, die Insel Hirngespinst, die Insel auf dem Mond. More — er nennt sich nach der Sitte der Zeit lateinisch Morus und schreibt auch lateinisch — diskutiert in dem Buch mit einem weitgereisten Portugiesen (der natürlich erfunden ist) über eine bessere Ordnung in der Welt. Der Portugiese hat diese — so behauptet Morus — bereits mit eigenen Augen kennengelernt. Er hat sie genau studiert. Denn er hat fünf Jahre in dem Inselreich Utopia verbracht.

Utopia hat eine kommunistische Verfassung: In 24 Städten leben jeweils sechstausend Familien. Sie werden von einem gewählten Fürsten regiert, dem die weisesten Männer als Ratgeber zur Seite stehen. Produktion wie Konsumtion sind kommunistisch. Privateigentum gibt es nicht. Für alle besteht Arbeitspflicht. Sie beträgt täglich sechs Stunden. Landwirtschaft und Handwerk sind die Wirtschaftszweige. Kommt es zu Produktionsüberschüssen, werden diese vorsichtshalber zunächst zwei Jahre lang aufbewahrt, um die Insel krisensicher zu halten. Braucht Utopia sie nicht selbst, werden sie an die Armen des Auslands verschenkt oder an die Reichen des Auslands verkauft. Religion ist Privatsache. Wenn es zu einem Diebstahl kommt, ist er kein todeswürdiges Verbrechen: Nicht den Dieb soll man bestrafen, sondern man soll besser die Not verhindern, die den Menschen zum Verbrechen treibt.

Wie dies alles möglich ist? Morus hat die Antwort bereit: Die Grundlagen der herrschenden Ordnung müssen geändert werden. Der Weg dazu ist die Beseitigung allen Privateigentums sowie des Geldes. An ihre Stelle tritt das Gemeineigentum.

Ob und wieweit Morus selber an die Möglichkeit der von seiner Phantasie geschaffenen Rechts-, Wirtschafts- und Gesellschaftsordnung glaubt, wird nicht ganz deutlich. Denn dem „Portugiesen" gegenüber macht der Dichter geltend, daß schließlich die Trägheit aller und die Spekulation eines jeden einzelnen auf die Arbeitsleistung des andern Folge des Kommunismus sein müßten. Dann würden am Ende alle Menschen gegeneinander zu einem Vernichtungskrieg getrieben, in dem sie sich gegenseitig umbringen.

In der Praxis erweist sich der kommunistische Theoretiker als guter Katholik. Er weigert sich, den Bruch seines Königs mit dem Papst gutzuheißen, wird verhaftet, verurteilt und am 6. Juli 1535 in London enthauptet.

Das Buch von der Insel Utopia wird nicht in England, sondern (1516) zuerst in Brabant gedruckt. In Deutschland, in Italien und in Frankreich folgen die ersten Übersetzungen. Erst nach einem Menschenalter hat sich die Stimmung gegen den Verfasser soweit beschwichtigt, daß es endlich auch in England erscheinen kann.

Aber die ausgestreute Saat geht trotzdem auf. Der Dominikanermönch Thomas Campanella wird Morus erster Nachfolger. Allerdings predigt er nicht wie dieser einen „Kommunismus der Freiheit", sondern einen „Kommunismus der Ordnung", des Zwanges. Der Zauberei angeklagt, siebenmal gefoltert und siebenundzwanzig Jahre im Gefängnis gehalten, hat er am Ort der Verzweiflung die Kraft, 1602 zum Verfasser seines „Sonnenstaats" zu werden. More und Platon führen ihm dabei die Hand. Ein beinahe allwissender „Metaphysiker" steht an der Spitze des Sonnenstaates, ein durch Wahlen gefundenes Dreierkollegium ihm zur Seite. Ehe und Familie sind abgeschafft. Der Geschlechtsverkehr ist behördlich geregelt, die Entartung des Menschen in Zukunft also ausgeschlossen. Produktion und Konsumtion stehen unter dem Gesetz des Kommunismus. In ähnlicher Weise gehen die so ernst gemeinten Spiele mit der Phantasie auch in Zukunft weiter. Im 17. Jahrhundert werden sechs Utopien geschrieben, im 18. Jahrhundert gleich zwölf. Allein Frankreichs Autoren verfassen in dieser Zeit insgesamt elf Werke dieser Art. Sie bereiten damit, ohne es ahnen zu können, den Weg der Großen Revolution vor. Auch Jean Jacques Rousseau (1712—1787) rückt in ihre Nähe, wenn er Eigentum der Zivilisation, d. h. der Ungleichheit, entsprechen läßt und als den Erfinder von beiden den ersten Eigentümer verantwortlich macht.

Die Französische Revolution und der „Aufstand der Gleichen"

Und wiederum ist es ein großer Staatsmann, ausgerechnet der verhaßte Finanzminister Ludwigs XVI., Jacques Necker, der die Schuld für alle menschliche Not bei den Besitzenden sieht und darlegt: „Das Volk ist durch die Eigentumsgesetze verdammt, immer nur das Allernotwendigste als Gegenleistung für seine Arbeit zu erhalten ..." Diese Eigensucht

der Besitzenden werde durch die Geldwirtschaft unterstützt. Der Besitz-
lose jedoch „muß heute arbeiten, wenn er nicht morgen verhungern will.
Eine kleine Anzahl von Menschen, möchte man sagen, hat sich in die
Erde geteilt und hinterher Gesetze gemacht, um sich gegen die Masse zu
schützen, wie man im Wald einen Verhau zur Verteidigung gegen wilde
Tiere errichtet".

Trotz der Heftigkeit dieser Kritik werden aus all diesen Erkenntnissen
zunächst keine praktischen Folgerungen gezogen. Nicht einmal von den
Autoren selbst.
Der erste, der sich dazu durchringt, ist Jean Meslier. In seinem „Testament" verlangt er die Anerkennung der natürlichen Gleichheit. Das
Eigentum der wenigen müsse durch eine kommunistische Ordnung ersetzt werden. Für diesen Zweck will er den Staat in sogenannte Wirt-
schaftsgemeinden auflösen, die dazu berufen sind, die gemeinsamen Interessen wahrzunehmen und zu verteidigen.
Diese Worte sind nun kein Traum mehr. Jetzt geht es um politische
Forderungen. Meslier ist fest von der Richtigkeit seiner Anschauungen
überzeugt, und darum fordert er, daß ihre Verwirklichung notfalls mit
Gewalt erkämpft werden müsse. Bis zum Ende der Welt möchte er seine Stimme rufen lassen: „Fangt an, euch insgeheim eure Gedanken und
Wünsche mitzuteilen! Verbreitet überall so vorsichtig wie möglich Schriften gleich der meinen. Weg mit den Tyrannen! Weg mit der Religion!
Tyrannenmord ist ein verdienstvolles Tun!"
Mehr ereignet sich vorläufig nicht. Das ist umso verwunderlicher, als
inzwischen (1789) die Französische Revolution über das Land hereingebrochen ist — über ein Land, das unter dem „Sonnenkönig" Ludwig XIV. noch das gesegnetste Europas war, nun aber verödet, entvöl-
kert und verarmt daliegt. Und nicht nur seine Armen verzweifeln. Auch
der niedere Adel, die Geistlichkeit, die Bürger, die Bauern, wissen nicht
mehr weiter. „Nach uns die Sintflut!" soll die Marquise von Pompadour
auf dem Sterbebett gespottet oder geflucht haben. Jetzt ist der König geköpft und ganz Frankreich sich einig in dem Ruf: Freiheit! Gleichheit!
Brüderlichkeit!
Dies sind die drei schicksalsträchtigen Worte, mit denen sich eine neue
Weltanschauung bekennt, die vom revolutionären Schwung getragen ist.
Sie klingen von den Barrikaden. Sie geben Zehntausenden, Hunderttausenden, Millionen den Mut, auf eine bessere Zukunft zu hoffen und
an sie zu glauben!
Was aber wollen die Männer, die diese Worte Tag für Tag in den
Mund nehmen, konkret? Sind Robespierre, Saint Just oder Fouché er-
klärte Feinde des Eigentums? Sie haben die besitzlosen Proletariermassen
vor Augen. Gewiß möchten sie ihnen helfen. Aber was sie produzieren, sind Redensarten, nicht zu Ende gedacht. Es ist eben ein gewaltiger
Unterschied, ob man das Wort „Gleichheit" über die Plätze ruft oder
ob man ihm Sinn und Inhalt geben soll. In Wahrheit denken die Män-

ner, welche die Französische Revolution betreiben, ebensowenig an den Kommunismus wie die erregten Volksmassen, die ihnen zujubeln.

Doch es bleibt nicht dabei. Die tausendfältige Wiederholung des Rufes der Gleichheit an jedem Tage und in jeder Stunde bleibt nicht ohne Widerhall. Der Wunsch nach sozialem Ausgleich, nach Vergeltung des Unrechts wächst in den Volksmassen. Und dann ist auch die Stunde da, in der François Babœuf, von Beruf Feldmesser und Grundbuchbeamter, ein wütender Jakobiner und Weltverbesserer, aufsteht und diesen Wunsch artikuliert.

Er wird eingesperrt. Im Gefängnis gelangt er dazu, seine Gedanken zu sammeln und zu vertiefen. Er kommt zu der Überzeugung, daß der Kommunismus das einzige Mittel ist, die versprochene Freiheit des Volkes zu verwirklichen. Jetzt schreibt er: „Demokratie heißt die Verpflichtung, durch diejenigen, die zuviel haben, alles zu decken, was denen fehlt, die zu wenig haben."

Diese Worte finden in jener Zeit der höchsten Erregung der Massen ungeheueren Anklang. Babœufs Vorstellungen vom Kommunismus runden sich. Er ruft nach neuen Einrichtungen, „welche das allgemeine Glück sicherstellen und den gleichen Lebensgenuß für alle Mitglieder der Gesellschaft verbürgen. — Volle Gleichheit ist ein natürliches Recht! ... Die majestätische Erhebung des Volkes gegen seine Ausbeuter und Unterdrücker wird dringender als je." Und er stellt sich ein „Gesetzbuch der Natur" vor. In ihm soll verkündet sein, daß „alle den gleichen unverjährbaren Anspruch auf Glück" haben. „Grund und Boden gehören allen. Der Besitz von mehr als nötig ist, sich zu ernähren, ist Diebstahl an der Gesellschaft."

Sogar die „Differenzierung des Anteils am Produktionsertrag nach dem Grade der Intelligenz, des Fleißes und der geistigen Anstrengung" ist bei Babœuf ungerecht, „denn sie dehnen durchaus nicht die Leistungsfähigkeit des Magens aus. Ihre Berücksichtigung stellt darum dem Betriebsameren die Vollmacht zum Wucher aus."

Selbstverständlich müssen die Erzeugnisse des Geistes, die Erfindungen und die gewerbliche Tätigkeit ebenfalls Eigentum aller werden. Jeder, der mehr als seine Mitmenschen beansprucht, verdient es, als „soziale Geißel" verfolgt zu werden. Jeder Franzose, ohne Unterschied des Geschlechts, soll sein Besitztum dem Vaterland abtreten. Damit ist er Mitglied der großen nationalen Gütergemeinschaft. Wer sich ausschließt, muß Steuern zahlen, die sich in jedem Jahr aufs neue verdoppeln.

Babœuf veröffentlicht seine Ideen in einer eigenen Zeitschrift, dem „Tribun du peuple". Damit stellt er sich selbst als „Volkstribun" vor. Bereits 1793 hat er sich in Erinnerung an den berühmten römischen Volkstribunen den Beinamen „Gracchus" zugelegt.

Die Not ist in Frankreich um jene Zeit groß. Unrecht herrscht allerorten. Die neuen Ideen bringen ihrem Schöpfer daher gewaltigen Zulauf, vor allem aus den niederen Kreisen. Der Revolutionsregierung aber sind sie unerträglich. Wieder wird Babœuf verhaftet, wieder freigelassen, ein drittes Mal verhaftet und nochmals freigelassen. Nun zettelt er mit fünfundsechzig Gleichgesinnten eine Verschwörung an. Sie betreiben den Sturz des Staatsdirektoriums, fordern die Herstellung einer neuen Schreckensherrschaft und die Einziehung allen Besitztums zu Gunsten der Nation. Der von Babœuf gewählte Name Égaux (die Gleichen) macht in einem einzigen Wort deutlich, was er will: Gleichheit für alle.

Ein Putsch soll den Rebellen die Macht über Paris in die Hände spielen. Hauptmann Grisel, Mitglied des Komplotts, bekommt in letzter Stunde Bedenken und verrät den Plan. Die fünfundsechzig Verschwörer werden festgenommen. Babœuf und ein zweiter Rädelsführer besteigen 1797 die Guillotine. Der Kommunismus hat vorläufig abgewirtschaftet.

II

HOFFNUNG DER UNTERDRÜCKTEN

Paris proklamiert das Recht auf Arbeit

Die Französische Revolution wirkt weiter. Sie hat die Geister aufgewühlt und die Menschen veranlaßt, über das Unrecht und die Härten der bestehenden Sozialordnung nachzudenken. So reift als eine späte Frucht im Laufe des 19. Jahrhunderts der Sozialismus. Sein Begründer ist kein Stiefkind des Schicksals, sondern der reiche Graf Claude Henri de Saint-Simon. Er hat den Vizekönig von Mexiko für einen Kanalbau zur Verbindung der beiden Weltmeere und Spanien für den Bau eines Kanals zwischen Madrid und dem Meer zu gewinnen versucht. Sein Hirn steckt voller Pläne, mit denen er den Menschen das Leben zu erleichtern hofft. Dann allerdings macht die Französische Revolution nicht nur diesen Plänen ein Ende, sondern auch seiner eigenen gesellschaftlichen Stellung: Er verliert seinen Grundbesitz und darüber hinaus auch noch sein übriges Vermögen.

Nun sinnt er darüber nach, wie er etwas wirklich Großes zum Wohl der Menschheit bewirken könne. Den Ansatzpunkt findet er bald. Er will die sozialen und die moralischen Notstände der Gesellschaft beseitigen und das allgemeine Menschenglück schaffen. 1814 veröffentlicht er eine Schrift mit dem Titel „Die Umgestaltung der europäischen Gesellschaft". Darin stellt er die kühne Frage: „Was ist schlimmer für Frankreich — der Verlust von dreitausend Personen der königlichen Familie, des Hofstaates, des höchsten Klerus und der obersten Beamten oder der Verlust von Gelehrten, Künstlern, hervorragenden Unternehmern und besten Arbeitern, zusammengerechnet wiederum dreitausend Menschen?" Er entscheidet sich für die zweite Gruppe.

Um 1817 ist sein theoretisches System fertiggestellt. Mit der These „Politik ist Wissenschaft von der Produktion" entwirft er das Bild einer großindustriellen Gesellschaft, in der sozial denkende Wirtschaftsführer die Klassengegensätze beseitigen und eine „Diktatur der Fähigen" errichten, unter der es zwar nach wie vor Privateigentum gibt, dieses aber im Interesse aller benutzt wird.

Auch für seine Schüler, die ihn schon zu Lebzeiten vergöttern, an der Spitze Bazard, stehen noch nicht die ökonomischen, sondern die moralischen, die religiösen und die politischen Reformen des Volkslebens voran: Arbeit ist die Quelle aller Werte. Folglich liegt das Hauptunrecht des Staates und der Gesellschaft darin, daß dem Arbeiter der ihm gebührende Rang versagt wird. Sie fordern die Abschaffung des „Erbrechts der Butverwandtschaft" und wollen statt dessen ein „Erbrecht des Verdienstes", das der Gesamtheit, welche die Güter zum Wohl des Ganzen verwendet. Weiter verlangen sie billige Kredite und unentgeltlichen Schulunterricht.

Bazard und ein zweiter Lieblingsschüler, Enfantin, begründen eine Schule der Saint-Simonisten. Im Anklang an orientalische Bräuche nennen sie das Kollegium „Vereinigung der Eingeweihten", mit Enfantin und Bazard als „Hohen Vätern". Die Schule wird zu Heiligtum und Kirche, die Lehren verwandeln sich in Dogmen, die Lehrer zu einem Priesterstand. So entsteht eine seltsame Sekte.

Enfantin tritt für die freie Liebe ein. Bazard trennt sich von diesem „Mann des Fleisches". Die Öffentlichkeit fühlt sich abgestoßen und angeekelt. So zieht sich dann Enfantin mit vierzig Getreuen auf seine Besitzung Ménilmontant zurück. Schließlich packt der Staatsanwalt zu und erhebt Anklage. Enfantin muß für ein Jahr ins Gefängnis. Der Saint-Simonismus ist damit am Ende.

Neben Saint-Simon, jedoch unabhängig von ihm, entwickelt auch Charles Fourier ein sozialistisches System. Er hat gleichfalls durch die Französische Revolution sein Vermögen verloren, und nur mit Mühe ist er dem Todesurteil der Jakobiner entgangen. Als er dann als Angestellter eines Handelshauses im Interesse der Preisspekulation eine Schiffsladung Reis ins Meer werfen muß, kommen ihm die ersten sozialistischen Ideen:

„Die große Menge des Volkes wird durch wenige ausgebeutet und führt darum ein elendes Dasein. Die Produktion darf nicht individualistisch sein und freie Konkurrenz pflegen. Viele kleine Unternehmer führen zu ungeheurer Verschwendung der Arbeitsmittel und -kräfte. Gemeinschaftliche Unternehmungen hingegen produzieren wirtschaftlicher und mehr." Also fordert Fourier gemeinsame Produktion und gemeinsamen Verbrauch in dreihundert bis vierhundert Familien umfassenden Verbänden, den sogenannten Phalanstéres mit Werkswohnungen und Werksküchen sowie Unterricht und selbst Vergnügungen im Werk. Landwirtschaft und Gewerbe sollen von den Phalanstéres nebeneinander betrieben werden. Und damit die Arbeit eine Lust bleibe, müßten zwei Stunden Arbeitszeit genügen.

Wieder anders betrachtet Louis Blanc, der Begründer der französischen Sozialdemokratie, die Dinge. In seiner Schrift „Die Organisation der Arbeit" fordert er (1839) Produktionsgenossenschaften. Sie sollen die Lohnarbeit beseitigen, jedoch im Gegensatz zu Fourier vom Staat gegründet werden, der als der „große Kapitalist" auf diesem Wege — ohne Zwang und Gewalt — Herr der Produktion und der wirtschaftlichen und sozialen Ordnung wird.

Weil eine Monarchie sich zu solchen Reformen kaum durchringen würde, tritt Louis Blanc für die Umwandlung des Staates in eine sozialdemokratische Republik ein. Er fordert für die Klasse der Lohnarbeiter die Herrschaft in dieser Republik und stellt ihr die Aufgabe, das sozialistische Programm zu verwirklichen.

Nach der Februarrevolution von 1848 tagt im Palais Luxembourg in Paris ein Arbeiterparlament. Es ist von der provisorischen Regierung bestellt. Louis Blanc führt den Vorsitz. Das „Recht auf Arbeit" wird verkündet. Um es zu verwirklichen, errichtet der Staat „Nationalwerkstätten". Doch als im April 1848 die Sozialisten bei der Wahl zur Volksvertretung eine empfindliche Niederlage erleiden, werden die staatlichen Betriebe wieder aufgelöst.

Zum Theoretiker des „Staatssozialismus" wird in dieser Zeit auch ein deutscher Politiker und Nationalökonom: Johann Karl Rodbertus (1805 bis 1875). Er ist Preuße, nicht eigentlich revolutionär, das Schlagwort „Preußentum und Sozialismus" geht auf ihn zurück. Um die „Herrschaft der Bourgeoisie und des Kapitals zu brechen", erstrebt er ein Bündnis zwischen Königtum und Arbeiterschaft. Gemeinsam werden dann beide einen Weg erschließen, der einerseits eine sozialistische Organisation der Volkswirtschaft schafft und die berechtigten Forderungen der Arbeiterschaft erfüllt, andererseits die Spannungen zwischen dem Vierten Stand (der Arbeiterklasse) und der Monarchie beseiteräumt und damit auch wieder die Machtstellung des Königs festigt.

Rodbertus ist Jurist, Volkswirt und Politiker. „Nebenher" betätigt er sich als Gutsbesitzer. 1848 ist er für kurze Zeit Kultusminister.

Wird die Wirtschaft, so lehrt er, „in bezug auf die Verteilung der Nationalprodukte sich selbst überlassen, dann wird bei steigender Produktivität der gesellschaftlichen Arbeit der Lohn der arbeitenden Klassen einen immer kleineren Teil des Nationalproduktes bilden. Und damit wird dann auch notwendigerweise die Kaufkraft der Mehrzahl der Gesellschaft geringer werden." Hieraus zieht Rodbertus die Folgerung, daß ein mit der steigenden nationalen Produktivität ansteigender Arbeitslohn gesichert werden muß.

Ähnlich modern muten die Gedanken des Franzosen Pierre Joseph Proudhon (1809—65) an, der die Ursache für die Wirtschaftskrisen nicht in „Überproduktionen" sieht, sondern sie als ein Zirkulationsproblem auffaßt. Damit wird er zum Vorläufer der Geld- und Kredittheorie eines John Maynard Keynes. Allerdings schlägt er einen absurden Ausweg vor: Die Abschaffung des Geldes und die Errichtung von Tauschbanken, über die Arbeitsprodukt gegen Arbeitsprodukt direkt getauscht werden soll.

Von Proudhon stammt der Satz „Eigentum ist Diebstahl!" Dabei meint er allerdings nur das durch Ausbeutung, nicht durch Arbeitsleistung entstandene Eigentum. Außerdem formuliert er den Begriff „wissenschaftlicher Sozialismus", den nach ihm Marx und Engels aufgreifen, obgleich sie Proudhon in Theorie und Praxis nicht im geringsten folgen.

„Kommunisten — auf nach Ikarien!"

Auch das Wort Kommunismus ist eine Erfindung dieser Epoche. Étienne Cabet hat es geprägt. Advokat aus Dijon, 1834 als Revolutionär aus Frankreich verbannt, schreibt er in England seine Utopie „Die Reise nach Ikarien". In ihm schildert er eine kommunistische Gesellschaft, einen hochindustriellen Staat, getragen von einer mächtigen Arbeiternation. Hundert Provinzen von annähernd gleicher Ausdehnung und Bevölkerung unterteilen sich wieder in je zehn Kommunen. Der Tag ist minutiös geregelt, ein Siebenstundentag der Frühaufsteher. Ingenieure und Beamten regieren eine Fachwelt, in der alle glücklich sind. Es herrscht der Kult der Exaktheit. Ein Industriekomitee setzt im voraus die Zahl und die Art der Güter fest, die im Jahr produziert werden müssen. So werden Wirtschaftskrisen verhütet.

Cabets Vorträge erregen im Frankreich des Jahres 1848, in das der Rechtsgelehrte zurückgekehrt ist, eine Begeisterung ohnegleichen. Zeitgenossen berichten, daß Mädchen ihren Schmuck verkaufen, Gegner sich versöhnen, Ersparnisse von Jahren geopfert werden — denn wenn Cabet sein Ikarien auch eigentlich immer mit Frankreich gleichgesetzt hat, nun will er es in der Ferne verwirklichen: Im Wilden Westen Nordamerikas.

Der Kolonisationsversuch schlägt fehl. Enttäuschte Idealisten verwünschen den wortgewandten Ideologen, der 1856 am Missouri stirbt.

Ebenfalls ein Beispiel setzen, zur „direkten Aktion" schreiten, nicht auf eine ferne Zukunft hoffen, will Robert Owen (1771—1858). Er ist kein Franzose, sondern Handwerkersohn und Tuchhändler in dem englischen Lancashire. Hier leitet er mit großem Geschick eine Baumwollspinnerei, die fünfhundert Arbeiter beschäftigt. Er wird Teilhaber und Gesellschafter einer Spinnereigesellschaft, heiratet die Tochter des Eigentümers einer weiteren Spinnerei und veranlaßt seine Gesellschaft, diesen Betrieb aufzukaufen.

Jetzt ist er am Ziel angelangt, das ihm die Möglichkeit bietet, ein umfassendes soziales Programm zu entwickeln. Er baut Arbeiterwohnungen, beschafft billige Lebensmittel, erhöht die Löhne, kürzt die Arbeitszeit, beschäftigt keine Kinder unter zehn Jahren, errichtet eine Schule und eine Kleinkinderbewahranstalt. Damit ist nicht allein den zwei- oder dreitausend Arbeitern geholfen, auch der Betrieb floriert.

Und nun fühlt Owen sich als Messias. Ähnlich wie später die Anhänger von Karl Marx das „Milieu" für Charakter und Handlungen der Menschen verantwortlich machen, sieht er die äußeren Verhältnisse als bestimmend an. Er gelangt zu kommunistischen Folgerungen, plant kleine kommunistische Gemeinden von fünfhundert bis zweitausend Mitgliedern, die selbst produzieren, was sie brauchen oder mit den kommunistischen Nachbargemeinden tauschen. Die Ehe, sagt er, ist ein freier Vertrag und kann jederzeit gelöst werden.

Viel Glück hat Owen mit diesen Lehren allerdings nicht. Sowohl in England als auch in Amerika, wo eine Musterkolonie betrieben wird, erlebt er nichts als Enttäuschungen. Dennoch ist die englische Arbeiterbewegung auf ihn zurückzuführen.

Bevor der lange Zug der Wegbereiter des Kommunismus bei Marx und Engels endet, ist noch des Magdeburger Schneidergesellen Wilhelm Weitling zu gedenken, der Ende der dreißiger und Anfang der vierziger Jahre des 19. Jahrhunderts in Frankreich, Deutschland, England und der Schweiz Freunde für eine kommunistische Bewegung gewinnt. Dabei hat er sich einen Staat zusammengeklügelt, an dessen Spitze drei Philosophen stehen, die ihre ungewöhnlichen Fähigkeiten zur Menschenführung in Preisarbeiten erwiesen haben. Und nun besteht ihre Aufgabe darin, die zentrale Lenkung von Produktion, Verteilung und Konsum im kommunistischen Sinne einzuführen, zu gewährleisten und zu überwachen. Weitlings Schrift „Garantien der Harmonie und Freiheit" erklärt ihnen genau, wie sie das alles zu machen haben. Es ist ein roher und knotiger Kommunismus, dem der Magdeburger die Tore aufstoßen möchte. Obgleich gläubiger Christ, fühlt er sich als Proletarier und hofft er auf den bewaffneten Aufstand des Proletariats.

Damit ist die Frühgeschichte des Sozialismus abgeschlossen. Karl Marx und Friedrich Engels treten auf. Aber diese beiden Männer stützten sich nicht allein auf die verschiedenen Erzväter des Sozialismus. Engels schreibt vielmehr: „Die deutsche Arbeiterbewegung ist die Erbin der deutschen klassischen Philosophie." Und 1882 bekennt er in seiner Schrift „Die Entwicklung von der Utopie zur Wissenschaft": „Wir deutschen Sozialisten sind stolz darauf, daß wir abstammen nicht nur von Saint-Simon, Fourier und Owen, sondern auch von Kant, Fichte und Hegel."

Hat sich Immanuel Kant (1724—1804), der Philosoph aus Königsberg, unter dem Einfluß der Ideen der Französischen Revolution zur Republik, zum Weltbürgertum und zum Sieg der „Vernunftsidee einer friedlichen durchgängigen Gemeinschaft aller Völker auf Erden" bekannt, so entwickelt sein Schüler Johann Gottlieb Fichte (1762—1814) die Lehre vom „Geschlossenen Handelsstaat", in dem Militär und Adel abgeschafft sind und es drei harmonisch miteinander lebende Stände gibt: Handwerker, Bauern und Gelehrte. Grund und Boden gehören dem Staat. Der Bauer erhält nur soviel Ackerland zur Verfügung, wie er bewirtschaften kann. Der Außenhandel soll möglichst klein bleiben und ist Monopol der Regierung. Das Geld besteht aus wertlosem Metall, das im Ausland keinen Anklang findet und — so hofft Fichte — von niemandem gehortet wird.

Allerdings entwirft Fichte nicht nur das Abbild eines kalten, nüchternen und spinnendürren Idealstaates, er ist der eigentliche Begründer der dialektischen Methode in der Philosophie. Dialektik — aus gegebener Tatsache und dem Widerspruch zu ihr ergibt sich im Dreischritt ein Neues, die Lösung — ist ihm mehr als Denktechnik. Alle philosophischen Gedankengänge müssen sich grundsätzlich durch Widersprüche hindurchbewegen und sich so steigern. Georg Friedrich Wilhelm Hegel (1770 bis 1831) schließlich überträgt diese Vorstellungen auf den Ablauf der Geschichte. So und nicht anders geht sie vonstatten:

Alles strebt stufenweise einem gewissen Endziel entgegen, dem Zustand der Freiheit und der Vernunft. Und alles geht sinn- und planvoll zu. Auch die Geschichte ist vernünftig. Selbst das scheinbare Walten blinder Leidenschaften ist in Wirklichkeit nichts weiter als die „List der Idee", derer sich die Geschichte bedient, um dem Endziel näherzukommen. Jeder vorherrschenden Idee (These) stellt sich eine absolut entgegengesetzte Idee (Antithese) kämpferisch entgegen. Aus dem Ringen gegeneinander entwickelt sich eine neue, höhere Idee (Synthese), die zur vorherrschenden Idee einer neuen Zeit wird.

Kein anderer Philosoph hat das Denken der nachfolgenden Generationen so stark beeinflußt wie er. Konservative und Kommunisten berufen sich gleichermaßen auf ihn. Ohne Hegel gäbe es keinen Marx und keinen Engels. Doch bevor diese beiden Begründer des eigentlichen Kommunismus das von dem Berliner Professor entwickelte Handwerkszeug benutzen können, müssen sie erst einmal den Rohstoff kritisch prüfen, der sich ihnen bietet. Sie untersuchen die sozialen Verhältnisse der aufkommenden Industriegesellschaft, den Frühkapitalismus.

Das Gesicht des Frühkapitalismus

Um 1770 ist die Dampfmaschine erfunden worden. Seit sie zum Einsatz gelangt, beginnt die Industrie aufzublühen und sich zu entfalten. Vollkommen neue, früher unerahnte Lebens- und Wirtschaftsbedingungen entstehen. Die Landbevölkerung drängt in die Städte, weil hier die Lohnverhältnisse besser sind. Dennoch geht es dem Vierten Stand des Industriearbeiters womöglich noch schlechter als dem Dritten Stand der Bürger und der Landbevölkerung vor der Französischen Revolution. Immer zwingender wird die Erkenntnis, daß von der Maschine wirtschaftsbildende und gesellschaftsverändernde Impulse eigener Gesetzlichkeit ausgehen.

Damit diese Maschine überhaupt erst erstellt werden kann, beansprucht sie Vermögensaufwand, Kapital. Kapital aber, in den Dienst der Wirtschaft gestellte Verfügungsgewalt über Grund und Boden, Häuser und Werkzeuge, Geld und Guthaben, Arbeitskraft und Material, ist knapp. Was knapp ist, fordert seinen Preis. Kapital verlangt den Kapitalertrag, den Kapitalzins. Niemand stellt für den Bau einer Maschine Kapital bereit, wenn der Kapitalertrag nicht garantiert ist. Niemand baut eine Maschine, wenn er nicht davon überzeugt ist, über den Preis der mit dieser Maschine hergestellten Güter nicht nur die Kosten der laufenden Produktion, sondern auch den Kapitalertrag herauswirtschaften zu können. So wird die Maschine selbst zum Kapital und erzeugt sie letzten Endes immer neues Kapital.

Der Aufbau der industriellen Technik und der industriellen Wirtschaft erfolgt nach den Gesetzen einer inneren Dynamik, die gleichsam neue Denkkategorien schafft. Diese erfüllen das Bewußtsein der einzelnen und bestimmen ihre Handlungen. Die Maschinen fordern den Menschen an. Sie geben ihm Versprechungen. Sie ziehen ihn weg von Ackerboden und Handwerksstube, wo er bisher seinen Lebensunterhalt verdient hat, und rufen ihn zur Arbeit in der Fabrik, in der Stadt.

Diese Stadt zwar kann den Platz für Maschinen hergeben und Arbeitsplätze bieten. Doch auf die anströmende Menschenflut ist sie nicht eingerichtet. Die hygienischen Verhältnisse sind erschreckend. Die Wohnungsnot führt zu widerwärtigen Ballungen vieler Menschen auf engstem Raum, zu Sittenverfall, Verzweiflung und Elend.

Auch das Arbeitsrecht hält nicht Schritt mit dem Sturmlauf der industriellen Entwicklung. Was heißt überhaupt Arbeitsrecht? Das Wort ist noch nicht geprägt. Gewiß gibt es Arbeitsverträge. Man hatte sie schon beim Bau der Pyramiden. Jedoch noch immer sind sie auf das Recht des Stärkeren abgestellt. Wohl hat die Französische Revolution die Augen geöffnet für die Grundrechte der Persönlichkeit, für das Prinzip der persönlichen Freiheit und für die Gleichberechtigung aller Menschen. Trotzdem ist vorerst noch niemand zu einer Lösung gekommen, welche die sich hier ergebenden Widersprüche aus der Welt schafft. Begriffe wie Art der Beschäftigung, Arbeitszeit, Einkommenssicherung, Unfallschutz liegen zwar in der Luft, niemand aber ist stark genug, sie zu packen.

Und das Ergebnis? Der Arbeitsvertrag ist jederzeit — von einem Tag zum andern, womöglich von Stunde zu Stunde — kündbar. Das bedeutet: Der Arbeiter fühlt sich unfrei. Individuelle Fähigkeiten sind bedeutungslos. An der Maschine zählt auch die Ausbildung nicht. Und Lohn ist eine Sache von Angebot und Nachfrage. Nur wenn die Volkswirtschaft aufblüht, wird sich bei freier Konkurrenz das Kapital dauernd vermehren und werden auch die Löhne ständig steigen.

Die in England starken Anklang findende liberale „Manchesterpartei" will die Dinge laufen lassen, wie sie wollen. Sie müssen sich ja „zwangsläufig" zum Guten entwickeln. Vorläufig ist der Erfolg, daß der Arbeiter zu niedrig bezahlt wird. Er hat keine Möglichkeit, höhere Forderungen durchzusetzen und keine Aussicht auf Änderung der Verhältnisse. Seine Arbeit ist ihm deshalb gleichgültig. Die Familien verwahrlosen, die Kinder verkommen. Auch sie arbeiten in Fabriken. Die Bevölkerung ist zum großen Teil krank oder siech.

Der französische Nationalökonom Adolphe-Jérome Blanqui — nicht zu verwechseln mit seinem revolutionären Bruder Louis-Auguste — fordert für die Arbeiterwohnungen in Rouen im Namen der Scham und der Menschlichkeit eine energische und sofortige Reform. Dabei ist Rouen ihm selbstverständlich nur ein Beispiel:

„Ganz Frankreich muß endlich wissen, daß Tausende von Menschen neben uns in einem Zustand leben, der schlimmer ist als der Naturzustand. Denn die Wilden haben Luft, aber die Bewohner des Stadtviertels Saint-Vivien haben keine. Diese entsetzlichen Wohnungen kosten 60 Centimes bis zwei Francs die Woche. Fast nie sind Scheiben in den Fensterrahmen. Die Erdgeschosse sind manchen Orts so feucht, daß ihre Wände mit Moos bewachsen sind ... Die Hausbesitzer, oft ebenso arm wie ihre Mieter, lassen nichts ausbessern ... Mit seltenen Ausnahmen kann man durch die bloße Betrachtung der Wohnung die moralische Verfassung einer Arbeiterfamilie beurteilen."

Die Ziffern der Kriminalstatistik steigen von Jahr zu Jahr: 1805 werden in England und Wales 4605 Personen verhaftet, 1820 sind es 13 710, 1830 klettert die Zahl auf 18 107, 1842 auf 31 309. Von ihnen können 32 Prozent überhaupt nicht lesen oder schreiben, 58 Prozent nur notdürftig. Diese Zahlen machen deutlich, daß Verbrechen und Bildung in einem bestürzenden Verhältnis zueinander stehen. Und da Bildung zu jener Zeit zum Privileg der wirtschaftlich Gesicherten gehört, zeigt diese Verbrechensbilanz zugleich, wie sehr Armut und Not den Hang zur Kriminalität fördern.

In der Welt zwischen 1800 und 1825 zählt der Arbeitstag 14 Stunden. Sonntagsruhe kennt man nicht. So ist die Arbeitswoche also 98 Stunden lang. Der Wochenverdienst beläuft sich, umgerechnet auf die Kaufkraft von heute, auf 20 bis 25 Mark.

Eine „materialistische" Welt

Im Anfang der vierziger Jahre des 19. Jahrhunderts bereist Friedrich Engels die Bezirke der englischen Industrie. Er ist damals wenig über zwanzig Jahre alt, Sohn eines Fabrikanten in Barmen und leitet die Filiale des väterlichen Geschäftes in Manchester. Der Sozialismus ist ihm ein Gebot des Herzens und einer anständigen menschlichen Gesinnung. Schon im Alter von fünfundzwanzig Jahren schreibt er ein Buch über „Die Lage der arbeitenden Klassen in England".

Vielleicht ist das, was er aussagt, vorerst noch ein wenig zu stark vom Enthusiasmus oder auch vom Erschrecken eines idealistisch gesonnenen jungen Menschen über die bittere Wirklichkeit gefärbt. Gewiß aber begegnen wir hier einer Persönlichkeit, in der Urteilskraft, Ehrlichkeit und Mitgefühl zur Aussage drängen. Was Engels beschreibt, packt unsere Herzen. Die Verhältnisse der Arbeiterwohnungen im Stadtviertel Little Ireland von Manchester geben ein Beispiel:

„In einem ziemlich tiefen Loche, in einem Halbkreis vom Medlock und an allen vier Seiten von hohen Fabriken, hohen gebauten Ufern oder

Aufschüttungen umgeben, liegen in zwei Gruppen etwa 200 Cottages (Hütten), meist mit gemeinschaftlichen Rückwänden für je zwei Wohnungen, worin zusammen an 4000 Menschen, fast lauter Irländer, wohnen. Die Cottages sind alt, schmutzig und von der kleinsten Sorte, die Straßen uneben, holprig und zum Teil ungepflastert und ohne Abflüsse; eine Unmasse Unrat, Abfall und ekelhafter Kot liegt zwischen stehenden Lachen überall umher, die Atmosphäre ist durch die Ausdünstungen derselben verpestet und durch den Rauch von einem Dutzend Fabrikschornsteinen verfinstert und schwer gemacht. Eine Menge zerlumpter Weiber und Kinder treibt sich hier umher, ebenso schmutzig wie die Schweine, die sich auf den Abfallhaufen und in den Pfützen wohl sein lassen — kurz, das ganze Nest gewährt einen so unangenehmen, so zurückstoßenden Anblick, wie kaum die schlechtesten Höfe von Irk. Das Geschlecht, das in diesen verfallenen Cottages, hinter den zerbrochenen und mit Ölleinwand verklebten Fenstern, den riesigen Türen und abfaulenden Pfosten oder gar den finsteren, nassen Kellern zwischen diesem grenzenlosen Schmutz und Gestank in dieser wie absichtlich eingesperrten Atmosphäre lebt, das Geschlecht muß wirklich auf der niedrigsten Stufe der Menschheit stehen . . .

Aber was soll man sagen, wenn man hört, daß in jedem dieser Häuschen, das höchstens zwei Zimmer und den Dachraum, vielleicht noch einen Keller hat, durchschnittlich zwanzig Menschen wohnen, daß in dem ganzen Bezirk nur auf etwa 120 Menschen ein — natürlich meist ganz unzulänglicher — Abtritt kommt und daß trotz allen Predigens der Ärzte, trotz der Aufregung, in die zur Cholerazeit die Gesundheitspolizei von Klein-Irland geriet, dennoch alles heute im Jahre der Gnade 1844 fast in demselben Zustand ist wie 1831?"

In diesen trostlosen Zuständen spiegelt sich keineswegs die Bosheit einer herrschenden Unternehmerschicht wider, sondern sie sind Ausdruck einer Zeit, die mit ihrem Schicksal, mit ihren Aufgaben nicht fertig zu werden weiß. Die Einführung der Dampfmaschine hat den industriellen Großbetrieb ins Leben gerufen und damit den Sturmlauf einer Entwicklung in Gang gesetzt, auf den die Gesellschaft nicht vorbereitet ist. Betriebstechnik und Wirtschaft fordern gewissermaßen von gestern auf morgen ein Umdenken und Andersdenken, für das alle Erfahrungen fehlen.

Der Gebrauch der Maschine ist an eine Arbeitstechnik gebunden, die nur wenige beherrschen. Zugleich fordert sie Kapitalaufwendungen und zur weiteren Entwicklung Kapitalanhäufungen, auf welche weder Wirtschaft noch Mensch eingerichtet sind. Ohne Vorbild und ohne Überblick über die zu erwartenden Aufgaben, ohne Einblick in die technischen Möglichkeiten und Grenzen, baut man Maschinen oder auch gußeiserne Brücken „aus dem Handgelenk". Nicht nur der Arbeiter, auch der Techniker und der Kaufmann sind überfordert. Maschinen werden mit Meißel und Hammer auf der Werkbank oder am offenen Schmiedefeuer gebaut. Drehbänke und Hobelmaschinen gibt es nicht. Der benutzte Bohrer stammt aus dem vorigen Jahrhundert oder ist noch älter ...

Die erste Hochdruckmaschine dient zum Mahlen von Getreide und ist transportabel, also noch klein und leicht. Sie wird um 1802 gebaut. Bald jedoch gibt es Maschinen mit der Leistungsfähigkeit von 100 Pferdekräften. Sie schaffen sich die Maschinenfabrik, die mechanische Weberei und Spinnerei. Sie erdrücken das Handwerk. Sie „erfinden" den Lohnarbeiter und den Proletarier des neuen Zeitalters.

Daß Engels gerade die Verhältnisse von Manchester kritisiert und als „vom Teufel geschaffen" erkennt, ist nicht Zufall, sondern hat seine besonderen Gründe: Zunächst ist er hier ansässig. Dann aber ist Manchester die wichtigste Fabrik- und Handelsstadt Englands: Baumwollfabriken, Kattundruckereien, Bleichen und Appreturwerke, Eisen- und Stahlwerke, Maschinenbaustätten, Glashütten und Papiermühlen beherrschen das Stadtbild und das Leben. Es ist eine harte, eine „materialistische" Welt. Der warmherzige junge Friedrich Engels muß von ihr fasziniert und abgestoßen zugleich sein.

„Proletarier aller Länder, vereinigt Euch!"

Im Jahre 1839 schließt sich in Paris eine Anzahl Republikaner zu einer Partei zusammen, deren Aufgabe es sein soll, den Kommunismus zu verwirklichen. Der schon erwähnte Louis-Auguste Blanqui steht an ihrer Spitze. Hinter ihn scharen sich ein paar hundert Gefolgsleute. Sie wollen ihr Ziel gewaltsam auf dem Wege über eine neue Revolution erreichen. Doch bevor sie zum Schlage ansetzen können, wird der Plan entdeckt. Die Führer gehen ins Gefängnis. Aber damit ist die Sache nicht abgetan. Denn in geheimen Klubs schwelt die Bewegung weiter.

Auch in Deutschland findet sich ein Kreis entschlossener junger Menschen, die sich dem Kommunismus verschworen haben. Sie sammeln sich um den Bürstenbinder Johann Philipp Becker (1809—1884). In geheimen Zusammenkünften in Frankfurt am Main wird der bewaffnete Aufstand vorbereitet. Und selbst als die Anführer ihrer Tätigkeit wegen 1833 ins Gefängnis geworfen werden, bleibt die Gruppe mutig und energisch. Sie stürmt das Gefängnisgebäude und befreit die inhaftierten Kameraden. Sie verteilt illegal gedruckte Flugschriften. Sie versucht schließlich, sich der Frankfurter Polizeiwache zu bemächtigen, um sich Waffen zu verschaffen. Natürlich schlägt der Putschversuch fehl.

Die vorerst gescheiterten Revolutionäre treffen sich zum großen Teil in Paris wieder. Hier schließen sie sich mit anderen deutschen Emigranten zu einem „Bund der Geächteten" zusammen, der aber bald auseinanderbricht. Unter dem Einfluß Blanquis kommt es zur Gründung einer neuen Organisation, die sich „Bund der Gerechten" nennt und Blanquis mißglückten Aufstand von 1839 mitmacht. Wer nicht verhaftet wird, flieht nach London, wo der Bund weiter vegetiert. Aber auch in Brüssel und

Genf entstehen Ortsgruppen. Belgier, Engländer, Franzosen, Schweizer und Russen treten bei. Dennoch bleibt die Mitgliedschaft im wesentlichen auf Deutsche beschränkt.

Eine führende Rolle erringt bald Wilhelm Weitling. Er glaubt, daß es möglich sei, selbst fest im Sattel sitzende Regierungen durch den Überraschungsangriff einer kleinen, aber wagemutigen Schar entschlossener Rebellen zu stürzen. Dann könne ein Ausschuß „weiser Männer" die kommunistische Gesellschaftsordnung begründen. Damit erweist er sich als Schüler Blanquis, stößt aber auf den Widerspruch von Friedrich Engels und Karl Marx, die eine immer größere Rolle im noch kleinen Zirkel der Kommunisten zu spielen beginnen. Verärgert wandert er nach Amerika aus.

Marx und Engels beginnen nun, die verschiedenen örtlichen und nationalen Gruppen zu koordinieren, ihnen durch Briefe und Kuriere Anweisungen zu geben und sie für den Sommer 1847 nach London zu einem Kongreß einzuladen. Zwar kommt nur eine Handvoll Delegierter zusammen. Selbst Marx ist im letzten Augenblick verhindert. Engels nimmt deshalb die Leitung der Geschäfte allein in die Hand. Das Ergebnis: Der „Bund der Kommunisten" — im wesentlichen eine Neuauflage des allmählich eingeschlafenen „Bundes der Gerechten" — wird ins Leben gerufen.

Ein wenige Monate später stattfindender zweiter Kongreß, an dem diesmal auch Marx selbst teilnehmen kann, beschließt dann, das Zweigespann zu beauftragen, ein Parteiprogramm zu verfassen, das die Ziele der Bewegung in kurzer, einprägsamer und aufrüttelnder Form wiedergibt. Das „Kommunistische Manifest" entsteht. Es beginnt mit den Worten: „Ein Gespenst geht um in Europa — das Gespenst des Kommunismus." Und es endet mit dem berühmtesten Schlagwort der neueren Geschichte, dem Fanal: „Proletarier aller Länder, vereinigt euch!"

Karl Marx ist der Sohn eines deutschen Rechtsanwalts jüdischer Abstammung, der 1824 mitsamt seiner Familie zum Protestantismus übergetreten ist. 1818 in Trier geboren, studiert Marx in Berlin, Bonn und Jena Philosophie, Staatswissenschaften und Geschichte. Schon rasch zieht ihn Hegel in den Bann. Frühzeitig wendet er sich der Politik zu. Nach seiner Promotion wird er 1842 Chefredakteur der liberalen „Rheinischen Zeitung" in Köln, die er seiner radikalen Ansichten wegen bald wieder verlassen muß. Immerhin lernt er in dieser Zeit Friedrich Engels kennen — und Jenny v. Westphalen, die Tochter eines höheren preußischen Beamten. Sie wird ein Jahr später seine Frau.

Das Paar läßt sich in Paris nieder. Es lebt ständig in wirtschaftlicher Not. Ab und zu hilft Engels mit Zuwendungen. Die beiden Freunde haben Beziehungen zu den, wie sie später sagen werden, „utopischen" Sozialisten Fourier, Cabet, Owen aufgenommen und lösen sich aus dem Bann der Hegelschen Philosophie — aber nicht ganz. Sie selbst prägen das Wort: „Wir haben Hegel auf den Kopf gestellt." Gemeinsam entwickeln sie den Historischen Materialismus.

Auf Wunsch der preußischen Regierung aus Frankreich ausgewiesen, zieht Marx nach Brüssel, wo er bald die Arbeit am „Kommunistischen Manifest" beginnt. Im Februar 1848, am Vorabend der ganz Europa packenden und in seinen Grundfesten erschütternden Welle „bürgerlicher" Revolutionen, wird es in London veröffentlicht. In ihm ist bereits der fertige Marxismus, wenn auch in roher Form, dargeboten. Die späteren wissenschaftlichen Arbeiten, vor allem Marxens dreibändiges Werk „Das Kapital" (1867/1885/1895) dienen eigentlich nur der Vertiefung und dem Ausfeilen der Lehre.

Hegel auf den Kopf stellen — das heißt: Nicht die Ideen sind es, die sich im Dreischritt These-Antithese-Synthese weiterentwickeln und so den Ablauf der Geschichte bestimmen (wobei die materiellen Verhältnisse lediglich die Ideen widerspiegeln) — sondern umgekehrt ist es richtig. Die materiellen Verhältnisse sind entscheidend. Sie entwickeln sich selbständig. Und die Ideen haben nur den Rang eines „ideologischen Überbaus" der bestehenden Produktionsweise und der vorhandenen gesellschaftlichen Einrichtungen. Das Sein bestimmt das Bewußtsein, sagen Marx und Engels. Nicht weil die Menschen die Begriffe Freiheit, Fortschritt und Industrie und Technik dachten, brach die Französische Revolution aus und wurden Adelsgesellschaft sowie absolutes Königtum gestürzt und davongejagt. Vielmehr hatten sich die Produktionsverhältnisse, die den Gang der Geschichte und die gesamte geistige Entwicklung bestimmen, so geändert, daß die Menschen nun einfach, ob sinnvoll oder nicht, Fortschritt, Industrie und Technik denken m u ß t e n .
Dem Zeitalter des Handwebstuhls entsprach nach der von Marx und Engels begründeten materialistischen Geschichtsauffassung die Feudalgesellschaft des Mittelalters mit all ihren Ideen und Einrichtungen: Rittertum, Leibeigene, Frondienste, Ständewesen, Zünfte. Im 18. Jahrhundert hingegen hatte der Dampfwebstuhl den Handwebstuhl verdrängt. Die Klasse der Feudalherren verlor ihre Berechtigung, herrschende Klasse zu sein. Das Bürgertum der Industrie- und Handelsherren wurde stark und drängte zur Macht. Freiheit, Gleichheit, Privateigentum, Freizügigkeit, Demokratie und Parlamentarismus sind ihm auf den Leib geschnitten. Die feierlich deklarierten Menschenrechte — so meinen Marx und Engels — sind in Wirklichkeit die Rechte des Bürgertums, der „Bourgeoisie". Mit den englischen Revolutionären des 17. Jahrhunderts, dem Amerikanischen Unabhängigkeitskrieg und der großen Französischen Revolution hat das Bürgertum nichts weiter getan, als das feudale System, das für die inzwischen gewachsenen Produktivkräfte zu eng geworden war, beiseitezuschieben, so wie die Geschichte es befahl. An die Stelle des Feudalismus ist damit der Kapitalismus getreten, der die Produktion auf eine zuvor nicht dagewesene Höhe steigert.
Doch nach dem Gesetz der Dialektik zeugt der Kapitalismus mit seinem Sieg zugleich seinen eigenen Totengräber, die Arbeiterklasse, das Proletariat, die Klasse der Besitzlosen (womit die Klasse jener gemeint ist,

die keine Produktionsmittel, kein „Kapital" besitzen und also ihren Lebensunterhalt als unselbständige Lohnarbeiter im Dienst der Kapitalisten erwerben müssen). Diese neue Klasse — das steht für Marx und Engels fest — wird eines Tages die Ketten von sich werfen und dem Bourgeois ein blutiges Erwachen bereiten. Sie wird die Kapitalistenklasse ebenso stürzen wie diese das Feudalsystem der großen Grundherren beseitigt hat.

Mit diesem Gedanken reißen die beiden Väter des modernen Kommunismus die letzten Brücken zwischen sich und ihren Vorläufern vom Schlage eines Blanqui und Weitling ab: Putsch und bewaffneter Aufstand allein führen den Kommunismus nicht herbei, sie sind lediglich das letzte Mittel, um einem schon wankenden Koloß den Endstoß zu versetzen. An seinen eigenen Widersprüchen wird der Kapitalismus zugrunde gehen, an nichts anderem.

„Mehrwert" und Wirtschaftskrise

Nur Arbeit schafft Werte, lautet die marxistische Theorie. Jede Ware, die in der Wirtschaft gehandelt wird, hat einen Wert. Diesen Wert bestimmt letzten Endes angeblich nicht das Wechselspiel von Angebot und Nachfrage, sondern die Arbeitszeit, die üblicherweise aufzuwenden ist, diese Ware herzustellen. Sie ist die „gesellschaftlich notwendige" Arbeitszeit, der ausschlaggebende Faktor.

Nun hat aber bei Marx die Arbeit eine besondere Eigenschaft. Sie schafft mehr Wert, als erforderlich ist, um sich selbst zu erhalten. Also — der Arbeiter stellt mehr her, als er benötigt, um sich und seine Familienangehörigen zu ernähren, zu bekleiden, zu versorgen. Diese Differenz zwischen dem, was der Arbeiter unbedingt braucht, um überhaupt arbeiten zu können, und dem von ihm hergestellten Arbeitswert nennt Marx den „Mehrwert". Und den „Mehrwert" streicht, so Marx, der Kapitalist ein. Er ist ja Besitzer der Produktionsmittel, ohne die der Arbeiter in der modernen Industriegesellschaft gar nicht arbeiten und Geld verdienen kann. Der Kapitalist gibt dem Arbeiter somit nur einen Teil des von ihm geschaffenen Arbeitswertes als Lohn. Er beutet den Arbeiter aus. Weil aber ständig genug Arbeitslose, die sogenannte industrielle Reservearmee, vorhanden sind, die gern an die Stelle des Arbeiters treten und seinen Arbeitsplatz einnehmen würden, muß er sich — so behaupten Marx und Engels — die Ausbeutung gefallen lassen.

Wie kommt es aber zur industriellen Reservearmee, dem Heer der lohndrückenden Arbeitslosen? Im Zuge des technischen Fortschritts werden immer wieder Menschen durch Maschinen ersetzt. Die Menschen fliegen auf die Straße. Den restlichen Arbeitern werden die Löhne gedrückt. Das ist aber auf die Dauer der Wirtschaftsblüte abträglich. Denn weniger Menschen produzieren mehr Wirtschaftsgüter, als vorher von vielen produziert worden sind. Auch die zusätzlichen Waren sollen auf dem

Markt abgesetzt werden. Jedoch die Bevölkerung verdient zu wenig, um diese Waren kaufen zu können. Sie verfügt nicht über genügend Kaufkraft. Die reichen und satten Unternehmer sind trotz ihrer Riesengewinne auch nicht in der Lage, so viel zu verbrauchen, daß ein Ausgleich erfolgt. Auf dem Markt kommt es zu Absatzschwierigkeiten. Es herrscht scheinbar Überproduktion. Die Kapitalisten können die Waren nicht absetzen. Sie stellen die Produktion ein. Und sie entlassen natürlich die Arbeiter. Es kommt zur Wirtschaftskrise.

Auch wenn die Kapitalisten höhere Löhne bezahlen, ändert sich nach Marx nichts an der Zwangsläufigkeit der Krisen. Nun gibt es nämlich mehr Geld unter den Leuten und wächst die Nachfrage nach Waren. Die Preise steigen. Die Kapitalisten kurbeln die Produktion noch weiter an. In ihrer Gier nach Profit produzieren sie zuviel. Diesen neuen Warenausstoß kann die Bevölkerung trotz der erhöhten Löhne nicht aufkaufen. Außerdem haben die hohen Lohnkosten viele Kapitalisten dazu bewogen, sich lieber aus der Wirtschaft zurückzuziehen und ihre Kapitalien in Ruhe aufzuzehren, als für einen geringeren Gewinn die Mühen und Risiken des Kapitalistendaseins auf sich zu nehmen. Sie entlassen ihre Arbeiter. Andere Kapitalisten wiederum verstärken den Trend, teuere Arbeiter durch billige Maschinen abzulösen. Auch sie setzen Arbeitskräfte frei. Hohe Löhne — immer nach der Theorie von Marx — sind nichts weiter als „Sturmvögel der Krise".

So sehr besonders Karl Marx, der groß im Schimpfen ist und seelisch nicht gerade ausgeglichen, auch die Kapitalisten, die Bourgeois mit Injurien bewirft, immer wieder betont er, daß diese im Grunde für das System nicht moralisch verantwortlich gemacht werden dürfen. Sie seien dessen Gefangene und könnten ihm „bei Strafe des Untergangs" nicht entgegenhandeln.

Im Zuge der „Akkumulation des Kapitals", der Anhäufung des Besitzes in der Hand weniger, die unumgänglich sei, werden die Reichen immer reicher und die Armen immer ärmer. Die großen Kapitalisten verschlingen die kleinen. Denn die großen Kapitalisten verfügen über größere Betriebe als ihre weniger kapitalkräftigen Klassengenossen. Großbetriebe aber können wirtschaftlicher produzieren und die Konkurrenten ausbooten. So ballt sich immer mehr Kapital bei wenigen Großkapitalisten zusammen („Konzentration des Kapitals"). Es entstehen Riesenbetriebe, die ständig neue Maschinen aufstellen und immer weniger Arbeiter beschäftigen. Nun wächst die Arbeitslosigkeit noch weiter. Aber auch die Großkapitalisten verdienen nicht mehr so viel, wie ihnen vorschwebt. Denn nach der Marxschen Arbeitstheorie (der umstrittensten seiner Theorien) bringt ja nur der Teil des Kapitals Profit, mit dem Arbeitskräfte beschäftigt werden, aus denen Mehrwert herausgepreßt werden kann. Maschinen hingegen sind nicht in der Lage — glaubt Karl Marx — Mehrwert zu erzeugen.

Auf alle Fälle sehen Marx und Engels eine umsichgreifende Verelendung der Arbeiterklasse voraus, die außerdem noch zahlenmäßig mächtig anschwillt. Denn alle Kleinbürger, Landwirte, Handwerker und kleinen Kapitalisten, schließlich auch die mittleren, werden um ihr Vermögen gebracht und ebenfalls besitzlose, auf Lohnarbeit angewiesene Proletarier. Der Häufung des unermeßlichen Reichtums in der Hand einer winzigen Minderheit steht zu guter Letzt eine völlig verelendete Millionenmasse von Proletariern gegenüber, die sich nicht einmal eine Sklavenexistenz sichern kann. Das ist die Stunde der proletarischen Revolution.

Die Arbeiter erheben sich und übernehmen die Produktionsmittel aus dem kapitalistischen Eigentum in ihr Gemeineigentum. Sie sozialisieren. Die „Expropriation der Expropriateure" erfolgt, die Enteignung der Ausbeuter. Nun entsteht die klassenlose Gesellschaft, denn die Geschichte hat ihr Endstadium erreicht. Der letzten These, dem Kommunismus, setzt sich keine Antithese mehr entgegen. Er ist und bleibt Synthese. Die Endzeit, ein Paradies auf Erden, ist da.

Ein jeder arbeitet nur noch soviel, wie er mag und entsprechend seinen Fähigkeiten. Dennoch erhält jedermann aus der krisenlos und auf Hochtouren laufenden Wirtschaft soviel an Dienstleistungen und Gütern, bis alle seine Bedürfnisse befriedigt sind. Und weil die Selbstentfremdung aufgehoben ist, niemand mehr mit Maschinen und Geräten zu arbeiten hat, die einem anderen, dem Kapitalisten eben, gehören, macht die Arbeit auch wieder Freude. Der einzelne fühlt sich glücklich und bestätigt. Die Selbstverwirklichung des Menschen ist erreicht.

„Diktatur des Proletariats"

Marx und Engels lehnen mit aller Entschiedenheit die Voraussage ab, wie diese kommende Revolution der ausgebeuteten und solidarischen Proletarier, die letzte Revolution der Weltgeschichte, aussehen wird. Das muß sich, meinen sie, aus der jeweiligen geschichtlichen Situation ergeben. Und ebenso hartnäckig weigern sie sich, das konkrete Bild der künftigen kommunistischen Gesellschaft zu zeichnen. Das unterscheide eben, so ihre These, ihren „wissenschaftlichen" Sozialismus vom „utopischen" des Cabet und seinesgleichen. Nur eines steht für die beiden Väter des Kommunismus fest: Die neue Gesellschaft wird endlich eine klassenlose sein, weil das Proletariat „mit seiner Erhebung zur herrschenden Klasse sich selbst als Klasse aufhebt".

Allerdings — bis sich der Kommunismus voll entwickelt hat, müsse eine „Diktatur des Proletariats" die niedergeworfenen Kapitalisten am Boden halten und dafür sorgen, daß es nicht zur Konterrevolution, zum Gegenumsturz von rechts kommt. Am Ende dieser diktatorischen Übergangsperiode aber, bei Erreichen des Kommunismus, stirbt der Staat, stirbt jede Zwangseinrichtung ab. Auch der Staat ist nichts weiter als das Instrument der herrschenden Klasse, sich an der Macht zu halten. Wo es keine Klassen mehr gibt — betont insbesondere Friedrich Engels —

kann es auch den Staat nicht mehr geben. Der klassenlosen Gesellschaft entspricht die staatslose.

Wie gesagt, Marx und Engels nennen ihren Sozialismus „wissenschaftlich" und setzen ihn in Gegensatz zu den „idealistischen Richtungen", deren Sozialismus durch ethische Appelle, vor allem an die Herrschenden, ein gutes Herz zu zeigen und die Gerechtigkeit siegen zu lassen, erreicht werden soll, oder die Anhänger zu gewinnen versuchen, indem sie die nach ihrer Meinung ideale sozialistische Gesellschaft beschreiben. Nur die Arbeiterklasse ist wirklich am Sozialismus interessiert, heißt es dagegen in der marxistischen Lehre. Als von der Geschichte auserkorene Klasse wird sie ihn auch herbeiführen. Deshalb gelte es, in der Arbeiterschaft das „Klassenbewußtsein" zu wecken, und sie für ihre historische Aufgabe reif zu machen. Der „Klassenkampf", nicht die Spekulation auf den Edelsinn einflußreicher Leute, ist das Mittel, eine sozialistische Gesellschaft zu schaffen. Und mit der zunehmenden internationalen Verflechtung des Kapitals muß auch das Proletariat seinen Kampf auf der internationalen Bühne ausfechten: „Die Arbeiter haben kein Vaterland." Alles in allem: Marx und Engels sind Kinder des 19. Jahrhunderts mit den charakteristischen Fehlern und Schwächen ihrer Zeit. Sie glauben an den Fortschritt und zeigen sich davon überzeugt, daß die Menschheit immer größerer Vollkommenheit entgegenstrebt. Der Gang der Geschichte ist in ihren Augen vorbestimmt und läuft nach einem festumrissenen Schema ab. Nicht Gott hat dieses Schema aufgestellt — und selbstverständlich greift Gott auch nicht willkürlich in den geschichtlichen Ablauf ein —, einen Gott, so meinen sie, gibt es überhaupt nicht. Kein Wunder, daß die Wissenschaft überschätzt und an die Stelle von Glauben und Ethik gesetzt wird. Aus allen Fugen und Ritzen des marxistischen Lehrgebäudes dringt naiver Materialismus ans Tageslicht.

Kritisch können wir heutzutage auch den Voraussagen der kommunistischen Erzväter entgegentreten. Fast keine hat sich erfüllt. Dabei sticht der Schiffbruch der Verelendungstheorie am eindringlichsten ins Auge. Das Proletariat verarmte nicht noch mehr. Im Gegenteil, die Arbeiterschaft erfreut sich gerade in den „kapitalistischen" Ländern eines nie gekannten und nie vorausgeahnten Wohlstands. (Selbst die noch vom alten Marx angesprochene Neuinterpretation in Form der „relativen" Verelendung — zwar steigt auch der Lebensstandard der Proletarier, aber viel langsamer als der der Kapitalisten — erwies sich als falsch). Ebensowenig verschwanden generell die Mittelschichten. Und wo sie in Ausnahmefällen weichen mußten, weil die technische Entwicklung bestimmte Berufe und Einnahmequellen auslöschte, bildeten sich neue soziale Formen, erwuchs ein neuer Mittelstand. Nirgendwo aber schlossen sich die Deklassierten dem Proletariat an — im Gegenteil, sie wurden seine erbittertsten Feinde und die willigen Anhänger antimarxistischer Diktatoren.

Nicht wenige Soziologen wollen heute eine Marx und Engels geradezu entgegengesetzte Entwicklung verzeichnen: Den Aufstieg des Proletariats in diesen angeblich zum Untergang verdammten Mittelstand, die Verschmelzung beider Schichten zu einem selbstbewußten, wirtschaftlich stabilen Unterbau des gesellschaftlichen Gefüges. Statt einer Verschärfung des Klassenkampfes erfolgt seine Aufweichung. Klassenbewußtsein kann es da, wo im Grunde jedem materiell und ideell der Weg zur Bildung geebnet ist, wo keine Schranken des Herkommens den beruflichen Aufstieg verwehren und in der nicht nur Arbeitertöchter „Kapitalisten", sondern selbst „Kapitalistentöchter" ungeniert Arbeiter heiraten, auch gar nicht mehr geben.

Nirgendwo überdies hat das Proletariat die ihm vom Marxismus zugedachte heroisch-revolutionäre Rolle gespielt. Und vielleicht kann man der Lehre sogar den Vorwurf machen, daß sie Generationen politisch aktiver Menschen in dem Glauben an den automatischen Ablauf der Geschichte erzogen und somit ihren Abwehrwillen gegen die totalitären Systeme des Faschismus und Stalinismus geschwächt hat.

Niemand allerdings wird abstreiten wollen, in welcher entscheidenden Weise Marx und Engels die moderne Nationalökonomie beeinflußt haben, daß ohne die beiden die Soziologie, die in unserer Zeit so großen Einfluß errungen hat, kaum den Rang einer Wissenschaft erreicht hätte. Noch bedeutsamer aber wurde der Marxismus für die politische Wirklichkeit. Als ein Mythos von ungeheurer Ausstrahlungskraft hat er große Teile der Menschheit in seinen Bann geschlagen und zur Bildung zweier der Weltreiche beigetragen, die in der Gegenwart das Schicksal der Welt bestimmen: Der Sowjetunion und Rot-Chinas.

Das Jahr 1848

Das „Kommunistische Manifest" soll Auftakt zum dramatisch prophezeiten Totentanz des Kapitalismus werden. Gleich am Anfang heißt es: „Die Geschichte aller bisherigen Gesellschaft ist die Geschichte von Klassenkämpfen. Freier und Sklave, Patrizier und Plebejer, Baron und Leibeigener, Zunftbürger und Gesell, kurz Unterdrücker und Unterdrückte, standen in stetem Gegensatz zueinander, führten einen ununterbrochenen, bald versteckten, bald offenen Kampf, einen Kampf, der jedesmal mit einer revolutionären Umgestaltung der ganzen Gesellschaft endete oder mit einem gemeinsamen Untergang der kämpfenden Klasse."

Und unverhohlen erklären Marx und Engels, worum es ihnen geht: „Die Kommunisten verschmähen es, ihre Ansichten und Absichten zu verheimlichen. Sie erklären offen, daß ihre Zwecke nur erreicht werden können durch den gewaltsamen Umsturz aller bisherigen Gesellschaftsordnungen. Mögen die herrschenden Klassen vor einer kommunistischen Revolution erzittern! Die Proletarier haben nichts in ihr zu verlieren als ihre Ketten. Sie haben eine Welt zu gewinnen."

Dann folgt das Jahre 1848, das im Sturmlauf die Brandfackel der Revolution nach Paris, Wien, Berlin, München, Prag und Budapest trägt

— und das mit der blutigen Niederlage der Revolutionäre ausgeht. Vor allem nach dem Sieg der „Ordnungstruppen" des Generals Cavaignac („Den Feind zerschmettern, in Masse, wie im Kriege!") über die Arbeiter der französischen Hauptstadt in der viertägigen Junischlacht, lassen die Sozialisten jede Hoffnung fahren. Vier Tage dauert der Kampf: In Paris wird Barrikade um Barrikade erobert, unter greulichen Morden, in sich wechselseitig steigender Wut. Ganze Straßenzüge und Viertel liegen schließlich in Asche. Auf 50 000 werden die Toten geschätzt. Es endet mit Hinrichtungen und Deportationen.

Doch es ist nicht das „Kommunistische Manifest", das die Massen in den Aufstand treibt. In so kurzer Zeit konnte es nicht in den Herzen und Hirnen der Proletarier wirksam werden. Nur wenige Eingeweihte kennen es. Aber sie bewahren untereinander den Zusammenhalt. Ihre kleinen und kleinsten Zirkel überdauern Verfolgungen und Verhaftungswellen.

Die anschwellende Woge der Industrialisierung überschwemmt im folgenden Jahrzehnt auch das Herz des Kontinents. Vor allem im Ruhrgebiet und in Sachsen schießen Fabrikhallen und -schornsteine über Nacht in die Höhe. Der Nährboden für die erste sozialistische Partei der Welt, die wirklich den Namen Partei verdient, entsteht. Gemeint ist die SPD, die Sozialdemokratische Partei Deutschlands, die allerdings zu keinem Zeitpunkt ihrer Geschichte einen eindeutig marxistischen Charakter trägt und hundert Jahre später entscheidenden Anteil daran hat, daß der Vormarsch des Kommunismus von Moskau her an der Elbe sein Ende findet.

Von Moskau her! Es ist dieses Schicksalsjahr 1848, in dem ein enger Kampfgenosse (und spätere Gegner) von Marx und Engels, der Russe Bakunin, die prophetischen Worte spricht: „Aus einem Meer von Flammen und Blut wird sich in Moskau hoch und wunderbar der Stern der Revolution erheben und Leitstern zum Glück der gesamten Menschheit werden."

Dieser Michael Bakunin stammt aus adliger Familie, ist Kadett in St. Petersburg und Offizier, studiert dann in Berlin Philosophie, bekennt sich zu Hegel, sucht und findet Verkehr mit Radikalen, entwischt den Agenten des Zaren und schließt sich in der Schweiz kommunistisch-sozialistischen Vereinen an.

In der Heimat wird sein Vermögen eingezogen. Am Gedächtnistag der Warschauer Revolution fordert er kühn die Verbrüderung zwischen Russen und Polen und eine gemeinsame russische Revolution. Nun setzt die russische Regierung einen Preis von 10 000 Silberrubeln auf seinen Kopf. Er entflieht nach Brüssel, kommt nach der Februarrevolution nach Paris zurück, ist im März 1848 in Berlin, zum Slavenkongreß im Juni in Prag. Im nächsten Frühjahr kämpft er in revolutionären Verbänden in Dresden. Zuerst Mitglied der Revolutionsregierung, dann in Königstein zum Tode verurteilt, aber zu lebenslänglichem Zuchthaus begnadigt, wird er nach Österreich ausgeliefert, abermals durch ein Kriegsgericht als Hochverräter zum Strang verurteilt, wieder begnadigt — diesmal zu lebenslangem Kerker — und nun nach Rußland ausgeliefert. Er entflieht (nach langer Kasemattenhaft in Schlüsselburg) als Strafkolonist aus Sibirien nach Japan, nach Kalifornien.

Die Ungeduld, mit der er zum Umsturz drängt, überwirft ihn mit den Häuptern der inzwischen gegründeten Ersten Internationale und vornehmlich auch mit Marx. Er stirbt im Spital, enttäuscht und lebensmüde, nachdem er eine zeitlang die Nahrung verweigert und damit seinen Tod herbeigeführt hat.

Die Entwicklung geht weiter

Die nächsten Jahrzehnte verändern das Bild der Welt noch mehr. Am technischen Erfindungsgeist entzündet sich das neue Zeitalter. Es braucht den Fachmann — und es erschafft den Fachmann. Der Sozialwissenschaftler Werner Sombart hatte die nun aufblühende Geisteslandschaft umrissen: „Das kühn herausfordernde: ich weiß! tritt an die Stelle des bescheiden-stolzen: ich kann! Ich weiß, warum die hölzernen Brückenpfeiler nicht faulen, wenn sie im Wasser stehen, ich weiß, weshalb die Pflanze besser wächst, wenn ich den Acker dünge, ich weiß, ich weiß, ich weiß! Das ist die Devise der neuen Zeit, mit der sich dann das technische Verfahren von Grund auf ändert ..." Dieses Wissen beginnt die Gestalt, den Inhalt, das Ausmaß und die Bewegung der Wirtschaft zu bestimmen.

Unter der Nutzung solchen Wissens konstruierte 1860 der Franzose Lenoir die Gaskraftmaschine, Werner von Siemens wird durch sein Wissen zur Entdeckung des Dynamoprinzips geführt und so zur Krafterzeugung mit Hilfe des Elektromagneten. So ist es mit der Herstellung von Zucker aus der Rübe, mit der Erschließung von Bergwerken, mit der Eisenbahn oder mit dem Dampfschiff. Die Erfindung des Telefons und die Erbohrung der ersten Petroleumquelle folgen. In wenigen Jahren verwandelt sich mehr als früher in Jahrhunderten.

Schon die Französische Revolution hat gezeigt, daß die Besserung der Lebensverhältnisse des Arbeiters zu den Lebensvoraussetzungen einer aufblühenden Zivilisation gehört. Nun wird sie zum beherrschenden Problem. Denn dieses Jahrhundert schafft erst den Lohnarbeiter im eigentlichen Sinne als den notwendigen Arbeitspartner beim Aufbau der Industrie, bei ihrem Ausbau und bei ihrer Erhaltung. Zum ersten Male in der Weltgeschichte entsteht ein Phänomen, das wirklich die Bezeichnung Arbeiterfrage verdient.

Dabei geht es nicht nur um den Arbeitslohn und seine Höhe, sondern ebenso um seine Sicherung bei Verschiebungen in der Produktion, bei Änderungen der Technik und des Verkehrs, bei neuen Erfindungen, bei Wirtschaftskrisen — und schließlich auch bei Erkrankung oder Invalidität, die Verdienstausfälle zur Folge haben. Es geht um die Versorgung kinderreicher Familien, um Konkurrenz und Aufstiegsmöglichkeiten.

Auch die Arbeitszeit verlangt ihre Regelung. Vorerst beträgt sie vielerorts noch immer vierzehn Stunden am Tage. Anderweitig ist der Zwölfstundentag eingeführt. Da und dort wird er sogar schon durch den Einschub von zwei Stunden Ruhepause aufgelockert.

Selbstverständlich liegt die „Schuld" an den sozialen Verhältnissen durchaus nicht immer beim Arbeitgeber. Mangelnder Fleiß, Unpünktlichkeit, Unaufmerksamkeit, Vertragsbrüche, Materialvergeudung oder Gleichgültigkeit einzelner Arbeitnehmer stören die Zusammenarbeit. Unternehmer wie Arbeiter müssen sich erst an die disziplinheischende Industriegesellschaft gewöhnen. Das Arbeitsklima ist häufig verdorben durch feindselige Haltung oder Mißtrauen gegenüber oftmals durchaus vernünftigen und uneigennützigen Reformen.

Die Erste Internationale entsteht

Der international ausgerichtete „Bund der Kommunisten" hat die gescheiterte 48er-Revolution schlecht überstanden. Zwar existieren hier und dort noch organisatorische Reste. Aber auch sie zerstäuben unter dem Zugriff der Polizei in alle Winde. In Köln — hier hat Karl Marx im Revolutionsjahr vorübergehend wieder als Redakteur und Agitator gewirkt — kommt es 1852 zum Kommunistenprozeß. Der zusammengeschrumpfte Bund wird trotz seiner Bedeutungslosigkeit verboten — und in Konsequenz dessen wenige Tage später auch im Ausland aufgelöst.

Inzwischen schreibt man 1864. Marx und Engels leben in London. Die Hauptstadt des britischen Weltreiches wird mehr und mehr zum Treffpunkt der Emigranten aller Länder und Richtungen. Während Rußland unter demonstrativem Wohlwollen Preußens einen Polenaufstand niederschlägt, in Amerika der Bürgerkrieg tobt (der der Sklavenbefreiung dienen soll), die Deutschen wegen Schleswig-Holstein mit Dänemark aneinandergeraten sind und Ferdinand Lassalles Allgemeiner Deutscher Arbeiterverein, auf den sich die SPD zurückführt, die einjährige Wiederkehr seines Gründungstages erlebt, schlägt am 28. September in London in der St.-Martins-Hall die Geburtsstunde der Ersten Internationale. Ihr offizieller Name lautet Internationale Arbeiter-Assoziation. Sie soll die Arbeiterklasse im Weltmaßstab zum Sieg bringen.

Im Gegensatz zu den späteren „Internationalen" besteht die Erste nicht aus geschlossenen nationalen Gruppen oder Parteien. Sie setzt sich wie eine national bestehende Organisation selbst aus Einzelmitgliedern zusammen — noch dazu aus Einzelmitgliedern der verschiedensten Richtungen. Die französischen Sozialdemokraten — ihr Führer Ledru-Rollin bekundet, er „hasse den Kommunismus" — gehören ebenso dazu wie die Anarchisten, die den Staat gewaltsam „abschaffen" und das Eigentum an den Produktionsmitteln kleinen örtlichen Gemeinschaften überantworten wollen (die sich zu lockeren Föderationen zusammenschließen sollen). Schließlich dürfen die Trade-Unionisten nicht vergessen werden, die englischen Gewerkschaftler, denen es nicht um eine Revolution geht, sondern um Reformen innerhalb der bestehenden Gesellschaftsordnung, die sich also an Lohn- und nicht an Klassenkämpfen orientieren.

Die Kommunisten, Marx, Engels und ihr engster Anhang, für die sich bald der Name Marxisten einzubürgern beginnt — obwohl Marx von sich sagt: „Ich bin kein Marxist" —, die Kommunisten also fühlen sich damals noch nicht als die Herren, sondern als Avantgarde, als Vorhut der Arbeiterklasse. Sie wollen in der Kampforganisation des Proletariats, der Internationale, nicht die Befehlsgewalt ausüben, sondern die Arbeiterschaft von der Warte ihrer, wie sie glauben besseren, weil wissenschaftlichen Basis aus lenken und beraten. Doch sie können an der buntscheckigen Gesellschaft in der Internationalen Arbeiter-Assoziation auf die Dauer keinen Gefallen finden. Es kommt zum Streit mit Bakunin und seinen Anarchisten, die nicht warten wollen, bis der Kapitalismus das vorangekündigte Stadium zum Umschlag in den Kommunismus von selbst erreicht, also auch die Revolution mehr oder weniger „von selbst" eintritt, sondern dementgegen auf ein System dauernder Aufstände unter Leitung geheimer Verschwörungsgruppen setzen. Die Spannungen wachsen. Entweder müssen die Marxisten oder die Bakunisten weichen. Für beide Gruppen ist in der Internationale kein Platz. Da bricht ein Ereignis aus, das alle Beteiligten fasziniert und vom inneren Hader ablenkt: Der Aufstand der Pariser Kommune!

Aufstand der Kommune in Paris

Der Deutsch-Französische Krieg von 1870—71 hat seinen Höhepunkt erreicht: Frankreichs Hauptstadt Paris ist von deutschen Truppen eingeschlossen. Alle Ausbruchsversuche sind gescheitert. Die Not in der Stadt wächst von Tag zu Tag. Der Hunger geht durch jedes Haus. Die Lebensmittel reichen nur noch für wenige Wochen. Zur Zeit gibt es 300 Gramm schlechtes Brot und 30 Gramm Pferdefleisch als tägliche Ration. Die Arbeit ruht seit langem. Die Industriearbeiter bleiben ohne Lohn, und zu den Bedrohungen der überall einschlagenden Granaten der Belagerungsgeschütze gesellt sich die Verzweiflung.

Als das französische Kaiserreich Napoleons III. im September 1870 zusammenbricht, glaubt der alte und oft verfolgte Revolutionär Louis Charles Delascluze seine große Stunde gekommen. Er treibt die Massen zu einem Aufstand gegen die neugebildete „Regierung der nationalen Verteidigung" an. An der Spitze aufrührerischer Bataillone der Nationalgarde, einer Art Bürgerwehr, umringt er das Rathaus und bedroht Regierungsmitglieder. Ein Zufall führt in allerletzter Stunde zuverlässige Truppen heran.

Das Unternehmen scheitert. Delascluze wird verhaftet, dann aber ohne Strafe auf freien Fuß gesetzt. Frankreich hat jetzt größere Sorgen, als daß es sich einen Bürgerkrieg aufladen dürfte. Die Richter blicken nicht nur auf die Siege des deutschen Heeres, sondern ebenso besorgt auf die anwachsende Unruhe in der Bevölkerung. Tatsächlich rücken auch bald wieder — am 22. Januar 1871 — unter dem Donner der deutschen Belagerungsgeschütze bewaffnete Arbeiterbataillone aus den Vorstädten gegen das Stadthaus. Delascluze ist erneut dabei.

„Kommune" heißt bei den Empörern der stolze Name dieser Bewegung. Sie selbst nennen sich „Communards", was auf keinen Fall mit Kommunisten, sondern eher mit Kommunalisten zu übersetzen ist. Es geht ihnen darum, ein Bündnis der großen Städte Frankreichs, der Kommunen eben, zu schaffen und auf diesem Weg eine Unterdrückung der fortschrittlich gesonnenen Stadtbevölkerung durch das Übergewicht des konservativen flachen Landes zu verhindern. Also muß Paris auch seine eigene Militär-, Gerichts- und Finanzhoheit erhalten. Das stehende Heer soll abgeschafft werden, eine bewaffnete Bürgerschaft an seine Stelle treten, der straff zentralistisch verwaltete französische Staat den Charakter einer Eidgenossenschaft souveräner Stadtrepubliken erhalten. Das sind Anschauungen, die auch bei Angehörigen der gebildeten Kreise Beifall finden. Bewußt stellen diese sich in Gegensatz zu den Kommunisten, die sich hauptsächlich aus Proletariern rekrutieren und sich der Pariser Kommune nur anschließen, um die grundlegende Umwälzung der Eigentumsverhältnisse zu erzwingen.

Zwar schlägt General Vinoy jenen Aufstand vom 22. Januar 1871 nieder, aber das Entsetzen der Regierung über die Rebellion ist so gewaltig, daß schon am nächsten Tage Minister Jules Favre nach Versailles geht, um die Verhandlungen mit den Deutschen über die Kapitulation einzuleiten — nach dem selben Versailles, in dem vor fünf Tagen Wilhelm I. von Preußen zum Deutschen Kaiser proklamiert worden ist. Seele des Aufstandes ist ein alter Bekannter, der Kommunist Louis-Auguste Blanqui, ein Asket und Fanatiker, der, demnächst 66 Jahre alt, bisher 37 Jahre seines Lebens im Gefängnis verbracht hat. Bis zum vorigen Sommer hat er in England für die Internationale gewirkt. Seitdem lebt er in Paris und bereitet hier emsig seinen eigenen Feldzug gegen Bourgeoisie und Kapital vor. Der Deutschenhaß macht weite Kreise der Pariser Bevölkerung zu Gegnern der verhandlungswilligen Regierung. Auch große Teile der Nationalgarde, die für die Aufrechterhaltung der Ordnung in der belagerten Stadt zu sorgen hat, zeigen sich für die Revolution aufgeschlossen. Und so gelobt diese Truppe am 24. Februar 1871 in ihrer Mehrheit, nicht mehr der Regierung gehorchen zu wollen, sondern sich dem von Blanqui ins Leben gerufenen „Zentralkomitee" zu unterstellen. Mit 417 Geschützen, die sie oben auf dem Montmartre placieren, beherrschen die Nationalgardisten die Stadt. Inzwischen hat Paris formell kapituliert. Die Deutschen besetzen es nicht. (Nur auf den Champs-Elysées findet eine zeitlich begrenzte Siegesparade statt.) Ihre Truppen lagern aber immer noch vor den Toren. Und sie verhandeln mit der Regierung der Republik, die sich nun im benachbarten Versailles niedergelassen hat, wo sie sich auf eine frischgewählte Nationalversammlung stützt, in der die monarchistisch und konservativ gesonnenen Vertreter der Provinz eine erdrückende Mehrheit haben. Regierungschef ist Thiers. Ihm geht es darum, den beschlossenen Waffenstillstand so schnell wie möglich durch einen ordentlichen Frieden zu ersetzen, um die drohende Rebellion in Paris zu vereiteln.

Doch dazu ist es schon zu spät. Ein allgemeiner Aufstand bricht aus. Er nimmt seinen Anfang in den Arbeitervierteln. Die Regierung sieht machtlos zu. Denn selbst die Linientruppen der regulären Armee sympathisieren mit den Aufständischen. Das Zentralkomitee ergreift vom Rathaus Besitz und etabliert sich als förmliche Gegenregierung. Auch die 100 000 Mann der Nationalgarde empfangen von hier Sold und Weisungen. Von den öffentlichen Gebäuden wehen rote Fahnen. Das 88. Linienregiment geht geschlossen zu den Rebellen über. Zwei Generale werden erschossen.

Das Zentralkomitee ordnet die Wahlen für den Gemeinderat, für die Kommune, an. Er soll die wahre Republik begründen. Die Tore von Paris werden geschlossen, um Flüchtlingen das Entweichen unmöglich zu machen. Agenten gehen in die Provinz, um die Bevölkerung aufzuwiegeln. Am 3. April 1871 marschiert eine Schar von Rebellen nach Versailles, um die Regierung zu stürzen. Der Angriff wird abgeschlagen.

Auch Aufstandsversuche in der Provinz werden unterdrückt. Aber in Paris festigt sich die Machtstellung der Communards weiter. Alle Revolutionsführer sitzen nun im Gemeinderat der Millionenstadt. An die Stelle der Ministerien treten zehn „Volkskommissionen". Kommandant von Paris wird ein Schreiber. Den Oberbefehl über die Kriegsmacht der „Föderierten" übernehmen, wie die Gegner höhnisch registrieren — ein Unterleutnant, ein Arbeiter und ein Apotheker.

Die Rote Fahne sinkt

Und das Geld? Es kommt zunächst aus den Kassen geplünderter Kirchen und Reicher. 52 Millionen Francs bringt die Konfiskation öffentlicher Finanzen ein. Die Bank von Frankreich, Eisenbahnen und Private werden zu Abgaben gezwungen. Die Unterwelt rührt sich. Raub und Plünderung erhalten offiziellen Anstrich. Gegen politische Gegner wütet ein sich steigernder Terror.

Der Maler Gustave Corbet begeistert sich für die Rote Republik und für die Freie Liebe. Er wird zum Vorsitzenden der Kunstkommission gewählt. Als Demonstration der Freiheit gegen ein „schmachvolles Denkmal des Militarismus" verlangt er die Zerstörung der zur Ehre der Großen Armee errichteten Vendômesäule, eines von 1806 bis 1810 aus erbeuteten Gewehren gegossenen Standbildes Napoleons I.; er führt die Tat selbst aus. Und als der Rebellengeneral Duval von einem Standgericht in Versailles erschossen wird, müssen dafür Erzbischof Darboy und andere Geistliche mit ihrem Tode büßen. Die Kommune läßt sie an die Wand stellen.

Aber die französische Regierung erstarkt. Marschall MacMahon übernimmt das Kommando über die Regierungstruppen und greift mit ihnen gegen den „Abschaum von Frankreich" energisch durch. Die Deutschen lassen ihn passieren.

Die Kommune begreift sehr schnell, was auf dem Spiel steht. Sie setzt sich mit allen Kräften zur Wehr. Vorläufig hat sie noch den Vorteil, daß sie die von den Deutschen nicht besetzten Vorwerke der Festung Paris in der Hand hält. Aber ein Fort nach dem anderen wird ihr abgerungen. So sind die Tage der Kommune gezählt. Delascluze spielt sich weiter nach vorn. Er arbeitet in der Kommission für äußere Angelegenheiten, tritt in die Exekutivkommission, stürzt den Wohlfahrtsausschuß, veranlaßt die Wahl eines neuen und wird sein Präsident. Bald übernimmt er auch noch die Leitung der Kriegskommission. Sein Fanatismus wächst mit jedem Machtzuwachs. Seine Energie ist beispiellos. Er versucht, die Disziplin der bewaffneten Revolutionäre zu bessern und erhöht die Schlagkraft der Verteidigungsmittel. Aber mit keinem Aufwand an Kraft und Phantasie vermag er zu hindern, daß der Untergang der Kommune dicht bevorsteht. Und nun stellt der von Haß blinde Eiferer den Antrag, alle öffentlichen Gebäude mit Petroleum zu begießen und anzuzünden sowie alle Geißeln zu erschießen.

Am 21. Mai 1871 brechen die Regierungstruppen durch das Tor von St. Cloud in die Stadt ein. Der Barrikadenkampf hält sie noch sieben Tage fest. Dann haben sie gesiegt. Und nun lodern zum Entsetzen aller vernünftig Gebliebenen die Tuilerien in Flammen auf. Das königliche Schloß, aber auch das Rathaus und viele andere bewundernswerte Gebäude, Kirchen und Theater werden zu Opfern der Wahnsinnstat einer Handvoll Fanatiker, zu brennenden Fackeln bei der „Leichenfeier" der Kommune.

Als das letzte Bollwerk der Communards, die Buttes Chaumont, von den Siegern genommen ist, stellt sich Delascluze den vorstürmenden Soldaten mit entblößter Brust entgegen und wird von fünf Kugeln getroffen. 38 000 Communards werden gefangen nach Versailles gebracht. Eine weit größere Anzahl entflieht. Hunderte von Empörern werden in diesen Tagen standrechtlich erschossen oder deportiert. 16 500 Mann sind gefallen.

Die Führer der Ersten Internationale im fernen London geben sich begeistert. „Die Pariser Kommune, das ist die Diktatur des Proletariats", wird Engels später einmal sagen. Dabei hat die Kommune — von der Wortähnlichkeit abgesehen — nur wenig mit dem Kommunismus gemein, ja sich von der Internationalen Arbeiter-Assoziation sogar offiziell distanziert. Dennoch ist nicht zu leugnen, daß viele Kommunisten und andere Mitglieder der Internationale sich als Agitatoren und Barrikadenkämpfer in Paris zur Verfügung gestellt und den Einsatz des Lebens nicht gescheut haben. Und nicht von ungefähr erläßt das Parlament der französischen Dritten Republik am 14. März 1872 das Gesetz gegen die „Umtriebe der Internationalen Arbeiter-Assoziation".

Den Todesstoß versetzt der Ersten Internationale zwar nicht dieser Beschluß der Pariser Deputiertenkammer. Sie begeht vielmehr unfreiwilligen Selbstmord. Aber das hängt indirekt mit der Kommune zusammen. Denn die englischen Trade-Unionisten billigen die Unterstützung des Aufstandes durch die Internationale Arbeiter-Assoziation auf keinen Fall. Sie treten in Scharen aus und schwächen die Organisation derart, daß sie nur noch dahinsiechen kann. Und als dann endlich der Streit zwischen den Marxisten und den Bakunisten wieder aufflammt, Bakunin samt Anhang ausgeschlossen wird, ist die Erste Internationale kaum mehr als ein Gehäuse ohne Inhalt.

Auch die britische Regierung macht Schwierigkeiten. Der Generalrat der Assoziation sieht sich gezwungen, seinen Sitz nach New York zu verlegen. Der 1873 in Genf stattfindende Kongreß findet keinen Widerhall mehr. Drei Jahre später zieht die Erste Internationale aus diesen Tatsachen die Folgerungen. Sie beschließt ihre Auflösung. Alle Hoffnungen, die ihre Gründer einst auf sie gesetzt haben, sind vorerst einmal zu Grabe getragen.

Die „roten Preußen" organisieren sich

Inzwischen hat sich das Schwergewicht der sozialistischen Bewegung in das aufstrebende und aufblühende Deutschland verlagert. Die „roten Preußen" organisieren sich. In der Armee des Königs haben sie Disziplin gelernt. Sie zeigen diese Eigenschaft in den Fabriken und Gruben an der Ruhr und in Oberschlesien zum Frommen der gesamten Volkswirtschaft. Und nun nutzen sie sie in eigener Sache. Sie formen eine festgefügte, schlagkräftige Arbeiterbewegung. Mächtige Gewerkschafts- und Genossenschaftsverbände entstehen — und eine starke Partei.

Den Anfang macht der hochbegabte, 1825 in Breslau geborene Ferdinand Lassalle. Am 23. März 1863 gründet er in Leipzig den Allgemeinen Deutschen Arbeiterverein. Er fordert das direkte, allgemeine und gleiche Wahlrecht. Das ist sein erstes Ziel. „Das Banner, das ich erhoben habe, ist das demokratische Banner überhaupt", sagt er in Frankfurt am Main. Und an anderer Stelle: „Bei der Demokratie allein ist das Recht — und bei ihr allein wird die Macht sein."

Demokratie und Staatsbejahung, diese Stempel hat Lassalle der deutschen Sozialdemokratie unauslöschlich aufgeprägt. Auch Staatsbejahung: Schon Lassalle selbst verhandelt mit Bismarck. Er sucht das Bündnis mit dem König von Preußen. Ein soziales Königtum, gestützt auf eine breite Arbeitermehrheit im Parlament, das kann die soziale Frage lösen. Den Weg sieht Lassalle in mit Staatshilfe errichteten Produktivgenossenschaften — ähnlich wie Louis Blanc 1848 in Frankreich, von dem Lassalle auch den Namen Sozialdemokratie für seine Bewegung übernimmt. Diese Genossenschaften sollen zum beherrschenden Faktor in der Wirtschaft werden und der Arbeiterschaft den vollen Arbeitsertrag garantieren.

Aber Lasalle sieht noch weiter. Er begrüßt den Versuch Bismarcks, einen deutschen Nationalstaat unter Preußens Führung und unter Ausschluß der Vielvölkermonarchie Österreich-Ungarn zu schaffen. Auch hierbei sollen Königtum und Arbeiterschaft Hand in Hand gehen.

Lassalle findet unglaublichen Widerhall bei der deutschen Arbeiterschaft. Wie ein Komet geht dieser Mann am politischen Himmel auf. Und wie ein Komet erlischt er wieder. Er fällt am 31. August 1864, gerade 39 Jahre alt, einer Frau wegen im Duell. Sein Nachfolger in der Parteiführung, Johann Baptist v. Schweitzer, hat nicht sein Format. Und er gewinnt noch weniger die Zustimmung des in London hockenden und über seinen geringen direkten Einfluß grollenden Erzvaters Marx. Außerdem spaltet die Deutsche Frage die Arbeiterschaft.

August Bebel (1840—1913) und Wilhelm Liebknecht (1826—1900) lehnen nämlich Preußens Machtanspruch ab. Sie fürchten ein von Berlin aus zentralistisch und „militaristisch" geleitetes Reich. Mit ihren Anhängern gründen sie Anfang August 1869 in Eisenach eine zweite, die Sozialdemokratische Arbeiterpartei. Sie erstrebt den „freien Volksstaat" und ist stärker marxistisch orientiert. Sowohl Bebel als auch Liebknecht treten der Ersten Internationale bei. Dann legt v. Schweitzer das Präsidium des Allgemeinen Deutschen Arbeitervereins nieder. Und Bismarck schafft 1871 vollendete Tatsachen. Das neue Deutsche Reich steht. Aus dem König von Preußen wird zusätzlich ein Deutscher Kaiser.

Die Gründe für eine Fortdauer der Spaltung zwischen Lassalleanern und „Eisenachern" sind weggefallen. Beide Richtungen vereinen sich im Mai 1875 in Gotha zu einer einheitlichen Partei, für die ab 1890 ihr heutiger Name üblich wird: Sozialdemokratische Partei Deutschlands, SPD. Auch diese Partei ist nicht streng marxistisch. Marx und Engels verdammen das Kompromißprogramm. Vor allem kritisieren sie das Bekenntnis zur Gesetzlichkeit: Nur „mit allen gesetzlichen Mitteln" wollen die Sozialdemokraten die sozialistische Gesellschaftsordnung errichten. Marx donnert: „Logisch unerlaubt!" Und verkündet: Notwendig ist — hier fällt das Wort zum ersten Mal — „die revolutionäre Diktatur des Proletariats".

Die herrschenden Schichten, an der Spitze Reichskanzler Fürst Bismarck, der seiner Gespräche mit Lassalle jetzt nur noch voll Spott gedenkt, sorgen jedoch dafür, daß die SPD in den nächsten Jahrzehnten stärker unter den Einfluß marxistischer Theoretiker gerät und eine tiefe Kluft zwischen Bürgertum und Arbeiterschaft, zwischen Staat und Sozialdemokratie aufreißt, die erst nach 1945 endgültig überwunden wird: Die Reichsregierung peitscht im Parlament das „Gesetz gegen die gemeingefährlichen Bestrebungen der Sozialdemokratie" durch. Den Vorwand bilden zwei Attentate auf Kaiser Wilhelm I., die der SPD wider besseres Wissen in die Schuhe geschoben werden.

Das Gesetz bringt für die Sozialdemokraten unmenschliche Härten. Es beschneidet ihre politische Freiheit. Aber es kann die Partei nicht brechen. Die Mitglieder- und Wählerzahlen schwellen an, obgleich allein aus fünf Städten — es handelt sich um die sozialdemokratischen Hochburgen Berlin, Hamburg, Leipzig, Frankfurt am Main und Stettin — 892 Personen mit 1477 Familienmitgliedern ausgewiesen werden. Auch nützt nichts, daß man 154 Zeitschriften sowie 1067 Bücher und Broschüren verbietet und in den beiden Jahren 1878 und 1879 600 Jahre Gefängnisstrafen verhängt. (Bis 1888 kommen noch weitere 831 Jahre hinzu.) 1890, als das Gesetz fällt — und bald danach auch Bismarck seinen Abschied nehmen muß — hat die SPD ihre Stimmenzahl verdreifacht. Mit eineinhalb Millionen Stimmen ist sie die stärkste Partei Deutschlands geworden.

In Erfurt gibt die Partei sich 1891 ein neues Programm, das lange gelten und sogar den Ersten Weltkrieg überdauern soll. Die führenden Theoretiker formulieren es: Karl Kautsky und Eduard Bernstein. Es weist einen grundsätzlichen und einen aktuellen Teil auf. Im ersten, grundsätzlichen Teil wird stellenweise „Das Kapital" von Marx wörtlich übernommen. Konsequenz: „Die Produktionsmittel müssen in den Besitz der Gesamtheit kommen!" Und: „Das kann nur das Werk der Arbeiterklasse sein." Dann aber erscheinen die Gegenwartsforderungen, die nicht nach Barrikadenkampf oder revolutionärem Umsturz riechen, sondern auf Reform abzielen. Zu ihnen gehören beispielsweise Selbstbestimmung der Gemeinden, Gleichberechtigung der Frauen, Unentgeltlichkeit des Schulunterrichts und der Lehrmittel, Arbeitsschutzgesetze und Sozialversicherung durch das Reich.
Und es ist Bernstein, der dann Ende der neunziger Jahre den Mut hat, den inzwischen als unfehlbar geltenden Marx (er ist 1883 gestorben; auch Engels weilt seit 1895 nicht mehr unter den Lebenden) von seinem Podest zu reißen. Er greift die Verelendungstheorie an und beweist, daß die soziale Entwicklung anders verläuft, als Marx behauptet hat. Unter dem Schlagwort Revisionismus gehen Bernsteins Bestrebungen in die Geschichte der Arbeiterbewegung ein. Und wenn er die Forderung aufstellt, die SPD solle positiv an der Umgestaltung des Staates mitarbeiten, nicht aber auf den „großen Kladderadatsch", die angeblich unvermeidliche Krise des Kapitalismus mit nachfolgender proletarischer Revolution warten, so knüpft er damit nicht nur an das Gedankengut Ferdinand Lassalles an, sondern bestimmt er — obwohl offiziell von mehreren Parteitagen verurteilt — die zukünftige Politik der deutschen Sozialdemokraten.
Sie bekennen sich dann 1914 sichtbar zu Nation und Vaterland, in dem sie die Kriegskredite bewilligen, gehen 1918 und 1919 das Bündnis mit der Obersten Heeresleitung ein, um die kommunistischen Aufstände niederzuschlagen, und tragen 1949 mit ihrem entschiedenen Nein zu den Plänen der westlichen Besatzungsmächte, einen lose zusammenhängen-

den Bund deutscher Länder zu bilden, wesentlich zur Errichtung der Bundesrepublik Deutschland bei.

Im Godesberger Programm von 1959 bekennen die Sozialdemokraten, daß der demokratische Sozialismus in Europa in christlicher Ethik ebenso wurzele wie im Humanismus und in der klassischen Philosophie — und daß er keine letzten Wahrheiten verkünden wolle. Sozialismus sei die dauernde Aufgabe, Freiheit und Gerechtigkeit zu erkämpfen, sie zu bewahren und sich in ihnen zu bewähren. Der Marxismus als Weltanschauung erfährt somit eine eindeutige Abfuhr.

Die Zweite Internationale: „Nie wieder Krieg!"

Die Neuausrichtung zum Staat und zur Nation hin, die gegen Ausgang des 19. Jahrhunderts beginnt, hat jedoch die alten Hoffnungen auf internationale Zusammenarbeit der Arbeiterschaft nicht abklingen lassen. An die Stelle der Vorstellung, gemeinsam den Kapitalismus zu stürzen, tritt allerdings mehr und mehr der vom Pazifismus bestimmte Gedanke, gemeinsam den drohenden Weltkrieg zu verhindern.

Das Kapital, getragen vor allem vom Bankwesen, hat längst die nationalen Grenzen gesprengt. Handel und Verkehr fluten über Länder und Meere. Jede Maschine, jeder Nagel, die exportiert werden, jede Südfrucht, jeder Baumwollfaden, die importiert werden, verstärken diesen Trend.

Der Arbeiter hat dieser Entwicklung bisher schweigend und häufig ohne persönliches Verständnis zugeschaut. Jetzt wird ihm von seinen Führern begreiflich gemacht, daß er aus ihr lernen soll. Zur Jahrhundertfeier der Französischen Revolution kommen 1889 etwa 400 Delegierte aus nicht weniger als 20 Staaten Europas und Amerikas in der Salle Pétrelle von Paris zusammen. Die meisten sind zwar Franzosen. Doch auch 81 Deutsche erscheinen, obwohl die Sozialistengesetze die Teilnahme zu einer gefährlichen Sache machen. Trotzdem gehören August Bebel, Wilhelm Liebknecht, Eduard Bernstein, Clara Zetkin und Karl Legin zu den Gästen des Kongresses — und zwar zu den geachtetsten und bevorzugtesten. Liebknecht leitet sogar neben dem Franzosen Edouard Vaillant den Kongreß. Und als die beiden Präsidenten einander vor aller Öffentlichkeit und mit betonter Herzlichkeit die Hände schütteln, scheint nicht nur die Brücke zwischen der Arbeiterschaft dieser beiden Nationen, sondern zur ganzen Welt geschlagen.

Die Zweite Internationale ist entstanden. Noch hat sie keine Satzung, keine Verfassung und nicht einmal ein eigenes Büro. Indessen arbeitet sie. Das ist wichtiger. Ihr erstes Ziel ist die Verbesserung der Lebensbedingungen. Der Achtstundentag wird angestrebt, der 1. Mai zum Feiertag ausgerufen. In London stellen sich die Kongreßteilnehmer 1896 dann die Frage, wie sich die sozialistischen Parteien im Falle eines Krieges zwischen kapitalistischen Staaten verhalten sollen. Eine Ant-

Dieses russische Maiplakat aus dem Jahre 1920 (Text: Es lebe das Fest der Proletarier aller Länder!) überliefert einer Generation, der die Maifeiern im Ostblock vornehmlich als Militärparaden erscheinen, die Vorstellungen der sowjetischen Frühzeit: 1. Mai als Symbol des Glücks und des Aufbruchs

wort finden sie nicht. Und so wird das Problem die Zweite Internationale lange in Atem halten.

Erst unter dem Einfluß der Marokkokrise, die dicht an den Abgrund des eines Krieges, so sind in den beteiligten Ländern die Arbeiter und ihre von 1907 zu dem einstimmig gefaßten Beschluß: „Droht der Ausbruch eines Krieges, so sind in den beteiligten Ländern die Arbeiter und ihre parlamentarischen Vertreter verpflichtet, alles aufzubieten, um den Ausbruch des Krieges durch Anwendung entsprechender Mittel zu verhindern ..." Doch: „Falls der Krieg trotzdem ausbrechen sollte, sind sie verpflichtet, für dessen rasche Beendigung einzutreten und mit allen Kräften dahin zu streben, die durch den Krieg herbeigeführte wirtschaftliche und politische Krise zur Aufrüttelung der Volksschichten und zur Beschleunigung des Sturzes der kapitalistischen Klassenherrschaft auszunützen." Die Linke, in der praktischen Politik ohne Einfluß, macht sich, wie stets auf Kongressen, bemerkbar...

Fünf Jahre später ist dann der erste Balkankrieg da. In Basel tritt die Zweite Internationale zusammen. Edouard Anseele, ein belgischer Gewerkschaftsführer, appelliert an Deutschland und Frankreich, sich zu versöhnen; England und Deutschland sollen ihr Wettrüsten zur See einstellen und ihre Kräfte und Mittel für die Beseitigung von Elend und Unterdrückung einsetzen: „Die Internationale ist stark genug, in diesem Befehlston zu denen, die an der Macht sind, zu sprechen und, wenn nötig, Taten folgen zu lassen. Krieg dem Kriege! Frieden für die Welt! Ein Hurra für die Arbeiterinternationale!" Aber auf dem gleichen Kongreß bezeichnet der französische Sozialist Gustave Hervé die deutschen Proletarier verächtlich und höhnend als „gute, zufriedene und satte Spießbürger". Ihre Führer seien Wahl- und Zahlenmaschinen, die mit dem Stimmzettel die Welt erobern möchten.

Immer näher rückt das Schreckensjahr 1914. Der Franzose Jaurès flüchtet in eine Hoffnung: „Viele Millionen Sozialisten würden sich in Deutschland erheben und den Kaiser hinrichten, wenn er einen Kampf anfangen wollte." Ein Vierteljahr später proklamiert das sozialdemokratische Parteiorgan, der „Vorwärts": „Kein Tropfen Blut eines deutschen Soldaten darf den kriegslüsternen österreichischen Despoten, darf imperialistischen Handelsinteressen geopfert werden."

August Bebel allerdings kennt die Verhältnisse in Deutschland zu gut, um Jaurès zustimmen zu können. Streik der Massen, Fahnenflucht, Befehlsverweigerung der Reservisten, offene Unbotmäßigkeiten — das alles sind Dinge, die für Deutsche unvorstellbar sind. Und genauso denkt der sozialdemokratische Reichstagsabgeordnete Gustav Noske. Unmißverständlich versichert er: „Die Anerkennung der nationalen Pflicht der Landesverteidigung ohne Unterschied der Parteien ist für jeden Deutschen eine Selbstverständlichkeit."

Dennoch bringen weiterhin Massenkundgebungen den unerschütterlichen Friedenswillen des klassenbewußten Proletariats zum Ausdruck: „Wir wünschen keinen Krieg! Nieder mit dem Krieg! Lang lebe die internationale Solidarität!" Einen Monat später ist der Krieg trotzdem da. Er beginnt damit, daß Jean Jaurès als „Verräter" niedergeschossen wird. Nirgends in der Welt — nicht in Deutschland, nicht in Österreich, nicht in Frankreich, nicht in England, halten Marxisten oder Proletarier sich an die Beschlüsse von Stuttgart oder der vielen anderen Kongresse der Zweiten Internationale. Hervé entwickelt sich sogar zu einem besonders fanatischen Nationalisten.

Im Osten allerdings ist die Stimmung eine andere: In der russischen Duma gibt es dreizehn sozialdemokratische Deputierte — Menschewiki wie Bolschewiki. Sie enthalten sich der Stimme, mit der sie die Kriegskredite für Rußland bewilligen sollen. Und in Serbien stimmen sogar zwei Sozialdemokraten dagegen. Drückt sich in dieser unterschiedlichen Haltung von Ost und West die Verschiedenheit nationaler Temperamente aus? Oder denken die Proletarier auf dem Balkan und in Rußland darum anders, weil ihre Heimat „unterentwickelt" ist? Die Löhne sind schlechter, die Not ist größer, die Rechtsstellung der Arbeiter unsicherer, die soziale Fürsorge geringer.

Im Osten Europas bahnt sich eine Entwicklung an, die die Welt verändern wird.

III.

DIE RUSSISCHE FASSUNG

Bauern ohne Land und ohne Rechte

Rußland ist um die Zeit, in der Marx und Engels leben, ein Kaiserreich. Der Zar ist der unumschränkte Selbstherrscher. Er vereinigt in seiner Person die höchste gesetzgebende, ausübende und richterliche Gewalt. Grundrechte des Volkes braucht er nicht zu beachten.

Die Bevölkerung erreicht im letzten Drittel des vorigen Jahrhunderts 100 Millionen. Das zu Rußland gehörende Königreich Polen ist mit 62 Menschen auf dem Quadratkilometer am stärksten bevölkert. Das übrige europäische Rußland zählt 17 Köpfe, das asiatische Rußland sogar nur einen Kopf auf den Quadratkilometer.

In 29 großrussischen Gouvernements gibt es einen Gemeinbesitz am Akkerland. Ein Beschluß der Dorfgemeinde, der Obschtschina, verteilt es unter die Bauern und legt die Richtlinien für die Bebauung und Nutzung fest. Boden, der Ertrag abwirft, ohne Arbeit zu beanspruchen, verbleibt in gemeinschaftlicher Nutzung. Dort, wo Arbeitskraft und persönliche Leistung den Ausschlag geben, ist das Kollektivprinzip dagegen durchbrochen. Jedermann hat Anspruch auf den ihm und seiner Arbeit zu verdankenden Ertrag.

Wer das Wesen des russischen Kommunismus begreifen will, darf nicht daran vorbeigehen, daß hier im Mir, im Kollektiv der Dorfgemeinde, das „Volk" den „Beweis" für die Möglichkeit eines Kommunismus erbringt, der die „soziale Wahrheit" der Zukunft bilden soll.

Schon das vielschimmernde Wort Mir — es bedeutet gleichzeitig Friede, Weltall und Bauerngemeinde — zeigt an, wie nebelhaft die Vorstellungen der Narodniki, der „Volksfreunde", sind, die dieser Form des bäuerlichen Sozialismus anhängen. Männer wie Alexander Herzen und Michael Bakunin gehören zu ihnen, Graf Leo Tolstoi, Fürst Peter Kropotkin und Fjodor Dostojewski.

In den meisten Gouvernements dagegen besteht die Vorherrschaft des Großgrundbesitzes. Die Zustände in ihnen sind danach: Den Bauern können Zwangsehen befohlen werden. Zum Militärdienst können selbst Familienväter einberufen werden, obgleich er 25 Jahre dauern kann.

Der Gutsherr darf Prügelstrafen auferlegen, und niemand hindert ihn daran, dabei der Laune und dem Unrecht zu folgen.

Zar Nikolaus I., dessen Gesicht so hart ist wie sein Herz, stellt sich schützend vor diese zum Untergang reife Ordnung. Mit seinem Despotismus verleiht er ihr neuen Halt. Seine Beamten sind brutal und bestechlich. Seine Polizei handelt nach Willkür. Wehe dem, der es wagen wollte, die zum Himmel schreienden Verhältnisse öffentlich anzusprechen. Das Schlagwort „Russische Zustände" macht die Runde. Es bezeichnet eine Welt, die den Westeuropäer mit Entsetzen und Abscheu erfüllt. Als der Zar 1855 stirbt, weht ein früher Hauch der Freiheit. Nun schreibt der Dichter Iwan Turgenjew (1818—1883) seinen Roman „Väter und Söhne." Er bekennt sich zum „Nihilismus", der Verneinung und Zerstörung des alten. Und er hat den Mut, an ein „Rußland der Söhne" zu glauben. Der neue Zar Alexander II. offenbart sich bald nach seinem Regierungsantritt selbst als einer dieser „Söhne". Mit dem Gesetz vom 19. Februar 1861 legt er den einfachen Russen den Weg in eine Zukunft frei, die lebenswert ist. Es bringt nämlich den Bauern die persönliche Freiheit.

Etwa ein Viertel der Gesamtbevölkerung ist bis dahin leibeigen. In den Gouvernementen Tula und Smolensk kommen auf 100 Einwohner sogar 69 Leibeigene. Das System hat seinen Ursprung im 15. Jahrhundert, in der Zeit der gewaltsamen Unterwerfung der russischen Teilfürstentümer unter die Botmäßigkeit des Großfürsten von Moskau, des Zaren, der Land und Bauern unter seine Getreuen verteilte. Selbst reiche Männer, Bankiers, Wissenschaftler und Künstler können leibeigen sein, weil ihre Vorfahren einst zu den Unterworfenen gehörten.

Die Bindung ist ursprünglich keine persönliche. Sie besteht in einer Verpflichtung der gesamten ländlichen Gemeinde gegenüber dem Grundherren. Seit Zar Peter dem Großen (1672—1725) darf dieser aber über seine Bauern frei verfügen. Andererseits ist der Grundherr auch verpflichtet, sie zu ernähren. Will der Leibeigene einer gewerblichen Beschäftigung nachgehen oder Fabrikarbeiter werden, hat er dem Gutsherrn eine jährliche Abgabe zu leisten. Diese seltsame Einrichtung führt dazu, daß die „Seelenbesitzer" oftmals besser fahren, wenn sie ihr „Menschenkapital" unmittelbar an Fabrikunternehmer vermieten, statt es auf ihren Gütern arbeiten zu lassen.

Nun gibt das Gesetz von 1861 dem Bauern die persönliche Freiheit. Das ist eine bedeutsame Tat. Aber sie hat auch ihre Schattenseiten. Vor allem muß der Gesetzgeber daran denken, wie die plötzlich Freigewordenen in Zukunft satt werden. Er räumt ihnen deshalb nicht nur freie Selbstverwaltung ein, sondern gestattet den Erwerb von — in der Regel kollektiv zu bewirtschaftendem — Grundeigentum und verspricht zu diesem Zweck Darlehen der Regierung. Insbesondere sollen die Bauern die ihnen früher vom Gutsherrn zur Nutznießung überlassenen Äcker und Wiesen als gemeinsames Eigentum erwerben. Doch die Großgrundbesitzer, die zur Abgabe von Land angehalten sind, bleiben auf den besten

Äckern hocken und verkaufen möglichst nur den wertloseren Boden, weitab von Gutshof und Dorf.

In den litauischen Bezirken Wilna und Kowno weigern sich die Grundbesitzer überhaupt zu verkaufen. So kommt es, daß hier mehr als 2,7 Millionen Bauern erst über Zwangsablösungen Gemeineigentum erwerben können. Dagegen machen sich in den Gouvernements des Reichsinnern von 7,4 Millionen unfreien Bauern immerhin sechs Millionen von der Gutsherrschaft unabhängig.

Doch die Zersplitterung der einzelnen Großwirtschaften ist zu groß, um eine rationelle Bestellung des Ackers zu gewährleisten. Der Boden ist überdies durch kurzsichtige Anbaumethoden erschöpft. Sich häufende Übervorteilungen der Bauern durch pfiffige Gutsherrn und Verwalter geben Anlaß zu tiefen Verstimmungen. Dazu kommt noch die drückende Zinslast, die der Leibeigene nicht kannte.

Enttäuschung und Feindschaft, Verärgerung und Not wirken um so nachhaltiger, als Rußland nach wie vor ein ausgesprochenes Agrarland ist, die Landwirtschaft also den Hauptteil der Bevölkerung stellt. Von den 109 Millionen Russen im Jahre 1884 sind nur 930 000 als Arbeiter in den 33 800 Fabriken der Großindustrie des europäischen Rußlands tätig. Das ist weniger als ein Prozent.

Die Nihilisten fragen: „Was tun?"

Es ist bezeichnend für die russische Volksseele, daß in dieser Situation nicht das Werk eines Gelehrten wie Karl Marx mitreißende Wirkung erzielt, sondern wiederum ein Roman. „Was tun?" fragt der Schriftsteller Nikolai Tschernyschewski.

Er wird 1828 als Sohn eines Priesters geboren und im Priesterseminar erzogen. Aber er betrachtet sich als Schüler des deutschen Philosophen Feuerbach und bekennt sich zum Materialismus. Zwanzig Jahre, die Zeit von 1862 bis 1883, verbringt er im Gefängnis und in der Verbannung. Gewissermaßen am Kapitalismus vorbei, dieses Zeitalter überspringend, möchte Tschernyschewski den Sozialismus sofort verwirklichen. Er weiß, welche Forderungen an den Revolutionär gestellt werden, und also schildert er seinen Romanhelden als einen Mann, der auf Nägeln schläft, um sich gegen Schmerzen abzuhärten und seinen Charakter zu stählen. Die Leser betrachten das Buch nicht als Gegenstand der Unterhaltung, sondern als Leitfaden zur Revolution.

Das von Turgenjew in die Debatte geworfene Wort Nihilismus wird nun zu einer Art Feldgeschrei für die vielen Unzufriedenen, die nicht mehr an eine Besserung der Verhältnisse glauben. Sie fordern die Beseitigung des Staates überhaupt. An seine Stelle soll eine neue Welt treten, in der Vernunft und Gerechtigkeit herrschen. Lehrer, Beamte, Richter und Adlige propagieren den Umsturz. Schlimmer als es jetzt ist, sagen sie, kann es niemals werden. Und die Nihilisten, die in den

Städten „Kommunen" zu bilden beginnen, greifen zum „individuellen Terror". Sie nehmen zu Mord und Brandstiftung Zuflucht, um die Gesellschaft einzuschüchtern und die Regierung zu zermürben.

Als der Petersburger Stadthauptmann General Trepow im Verlauf dieser wilden Ereignisse von Wera Sassulitsch ermordet wird, findet sich kein Gericht, das die Attentäterin, der die Sympathien der Massen entgegenschlagen, zu verurteilen wagt. Und so wird dann der Freispruch zu einem Freibrief für die revolutionäre „Narodnaja Wolja", die „Partei des Volkswillens", nun überall Todesurteile gegen mißliebige Beamte zu „verhängen", jeden Verrat mit dem Tode zu bestrafen und Flugschriften zu drucken, die ihr aufwühlendes Programm in das Volk tragen und den Haß gegen Kaiser und Regierung schüren. Immer mehr Intellektuelle stellen sich gegen den Staat.

Fürst Peter Kropotkin (1842—1921), Kämmerer des Zaren und Sekretär der Geographischen Gesellschaft, liebt es, im Anschluß an üppige Mahlzeiten in seinem Palast Arbeitskleidung anzulegen und als „Genosse Borodin" zu den Arbeitern oder Bauern zu gehen. Er fordert die Herabsetzung der Arbeitszeit auf vier bis fünf Stunden, damit der Arbeiter Zeit finde, sich zu bilden. Gelehrte und Dichter betrachtet er als Schuldner der Arbeiter — also sollen sie erst recht vier bis fünf Stunden mit der Hand schaffen. Anarchismus und Kommunismus, sagt Kropotkin, müssen sich miteinander verbinden, um danach auf dem Wege über die Revolution den Staat zu vernichten, die geschriebenen Gesetze zu zertreten und das Privateigentum nicht nur an den Produktionsmitteln, sondern auch an den Verbrauchsgütern auszulöschen. Im Jahre 1874 wird Kropotkin verhaftet. Er kommt ins Gefängnis. Gute Freunde sorgen dann dafür, daß er nach Westeuropa fliehen kann. Erst nach der Revolution von 1917 wird ihm die Rückkehr erlaubt.

Ähnlich wie er denken viele. Sie jubeln deshalb einem Manne wie Zeljabow zu, der als Dreißigjähriger ein Attentat auf Zar Alexander II. mitvorbereitet und hingerichtet wird, nachdem er bemüht war, die Mitverschworenen zu entlasten und alle Schuld auf sich allein zu nehmen. Vor seiner Hinrichtung küßt er das Kreuz mit dem Bild Jesu Christi.

Im Prozeß erklärt er: „Ich glaube an die Wahrheit und an die Gerechtigkeit dieser Lehre. Und feierlich bekenne ich mich zu dem Grundsatz, daß der Glaube ohne Taten tot und jeder Christ verpflichtet ist, um die Wahrheit und das Recht der Schwachen und der Unterdrückten zu kämpfen und, sofern das sein muß, für sie zu leiden. Darin besteht mein Glauben."

Nachhaltiger sind die Ideen des Revolutionärs Sergej Netschajew. Er gründet die „Gesellschaft der Axt". Und er ermordet einen Studenten, den er für einen Verräter hält. In der Peter-und-Paul-Festung bringt er es fertig, sogar einen Wärter für seine Anschauungen zu gewinnen, die — in den achtziger Jahren des 19. Jahrhunderts — in wesentlichen Einzelheiten die Lehren Lenins vorwegnehmen. Zu Netschajews Forderungen gehören beispielsweise die bedingungslose Zentralisierung der „Gesellschaft der Axt" und die rücksichtslose Durchsetzung der Macht. Dabei schwebt ihm vor, Rußlands Revolutionäre in zahllosen Zellen zusammenzufassen. Sie sollen durch strengen Gehorsam verbunden sein und dürfen sich zur Verwirklichung ihrer Ziele aller Mittel bedienen. Jeder Revolutionär hat sich darüber klar zu sein, daß er ein todgeweihter Mensch ist, ein Toter auf Urlaub. Sein Ich hat er im Namen der Revolution, der er dient, zu verleugnen. Von der Welt muß er sich abkehren. Er ist der unerbittliche Feind der Zivilisation. Zwar ist er gezwungen, in ihr zu leben. Doch dies geschieht nur darum, weil er sie so allein richtig kennenlernt und sie danach um so sicherer zerstören kann.

Einen Höhepunkt erhalten die revolutionären Ideen in den Forderungen des Peter Tkatschew. Nicht jeder ist zum Revolutionär der Tat berufen. Vielmehr muß die Auswahl der geeigneten Männer mit größter Vorsicht erfolgen. Die Partei der Zukunft wird aus einer erprobten Elite bestehen, deren Aufgabe ist, die Führung im Kampf der proletarischen Massen zu übernehmen.

Selbstverständlich geht das Zarenreich mit allen ihm zu Gebote stehenden Mitteln gegen die Nihilisten vor. Daß diese aber davon ebenso wenig beeindruckt werden wie von den sozialen Gesetzen des Kaisers, beweisen die vielen Attentate, die seit 1866 auf Alexander II. und seine Mitarbeiter unternommen werden. Oft stehen Frauen an der Spitze der Fanatiker. Bei all diesen Vorgängen geben Gefühle, kaum aber sachliche Überlegungen den Ausschlag.

Schließlich erreichen die Nihilisten ihr lang angestrebtes Ziel: Am 13. März 1881 fällt der Zar einem Anschlag zum Opfer. Durch den Bombenwurf eines Revolutionärs am Katharinenkanal in St. Petersburg wird er tödlich verwundet; anderthalb Stunden später stirbt er.

„Gewiß ist unser Volk sehr ungebildet", bekennt Tkatschew mit einem Unterton, in dem sich Bedauern und Stolz mischen. „Aber es ist von den Prinzipien des Gemeinschaftseigentums durchdrungen. Es ist — sozusagen — kommunistisch aus Instinkt, aus Tradition!"

Doch noch kann das riesige Land im Osten einen anderen Weg finden. Die Richtung hat der ermordete Zar gezeigt. Mögen seinen Gesetzen noch so viele Mängel anhaften: Die neue Freiheit und die neue Eigentumsregelung haben starke Kräfte wachgerufen und Rußland zu den Anfängen einer machtvollen und jähen Industrialisierung geführt.

Der weitsichtige und energische Finanzminister Sergej Witte treibt diese Entwicklung voran. Er fördert den Getreideexport und sprengt damit Rußland das Tor zum internationalen Handel auf. Er beendet den Zollkrieg mit Deutschland. Er verbessert die finanzielle Lage. Er baut Eisenbahnen über Eisenbahnen.

Innerhalb von nur 23 Jahren wächst die Kohlenförderung von 1,8 Millionen auf 16 Millionen Tonnen im Jahre 1900 an. Die Erdölförderung steigt von 0,2 Millionen auf 10 Millionen Tonnen. Das sind Zahlen, die sich sehen lassen dürfen. Das Wachstum der Schwerindustrie treibt dann die Textilindustrie an. Werften entstehen. Häfen werden ausgebaut oder neu geschaffen. Der Verkehr flutet über ein sich ständig verdichtendes Netz von Schienensträngen.

Daneben lassen sich natürlich auch trübe Bilder zeichnen. Frauen werden als Schwerarbeiterinnen in der Eisenverarbeitung ausgepowert. Die Kinderarbeit in den Fabriken hat Formen angenommen, die geradezu unfaßbar sind: Schon Sechsjährige sind dabei. Die allgemeine Arbeitszeit beträgt zwölf Stunden, und die Unternehmer brüsten sich mit ihrer Nachgiebigkeit, als sie in den neunziger Jahren zu einer Herabsetzung auf elfeinhalb Stunden bereit sind.

Ein Mann, der sich Lenin nennt

N. J. Zieber, Professor für Volkswirtschaftslehre an der Universität in Kiew, wird in den siebziger Jahren auf „Das Kapital" von Karl Marx aufmerksam. Er spricht darüber in seinen Vorlesungen. Damit wird er vielen Kollegen zum Vorbild. In der Öffentlichkeit jedoch findet er kein Echo.

Dagegen bildet sich unter Führung des russischen Gutsbesitzersohnes Georgij Plechanow in Genf eine „Gruppe" russischer Emigranten, die sich den Namen „Befreiung der Arbeit" gibt. Sie bildet die ersten marxistischen Agitatoren aus und sendet sie nach Rußland. Auf diese Weise lernt auch der Rechtsanwalt Wladimir Iljitsch Uljanow, als Sohn eines adligen Gymnasialdirektors 1870 in Simbirsk geboren, die Lehre von Marx kennen. Später wird er sich Lenin nennen.

In dieser Zeit — zwischen 1880 und 1890 — entstehen auch in Rußland da und dort Zusammenschlüsse von Arbeitern, deren Mitglieder sozialistische Ziele erstreben. Sie wachsen und drängen in die Öffentlichkeit. Im Jahre 1895 gibt es allein in St. Petersburg etwa 30 solcher Gruppen. Einer gehört Lenin an. Sie schließen sich zu einem „Kampfbund für die Befreiung der Arbeiterklasse" zusammen. In Moskau, Kiew und Charkow bilden sich ähnliche Zirkel. Intellektuelle stoßen hinzu und wetteifern darin, über den Marxismus zu philosophieren.

Der geistige Führer ist Plechanow. Man kann ihn mit gutem Recht den Begründer der marxistischen Bewegung in Rußland nennen. Zunächst hält er allerdings die Verwirklichung des Sozialismus in seinem Heimatland für unmöglich. Denn nach seiner Überzeugung setzt dieser einen vollentwickelten Kapitalismus voraus. Und eben von diesem kann in dieser Zeit in Rußland noch keine Rede sein. Deswegen wünscht sich Plechanow ein Bündnis zwischen Arbeiterschaft und Bürgertum. Beide gemeinsam müßten, so meint er, stark genug sein, dem Absolutismus des Zarentums und der Aristokratie entgegenzutreten.

Plechanow ist aus tiefster Überzeugung Marxist. Er glaubt an den Geschichtsablauf von der Sklavengesellschaft des Altertums über die Feudalordnung des Mittelalters zum Kapitalismus der Neuzeit, der sich zum Sozialismus weiterentwickeln wird. (Der Begriff Kommunismus ist bei den Marxisten Ende des 19. Jahrhunderts vorübergehend in den Hintergrund getreten.) Und er glaubt, daß das Sein das Bewußtsein bestimmt. die Umwelt also die geistige Haltung prägt.

Doch im Rußland Plechanows gibt es wenig Bürger und Arbeiter, dagegen viele Bauern. Von ihnen weiß er, daß sie rückständig leben, rückständig denken und rückständigen politischen Anschauungen nachhängen. Der Bauer ist für Revolutionen nicht zu gewinnen. Auf ihn ist nicht zu rechnen. Man muß Geduld haben und erst einmal helfen, die Zeit für die bürgerliche Revolution reif zu machen, ehe an eine proletarische Revolution zu denken ist.

Plechanow findet großen Anklang. Indessen melden sich auch Gegner zu Wort. Zu einem der heftigsten und entschiedensten entwickelt sich der 14 Jahre jüngere Lenin.

Die Mutter Lenins, Maria Alexandrowna, ist die Tochter eines Arztes in St. Petersburg, der den deutschen Namen Blank führt und in dessem Haus Deutsch die Umgangssprache ist. Vielleicht sind die Vorfahren protestantische Wolgadeutsche. Jedenfalls erzieht der Arzt seine Tochter, wie diese später selbst bekennt, zu Frömmigkeit, Ordnungsliebe, planvollem Denken und gewissenhafter Pflichterfüllung.

Der Vater Ilja Nikolajewitsch Uljanow ist ein zarentreuer Beamter, der sich gern ein wenig freiheitlich gibt. Seine Familie stammt aus Astrachan, seine Mutter ist Kalmückin, was in den Gesichtszügen ihres Enkels Wladimir Iljitsch unverkennbar zum Ausdruck kommt.

Außer diesem sind noch zwei Söhne und drei Töchter da. Alle Kinder genießen eine bürgerliche Erziehung. Fast alle besuchen das Gymnasium und studieren. Dabei gerät der ältere Bruder Alexander in St. Petersburg in jene radikal-revolutionären Kreise, die eben jetzt auf weite Bereiche der Intelligenz ihre geradezu magisch anmutende Anziehungskraft ausüben. Der junge Mann wird in ein geplantes Attentat auf Kaiser Alexander III. hineingezogen und verhaftet. Trotz seiner Jugend wird er 1887 hingerichtet.

Wladimir ist damals 17 Jahre alt. Er besucht noch das Gymnasium in Simbirsk. Der Tod des Bruders erschüttert und verbittert ihn. Er wird tief aufgewühlt und verwandelt. Er gibt sich fortan als kalter, berechnender, kaum einer Gefühlsregung zugänglicher Mensch. Das Leben und seine Probleme bilden für ihn Rechenexempel, die zu lösen er sich berufen fühlt. Nie mehr wird er die Spuren und Nachwirkungen dieses schrecklichen Jahres überwinden.

Das Abiturientenexamen besteht er mit Auszeichnung. Dann studiert er in Kasan Rechtswissenschaft. Er beteiligt sich an studentischen Demonstrationen, wird verhaftet, von der Universität ausgestoßen und aufs Land verbannt.

Die folgenden Jahre prägen sein Weltbild. Jetzt lernt er den russischen Bauern, sein Leben, seine Nöte, seine Hoffnungslosigkeit kennen. In der ersten Schrift, die von ihm erhalten ist, weist er darauf hin, daß die Landwirtschaft sich auf Kosten der Bauern zu verändern beginnt und ein kapitalistisches Gesicht erhält. Schriften von Marx und Engels regen ihn zu diesem Urteil an.

In Samara, seinem Wohnsitz in der Verbannung, tritt er einem marxistischen Zirkel bei. Zum Studium trotz seiner Bitten nicht wieder zugelassen, wird er mit einer gewissen Folgerichtigkeit Außenseiter, Revolutionär, Umstürzler von Beruf und aus Berufung.

Dann wird es ihm doch noch erlaubt, sein juristisches Staatsexamen als Externer abzulegen. Damit gewinnt er das Recht, sich als Rechtsanwalt niederzulassen. Doch verspürt er zu solch bürgerlicher Tätigkeit wenig Lust. Den Bruder des Opfers eines „reaktionären Zaren" und seiner „fortschrittsfeindlichen Gesinnungsmörder" zieht es weiterhin zu den Ideen von Karl Marx. Er lebt jetzt in St. Petersburg und lernt hier die Leute von der Narodnaja Wolja — vom „Volkswillen" — kennen.

Uljanow-Lenin sieht in ihnen romantische Illusionisten. Mit heroischen Einzeltaten, mit Terror und Bombenwerfen, ist es nicht getan. Man muß vielmehr eine Partei organisieren und planmäßig in ihr zusammenarbeiten, um die Macht zu erobern. Diese Partei darf nicht locker gefügt sein, sondern muß geschulte und disziplinierte, zu allem bereite Berufsrevolutionäre zu einer verschworenen Gemeinschaft zusammenschließen. Diese Partei — eine Partei des Proletariats — stürzt dann nicht nur die selbstherrlichen Gewalthaber des Zarismus, sondern fegt in einem Zuge auch die kapitalistischen Bourgeois hinweg, deren Aufstieg nicht, wie Plechanow lehrt, erst bevorsteht, sondern unverkennbar längst begonnen hat.

Natürlich ist das Proletariat im industriell unterentwickelten Rußland für das Werk allein noch zu schwach. Deshalb gilt es, die geknebelten und ausgesogenen kleinen Bauern mitzureißen. Sicherlich — es kann nicht anders sein angesichts der sozialen Verhältnisse — diese Kleinbauern sind im Herzensgrunde reaktionär. Also müssen sie überlistet und zur Durchsetzung der gemeinsamen Revolution sozusagen mißbraucht werden. Eine kleine, aber kampfkräftige und entschlossene proletarische Partei vermag dann mit Hilfe der unübersehbaren Bauernmassen zum Sozialismus vorzumarschieren.

Lenin wird aktiv

Die Jahre zwischen 1893 und 1895 nützt Lenin zur Propagierung des Marxismus unter den widerstreitenden illegalen Gruppen in der Hauptstadt St. Petersburg. Dabei kommt es immer wieder zu Zusammenstößen mit den Narodniki, den „Volksfreunden". Ihren „Gefühlssteigerungen" will er Tatsachen entgegenhalten — revolutionäre Tatsachen, volkswirtschaftliche Tatsachen, gesellschaftliche Tatsachen. Auch Plechanow wird von ihm bei solchen Gelegenheiten rücksichtslos kritisiert.

Zu Hilfe kommt den Marxisten die anwachsende Industrialisierung. Wie vorher schon in West- und Mitteleuropa werden aus landwirtschaftlichen Arbeitern und Bauernsöhnen Fabrikarbeiter. Diesen in ihrer Umwelt ungefertigten Menschen „heizen" die Marxisten ein. Dabei wendet sich vor allem Lenin besonders gern an die unsicheren und deshalb radikalen Elemente. Sie macht er, wie es im Parteijargon heißt, „im Feuer warm". Im Winter 1894/95 „glühen" sie bereits. Nun können sie „geschmiedet" werden. Aus den geheimen Zirkeln entsteht der „Kampfbund für die Befreiung der Arbeiterklasse".

Zwischendurch macht Lenin kurze Abstecher nach Berlin und der Schweiz. Hier begegnet er Plechanow und seinen Anhängern. Feierlich und zugleich herzlich begrüßen diese den „Abgesandten der russischen Sozialisten". Es gibt zahllose Fragen, in denen man zu gleichen Antworten kommt. Zu ihnen gehört die Ablehnung der Narodniki. Aber auch die Meinungsverschiedenheiten werden nicht unterdrückt.

Als Lenin nach St. Petersburg zurückgekehrt und gerade dabei ist, eine illegale Zeitung herauszugeben, wird die Polizei auf ihn aufmerksam. Er wird verhaftet. Ende 1895 muß er für 14 Monate ins Gefängnis gehen. Drei Jahre Verbannung nach Ostsibirien schließen sich an.

Lenin nützt diese Jahre zum Studium und zum Verfassen neuer Schriften. Schon in der Untersuchungshaft entstehen Pamphlete und Aufsätze. Sie sind gegen die Narodniki und die „Opportunisten" aus dem eigenen Lager gerichtet.

1899 erscheint — als Resultat jahrelanger Arbeit — das Buch „Die Entwicklung des Kapitalismus in Rußland". Zwar beträgt der Anteil der Bauernschaft an der Gesamtbevölkerung noch immer 80 Prozent und ist die Industriearbeiterschaft unbedeutend klein. Trotzdem behauptet Lenin, daß Rußland bereits jene Merkmale des Kapitalismus aufweise, die Marx beschrieben hat.

Während Lenin schreibt, schließen sich in Minsk einige Gruppen zu einer noch wenig festgefügten Sozialdemokratischen Arbeiterpartei Rußlands zusammen. Lenin tritt ihr aus der Ferne bei. Im Jahre darauf — 1900 — ist die Verbannung beendet.

Die Erfahrungen haben Lenin gezeigt, daß er in Rußland nicht ungeschoren leben kann. Hier eine Zeitung herauszugeben, um seine Anschauungen zu vertreten und an die Öffentlichkeit zu bringen, ist erst recht nicht möglich. Also geht er nach Genf. Er einigt sich mit Plechanow und dessen Anhängern. Sie beschließen die Gründung eines Blattes, das unter dem Namen „Iskra" — der Funke — erscheinen soll. Lenin reist weiter nach München. Die Zeitung wird in Leipzig, später in München und dann in Stuttgart gedruckt. Vertrauensleute schmuggeln sie nach Rußland.

Rücksichtslos, unduldsam und fanatisch kann Lenin jetzt endlich seine Meinung sagen. Ohne Umschweife fordert er den Aufbau einer Partei von Berufsrevolutionären. Sie müssen zu jeder Entsagung bereit sein. Dafür dürfen sie die uneingeschränkte Führung beanspruchen. Und sie müssen konsequente Marxisten sein. Sonst haben sie in den Reihen der Partei nichts zu suchen.

Dabei ist nicht die Massenpartei Lenins Ziel — er will eine revolutionäre Elite.

Bolschewisten und Menschewisten

„Die Deutschen haben den Affen erfunden", sagt ein altes russisches Sprichwort. Von Deutschland her kommt für die Russen die moderne Zivilisation. Deutsche Verwaltungsmethoden, deutscher militärischer Drill, deutsche Arbeitsdisziplin werden den Millionenmassen an Wolga, Don, Newa und Moskwa vom Zaren, seinen Generalen und Ministern ebenso aufgezwungen wie von den Wirtschaftskapitänen und Betriebsingenieuren.

Nun kommt auch noch die neue Heilslehre der revolutionären Intelligenz aus dem Nachbarland im Herzen Europas, der Marxismus. Wie gebannt starren die russischen Sozialdemokraten auf das faszinierende Schauspiel, das ihnen ihre deutschen Genossen bieten: Der scheinbar unaufhaltsame Aufstieg dieser mächtigen, einflußreichen, straff geführten Großorganisation, SPD genannt, die immer neue Mitglieder gewinnt und von Wahl zu Wahl neue Reichstagssitze erringt. Wird die deutsche Sozialdemokratie überhaupt noch eine Revolution nötig haben oder kommt sie auf friedlichem Wege zum Zuge?

Die heftigen Auseinandersetzungen für und gegen den Revisionismus schlagen auch im abgelegenen Rußland hohe Wellen. Eine Gruppe Sozialdemokraten formiert sich, die den Namen Bernstein auf ihr Panier setzt und der ihre Gegner bald die als schimpflich gedachte Bezeichnung Ökonomisten geben. Nirgendwo in Europa, so folgern die Ökonomisten, haben die Arbeiter aufgrund eigener Anstrengungen die politischen Freiheiten erkämpft. Überall traten sie in die Fußstapfen des Bürgertums. In Rußland, wo es keine politische Freiheit gibt, sollte man den Kampf um sie deshalb getrost den unter Aufwind stehenden Liberalen überlassen und sich selbst darauf beschränken, die Arbeiter bei ihren wirtschaftlichen Tageskämpfen um höhere Löhne, bessere Arbeitsverhältnisse und ausreichenden Versicherungsschutz zu unterstützen, in den rein ökonomischen Fragen also.

Lenin erkennt sofort, daß die Ökonomisten ihm die glänzende Gelegenheit bieten, sich nach vorn zu spielen, und den Versuch begünstigen, seine streng revolutionären Prinzipien in der Partei durchzupeitschen. Die Ökonomisten werden zum Buhmann, zu den ersten „Arbeiterverrätern" und „Abweichlern" in der Geschichte des russischen Marxismus. Lenin schreibt gegen sie sein Buch „Was tun?", wobei er ganz bewußt den Titel des 40 Jahre früher erschienenen Erfolgsromans von Tschernyschewskij aufgreift, in der Hoffnung, ihm möge ein ähnlich mitreißender und aufrüttelnder Erfolg beschieden sein.

Ganz vergeblich hofft er nicht. Mit einem Schlage ist Lenin berühmt und einer der anerkannten Führer der Revolution. Plechanow beginnt neben ihm zu verblassen. In allen sozialdemokratischen Zirkeln werden die Thesen von „Was tun?" diskutiert, überall zirkuliert der Leninsche Satz: „Gebt uns eine Organisation von Revolutionären — und wir werden Rußland aus den Angeln heben!"

Verständlicherweise bemüht Lenin sich nun, seine frisch begründete Führerrolle von einem ordentlichen Parteikongreß bestätigen zu lassen. Er drängt darauf, einen II. Parteitag der Sozialdemokratischen Arbeiterpartei Rußlands einzuberufen, nachdem der I. Parteitag sowieso nicht mehr als eine Farce gewesen ist. Damit die zaristische Geheimpolizei die Tagung nicht unter ihren Griff bekommen kann, soll sie im Ausland stattfinden. Man entscheidet sich für Brüssel.

Lenin reibt sich die Hände. Seine Anhänger bearbeiten geschickt die Mitglieder der Partei in Rußland selbst, um Delegierte zu wählen, die auf den jungen Meister eingeschworen sind. Es gilt nicht nur, den alternden Plechanow auszustechen, dem man mit einiger Bosheit nachsagen kann, daß die Ökonomisten im Grunde nur seine eigenen politischen Lehren vom Bündnis mit der Bourgeoisie auf die Spitze getrieben haben. Man muß jetzt auch mit einem zweiten neuen Mann innerhalb der eigenen Reihen fertig werden, dem aktiven und behenden Julij Ossipowitsch Zederbaum, genannt Martow — der allerdings Lenin gegenüber durch zwei Fakten im Hintertreffen liegt: Er ist Jude (im alten Rußland selbst in revolutionären Kreisen vielfach eine Belastung), und er ist anständig. Er sagt, was er denkt, und er glaubt an das Gute sogar im politischen Gegenspieler.

Schließlich zwingt ein plötzlicher Stimmungsumschwung unter den potentiellen Mitkämpfern und Anhängern zu einer Heerschau und zur Proklamation eines eindeutigen Parteiprogramms. Viele revolutionär gestimmte jugendliche Intellektuelle beginnen nämlich, nicht nur auf Bomben und Pistolen zu verzichten, sondern ebenso auf Geheimbünde und Untergrundtätigkeit. Sie schließen sich den halblegalen Liberalen an, um eine konstitutionelle Monarchie zu propagieren, eine Halbdemokratie mit einem, den Rechten nach, „halben" Parlament und weiterhin väterlicher, wenn auch nicht ganz so selbstherrlicher Oberherrschaft des Zaren.

Andererseits haben sich die Reste der Narodniki mit aktivem jungen Nachwuchs zu der illegalen Partei der Sozialrevolutionäre zusammengetan. Ihr Programm sieht die Enteignung der Großgrundbesitzer und die Verteilung des Landes an die Bauern zu deren eigenen Gebrauch vor. Diese rohen, simplen Forderungen sprechen die russischen Bauern an und überzeugen sie. Ehe man sich versieht, drohen die Sozialdemokraten überspielt zu werden. Zwei ernsthafte Konkurrenten um die Gunst der Intelligenz und die Gunst der Massen sind angetreten.

Am 30. Juli 1903 kommt man in Brüssel zusammen. Das Parteiprogramm läuft glatt über die Bühne. Noch ist sein Inhalt Theorie und kann die Gemüter kaum erhitzen. Heißer geht es um die Organisationsstatuten her. Lenin, der glaubt, der Delegiertenmehrheit sicher zu sein, ficht ohne Diplomatie und ohne Rücksichtnahme.

Nachdem Ungeziefer den Tagungssaal überfällt und zusätzlich die belgische Polizei Schwierigkeiten macht, weicht man nach London aus. Hier stoßen die Gegensätze heftig aufeinander. Im Grunde zerfällt die junge Partei schon wieder, ehe sie richtig gegründet worden ist.

Lenin wird niedergestimmt. Er hat verlangt, daß nur der Parteimitglied sein kann, der außer dem Bekenntnis zum Programm und außer der Entrichtung eines regelmäßigen finanziellen Beitrages bereit ist, sich jederzeit persönlich für die Partei einzusetzen und sich einer strengen Parteidisziplin zu unterwerfen.

Die Mehrheit steht eindeutig hinter Martow. Anerkenntnis des Programms und Beitragsleistung sollen für die Mitgliedschaft genügen. Die Partei soll kein Geheimorden widerspruchslos funktionierender Befehlsvollzieher im Dienst einer allmächtigen Zentrale sein, sondern eine demokratische Gemeinschaft auf Massenbasis, genauso wie die sozialdemokratischen Parteien im westlichen Ausland.

Lenins Karriere scheint vorzeitig beendet. Er hat mit seinem anmaßenden Gehabe fast alle vor den Kopf gestoßen. Da kommt ihm Martows „Schwäche", die Anständigkeit zu Hilfe.

Um die „Iskra"-Redaktion in die Hand zu bekommen, will Lenin den Herausgeberkreis auf drei Personen beschränken: Auf sich, auf Plechanow, der, mürbe geworden, zu allem Ja und Amen zu sagen scheint, und — als Konzession — auf Martow. Er verbreitet das Gerücht, Martow sei damit einverstanden. Doch dieser protestiert. Er spricht von Lüge. Es kommt zu heftigen Auseinandersetzungen. Später gibt Lenin selbst zu, „in fürchterlicher Gereiztheit" und Wut gehandelt zu haben.

Martow nützt die Stunde jedoch nicht. Demonstrativ enthalten sich seine Leute der Stimme. Und so wird die Minderheit der Leninisten unversehens zur Mehrheit. Sie packt die Gelegenheit beim Schopf und nennt sich fortan keck und kühn „Mehrheitler", das heißt auf russisch: Bolschewiki. Der eigentlichen Mehrheit des Parteitages legt sie die Spottbezeichnung „Minderheitler" — Menschewiki zu.

Es spricht für die Instinktlosigkeit Martows und seiner Anhänger, daß sie sich diese Bezeichnung willig gefallen lassen und sie schließlich im Laufe der nächsten Jahre selbst verwenden. Sie überlassen Lenin nach außen hin die Siegespalme.

Dabei fallen die meisten Parteimitglieder — vorerst wenigstens — auf den Bluff gar nicht herein. Das zeigt sich schon gleich nach dem Parteitag. Plechanow beispielsweise sagt, Lenin verwechsle offensichtlich die Diktatur des Proletariats mit seiner eigenen über das Proletariat. Er geht — irgendwie erleichtert und frohgestimmt — mit vollen Segeln in das Lager der Menschewiki über, führt den umstrittenen Parteitagsbeschluß über die Herausgeberschaft der „Iskra" nicht durch und fordert Lenin sogar auf, die Redaktion zu verlassen.

Zähneknirschend fügt dieser sich. Wenn seine Anhänger auch ein „Komitee der Mehrheit", eine Art eigenes bolschwewistisches Zentralkomitee, ins Leben rufen, noch sind sie nichts weiter als Offiziere ohne

Soldaten. Nicht einmal ein Sprachrohr, eine Zeitung besitzen sie, nur den totalen Machtanspruch. So stehen die Dinge im marxistischen Lager, als zu aller Überraschung die russische Revolution von 1905 hereinbricht.

Der Rote Sonntag und die Revolution des Jahres 1905

Seit etwa einem Jahrzehnt gibt es zwischen Rußland und Japan Reibereien. Es geht um die von den Russen besetzte Mandschurei, um die strategische Bedeutung der sibirischen Eisenbahn und um die japanische Besetzung von Korea. Im Januar 1904 stellen die Japaner ein Ultimatum. Die Russen lassen es unbeantwortet. Der Krieg bricht aus. Er bringt der russischen Armee schwere Niederlagen und endet im Herbst 1905 mit einem Sieg Japans.

Schon am 31. Dezember 1904 fällt nach langer Belagerung Port Arthur, die Festung am Gelben Meer. Das ist für den Zarenstaat ein demütigender Schlag, und mit ihm ist die Stunde gekommen, auf die die Revolutionäre gewartet haben. Am 22. Januar 1905 demonstrieren erregte Massen in St. Petersburg vor dem Winterpalais. Der Kaiser läßt auf sie schießen. So wird dieser „Rote Sonntag" gefärbt von Arbeiterblut. Auch bei den Bauern gärt es. Der Koloß Zarismus wankt.

Doch die Sozialdemokraten können sich noch immer nicht einig werden. Sie bereiten getrennte neue Kongresse vor — die Menschewiki in Genf, die Bolschewiki in London. Die sich in London versammelnden Delegierten — sie behaupten ungeniert, der III. Parteitag der Gesamtpartei zu sein — erteilen den Bauern den Rat, diese glückliche Stunde, in der der Regierung durch den Krieg mit Japan die Hände gebunden sind, zu nutzen und den Gutsbesitzern gewaltsam ihr Land wegzunehmen. Und sie sollen sich vorsorglich zum bewaffneten Aufstand rüsten, gemeinsam mit der Arbeiterschaft.

Die Menschewisten nehmen gegen solche Pläne und Ratschläge verbissen Stellung: „Das ist nicht marxistisch." Dafür werden sie von Lenin als Verräter an der Arbeiterklasse beschimpft.

Inzwischen wächst in Rußland der Radikalismus weiter. Jede neue Weigerung des Zaren, die Selbstherrschaft zu beschränken, und jede Unglücksbotschaft von der Front gibt ihm neue Nahrung. So entsteht rasch ein innerer Kriegsschauplatz der Bauernunruhen, der Morde und Brandstiftungen. Auf dem Panzerkreuzer „Potemkin" hissen die Matrosen die Rote Fahne. Schließlich ruft die Industriearbeiterschaft zum Generalstreik auf. Das öffentliche Leben erstarrt.

Schon vorher haben die Arbeiter eine neue, bisher unbekannte Form der Repräsentation gefunden: Im Mai 1905 bildet sich der erste „Sowjet" der Weltgeschichte. Er ist das Werk der Streikenden im Textilbezirk Iwanowo-Wosnessensk. Ein Arbeiterrat — Sowjet heißt auf deutsch nichts anderes als „Rat" — erhält aus ihren Händen die Verwaltung des gesamten Gebietes.

Nun folgen andere Städte dem Beispiel. Im Herbst des gleichen Jahres entsteht in St. Petersburg aus dem Streikkomitee der Buchdrucker ein Sowjet der Arbeiterdeputierten. Hier vertreten 562 Delegierte 250 000 Arbeiter. Noch niemals vorher haben sich in Rußland ähnlich große Arbeitermassen zu politischen Demonstrationen und Aktionen zusammengeschlossen. Den Vorsitz des Petersburger Sowjets führt ein Menschewist. Im November 1905 wird er verhaftet. An seine Stelle tritt Leo Trotzki, der Sohn eines jüdischen Gutsbesitzers aus Südrußland namens Bronstein.

Als Schüler hat Trotzki sich für die Narodniki, die „Freunde des Volkes", begeistert. Schon damals fällt er durch Scharfsinn und Angriffsfreudigkeit auf. Dann wird aus ihm ein Marxist. Die Natur hat ihn mit reichen Verstandesgaben beschenkt. Er schöpft seine Einfälle aus dem Augenblick und schüttelt seine Ideen gleichsam aus dem Ärmel. Er ist radikal bis zur äußersten Verbissenheit. Seine Betriebsamkeit kennt kein Maß und keine Mäßigung. Er ist der geborene Volksführer. Seine These lautet: Das Proletariat muß die „bürgerliche Revolution" sofort zur „sozialistischen Revolution" weitertreiben. Es gilt, die „kapitalistische Phase" der menschlichen Entwicklung zu überspringen.

Lenin ist ihm wenig gewogen. Schon 1904 hat Trotzki in seiner Broschüre „Unsere politische Aufgabe" prophezeit, daß bei einer Diktatur des Proletariats im Sinne Lenins zunächst die Partei von der Organisation ersetzt, die Organisation vom Zentralkomitee beiseitegeschoben und das Zentralkomitee letzten Endes vom Diktator weggefegt werden würde. (Die Zukunft soll ihm recht geben.)

Bald brennen 2000 Gutshöfe im Land. Die Zarenregierung hat weder den Mut noch die Kraft, Truppen gegen die Aufrührer einzusetzen; denn schon gibt es da und dort auch im Heer Meutereien. Wie werden sich die „Bauern in Uniform" verhalten, wenn sie auf die „Bauern ohne Uniform" schießen sollen?

Trotzdem entschließt sich die Regierung dann doch zu einer Kraftprobe: Sie verhaftet am 3. Dezember 1905 den gesamten Petersburger Sowjet. Trotzki wird nach Sibirien deportiert. Die Antwort der Arbeiter bleibt nicht aus. Sie erfolgt in Moskau, wo der Sowjet einen Kampfverband von beinahe 2000 Arbeitern bildet. Es kommt zum Aufstand und zu Barrikaden- und Straßenkämpfen.

Seltsamerweise bleibt Lenin — inzwischen nach Rußland zurückgekehrt — ihnen fern. Vielleicht ahnt er, daß die Stunde doch noch nicht reif ist. Und im Gegensatz zu Trotzki kann er sich die „permanente Revolution", die sofort in den Sozialismus überleitet, nicht vorstellen. Eine demokratische Republik, meint er, sei notwendig, nur der „politische Demokratismus" bahne den Weg zum Sozialismus. Also entweicht er gerade jetzt nach Finnland und hält dort eine Parteikonferenz ab. Die Bolschewisten beschließen, die Wahlen zur Duma, dem vom Zaren endlich zugebilligten Reichsparlament, zu boykottieren.

Um die gleiche Zeit ereignet sich in Moskau etwas, das kein Mensch mehr vorauszusagen gewagt hätte: Das Militär hält zu Regierung und Fahneneid. Weitere zarentreue Regimenter rücken an. Der Widerstand der Arbeiter wird von ihnen bezwungen. Und in der Provinz laufen die Dinge ähnlich. Auch hier gibt es Aufstände. Sie brechen zusammen. Standgerichte und Strafexpeditionen führen die Ruhe herbei.

Nun können Zar und Regierung und mit ihnen die Gutsbesitzer und Fabrikanten für eine Reihe von Jahren wieder Atem schöpfen. Kommt es einmal zu kleineren Störungen, greift die Polizei hart und erbarmungslos durch. Zu größeren Aktionen fehlt den Revolutionären der Atem.

Stalin tritt auf den Plan

Wieder sind die Marxisten in den Untergrund gedrängt worden. Und Gewalt zeugt neue Gewalt. Nicht von ungefähr setzt sich in den Reihen der illegalen und von der Polizei gehetzten Kämpfer der von Lenin gewünschte rücksichtslose Typ durch, der dem Motto huldigt: Der Zweck heiligt das Mittel.

Genauso denkt Josef Wissarionowitsch Dschugaschwili. Sein Vater ist Schuster in Georgien, genauer gesagt im Städtchen Gori bei Tiflis. In jungen Jahren war er noch Leibeigener. Wenn er betrunken ist, verprügelt er Frau und Sohn, den einzigen Sohn. (Die anderen Kinder sind tot.)

Die Mutter möchte das einzige ihr verbliebene Kind auf Händen tragen. Sie ist ehrgeizig. Darum soll der Junge Priester werden. Als Fünfzehnjährigen schickt sie ihn — 1894 — auf das Priesterseminar nach Tiflis. Das ist eine Großstadt im Kaukasus. Und es ist die einzige Universitätsstadt. Sie hat ungefähr 110 000 Einwohner, meist Armenier, Georgier und Russen. Auch 2000 Deutsche gehören dazu. Man spricht in der Stadt nicht weniger als 70 Sprachen und Dialekte. In der Nähe liegen Naphthaquellen. Früher herrschten hier Türken und Perser. 1801 wurde die Stadt russisch.

Ausgerechnet das Priesterseminar ist Mittelpunkt der radikalen Studenten des ganzen Gebietes. Fast hat es den Anschein, als gibt es in der Jugend Georgiens nur noch Revolutionäre, nur noch Radikale, nur noch Marxisten. Die jungen Männer, die einmal Priester werden wollen, sind nicht nur aufsässig, sondern durchweg Atheisten. Es ist ihnen nicht wichtig, Gott oder dem Christentum zu dienen, sie wollen vorwärtskommen, sie wollen Erfolge haben, sie wollen aus der Armut aufsteigen. Kein anderer Beruf bietet für die Söhne kleiner Leute so viele und so leichte Aufstiegsmöglichkeiten wie der des Geistlichen im zaristischen Rußland. Dschugaschwili erweist sich als ein vorzüglicher Schüler, als gelehriger Atheist. Schließlich wird er Sozialdemokrat. Die Folgen sind vorauszusagen. 1897 fliegt er von der Schule.

Seine revolutionären Freunde verhelfen dem Achtzehnjährigen zu einer

Stellung an der Sternwarte von Tiflis. Er erweist sich dankbar dafür durch heimliche Weiterarbeit in ihrem Sinne. Es ist ein Wühlen im Dunkeln, ein ständiges Versteckspiel. Der eigene Name kann hier zum Verräter werden. So nennt sich der junge Mann eines Tages Stalin, der Stählerne.

Er verschwindet aus Tiflis, taucht für kurze Zeit am Schwarzen Meer auf, arbeitet in Batum illegal für die Sozialdemokratische Arbeiterpartei. Im April 1902 wird er verhaftet — zum ersten Male — und in die Verbannung nach Irkutsk in Sibirien geschickt. Knapp zwei Jahre lang hält er es hier aus. Dann gelingt ihm die Flucht. Und er kommt wieder zurück nach Tiflis und Batum, den Mittelpunkten der georgischen Revolution.

Hier wirken Tschchéidse und andere kluge und gebildete Männer mit großem Wissen, mit Redegewandtheit und Lebenserfahrung; alle sind Menschewisten. Stalin ist ihnen nicht gewachsen. Er weiß nicht genug. Seine Bildung ist zu gering. Aber er hat von der Mutter einen Ehrgeiz anerzogen bekommen, der keine Grenzen kennt — auch nicht die Grenzen der menschlichen Würde und des Anstands.

Im Oktober 1905 wiegelt er die Arbeiter in Tiflis auf, die zu einer großen Demonstration zusammenströmen: „Was brauchen wir — um wirklich zu siegen? Dazu sind drei Dinge nötig: Erstens — Bewaffnung, zweitens — Bewaffnung, drittens — Bewaffnung und noch einmal Bewaffnung!" Sein später so bekannt werdender „Holzhammer"-Redestil ist hier schon voll ausgeprägt. Im Dezember 1905 trifft er in Finnland erstmals mit Lenin zusammen. Er wird sein Gefolgsmann.

Wenige Jahre später — 1907 — überfällt Stalin in Gemeinschaft mit anderen „Spezialisten" einen Geldtransport der russischen Reichsbank in Tiflis. Bomben explodieren, Menschen sterben. Mehr als 50 unbeteiligte Passanten — Männer, Frauen, Kinder — wälzen sich verwundet in ihrem Blut. Aber Stalin erbeutet für die Partei 341 000 Rubel.

Die Beute wird zunächst nach Paris geschafft. Dort versucht Litwinow, der spätere sowjetische Außenminister, die Rubelnoten in westeuropäische Währungen umzutauschen und wird dabei verhaftet. Im Jahre darauf ergeht es Stalin in Georgien genauso. Er wird nach Wologda in Nordrußland verbannt, entwischt, wird wieder verhaftet und muß jetzt zwei Jahre durchhalten. Dann gelingt ihm erneut die Flucht.

Auch Lenin muß bemüht sein, sich den Häschern des Zaren zu entziehen. Sie spüren ihn in seinem Unterschlupf in Finnland auf (das damals zu Rußland gehört). Hals über Kopf flieht er über Schweden und Deutschland in die Schweiz. Deprimiert und entmutigt quartiert er sich im Januar 1908 wieder im verschlafenen und behäbigen Genf ein.

Wie lange wird die neue Emigration dauern? Wird die Revolution in Rußland jemals siegen können? Lenin leidet unter Appetit- und Schlaflosigkeit. Weder am Organisieren noch am Intrigieren findet er Freude. Um Ablenkung zu haben, versucht er sich mit der Philosophie. Er setzt sich mit dem „Empiriokritizismus" auseinander, einer philosophischen

Richtung, die in jener Zeit bei russischen Sozialisten besonderen Anklang findet und die grundsätzliche Beschränkung der menschlichen Erkenntnis auf das erfahrungsgemäß Gegebene und durch Erfahrung Beweisbare lehrt. Das Buch „Materialismus und Empiriokritizismus" entsteht. Es gilt als sein schwächstes. Lenin ist ein genialer Theoretiker und Praktiker der Revolution. Ein Philosoph ist er nicht.

1912 treten die Bolschewisten in Prag zu einer Parteiversammlung zusammen. Noch immer besteht die Sozialdemokratie aus zwei Gruppen: Auf der einen Seite die Bolschewisten mit der harten Disziplin, auf der anderen die Menschewisten, die verbrecherische Aktionen wie den Tifliser Geldraub entrüstet ablehnen.

Lenin ist fest entschlossen, mit der Zweigleisigkeit endlich Schluß zu machen. So wird in Prag ein für allemal der Trennungsstrich zu den Menschewisten gezogen, für die der neue Schimpfname „Liquidatoren" erfunden worden ist — weil sie angeblich den revolutionären Kampf gegen den Zarismus einstellen, liquidieren, und nur noch legal zum Zuge kommen wollen.

Dabei ist Lenin plötzlich selbst gewillt, den Menschewisten die „legale" Kampfweise nicht allein zu überlassen. Auch die Bolschewisten sollen sich künftig um Sitze im Parlament, der Duma, bewerben. Bolschewisten, die dagegen Sturm laufen und überdies verlangen, daß die Sozialdemokraten auch die menschewistischen Parlamentarier aus der Duma zurückholen, werden als „Otsowisten" — Abberufer — gebrandmarkt.

Jedenfalls bilden die Bolschewiki von nun an eine eigene politische Partei mit einem eigenen politischen Programm. Seine Hauptpunkte sind: Die Begründung einer demokratischen Republik als Vorstufe zur Diktatur des Proletariats, die Einführung des achtstündigen Arbeitstages und die Enteignung des Grundbesitzes ohne Entschädigung.

Auch ein Zentralkomitee wird gewählt, dem neben anderen Lenin, Sinowjew, Ordshonikidse und Kalinin angehören. Hinzu kommt einer, der nicht in Prag sein kann: Stalin.

Drei Monate später wird in Petersburg zum ersten Male eine legale bolschewistische Zeitung gegründet. Sie heißt „Prawda" — die Wahrheit. Am 5. Mai 1912 erscheint die erste Ausgabe. Auch einen Beitrag von Stalin bringt sie. Der Verfasser selbst wird noch am gleichen Tag auf der Straße verhaftet und nach Narym in Westsibirien verbannt. Trotzdem bringt der Vielerfahrene es wieder fertig, dem Zwang der Gefangenschaft zu entgehen. Schon im November des Jahres nimmt er an einer Sitzung des Zentralkomitees in Krakau teil.

Danach kann er nach Wien reisen. Er hat den Auftrag, eine Abhandlung über die Nationalitätenfrage in Rußland zu schreiben. In ihr heißt es: Die Nation „ist eine geschichtlich gebildete dauernde Gemeinschaft der Sprache, des Territoriums, des ökonomischen Lebens und der physiologischen Beschaffenheit, die sich in einer gemeinsamen Kultur äußert".

Im September 1911 wird der russische Ministerpräsident Stolypin ermordet. Er hat das Wahlrecht der unteren Klassen beschränkt, die Revolution unterdrückt und eine Agrarreform eingeleitet (mit dem Ziel, die Bildung bäuerlichen Einzeleigentums zu fördern). Der Strick des Henkers, der sich um den Hals widerspenstiger Revolutionäre legt, wird „Stolypinsche Krawatte" genannt.

Der Zar stürzt

Der Kaiser, Nikolaus II., findet keinen Weg zu zielbewußtem politischen Handeln. Im Frühjahr 1912 treten die Arbeiter in den Goldwäschereien an der Lena in den Streik. Zum Schutz der Betriebe schickt die Regierung Militär. Bei einem Zusammenstoß werden etwa 250 Menschen getötet. Nun schlagen die Meinungen in der Öffentlichkeit wieder heftig gegeneinander. Temperamentvolle Stellungnahmen erfolgen auf beiden Seiten. Lenin schreibt: „Die Schüsse an der Lena haben das Eis des Schweigens gebrochen, und der Strom der Volksbewegung ist in Gang." In vielen Städten des europäischen Rußlands werden Proteststreiks ausgerufen. Fast eine halbe Million Menschen legt die Arbeit nieder.
Im Herbst 1912 wird die Duma gewählt. Auf den Bänken der Volksvertretung nehmen sieben Abgeordnete der Menschewisten und sechs Abgeordnete der Bolschewisten Platz. Das sind erst wenige, doch der Strom drängt weiter. Im Jahre 1913 streiken 850 000 Mann, Anfang 1914 anderthalb Millionen.
Regierung und Kaiser wagen nicht, nach links zu blicken. Also erhoffen sie die Hilfe von rechts. Dort sitzen die Nationalisten, die eine gegen Deutschland und Österreich gerichtete Außenpolitik betreiben. Nur ein Krieg, scheint Zar Nikolaus zu denken, kann den inneren Zusammenbruch aufhalten. Er lenkt die politische Aktivität nach außen.
Im Sommer 1914 ist es soweit. Die Millionenheere der großen Mächte marschieren gegeneinander auf. In Europa beginnt der Totentanz. Großbritannien, Frankreich, Japan, später auch die Vereinigten Staaten, sind Rußlands Bundesgenossen. Deutschland und Österreich-Ungarn heißt der Feind. Kann die russische „Dampfwalze", das Riesenheer des Zaren, gegen die stärkste Militärmacht der damaligen Welt, das Deutsche Reich, mehr ausrichten, als ein Jahrzehnt zuvor gegen den aufstrebenden Inselstaat im Fernen Osten?
Lenin hält sich bei Kriegsausbruch in Österreich auf. Er wird festgenommen, bringt es jedoch fertig, in die Schweiz zu entfliehen. Zusammen mit Sinowjew errichtet er in Bern eine Art Hauptquartier.
In seinen Augen muß der Krieg mit einer Niederlage Rußlands enden. Und nach diesem „Vorspiel" kann und wird dann die Revolution siegen. Alsdann ist es Pflicht des russischen Proletariats, dem deutschen Proletariat beizustehen und ihm ebenfalls zum Siege zu verhelfen. Der imperialistische Krieg muß also zu einem Bürgerkrieg der einzelnen Klassen gegeneinander werden. Folgerichtig erklärt Lenin: „Wer jetzt seiner Regierung beisteht, ist ein Sozialchauvinist." Auf den internatio-

nalen Konferenzen von Zimmerwald 1915 und Kienthal 1916 in der Schweiz wirbt er um Gesinnungsgenossen in anderen Ländern.

Plechanow dagegen steht zum Vaterland. Er fordert die nationale Verteidigung. Die Menschewisten stimmen ihm überwiegend zu. Auch in Deutschland, Österreich und Frankreich reihen sich die Sozialdemokraten in die nationale Front ein. Sie schließen „Burgfrieden" mit den jeweiligen Regimen. Die Zweite Internationale zerbricht.

In Rußland werden die bolschewistischen Führer verhaftet. Nicht einmal die Duma-Abgeordneten bilden eine Ausnahme. Alle werden nach Sibirien verschickt. Dort befindet sich seit mehr als einem Jahr bereits wieder Stalin. Er hat diese Reise zum siebten Male angetreten. Diesmal führt sie ihn in die Nähe des Polarkreises. Das Klima ist hart. Die Landschaft ist öde. Stalin vertreibt sich die Zeit mit Büchern. Er geht auf die Jagd. Er angelt Fische. Mit dem Verkauf der Beute schafft er sich ein Taschengeld. Sogar Versammlungen von bolschewistischen Verbannten kann er abhalten. Der Himmel ist hoch, und der Zar ist weit.

Lenin bleibt in der neutralen Schweiz. Er beschäftigt sich mit dem preußischen Militärtheoretiker Carl von Clausewitz, der gut 100 Jahre früher sein Werk „Vom Kriege" geschrieben hat. Er sieht die Clausewitzsche These bestätigt, daß der Krieg die Fortsetzung der Politik mit anderen Mitteln ist. Und er schreibt selbst wieder einmal an einem umfangreichen Buch. Es heißt „Der Imperialismus als höchste Stufe des Kapitalismus".

In ihm will er die innige Verflechtung der kapitalistischen Wirtschaft, der Banken und Konzerne nachweisen und ihren Einfluß auf die Außenpolitik aufdecken, die notwendigerweise imperialistisch sei. Wenn es zunächst nur um die Ausbeutung der niederen Klassen ging, so macht sich nach Lenin der Kapitalismus jetzt die Ausbeutung ganzer Völker zur Aufgabe.

Nach nicht einmal drei Jahren Krieg und bitteren militärischen Niederlagen bricht das Zarenregime im Februar 1917 zusammen. St. Petersburg brennt, als die Duma sich der Auflösung durch den Zaren widersetzt und das Wolhynische Garderegiment seine Offiziere erschießt. Die Duma bildet ein Exekutivkomitee und stattet es mit diktatorischer Gewalt aus. Die Gefängnisse öffnen ihre Tore.

Am 27. Februar 1917 (alter Zeitrechnung) kommt es zu Straßenkämpfen. Schon am nächsten Tag ist die Macht des Zaren gebrochen. Eine Woche später wird Nikolaus II. verhaftet und in Zarskoje Selo interniert. Rußland ist Republik.

Die Absetzung des Zaren macht eine neue, eine Provisorische Regierung nötig. Sie geht aus dem Exekutivkomitee hervor und präsentiert keineswegs die Sozialisten, zu denen man auch die Sozialrevolutionäre zählt, sondern das wohlhabende Bürgertum. An eine sozialistische Revolution denken ihre Mitglieder überhaupt nicht.

An der Spitze steht Fürst Lwow, ein Mann, zu dessen Lebensstil und Weltanschauung es gehört, die Dinge laufen zu lassen und einem fahrenden Wagen nicht in die Räder zu greifen. Er stellt sich vor, daß eine konstituierende Versammlung aus den neugeschaffenen Verhältnissen den neuen Staat schaffen werde. Die Wahlen sollen im Herbst stattfinden. Bis dahin werden sich wohl die Gemüter beruhigt und die Anschauungen geklärt haben. Überdies herrscht ja noch immer der erste Weltkrieg. Aber bis zum Herbst wird man gewiß mit den Deutschen weitergekommen sein, die den Westen Rußlands besetzt halten.

Bis zum Herbst ist lang hin. Vorerst einmal ergeht an alle militärischen Einheiten der Befehl, Soldatenräte zu bilden. Die Offiziere treten ab. Sie müssen von den Truppenverbänden neu gewählt werden. Neben die Soldatenräte treten die Arbeiterräte. Ihre Wahl erfolgt in den Fabriken und in den Werkstätten. Zusammen mit den Soldatenräten bilden sie die Sowjets. Der Sowjet der Hauptstadt ist der erste. Er zählt 2500 Mitglieder. Jeweils 100 Arbeiter oder eine Kompanie wählen einen Mann in diesen Sowjet hinein. Adlige, wohlhabende Bürger, Gebildete sind von der Wahl ausgeschlossen. Die anderen Städte und Dörfer folgen dem Beispiel.

Gegenüber den Sowjets verlieren die alten Institutionen ihre Bedeutung. Daß mit dieser Regelung aber auch die Provisorische Regierung ihre Macht einbüßen muß, erkennt sie erst, als sie sich einer Bewegung gegenübersieht, deren revolutionärer Wucht, deren Schwung und deren Ungestüm sie nichts mehr entgegenstellen kann.

Die Sowjets beschließen die Übernahme der Fabriken durch die Arbeiter. Den Bauern wird das Land der Gutsbesitzer zugesichert. Ein Zentral-Exekutivkomitee in Petersburg übernimmt die Gesamtführung aller Sowjets im Lande. Es setzt sich überwiegend aus den Führern der sozialistischen Parteien zusammen. Und es dekretiert, daß alle Anordnungen des Duma-Exekutivkomitees nur dann zu befolgen seien, wenn sie nicht im Widerspruch zu den Sowjet-Beschlüssen ständen.

Die Verbündeten Rußlands, von der Politik des Zaren seit langem enttäuscht, erkennen die Republik Rußland innerhalb weniger Tage an. Sie sind der Ansicht, daß es darauf ankomme, Rußland am Abschluß eines Sonderfriedens mit Deutschland zu hindern. Der neue Außenminister versichert, Rußland werde möglichst viele deutsche Divisionen binden und bis zum siegreichen Ende durchhalten.

Im Laufe der folgenden Wochen kehrt Stalin aus der Verbannung zurück. Eine bolschewistische Parteikonferenz fordert die „Republik der Arbeiter und Bauern". Von der Diktatur des Proletariats spricht sie nicht. Mit der ihm angeborenen Wendigkeit bewegt sich Stalin zwischen den Meinungen. Er hat keine Bedenken, mit den Menschewisten zu verhandeln. Lenin, der sich noch immer im Ausland aufhält, verfolgt diese Vorgänge mit Sorgen. Er hat von dem, was jetzt geschehen müßte, seine eigenen Vorstellungen. Wie Trotzki schon 1905, so ist jetzt auch Lenin der Meinung, es gelte die bürgerliche Revolution sofort, in einem Zuge in die sozialistische umschlagen zu lassen. Er will alles auf eine Karte setzen.

Im „plombierten" Eisenbahnwagen nach Rußland

Auf seine Bitten gestattet ihm die kaiserliche deutsche Regierung, der jede Komplikation in Rußland nur willkommen sein kann, seine Heimkehr. Die Reise durch Deutschland erfolgt in einem abgesonderten Waggon, der — nicht ganz zutreffend — als „plombierter Eisenbahnwagen" in die Geschichte eingehen soll. Am 16. April 1917 trifft Lenin in Petrograd — wie St. Petersburg seit Kriegsbeginn heißt — ein. Auf dem Bahnhof jubeln ihm Tausende entgegen. Lenin antwortet mit einem Hoch auf die „kommende Weltrevolution".

Am nächsten Tage nimmt er sofort an einer gemeinsamen Versammlung von Bolschewisten und Menschewisten teil. Hier wirft er „die Aufgaben des Proletariats in der gegenwärtigen Revolution" in die Debatte. Er weigert sich, mit der Provisorischen Regierung zusammenzuarbeiten. Statt dessen fordert er die Übergabe der vollen Macht an die „Sowjets der Arbeiter-, Landarbeiter- und Bauerndeputierten". „Weg mit dem stehenden Heer", donnert er, „weg mit der Polizei!" Und er fährt fort: „Die Bürokratie muß weggefegt werden. Die Banken gehören unter Aufsicht. Produktion und Güterverteilung müssen von der Arbeiterschaft überwacht werden! Der Boden gehört den Bauern!"

Nie zuvor ist man in Petrograd so maßlosem, alles sprengenden Radikalismus begegnet. „Ich fordere die Gründung einer Dritten Internationale!" ruft Lenin. „Nieder mit dem Krieg!" Die Angriffe brechen wie Hammerschläge nieder. „Es war, als seien alle Elemente losgelassen, als steige der Dämon der Zerstörung aus seinen Abgründen empor", bekennt ein Zuhörer. „Niemals werde ich diese Rede vergessen."

Lenins eigene Freunde sind konsterniert. Sie drücken sich an ihm vorbei und vermeiden persönliche Unterhaltungen. Der Ankömmling ist isoliert. Nachher spricht sogar das ZK-Mitglied Kamenew in der „Prawda" von den „Privatanschauungen Lenins".

Aber Lenin weiß, was er will. Er gibt nicht auf. Und er gibt nicht nach. Unermüdlich ist er in der nächsten Zeit unterwegs. Er schreibt. Er redet. Er wirbt überall um die Zustimmung seiner Freunde. Und so bleibt dann auch der Erfolg nicht aus. Als die bolschewistische Partei zu einer allrussischen Konferenz zusammentritt, findet Lenin die Zustimmung der Mehrheit.

Vier Monate später, im Juli 1917, kann er versuchen, die Macht zu erobern. Er erklärt die Provisorische Regierung für abgesetzt. „Raubt das Geraubte!" ruft er Zehntausenden von Hörern in der Hauptstadt und damit zugleich den Millionen in ganz Rußland zu. Die durch Krieg, Umsturz, Revolution, Entbehrung und Hoffnungslosigkeit Verstörten horchen auf. Die Massen sind aufgewühlt.

Doch es bleibt nicht dabei. Es folgt die Ernüchterung. Nur drei kurze Tage währt der Triumph. Der Putschversuch geht fehl. Der Wind schlägt um. Ehe sie sich richtig versehen, haben die Bolschewisten ihre Macht an die Provisorische Regierung verloren. Und Lenin selbst bleibt nichts anderes übrig, als wieder nach Finnland zu flüchten.

Hier muß er erst einmal Atem schöpfen und zu begreifen versuchen. Er sammelt sich und schreibt sein Buch „Staat und Revolution". Unter demütigenden Verhältnissen, in einer windigen und feuchten Scheune, entsteht ein faszinierendes Werk, die große Vision der klassenlosen Gesellschaft, in der der Staat — weil als Machtinstrument überflüssig — „abstirbt":

„Alle Bürger werden Angestellte und Arbeiter eines einzigen, das ganze Land umfassenden ‚Staatssyndikats', bei dem es darauf ankommt, daß sie alle in gleicher Weise arbeiten, ihre Arbeitsnorm erfüllen und dafür gleichen Lohn empfangen...

Die ganze Gesellschaft wird eine einzige Fabrik mit gleicher Arbeit und gleichem Lohn. Aber diese Fabrik-Disziplin ... ist nur eine Stufe, die notwendig ist zur radikalen Reinigung der Gesellschaft von der Gemeinheit und Niedertracht der kapitalistischen Gesellschaft und zu weiterem Vorwärtsschreiten. Von dem Augenblick an, da alle Mitglieder der Gesellschaft oder wenigstens ihre überwältigende Mehrheit gelernt haben, den Staat zu regieren ..., beginnt die Notwendigkeit des Regierens überhaupt in Wegfall zu kommen ...

Wenn alle erst einmal gelernt haben, die gesellschaftliche Produktion selbständig zu leiten ..., werden Umgehungen der durch das Volk verwirklichten Rechnungsführung und Kontrolle eine derart seltene Ausnahme bilden und voraussichtlich eine so rasche und strenge Bestrafung nach sich ziehen ..., daß die Notwendigkeit der Einhaltung der unkomplizierten Grundregeln jeglichen Zusammenlebens von Menschen sehr bald zur Gewohnheit wird. Und dann wird das Tor zum Übergang von der ersten Phase der kommunistischen Gesellschaft zu ihrer höheren Phase und zum vollständigen Absterben des Staates sperrangelweit offen stehen."

Die Oktoberrevolution

Die Kämpfe um die Macht in Rußland gehen weiter. Von Finnland her beobachtet Lenin die Entwicklung. Gerade eben haben die Bolschewisten die Mehrheit im Petrograder Sowjet gewonnen. Trotzki — im Juli noch verhaftet, jetzt wieder auf freiem Fuß — wird zu seinem Präsidenten gewählt. (Trotzki zählt sich nach Lenins Einschwenken auf seine Linie zu dessen Anhängern.) Der Ruf „Alle Macht den Sowjets!" hat damit einen neuen Inhalt gefunden. Er ist gleichbedeutend geworden mit der Forderung: „Alle Macht den Bolschewisten!"

Lenin, noch immer in Finnland, ist überzeugt, daß das Beispiel Rußlands Nachahmer finden wird — zuerst und vor allem in Deutsch-

Nach seiner Ankunft in Petrograd 1917 besteigt Lenin auf dem Bahnhofsvorplatz einen Panzerwagen, um eine erste aufrüttelnde Rede an die Massen zu halten

land. Darum möchte er am liebsten gleich losschlagen. Doch er stößt auf Widerstand. Vor allem wehrt sich dagegen der instinktsichere Trotzki. Er will abwarten und den geplanten Angriff als Verteidigung, als Abwehr einer drohenden Gegenrevolution tarnen. Das muß umso glaubwürdiger wirken, je mehr noch der Schrecken über den überraschenden, wenn auch mißglückten Putschversuch von rechts des Generals Kornilow vom September 1917 in den Gliedern sitzt.

Ministerpräsident Kerenski — Nachfolger des Fürsten Lwow — merkt nichts. Er beruft eine „Demokratische Konferenz" ein, ein Vorparlament; sie soll Wahlen für eine verfassunggebende Versammlung ausschreiben. Damit hofft er, die Sowjets an die Wand zu drücken.

Die Zukunft wird nun davon abhängen, wer in der Hauptstadt über die militärische Macht verfügt. Als das Gerücht laut wird, Petrograd solle den Deutschen ausgeliefert und Moskau Hauptstadt werden, empört sich der Sowjet und reißt die Verantwortung für die Verteidigung der Stadt an sich. Er ernennt ein Revolutionäres Militärkomitee. Vorsitzender kann niemand anders sein als der Präsident des Petrograder Sowjets. Und das ist Trotzki.

„Die Krise ist reif!" schreibt Lenin jetzt aus Wyborg. Am 20. Oktober 1917 sprengen die Bolschewisten das Vorparlament durch ihren Auszug. „Petrograd ist in Gefahr!" ruft Trotzki. „Die Revolution ist in Gefahr! Das Volk ist in Gefahr!"

Am nächsten Tag kehrt Lenin zurück. Er hält sich zunächst verborgen. Jedoch drei Tage später, am 23. Oktober, steht er mitten unter den Mitgliedern des Zentralkomitees. Es kommt zur Abstimmung. Zehn Stimmen sind für den Aufstand. Zwei sind dagegen: Kamenew und Sinowjew.

Nach ihrer Überzeugung sind die Machtmittel der Regierung noch immer groß genug, um jeden Aufstand niederzuschlagen. Außerdem blikken sie hoffnungsvoll nach Westen, insbesondere nach dem verzweifelt ringenden Deutschland. Dort sind Rosa Luxemburg und Karl Liebknecht am Werk, den Umsturz vorzubereiten. Davon versprechen sie sich den Sieg der proletarischen Revolution auch in Rußland.

Doch die beiden Vorsichtigen stehen im russischen Zentralkomitee allein. Ein politisches Büro der Partei mit weitgehenden Vollmachten wird gebildet. Lenin, Stalin, Trotzki, aber auch Kamenew und Sinowjew gehören ihm an.

Für den 2. November 1917 ist der Allrussische Sowjetkongreß einberufen. Damit bietet sich eine gute Gelegenheit zum Losschlagen. Viel Zeit für Vorbereitungen bleibt nicht mehr. Als dann der Kongreß den Beginn seiner Sitzung um fünf Tage verschiebt, beglückwünschen die Bolschewisten sich.

Alles weitere läuft ab wie am Schnürchen. Am 3. November kommen die Vertreter aller Petersburger Regimenter zu einer Besprechung zusammen. Schnell werden sie sich darüber einig, daß die gesamte Garnison dem Revolutionären Militärkomitee zu unterstellen ist. Der erste Schritt zur Meuterei ist getan. Zwei Tage später erfolgt der nächste: Trotzki ernennt Kommissare bei jedem Truppenteil in Petrograd und Umgebung. Damit hat der Sowjet den Oberbefehl über alle militärischen Einheiten übernommen. Offiziere, die es wagen, Befehle ohne Gegenzeichnung der Kommissare zu geben, werden verhaftet.

Die Provisorische Regierung kann alldem nicht ruhig zusehen. Schon vor geraumer Zeit hat sie die „Prawda" verboten, um die Gegner zum Schweigen zu bringen. Daraufhin hat Stalin die Zeitung „Rabotschi Putj" (Der Arbeiterweg) ins Leben gerufen. Nun wird auch ihre Redaktion besetzt. Und gerade dieses Ereignis liefert den Bolschewisten am 7. November 1917, dem 25. Oktober alter Zeitrechnung, endlich den längst erhofften Vorwand.

Aufständische Truppen besetzen überraschend Bahnhöfe, Brücken, Postämter und andere wichtige Gebäude. Kein einziger Schuß fällt. Erst als die Revolutionäre auf das Winterpalais, den Sitz der Regierung Kerenski, vorrücken, kommt es zum Kampf. Offiziersanwärter und ein Frauenbataillon fechten verzweifelt, verbissen und ihrem Eide getreu gegen die Aufständischen. Dann beginnt von der Seeseite her der Beschuß durch den regierungsfeindlichen Kreuzer „Aurora".

In der Nacht ist alles vorbei. Kerenski flieht. Die Regierung muß sich ergeben. Die meisten Minister werden verhaftet. „Es kann einem schwindelig werden", sagt Lenin zu Trotzki auf deutsch, halbbenommen vom Erfolg.

Zwischendurch läuft noch eine Art Satyrspiel über die politische Bühne: Eben — zu Antritt der Nacht — ist der Allrussische Sowjetkongreß zusammengetreten, in dem die Bolschewisten nicht über die Mehrheit verfügen. Kaum hat der erste Redner das Pult bestiegen, hört man aus der Ferne Gewehrsalven. Die Beschießung des Winterpalais hat begonnen. Entsetzt springen Menschewisten und Rechte Sozialrevolutionäre auf. Empört weigern sie sich, unter Waffendrohung weiter zu tagen. Unter Protestrufen verlassen sie den Saal. Damit aber haben die Bolschewisten, die mit den Linken Sozialrevolutionären zurückbleiben, die Mehrheit gewonnen. Triumphierend lärmen sie hinter den gemäßigten Sozialisten her. Trotzki reckt die Fäuste empor. Er schreit: „Eure Rolle ist ausgespielt! Schert euch dahin, wohin ihr von jetztan gehört ... auf den Kehrichthaufen der Geschichte!"

Schon am nächsten Tag wird die erste Sowjetregierung gebildet. Sie heißt „Rat (Sowjet) der Volkskommissare". Vorsitzender und damit mächtigster Mann in Rußland ist Lenin. Trotzki wird Volkskommissar für das Auswärtige, Stalin für Nationalitätenfragen. Daß vorläufig nur Petrograd erobert ist, kümmert die Bolschewisten wenig. Sie erheben den Anspruch, für ganz Rußland zu sprechen.

Die Sowjetregierung beschließt als erstes, daß ein sofortiger Waffenstillstand zu einem „demokratischen" Frieden führen soll und der Privatbesitz an Grund und Boden aufgehoben ist. Die Verteilung der nominell verstaatlichten Äcker, Weiden und Wälder an Bauern und Arbeiter wird sofort in die Wege geleitet.

Lenin sieht die keimende Unruhe in Italien, Frankreich, Deutschland. Er hofft, mit der Oktoberrevolution den Funken gezündet zu haben, der das Pulverfaß Westeuropa zur Explosion bringt. Und Trotzki ist mit ihm der Meinung: Die Weltrevolution steht vor der Tür. Jetzt oder nie muß in den mächtigen Industrieländern der Kapitalismus hinweggefegt werden.

Darum wäre es gut, den Krieg noch etwas am „Kochen" zu halten. Das ist vor allem Stalins These. Doch die Bolschewisten haben den kriegsmüden Soldaten den Frieden versprochen. Sie haben — indem sie schlankweg das populäre Agrarprogramm der Sozialrevolutionäre übernehmen — den Bauern Land verheißen. Bauern und Soldaten aber, die namenlose Millionenschar, sind das Rückgrat der neugewonnenen Macht. Und Bauern und Soldaten sind weitgehend identisch. Wenn an die Bauern in der Heimat das Land verteilt wird, dann wollen die uniformierten Bauern an der Front nicht zurückstehen. Sie wollen nicht übergangen werden. Sie streben schnell nach Hause, um auch noch einen fetten Brocken Schwarzerde aus dem Besitz der Gutsherren abzubekommen. Mit einem Bauernheer ist in Zeiten der allgemeinen Landaufteilung kein Krieg zu führen. Die Bolschewisten sind zum Waffenstillstand gezwungen, ob sie wollen oder nicht.

Die Kosaken marschieren

Die nächste Aufgabe besteht darin, die Sowjetmacht zu verteidigen. Denn schon marschieren die Kosaken General Krasnows auf die Hauptstadt zu. Sie besetzen Gatschina. Sie rücken in Zarskoje Selo ein. Und selbstverständlich verweigern die Menschewiki den Bolschewiki die Gefolgschaft. Auf ihre Weisung tritt die Eisenbahnergewerkschaft in den Streik. Das ist ärgerlich für die Bolschewisten. Nun können sie die ihnen gehorsamen Regimenter den Kosaken nicht entgegenwerfen.

Schlimmer allerdings sind die Folgen für das Militär der Provisorischen Regierung, das ebenfalls festliegt. Und als Kerenski in Gatschina die Warnung empfängt, er solle von Krasnows Kosaken den Bolschewisten ausgeliefert werden, verliert er die Nerven. Er legt Frauenkleider an und entflieht nach Finnland und weiter nach England.

Auch in Moskau kommt es zu Kämpfen. Sie enden siegreich für die Bolschewisten. Das ganze Land fällt ihnen zu. Und nun setzt der Terror ein. Alle nicht zur Sowjetregierung haltenden Zeitungen werden verboten. Eine „Außerordentliche Kommission zur Unterdrückung der Gegenrevolution" wird geschaffen, abgekürzt Tscheka genannt. Mit ihr entsteht eine schnell berüchtigte Geheimpolizei.

Lenin versucht, den Schrecken zu verteidigen: „Keine Diktatur ist ohne Terror und Gewalt denkbar, auch nicht die proletarische." Der Leiter der Tscheka ist ein polnischer Gutsbesitzerssohn namens Dserschinski. Er ist ein eiskalter, sachlicher, gefühlloser Fanatiker, paßt also mit diesem Temperament vorzüglich zu dem aus gleichem Stoff gemachten Lenin. Als er sein Amt antritt, legt er klar, an welche Grundsätze und Regeln er sich halten werde: „Glaubt nicht, daß es mir um formelles Recht gehe. Wir brauchen jetzt keine Gerechtigkeit. Was wir brauchen, ist der Kampf bis aufs Messer. Ich beantrage — ich fordere! — die Schaffung des revolutionären Schwertes, das alle Gegenrevolutionäre vernichten soll."

Klassenkampf ist letztlich gleichbedeutend geworden mit der Ausrottung aller, die anders denken als die Bolschewisten: Adel, Bürgertum, Geistlichkeit, „morbide" Intelligenz, die gesamte große Mittelschicht — und dann schließlich jene Bauern und Arbeiter, die eine eigene Meinung haben. Folter, Drohung und Erpressung liefern die gewünschten Geständnisse. Schuldige und Unschuldige sterben nebeneinander zu Tausenden unter den Kugeln der Standgerichte.

Selbst Lenin scheint schwache Stunden zu haben, in denen ihm das Vorgehen der Tscheka unheimlich wird. In einer Unterredung mit Maxim Gorki deutet er es an: „Die durch die Verhältnisse erzwungene Grausamkeit unseres Lebens wird einmal verstanden und gebilligt werden." Neben den Terror tritt die Not. Die vom Krieg hart angeschlagene Gesellschaft wird dem Zusammenbruch zugetrieben. Die Preise schnellen ins Unermeßliche. Der Rubelkurs sinkt. Die Bauern behalten ihre Vorräte für sich und liefern nicht ab. Die Menschen in der Stadt müssen hungern.

So nimmt es nicht Wunder, daß die noch unter Kerenski einberaumte Wahl zur Verfassunggebenden Nationalversammlung einem eindeutigen Mißtrauensvotum der Bevölkerung gleicht: Von 36 Millionen Wählern stimmen 21 Millionen für die Sozialrevolutionäre und nur 9 Millionen für die Bolschewisten. Schlimmer hätte es für sie kaum ausgehen können. Von den 715 Sitzen erringen sie nur 183, die Sozialrevolutionäre 412. Da kann also wieder nur die Gewalt helfen.

Lenin ruft die Rote Garde und die Matrosen des ebenso roten Baltischen Geschwaders sowie schließlich lettische Scharfschützen aus Moskau heran. Damit ist er stark genug geworden, um die Verfassunggebende Nationalversammlung zu sprengen. Als diese am 18. Januar 1918 im Taurischen Palais zusammentritt, steht das Gebäude unter militärischer Bewachung, über deren Absichten kein Zweifel herrschen kann. Also wagen sich die Andersdenkenden — insbesondere die Abgeordneten der Rechten — vielfach nicht mehr ins Haus. Auf die Zuschauertribünen werden nur Gäste mit Eintrittskarten gelassen. Sie sind vorher auf Herz und Nieren geprüft worden. Die übrigen — die Nichtgeprüften oder Durchgefallenen — sammeln sich auf den Straßen. Mit Fahnen und Spruchbändern rücken sie an. Maschinengewehrfeuer empfängt sie und jagt sie auseinander. Etwa 100 Menschen bleiben tot oder verwundet liegen.

In der Versammlung fordert inzwischen der Bolschewist Swerdlow die Übertragung der Staatsgewalt auf die Sowjets. Zeretelli, Führer der Menschewisten, macht sich zum warmherzigen und klugen Verteidiger der bürgerlichen Freiheit. Zugleich warnt er vor dem Bürgerkrieg.
Im Saal droht es zu Schlägereien zu kommen. Auf den Galerien schreien und toben die Leute mit den Eintrittskarten. Der Bolschewist Bucharin verlangt, der Antrag Swerdlows solle sofort behandelt werden. Wieder krachen die Gegensätze aufeinander. Bei der Abstimmung sind 138 Stimmen dafür und 237 Stimmen dagegen.
Gespielt empört verlassen die Bolschewisten den Saal. Die Linken Sozialrevolutionäre schließen sich nach einigem Zögern an. Die verbleibende Mehrheit beschließt, Rußland zur demokratischen und föderativen Republik auszurufen. Stolz und befriedigt gehen die Abgeordneten heim. Doch als die Sieger der nächtlichen Sitzung am nächsten Morgen ins Taurische Palais zurückkehren wollen, sind die Eingänge von Soldaten mit Gewehren, Maschinengewehren und zwei Geschützen besetzt. Im Saal verfügt der Rat der Volkskommissare, der sich in der Zwischenzeit versammelt hat, die Auflösung der Verfassunggebenden Versammlung. Lenin darf mit sich und seiner Methode zufrieden sein. Er triumphiert. Mit kaum zu übertreffender Menschenverachtung erklärt er: „Es ist alles bestens ausgegangen. Die Auflösung der Konstituante bedeutet die vollständige und offene Liquidation der Demokratie zugunsten des Gedankens der Diktatur. Es wird eine heilsame Lehre sein."
Als in der Nacht darauf zwei hochangesehene Führer seiner Gegner von bolschewistischen Matrosen ermordet werden und die Freunde der Toten Protestversammlungen abhalten, höhnt Lenin von neuem mit gleicher Abgebrühtheit: „Laßt sie nur protestieren! Laßt sie etwas vor Wut kochen, etwas toben, etwas seufzen, viel Tee trinken, bis in den Morgen reden. Dann werden sie bestimmt bald einschlafen! ... Nur Schufte und Idioten können sich einbilden, daß das Proletariat erst die Mehrheit haben muß in Wahlen, die unter bürgerlichem Joch stattfinden, und erst dann versuchen kann, die Macht an sich zu reißen."
Die Macht nach innen ist vorerst konsolidiert. Die Macht nach außen gilt es noch zu befestigen. Immer weiter dringen die Deutschen in Rußland vor. Dabei hat der Krieg inzwischen wie von selbst aufgehört. Wer in der russischen Armee Beine hat, beeilt sich, nach Hause zu kommen. „Sie stimmen für den Frieden mit den Füßen", spottet Lenin.
Deutschland stellt seine Bedingungen für den Friedensvertrag. Trotzki, der im Namen der Sowjetregierung verhandelt, hält sie für zu hart und protestiert. Doch zum Weiterkämpfen fehlt ihm die Armee. Also erklärt er kurzerhand den Kriegszustand für beendet. „Weder Krieg noch Frieden!" stellt er fest. Da kann sich jeder aussuchen, was er will.
Es kann nicht überraschen, daß die Mittelmächte, Deutschland und Österreich-Ungarn, mit diesem Weder-Noch-Standpunkt nicht einverstanden sind. Sie rücken weiter vor. Die Russen im Rat der Volkskommissare und im Zentralkomitee der bolschewistischen Partei streiten

miteinander. „Strecken wir jetzt die Waffen, dann entehren wir die russische Revolution, und wir betrügen den internationalen wie den deutschen Sozialismus", folgert Bucharin. „Im Gegenteil", wendet Lenin ein, „ich spreche für den russischen Bauern. Widerstand ist sinnlos. Bricht Rußland völlig zusammen, dann können wir die Hoffnung auf den revolutionären Durchbruch nach dem Westen in den Wind schreiben."

So kommt es am 3. März 1918 zum Frieden von Brest-Litowsk. Rußland verliert mehr als ein Viertel seiner Bevölkerung, seines europäischen Ackerlandes, seines Eisenbahnnetzes. Es verliert ein Drittel seiner Textilindustrie, drei Viertel der Eisenindustrie und der Kohlenbergwerke. „Der Frieden ist schamlos", urteilt Lenin. Aber notgedrungen akzeptiert er ihn.

Vom Weltkrieg zum Bürgerkrieg

Im März 1918 treten die Leninisten zu ihrem VII. Parteitag zusammen. Die Partei nennt sich jetzt, um sich von den Sozialdemokraten deutlich abzugrenzen, „Kommunistische Partei Rußlands (Bolschewisten)". Damit knüpft sie an den „Bund der Kommunisten" von Marx und Engels an — und setzt sich selbst ein neues Ziel. Haben die Marxisten bis dahin zwischen den Begriffen Sozialismus und Kommunismus kaum unterschieden, definiert Lenin nun den „Sozialismus" als das Stadium, in dem zwar die Produktionsmittel, aber noch nicht die Gebrauchsgüter Gemeingut sind. Das ist erst im „Kommunismus" der Fall, wo alles beliebig zur Verfügung steht. Über den „Sozialismus" hinaus gilt es also, das „kommunistische Endstadium" der Geschichte anzusteuern.

Doch vorerst ist nicht einmal der „Sozialismus" erreicht. Vorerst heißt es, mit aller Kraft, den „Arbeiter-und-Bauern-Staat", die „Diktatur des Proletariats" gegen den Ansturm der vielen Feinde zu verteidigen. Rot steht gegen weiß. „Weiß" sind die Monarchisten und die Demokraten bis hin zu den Menschewiki und den Rechten Sozialrevolutionären.

Im Grunde braucht der junge Sowjetstaat eine Atempause, um sich selbst zu fangen und auf die Revolution in Westeuropa zu warten. Lenin seufzt: „Es ist die absolute Wahrheit, daß wir ohne eine deutsche Revolution untergehen werden." Dennoch geht man unerschrocken ans Werk.

Zunächst stellt Lenin „die unmittelbaren Aufgaben der Sowjetregierung" fest. Er fordert die Wiederherstellung einer ordentlichen Verwaltung. Er verlangt eine schärfere Kontrolle und die Steigerung der Produktivität in allen wirtschaftlichen Bereichen. Und schließlich redet er — und das scheint das Erstaunlichste zu sein — der Verwendung „bürgerlicher" Fachleute das Wort; dies selbst für den Fall, daß es dabei zu einer Verletzung der „Normen der Gleichheit" kommen sollte. Wenn der Bürgerliche mehr kann, muß er auch besser gestellt werden als der Arbeiter.

Wieder erweist Lenin sich als ein Mann, der sich durch keine Voreingenommenheit den Blick auf das Notwendige verbaut. Wie ernst er es meint, zeigt sein Satz: „Die Revolution fordert, daß die Massen bedingungslos dem Willen der Führer des Arbeitsprozesses gehorchen." Und: „Der Übergang zum Sozialismus fordert die Ernennung individueller Einzelpersönlichkeiten von Diktatoren mit unbeschränkter Gewalt." Die „Weißen" wissen, was ihnen droht. In Finnland, der Ukraine und in den baltischen Ländern installieren sie unter dem Schutz der Deutschen eigene Regierungen und unabhängige Staaten — ebenso im Kaukasus. Doch die Keimzelle des Widerstandes gegen die Roten bildet sich bei den Donkosaken. Hier sammelt General Kornilow, der auch nach seinem gescheiterten Putsch nicht aufgegeben hat, Freiwilligenverbände. Er marschiert mit ihnen auf Krasnodar zu.

Damit ist der Bürgerkrieg ausgebrochen. Kornilow fällt. General Denekin tritt an seine Stelle. Überall formieren sich Armeen der Weißen. Die Roten verkünden: „Das sozialistische Vaterland ist in Gefahr!" Sie antworten mit einer Militarisierung ihrer Partei. Die Rote Armee entsteht. In diesem Sommer des Jahres 1918 fließt viel Blut.

Die Donkosaken beherrschen das Steppengebiet nach Zarizyn, dem Umschlagplatz an der Wolga für die Getreidetransporte nach Moskau. Stalin eilt dorthin und legt damit den Grundstein für die spätere Legende, er habe den entscheidenden Anteil am Sieg. (Zarizyn wird in Stalingrad umbenannt.)

Der Ort ist durch die roten Arbeiterbataillone Woroschilows abgesichert. Mit ihm führt der frühere Kavalleriewachtmeister Budjonny das Kommando. Auch er ist Kosak — aber ausnahmsweise ein roter. Seine Abteilung wächst zum Regiment, zur Brigade, zur Division. Jetzt holt er Trotzkis Zustimmung zur Erweiterung auf ein Kavalleriekorps ein. Dieser — bisher Volkskommissar für Auswärtiges — hat den Oberbefehl über die Rote Arbeiter- und Bauern-Armee erhalten. Er ist Vorsitzender des Obersten Kriegsrates und Volkskommissar der Verteidigung. Und er stampft die neuen Streitkräfte geradezu aus dem Boden. Die Sowjetarmee ist das Werk dieses genialen Mannes.

Am Anfang stehen die Roten Garden in Petrograd, Moskau und anderen Industriestädten. Sie bilden sich bereits vor der Oktoberrevolution aus bolschewistisch orientierten Arbeitern und Soldaten des alten Heeres. Schon Anfang November 1917 zählen sie 20 000 Mann. Nun gilt es, aus dieser Parteiarmee eine Volksarmee zu machen. Wieder müssen die Bauern mobilisiert werden. Und die Bolschewisten gewinnen die Bauern, weil diese die Furcht vor der Heimkehr der Großgrundbesitzer mit den Regimentern der Weißen packt. Um Land zu ergattern, haben sich die Bauern die Uniform Kerenskis vom Leibe gerissen. Um dieses Land mit ihrem Blute zu verteidigen, ziehen sie die Lenins wieder an. Wer aber soll sie führen? Trotzki hat den Mut, entgegen allen Warnungen zaristische Offiziere zu berufen. Sie rücken in die Positionen von 40 000 „Militärspezialisten". Damit steht den Bolschewisten die militärische Erfahrung des alten Rußland zur Verfügung. Die Soldatenräte werden entlassen. An ihre Stelle treten Kriegskommissare. Das sind bolschewistische Revolutionäre, deren Aufgabe es nun sein wird, die gestellten Ziele mit den Offizieren gemeinsam zu erarbeiten und notfalls zu erkämpfen — sowie auf die Linientreue zu achten.

Trotzki hat Sorgen. Es kommt zu Gehorsamsverweigerungen und schweren Zerwürfnissen, nicht nur hier am Don, sondern an der ganzen breiten Südfront. Weitere Kopfschmerzen macht den Roten eine Tschechoslowakische Legion in Sibirien. Sie hat sich aus ehemaligen österreichischen Kriegsgefangenen und Überläufern tschechischer Herkunft gebildet, ist 40 000 Mann stark und hat mehr und mehr den Charakter einer Freiwilligenarmee im Dienst der Westmächte angenommen. Jetzt, nach Brest-Litowsk, will sie nach Frankreich, an die deutsche Westfront, wo ja immer noch gekämpft wird.

Dieser Wunsch ist aus verkehrstechnischen Gründen nicht erfüllbar. Außerdem würde er den Deutschen höchst unwillkommen sein, und es scheint, daß diese deswegen bei Trotzki vorstellig werden, so daß er die Entwaffnung befiehlt. Die Tschechoslowaken leisten Widerstand. Sie empören sich und marschieren im Juni 1918 auf eigene Faust nach Westen. Bald gehören ihnen alle Bahnstrecken Sibiriens. Damit sind ihnen die Wege nach dem Ural erschlossen, und eine Stadt nach der anderen wird von ihnen besetzt.

Der geringe Widerstand, auf den sie stoßen, macht deutlich, daß hier im Osten Rußlands die Weißen immer größeren Zulauf erhalten. Zu den antibolschewistischen Bauern, Bürgern und Adligen gesellen sich finnische und tatarische Kleinvölker aus der Landschaft zwischen Uralgebirge und Wolga. Als nationale Minderheiten gehen sie schon immer gern eigene Wege. Und zu ihnen stoßen die Uralkosaken.

Getrieben und geführt von den Rechten Sozialrevolutionären, bilden die Weißen in Samara eine eigene Regierung. Sie stellen eine Volksarmee auf, knüpfen Verbindungen zu den tschechischen Truppen an und finanzieren sich aus den von diesen erbeuteten Goldbeständen, die von der russischen Reichsbank nach Kasan verlagert worden sind.

Koltschak sammelt die Weißen

Mittlerweile bildet sich in Omsk noch eine zweite sibirische Regierung von ausgesprochen nationalem und konservativem Charakter unter dem ehemaligen Admiral der Schwarzmeerflotte Koltschak. Hier denkt man sogar an eine neue Thronerhebung des Zaren, muß dann aber zum Entsetzen aller erfahren, daß dieser am 16. Juli 1918 zusammen mit seiner ganzen Familie von einer bolschewistischen Terrorgruppe in Jekaterinburg erschossen worden ist, als tschechoslowakische Truppen sich näherten und die Möglichkeit einer Befreiung bestand. Doch ist damit der monarchische Gedanke nicht tot. Koltschak hält ihn weiter hoch. Er betrachtet sich gewissermaßen als den Treuhänder eines kommenden Zaren. Nicht weniger bedrohlich werden die Westmächte. Sie haben vorsorglich gewaltige Munitions- und Waffenvorräte in den russischen Häfen Murmansk, Archangelsk und Wladiwostok gelagert, um die Russen für den Fall eines deutschen Vormarsches unterstützen zu können. Sie wollen verständlicherweise nicht, daß sich die Bolschewisten diese Lager aneignen. Darum schicken sie 15 000 Mann zur Bewachung. Zu ihnen stoßen nochmals 8 000 weiße Russen. Jetzt können sich die Rechten Sozialrevolutionäre stark genug fühlen, auch in Archangelsk eine weiße Regierung zu bilden.

Das gleiche geschieht in Aschchabad in Turkmenistan. Diese Regierung stützt sich auf die Engländer, die über Persien und Beludschistan einrücken.

Nun folgt Japan, das ja auch auf der Seite der Westmächte steht, dem Beispiel und entsendet 70 000 Mann. Italiener und Amerikaner schicken kleinere Verbände. Vorgeblich haben alle nur die Aufgabe, die Tschechen zu schützen.

Damit ist die Lage der Bolschewisten sehr ernst geworden. Auch im Innern hat sie sich seit der Oktoberrevolution verschlimmert. Die Linken Sozialrevolutionäre widersprechen der Ratifizierung des Friedensvertrages von Brest-Litowsk und scheiden aus der Sowjetregierung aus. Die Kommunisten stehen allein in der Verantwortung.

Am 4. Juli 1918 treten in Moskau die 1132 Delegierten des V. Allrussischen Sowjetkongresses zusammen. Nur 745 davon sind Bolschewisten. Die Gegensätze sind von der ersten Stunde an heiß und unüberbrückbar. Zwei Tage später wird der deutsche Botschafter Graf Mirbach von Linken Sozialrevolutionären ermordet. Die Terroristin Alexandra Spiridonowa hat die Fäden in der Hand. Auf dieses Zeichen hin erheben sich die Linken Sozialrevolutionäre in 24 Städten. Der Zweck des Attentats ist unverkennbar die Störung der Beziehungen zu Deutschland.

Unter persönlicher Führung der Spiridonowa erobern die Linken Sozialrevolutionäre in Moskau die Prokrowsski-Kasernen. Sie erstürmen das Fernsprechamt. Aber trotzdem sind schon wenige Stunden später die Bolschewisten wieder Herren der Situation. 13 Linke Sozialrevolutionäre, alles Angehörige der Tscheka, werden standrechtlich erschossen.

In Jaroslaw wird noch zwei Wochen lang weitergekämpft. Dann bricht auch hier der Aufstand zusammen. 350 Personen werden hingerichtet.

Im übrigen Gebiet zwischen mittlerer Wolga und Ural gehen die Dinge den gleichen Weg. Ein unbarmherziger Massenterror setzt ein. In Nischni-Nowgorod wendet er sich zumeist gegen frühere Offiziere. In Pensa mischt sich Lenin persönlich ein, und seinem Befehl fallen zahllose Menschen zum Opfer. Es sind hier Großbauern, Priester und weiße Soldaten. Und damit in Zukunft die Getreidelieferungen pünktlich erfolgen, müssen die Bauern Geiseln stellen, die mit ihrem Leben dafür bürgen.

ПОМОГИ

Auf die Hungersnot im Wolgagebiet — eine Folge des Bürgerkriegs und der katastrophalen wirtschaftlichen Maßnahme unter dem „Kriegskommunismus" — weist dieses russische Plakat von 1921 hin. Unterschrift: Hilf!

Empört greift die sozialrevolutionäre Agentin Dora Kaplan zur Waffe und verwundet Lenin mit ihren Schüssen schwer.

Engländer und Franzosen ändern ihre Taktik. Bisher haben sie sich von den politischen Auseinandersetzungen nach außen hin ferngehalten. Nun leiten sie die offene Zusammenarbeit mit den weißen Aufständischen ein. Sie unterstützen alle Bestrebungen, die auf Niederringung der Roten hinzielen.

Deren Antwort ist heftig. Eine Tscheka-Abteilung dringt in Petrograd in die englische Botschaft ein und erschießt einen Attaché, der den Botschafter vertritt. Die übrigen Mitglieder werden verhaftet. Die offiziellen Beziehungen zu England und auch Frankreich finden damit für lange Zeit ihr Ende.

Der Kampf zwischen Rot und Weiß geht weiter. Tschechen und weiße Truppen erobern am 8. August 1918 Kasan. Es ist der gleiche Tag, an dem in Frankreich die letzte deutsche Großoffensive zusammenbricht. In Ufa bilden Monarchisten und Sozialrevolutionäre eine Einheitsfront. Die Lage für die Bolschewisten kann gar nicht gefährlicher sein. Mit einem Panzerzug fährt Trotzki persönlich an die wankende Wolgafront. Er reißt das Ruder herum und führt die Rote Armee zum Sieg.

Im gleichen Herbst bricht in Deutschland die Revolution aus. Heer und Heimat sind ausgeblutet und erschöpft. Der Kaiser flieht. Die junge Republik erreicht einen Waffenstillstand mit den siegreichen Westmächten. Der linksradikale Spartakusbund unter Führung von Karl Liebknecht und Rosa Luxemburg spielt sich in den Vordergrund.

Lenin schickt Karl Radek, der mit ihm zusammen aus der Schweiz nach Rußland heimgekehrt ist. Unter seiner Mithilfe bildet sich zum Jahresende aus dem Spartakusbund die Kommunistische Partei Deutschlands. Radek selbst schreibt hoffnungsvoll und zuversichtlich: „Der Ring der Völker ist schon nahezu geschlossen. Nur das wichtigste Glied fehlt noch: Deutschland."

Das Ziel der KPD ist der Sturz der sozialdemokratischen Regierung Ebert und die „Diktatur des Proletariats". Um sie von außen her zu erzwingen, kündigt die Sowjetregierung den Vertrag von Brest-Litowsk. Die Rote Armee marschiert in die von Deutschen besetzten Gebiete Estlands und Lettlands ein. In Narwa und Pleskau verkünden Anschläge: „Hinter uns steht die kommende Revolution. Sie wird nicht nur in Deutschland, sondern auch im übrigen Europa in kürzester Frist zum allgemeinen Bund der sozialistischen Sowjetrepubliken führen." Zwei Wochen später ergießt sich die Flut der roten Truppen bis an die ostpreußische Grenze. Dennoch bleibt die Regierung Ebert fest. Auch die ungarische Räteregierung unter Bela Kun bleibt kurzes Zwischenspiel.

Zur gleichen Zeit kommt es zu Reibereien der Sowjets mit den Westmächten. Auf einem französischen Kreuzer im Schwarzen Meer wird die rote Fahne gehißt. Die Franzosen werden hellhörig. Sie verstehen das Zeichen und rufen ihre in die Ukraine entsandten Soldaten in die Heimat. Genauso halten es die Engländer. Wie hilflos sie sich fühlen, zeigt das Verlangen ihres Admirals Sinclair, die Reste der Deutschen müßten im Baltikum solange ausharren, wie die Alliierten das wollten. Für ihn sind sie der einzige Schutz gegen die Bolschewisten.

Mit 125 000 Mann greift Admiral Koltschak, der sich jetzt Reichsverweser nennt, im März 1919 an. Er hat große Erfolge. Von Süden her stößt General Denikin vor, der allein 150 000 Mann führt. Die Engländer unterstützen ihn mit Waffen, Munition, Flugzeugen und Kraftfahrzeugen im Werte von 300 Millionen Mark. Petrograd wird von General Judenitsch belagert. In der Stadt herrscht Verzweiflung.

Wieder ist es Trotzki, der persönlich die Wende herbeiführt. Im Oktober 1919 ergreift die Rote Armee die Offensive. Zuerst wird Judenitsch geschlagen. Dann werden Koltschak und Denikin zurückgeworfen. Lenin hat gedroht: „Wenn wir nicht bis zum Winter den Ural zurückerobern, ist der Untergang der Revolution unvermeidlich!"

Im November erobern die Bolschewisten Omsk. Die Bauern fühlen sich von Koltschak verraten. Er hat ein Agrarprogramm versprochen und nicht gebracht. Nun fallen ihm ihre Partisanen in den Rücken. Im Winter ist seine Lage hoffnungslos geworden. Die Rote Armee rückt in Irkutsk ein. Koltschak wird standrechtlich erschossen.

Auf der Krim löst General Wrangel den resignierenden Denikin ab. Er verspricht eine Bodenreform. Die Bauern sollen ihre neuen Äcker behalten dürfen. Das Versprechen kommt zwei Jahre zu spät. Auch die erhoffte Hilfeleistung der Westmächte bleibt aus. Dann stürmen die Roten über das Eis der Siwasch-Lagune in Wrangels Rücken. Mit 130 000 Soldaten und Zivilisten entweicht er mit knapper Not auf dem Seewege nach Konstantinopel.

Die Polen, ihr neuer Staat ist gerade ein Jahr alt, wittern die Chance, die Ukraine zu erobern und sich einen Schwarzmeerhafen zu sichern. Die Rote Armee unter dem erst 24jährigen Befehlshaber Tuchatschewski wirft sie auf Warschau zurück. Im Weichselbogen kommt es am 14. August 1920 zur Schlacht. Nur mit französischem Beistand können die Polen die Sowjets stoppen.

Polen verzichtet auf den nicht erreichbaren und nur schwer verdaulichen ukrainischen Brocken. Aber auch den Kommunisten gelingt der große Schlag, Polen in die Gewalt zu bekommen und so den Anschluß an die deutschen Revolutionäre zu erhalten, nicht.

Am 21. Februar 1921 brechen die Bolschewisten über die Grenze im Süden. Tiflis fällt vier Tage danach. Die Herrschaft der georgischen Menschewisten bricht zusammen. Die Georgische Sowjetrepublik wird ausgerufen. Der gesamte Kaukasus gehört damit den Sowjetrussen.

Im Verlaufe von Verhandlungen zieht auch Japan seine Truppen zurück. Damit verliert die weiße Regierung in Wladiwostok die Rückendeckung. Sie zerbricht. Die Volksvertretung der dort bestehenden „Fernöstlichen Republik" erklärt die Auflösung des Staates und seine Eingliederung in die Russische Sozialistische Föderative Sowjetrepublik.

„Völker, hört die Signale, auf zum letzten Gefecht", heißt es in dem Kampflied „Die Internationale". Eugen Pottier hat es 1871 gedichtet. Millionen haben es mit Inbrunst gesungen. Aber die Völker hörten die Signale nicht. Und die Internationale hat versagt — die Erste ebenso wie die Zweite. Nun soll die Dritte gegründet werden. In ihr werden die Kommunisten aller Länder unter sich sein, geschlossen und kampfkräftig. Die in Rußland gesetzten Signale sind unüberhörbar für die Proletarier in aller Welt. Unter dem Banner der Dritten, der Kommunistischen Internationale, der Komintern, werden die „Verdammten dieser Erde" sich empören, zum letzten Male zur Waffe greifen, das letzte Gefecht durchstehen — und dann wird die Menschheit einer glücklichen Zukunft entgegenstreben.

Dieses letzte Gefecht, die von der Komintern entfesselte Weltrevolution, haben die Sowjets — so meinen diese — bitter nötig. Denn ist auch der Feind vorerst geschlagen, sicherlich werden die Kapitalisten nur neue Kräfte sammeln und mit geballter Macht zurückkehren, um den Seuchenherd Rußlands auszubrennen.

Dabei setzen Lenin, Trotzki und Sinowjew auf den deutschen Arbeiter. Deutschland ist das Mutterland des Marxismus. Nur Deutschland kann wahrer Ausgangspunkt der kommenden Weltrevolution sein, die den Kapitalismus stürzt. Die Bolschewisten sind stolz, wenn sie den ruhmreichen deutschen Genossen bei ihrem gewaltigen Vorhaben Handlangerdienste leisten dürfen ...

Folgerichtig ist die offizielle Sprache auf dem 1. Weltkongreß, der die Kommunistische Internationale gründet, Deutsch. Sitz des Exekutivkomitees wird Berlin. Moskau ist nur vorläufiger Sitz — „bis zur Errichtung der Deutschen Räterepublik". Ebenfalls vorläufig übernehmen die Russen als „die Genossen des Landes, in dem das Exekutivkomitee seinen Sitz hat, die Last der Arbeit" — und damit natürlich auch, wie die Zukunft zeigen soll, die Macht.

Der 1. Weltkongreß wird von den neu entstandenen kommunistischen Parteien und Gruppen in Deutschland, Holland, Schweden, Norwegen, Österreich, den USA und anderen Staaten beschickt. Sie nehmen die „Richtlinien des Internationalen Kommunistischen Kongresses" an, die Bucharin verfaßt hat, die „Leitsätze über bürgerliche Demokratie und proletarische Diktatur", die von Lenin stammen, das „Manifest der Kommunistischen Internationale an das Proletariat der ganzen Welt", dessen Autor Trotzki ist.

Alle Dokumente haben einen Grundgedanken: Die bestehende Krise der Menschheit kann nur durch das Mittel der proletarischen Revolution überwunden werden, die zur Diktatur des Proletariats führt. Der nationale Staat ist für die Fortentwicklung der Produktivkräfte zu eng geworden. Um die gegenseitige Hilfe der Arbeiter in den verschiedenen Ländern zu koordinieren, müssen sie sich in der Dritten Internationale zusammenfinden: „Unter dem Banner der Arbeiterräte, des revolutionären Kampfes für die Macht und die Diktatur des Proletariats, unter dem Banner der Dritten Internationale, Proletarier aller Länder — vereinigt euch!"

Ein Jahr später findet der 2. Weltkongreß statt. Die Führung gerät immer mehr in die Hände der Russen. Sinowjew wird Vorsitzender des Präsidiums des Exekutivkomitees. Die Komintern faßt sich als „Kommunistische Weltpartei" auf, der die einzelnen nationalen Parteien nur als untergeordnete und weisungsgebundene Glieder angehören. Selbst das Recht, eine nationale Partei aufzulösen, maßt sich die Komintern an — und dieses Recht wird auch praktiziert.

Während so die „Alten" wie Lenin und Trotzki immer noch auf die weltweite Revolution warten, bauen die „Jungen" im eigenen Land auf. Zu ihrem Sprecher macht sich mehr und mehr Stalin. Er entwickelt in dieser Zeit die Vorstellungen, die er wenige Jahre später mit dem Schlagwort „Sozialismus in einem Land" vertreten wird. Es ist nicht notwendig, auf die Weltrevolution zu warten, um die Herrschaft der Bolschewiki in Rußland zu sichern. Notfalls können sich die Kommunisten auch allein in einer feindlichen, weil kapitalistischen Umwelt behaupten. — Allmählich bilden sich die ideologischen Fronten, um die in naher Zukunft der Kampf um die Nachfolge Lenins geführt werden soll . . .

Der 10. Sowjetkongreß gießt dann die kommunistische Herrschaft auch staatsrechtlich in eine neue Form. Fast alle Länder, die sich nach 1917 von Rußland gelöst und ihre Souveränität proklamiert hatten, werden inzwischen von den Bolschewisten regiert. Sie schließen sich nun im Dezember 1922 mit Sowjetrußland auch offiziell wieder zu einem einzigen Staatsgebilde zusammen, der Union der Sozialistischen Sowjetrepubliken (UdSSR). Nationalitäten wie die Usbeken, die Turkmenen, die Wolgadeutschen, die Kalmücken, die Udmurten und wie sie alle heißen, bekommen ebenfalls dem Scheine nach unabhängige Republiken oder Gebiete innerhalb des Verbandes der Sowjetunion oder innerhalb Sowjetrußlands selbst zugebilligt. Den Nationalisten wird so das Wasser abgegraben und die nationale Energie der einzelnen Völkerschaften in den großen Stausee geleitet, dessen Kraft die Turbinenräder des Kommunismus antreiben soll.

Der „Kriegskommunismus"

In diesen ersten Jahren nach der Februarrevolution und nach den ungeheuren Schwächungen der russischen Wirtschaft durch die ihr mit dem Frieden von Brest-Litowsk auferlegten Lasten sowie durch den Bürgerkrieg kann niemand daran denken, in Rußland ein zentralgelenktes Wirtschaftssystem auf kommunistischer Grundlage zu errichten und zu verwirklichen. Man muß froh sein, wenn die Dinge überhaupt einigermaßen weiterlaufen. Denn man lebt von der Hand in den Mund. Und stärker als jede doktrinäre Planung erweist sich das Gesetz des Hungers. Es beginnt sein Regiment bereits da, wo das Sattwerden sich eigentlich von selbst verstehen sollte: auf dem Lande, wo die Nahrung wächst.

Das von den Sozialrevolutionären übernommene Agrarprogramm erstrebt eine Aufteilung des Landes entsprechend der Größe der Familie und der Ertragsfähigkeit des Bodens. Aber die gerechte Verteilung setzt das Vorhandensein eines Verwaltungsapparates voraus. Und dieser fehlt überall. So sind Landnahme und Verteilung zumeist in die Hand von Bauern gelegt, von denen jeder mehr oder weniger an den eigenen Vorteil denkt.

Das Versprechen, in Zukunft Landeigentümer zu werden, zieht überdies acht Millionen Menschen aus den Städten auf das Land, die nie zuvor einen Spaten in der Hand gehalten haben. Auch sie wollen beteiligt werden und verkleinern die Raten der Bauern. So ist das Ergebnis, daß der einzelne bäuerliche Besitz im allgemeinen um nicht mehr als zwei Morgen wächst. In vielen Provinzen ist die Zunahme noch geringer. Dazu kommt die völlige Zerrüttung der Währung, als deren Folge die Bauern sich weigern, die von ihnen geforderten Lebensmittel ohne wirksame Gegenleistung zur Stadt zu bringen. Lenin proklamiert einen „Kreuzzug nach Brot". Die ärmsten Bauern schließen sich zu „Komitees der Dorfarmut" zusammen und nehmen den reicheren, den „Kulaken", die Bodenerzeugnisse weg. Sie werden von bewaffneten Städterhaufen unterstützt, die als „Lebensmittelabteilungen" aufs Land ziehen, um Getreide gegen mitgeführte Industriegüter einzutauschen. Die „Komitees der Dorfarmut" werden von ihnen dabei mit Lieferungen besonders bevorzugt, die „Reichen" übergangen. Die Folge ist die Entfachung des „Klassenkampfes auf dem Dorf".

Die „Lebensmittelabteilungen" wachsen. Im Jahre 1920 zählen sie etwa 45 000 Mann. Doch ihre Erfolge befriedigen durchaus nicht. Denn was an Lebensmitteln in die Städte gelangt, erreicht dem Umfang nach nur die Hälfte des Jahresbetrages von 1913. Wenn die Städter nicht verhungern, verdanken sie es allein dem rührigen und erfolgreichen Schwarzhandel, der — obwohl verboten — größere Nahrungsmengen in die Städte liefert als der „Kreuzzug nach Brot".

Immer mehr Bauern verlieren die Lust an der Arbeit. Mit Recht berufen sie sich auf die unzureichende Versorgung mit Industriegütern, mit Kleidern, Werkzeug, Kunstdünger. Bald liegt etwa ein Viertel des Akkerlandes brach. Als der Bürgerkrieg zu Ende geht, steht die „überwältigende" Mehrheit der Bauern gegen den Kommunismus.

In der Industrie sieht es nicht besser aus. Den Arbeitern fehlen nicht allein Lebensmittel, sondern ebenso die Rohstoffe. Die „Arbeiterkontrolle" verfügt die Beschlagnahme von Fabriken. In vielen Fällen entsteht innerbetriebliche Anarchie, in der jeder tut, was er für richtig hält und unterläßt, was ihm nicht behagt. Die Zahl der Angestellten verdoppelt sich. Kalkulation und Verkauf nach den alten kaufmännischen Grundsätze werden beseitigt. Die Produktion dient unmittelbar dem Verbrauch. Das Geld wird abgeschafft. Und die Güterverteilung erfolgt kostenlos oder gegen „Verrechnungssätze". Die Folgen sind unvorstellbar.

Nun sinkt die Produktion so sehr ins Bodenlose, daß die Kommunisten ihre Zuflucht zu den verachteten und gehaßten Methoden „kapitalistischer" Betriebsleitung nehmen. An die Stelle der Arbeiterräte treten, wo immer dies möglich ist, Einmann-Betriebsleiter, die die Aufrechterhaltung der Arbeitsdisziplin gewährleisten.

In seiner einprägsamen Sprache formuliert Lenin: „Kommunismus — das ist Sowjetmacht plus Elektrifizierung des ganzen Landes." Aber vorerst bleibt das nicht mehr als ein Schlagwort. Die Unruhe wächst. Und als die Lebensmittelrationen im Februar 1921 noch weiter herabgesetzt werden, packt die Enttäuschung die kampferprobten Arbeiter von Petrograd. Sozialrevolutionäre und Menschewisten — zwar unterdrückte, aber immer noch legale Oppositionsparteien mit besonderem Einfluß bei den Bauern bzw. in den Gewerkschaften — suchen den Widerstand. Es kommt zu Demonstrationen und Proteststreiks.

Dann greift der Funke auf die Matrosen von Kronstadt über. Sie fordern die „Dritte Revolution". Trotzki kommt, wie immer, wenn es brenzlig wird. Er verlangt, daß die Rebellen „wie Enten auf dem Teich" abgeschossen werden. Tuchatschewski übernimmt das direkte Kommando.

Die Regierung muß schnell handeln. Noch können die 14 000 Mann auf der Festungsinsel in der Bucht vor der Newamündung bekämpft werden. Schmilzt das Eis, werden sie für Landtruppen unangreifbar. Am 7. März 1921 beginnt die schwere Küstenartillerie mit der Beschießung. Die Matrosen bekennen sich zu „Sowjets ohne Bolschewisten" und machen mit ihren Funksprüchen die ganze Welt zu Zeugen ihres heroischen Untergangs. „Genossen Arbeiter", proklamieren sie, „Kronstadt kämpft für euch, für die Hungernden, die Frierenden, die Schutzlosen!"

In der Nacht zum 16. März setzen die Soldaten Tuchatschewskis über das Eis. Endlich hat der Schneesturm nachgelassen. Bombenflugzeuge unterstützen die Angreifer. Der Kampf ist unbeschreiblich hart. Verzweifelt wehren sich die Matrosen. Maschinengewehrnest auf Maschinengewehrnest muß niedergekämpft werden. Wer nicht fällt, wird exekutiert oder in Konzentrationslager gebracht.

So verblendet ist auch Lenin nicht, daß er nicht weiß: Dies war keine Konterrevolution, dies war ein Aufschrei Verzweifelter und Empörter. Abrupt befiehlt er, den Kurs zu wechseln. Der „Kriegskommunismus" wird liquidiert. An seine Stelle tritt die „Neue Ökonomische Politik", abgekürzt NEP. In den kleineren und mittleren Betrieben können die Privatunternehmer wieder Fuß fassen. Auch der Binnenhandel wird ihnen überlassen. Einen Teil ihrer Erzeugnisse dürfen die Bauern auf dem freien Markt verkaufen, und damit sich das lohnt, wird eine Währungsreform befohlen. Für eine Million alte Rubel gibt es im Endeffekt einen neuen.

ДА ЗДРАВСТВУЕТ АВАНГАРД РЕВОЛЮЦИИ

КРАСНЫЙ ФЛОТ

Dieses Plakat (Text: Es lebe die Avantgarde der Revolution — die Rote Flotte) erschien selbstverständlich längere Zeit vor dem Kronstädter Aufstand des Jahres 1921

Die Inflation ist vorbei. Land und Stadt atmen auf. Die Produktion kommt in Gang. Die Wirtschaft beginnt zu florieren. Um die wachsende Hungersnot schlagartig zu bekämpfen, kommt die NEP jedoch zu spät. Fünf Millionen Menschen verhungern in Rußland. Es soll noch Jahre dauern, bis die Getreideerzeugung wieder ihren Vorkriegsstand erreicht.

Auch mit der letzten antibolschewistischen Opposition macht Lenin jetzt ein Ende. Die Menschewistenführer Dan und Martow fliehen nach Berlin. Schwerer sind die Sozialrevolutionäre zu fassen, die Meister der Konspiration. Hart packt die Tscheka zu. Im Sommer 1922 kommt es zum großen Prozeß. 14 Todesurteile gegen Sozialrevolutionäre werden verhängt.

Immer unduldsamer gebärden sich die Bolschewisten. Auf dem X. Parteitag beschließen sie, auch innerhalb der eigenen Partei keine verschiedenen Gruppierungen und Flügel „mit eigenen Plattformen" mehr zu dulden. Öffentliche Kritik wird untersagt. Das Zentralkomitee (ZK) erhält die Vollmacht, die Parteidisziplin mit allen geeigneten Maßnahmen zu erzwingen.

Die Delegierten wagen kaum dagegen zu opponieren. Karl Radek sagt zwar: „Wenn ich dieser Resolution zustimme, so fühle ich wohl, daß sie auch gegen uns angewendet werden kann." Doch er schlußfolgert: „Trotzdem unterstütze ich sie ... Das ZK mag im Augenblick der Gefahr die strengsten Maßnahmen gegen die besten Parteigenossen ergreifen, wenn es das für nötig hält ... Mag das ZK sich sogar irren! Das ist weniger gefährlich als die Unentschlossenheit."

Noch herrscht Lenin. Noch sitzt Stalin erst im Hintergrund. Und doch schlägt der Leninismus hier bereits in den Stalinismus um. Auch Radek soll ihm dereinst zum Opfer fallen. Und das Instrument Stalins wird bereits geschliffen. Die Tscheka wird umorganisiert. Sie erhält den Namen „Staatliche Politische Verwaltung". Das klingt harmlos. Schreckerregend ist aber die Abkürzung, unter der diese Institution dann bekannt wird: GPU.

IV

AUF DEM WEG ZUM SOWJET-IMPERIALISMUS

Kampf um Lenins Erbe

Lenin leidet an einer Arteriosklerose. Nach dem ersten Schlaganfall im Mai 1922 ist er für längere Zeit der Sprache beraubt. Jedermann weiß, daß sein Leben dem Ende zugeht. Die Parteiführer treten in kaum verhüllter Form den Kampf um die Nachfolge an. Besonders stellen sich dabei Verteidigungsminister Trotzki und Partei-Generalsekretär Stalin gegeneinander. Sie sind — laut Lenin — die „beiden fähigsten Führer des gegenwärtigen Zentralkomitees". Doch wie wenig Lenin im Grunde von Stalin hält, bringt er in seinem „Testament" vom 25. Dezember 1922 und in einem vernichtenden Postskriptum dazu vom 4. Januar 1923 zu Papier. Wahrscheinlich ist es nur Lenins neuer Schlaganfall am 9. März 1923, der Stalin vor dem Sturz bewahrt.
Der Tod Lenins am 21. Januar 1924 führt zu einem allgemeinen Schock. Bezeichnend für die nachfolgende Hochspannung ist das Gerücht, Stalin habe sich vor dem Politbüro mit der Behauptung gebrüstet, von dem todkranken Lenin aufgefordert worden zu sein, ihm Gift zu beschaffen. Trotzki hält einen Mord für möglich, weil Stalin der einzige Mensch gewesen sei, dem der Tod Lenins willkommen sein mußte.
Nadescha Krupskaja, Lenins Lebens- und Kampfgefährtin, legt dem Politbüro die nachgelassenen Schriften des großen Mannes vor. Im „Testament" finden sich die peinlichen Sätze: „Seit Genosse Stalin Generalsekretär geworden ist, vereinigt er in seiner Hand ungeheure Macht, und ich bin nicht davon überzeugt, daß er sie stets mit der gebotenen Vorsicht wird zu nützen wissen. Stalin ist zu schroff, und dieser Fehler ist im Amt eines Generalsekretärs untragbar. Darum schlage ich den Genossen vor, einen Weg zu suchen, um Stalin von seinem Posten zu entfernen und einen Nachfolger für ihn zu ernennen."
Doch das „Testament" bleibt Partei und Öffentlichkeit vorerst unbekannt. Die Parteispitze verschweigt es.

Die eigentliche Führung des Staates liegt nun, unter Ausschaltung Trotzkis, in den Händen von drei Männern — von Stalin, Sinowjew und Kamenew. Genau besehen spielt dem Generalsekretär sein Gegner Trotzki selbst die tödliche Macht in die Hände, indem er im Verlauf des 13. Parteitages im Frühjahr 1924 die Partei verherrlicht:

„Die Partei kann keine Entscheidungen treffen, sie seien so unkorrekt und ungerecht, wie sie sein wollen, die auch nur um ein Jota unsere grenzenlose Hingabe an die Sache der Partei, die Bereitschaft eines jeden von uns, die Parteidisziplin unter allen Umständen auf sich zu nehmen, erschüttern könnten; und wenn die Partei eine Entscheidung trifft, die der eine oder der andere von uns für eine ungerechte Entscheidung hält, dann wird er sagen: Gerecht oder ungerecht, es ist meine Partei, und ich trage alle Konsequenzen ihrer Entscheidung bis zum Ende."

Um seine noch junge Macht zu festigen, stellt Stalin sie unter das Leitwort „Leninismus". Petrograd heißt nun Leningrad. Man feiert den Toten. Man balsamiert seine Leiche. Man baut ihm ein Mausoleum. Er wird zum Heiligen des Bolschewismus. Dabei kümmert Stalin sich wenig darum, ob solche Erhöhung im Sinne des stets schlicht gebliebenen Lenin liegen mag. Der Kult gehört zur Fassade, die Stalin braucht. Und so kann es ihm auch nur recht sein, daß Trotzki — er ist auf der Fahrt zu einem Kuraufenthalt im Kaukasus, als Lenin stirbt — dem Begräbnis fernbleibt.

Sinowjew und Kamenew verlangen, daß Trotzki aus der Partei ausgeschlossen wird. „Das könnte leicht ansteckend werden!" gibt Stalin zu bedenken. „Heute schneidet man einen Kopf ab, dann morgen einen, am dritten Tage darauf einen dritten. Und was bleibt dann in der Partei übrig?" Stalin genügt, daß Trotzki als Verteidigungskommissar und damit als Führer der Armee abtreten muß.

Der Entmachtung des „Vaters des Sieges" geht eine heftige Kontroverse voraus, die — will die Sowjetunion als Staats- und Machtgebilde überleben — nur im Sinne des Georgiers entschieden werden kann. Während Trotzki die „permanente Weltrevolution" betreiben will, weil das rückständige russische Agrarland sich auf die Dauer nicht allein in einer ihm feindlichen Umwelt behaupten könne, verficht Stalin die Lehre von der Möglichkeit des „Sozialismus in einem Land". Voraussetzung sei natürlich die militärische und politische Sicherung nach außen und die forcierte Industrialisierung.

Zunächst lenkt die Stellung der Sowjetunion im weltpolitischen Spiel der großen Staaten Stalins Aufmerksamkeit auf sich. Schon am 16. April 1922 ist in Rapallo zwischen dem deutschen Außenminister Rathenau und den Sowjets ein Pakt abgeschlossen worden, in dem beide Teile auf jede Kriegsentschädigung verzichtet haben. Zu den weiteren Absprachen gehören die Wiederaufnahme der seit 1918 ruhenden diplomatischen Beziehungen, die Meistbegünstigungen im Handelsverkehr sowie eine gewisse Zusammenarbeit von Reichswehr und Roter Armee.

Deutschland, das nach dem Frieden von Versailles weder Flugzeuge noch Panzer besitzen darf, läßt nun Flieger und Panzermänner in Rußland ausbilden. Generalstabsoffiziere von hüben und drüben tauschen ihre Erfahrungen aus. Der Chef der deutschen Heeresleitung reist nach Kiew, um sowjetische Manöver zu beobachten, bei denen zum ersten Male Fallschirmspringer eingesetzt sind. Deutsche Waffenfabriken führen sowjetische Rüstungsaufträge aus. Dabei kommt es einmal zu einem geradezu tragikomischen Zwischenfall, als sich in Stettin Hafenarbeiter weigern, Munition für imperialistische Mächte zu verladen, weil sie nicht ahnen, daß diese Sendungen ausgerechnet für das proletarische Rußland bestimmt sind.

Ein Handelsvertrag zwischen der Sowjetunion und Deutschland stellt den Sowjets darüber hinaus langfristige Kredite zur Verfügung. Mit ihrer Hilfe werden Bergwerke und Kokereien eingerichtet. Mit deutschen Maschinen nehmen Fabriken der Metall-, Papier- und Zuckerindustrie, für Motorenbau und elektronische Einrichtungen die Produktion auf. Zehntausende von deutschen Ingenieuren und Facharbeitern bedienen sie und bilden Russen aus. Eine „Deutsch-russische Gesellschaft für Kultur und Technik" bemüht sich um ein gutes politisches Klima. Ein „Rußlandausschuß der deutschen Wirtschaft" vertieft die Beziehungen.

Um im Westen Maschinen kaufen zu können, benötigt Stalin Devisen. Devisen gibt es nur, wenn Weizen exportiert wird. Um mehr Weizen exportieren zu können, muß mehr angebaut werden. Also muß der Bauer angespornt und zufriedengestellt werden.

1925 ruft Parteitheoretiker Bucharin den russischen Bauern zu: „Bereichert euch! Entwickelt eure Bauernhöfe! Fürchtet nicht, daß man euch in den Arm fallen wird!" Damit sind nicht allein die armen Bauern, sondern genauso die wohlhabenden, die Kulaken, angesprochen. Und diese werden sogar besonders gefördert, alle Landwirte erhalten einen Nachlaß von 25 Prozent der Steuern.

Dagegen stemmen sich jedoch Kamenew und Sinowjew, Stalins Teilhaber an der Macht. Sie fürchten, auf diesem Wege in der Bauernschaft kapitalistische und konservative Tendenzen zu kräftigen. Ihr Vorschlag, zu größeren Weizenmengen zu kommen, ist die Schaffung gewaltiger „Agrarfabriken". Die vielen kleinen Bauernhöfe sollen zu großen Staatsgütern oder genossenschaftlichen Betrieben, zu Sowchosen oder Kolchosen, zusammengelegt und die Kulaken rigoros enteignet werden.

Beide finden in dem gegen Stalin auf der Lauer liegenden Trotzki einen Bundesgenossen. Doch Stalin und Bucharin siegen. Sinowjew wird als Parteisekretär von Leningrad durch Stalins Freund Kirow ersetzt und verliert auch sein Amt als Vorsitzender des Präsidiums der Kommunistischen Internationale. Kamenew muß sein Amt als Volkskommissar für Außenhandel an Mikojan abtreten. Gemeinsam mit Trotzki beginnen sie, ihre Anhänger zu „illegalen" Treffen zusammenzurufen, in Stalins Augen ein Verbrechen. Sie verlieren ihre Sitze im Politbüro, im Zentralkomitee. Und als sie sich am zehnten Jahrestag der bolschewistischen Machtergreifung an den feierlichen Umzügen mit eigenen Plakaten beteiligen wollen, werden sie auch aus der Partei ausgestoßen.

Trotzki wird nach Alma-Ata in Kasachstan verbannt. Er wehrt sich. Die

Polizeibeamten brechen die Tür zu seinem Zimmer auf und schleppen ihn auf den Armen ins wartende Auto hinunter. Selbst in der Verbannung, 2000 Kilometer östlich des Kaspischen Meeres, hält Stalin den Besiegten und Gedemütigten noch für eine Gefahr. Im Januar 1929 wird Lenins großer Kampfgefährte, der Schöpfer der Roten Arbeiter- und Bauernarmee, aus der Sowjetunion ausgewiesen. Er begibt sich zunächst in die Türkei, später über Norwegen nach Mexiko. Dort wird er am 21. August 1940 — auf Stalins Geheiß? — von seinem Privatsekretär hinterrücks mit einem Eispickel ermordet.

Das große Bauernlegen beginnt

Kaum sind die „Trotzkisten" und die „Linken" entmachtet, wechselt Stalin jäh den Kurs. Urplötzlich greift er ihre Argumente auf, um Bucharin und seine Freunde in die Enge zu treiben, die letzten der Vertrauten Lenins. Mit einem Male ist die von diesen gutgeheißene Förderung der Bauern schuld an der noch immer nicht völlig behobenen Hungersnot. Bucharin wird in die Provinz abgeschoben. Stalin beschließt, die Landwirtschaft rücksichtslos und radikal zu kollektivieren. Haben die Kommunisten bisher den Kapitalisten in die Schuhe geschoben, sie würden die Bauern „legen", also verschuldete Bauern für einen Apfel und ein Ei von ihren Höfen jagen und enteignen, so beginnen sie selbst jetzt das größte Bauernlegen in der menschlichen Geschichte.
Der erste Schritt zur Verwirklichung der neuen Beschlüsse führt zum „Generalangriff gegen die Kulaken", die „als Klasse liquidiert" werden sollen. Kulaken gibt es in Rußland derzeit anderthalb bis zwei Millionen, dazu 15 bis 18 Millionen Bauern mit mittelgroßem Besitzstand. Und weiterhin gibt es fünf bis acht Millionen wirklich arme Bauern. Sie werden alle gleichgemacht.
Jeweils etwa 75 Bauernhöfe und -familien, zu einem Kolchos zusammengefaßt, müssen fortan gemeinsam wirtschaften, arbeiten und abliefern. Ein Leiter des Kolchos überwacht ihre Tätigkeit. Er besorgt die Ablieferungen und ist verpflichtet, auf Ertragssteigerung zu drängen. Was vom Kolchos nicht zur eigenen Ernährung und für die Aufrechterhaltung des Betriebes gebraucht wird, geht an den Staat.

Die Bauern setzen sich verzweifelt zur Wehr. Manche versuchen zu retten, was zu retten ist und verstecken Vorräte und Ersparnisse. Andere schlachten ihr Vieh, verbrennen ihr Getreide und zertrümmern voll Wut die Einrichtungs- und Betriebsgegenstände.
Die Zwangsmaßnahmen, die daraufhin einsetzen, sind grausam und oft nicht weniger sinnlos. Sie nehmen schließlich einen solchen Umfang an, daß selbst Stalin den Funktionären vorwirft, sie seien durch ihre „Erfolge vom Schwindel befallen und so zu Exzessen hingerissen worden". Solche Fehlgriffe müßten aufhören. Aber sie hören nicht auf. Und am

Ende steht Stalin Auge in Auge mit der Gefahr, daß das, was er sich als Agrarrevolution vorgestellt hat, zum allgemeinen Bauernaufstand führt. So erteilt er am 30. April 1930 den Befehl, alle Gewaltmaßnahmen einzustellen.

Als die Weisung ergeht, sind bereits kaum wiedergutzumachende Verluste zu verzeichnen. Gegenüber 1929 gibt es z. B. 1933 statt 34 Millionen Pferde nur noch 16,6 Millionen. Der Großviehbestand ist um 30 Millionen Stück zurückgegangen, der Bestand an Schafen und Ziegen um 100 Millionen. Weite Landgebiete liegen brach. Sie haben seit Jahren keinen Pflug mehr gesehen. Wieder steht Rußland, das einst mächtigste Agrarland der Erde, mitten in der Hungersnot.

Die sowjetische Führung glaubt, daß Rettung aus dieser Katastrophe allein von der Industrie kommen kann. An die Stelle der Pferde müssen Traktoren treten. Bisher gibt es davon 7 000. Aber sie haben schon früher nicht ausgereicht und sie reichen erst recht nicht aus für die durch die Zusammenlegung von Bauernstellen zu Kolchosen geschaffenen Großbetriebe.

Allein im Jahre 1929 werden 30 000 Traktoren auf einen Schlag gebaut. Selbstverständlich erstehen sie nicht aus dem Nichts. Damit sie geschaffen werden können, sind Maschinenfabriken notwendig. Zu diesen Fabriken wiederum gehören Werkzeugmaschinen, Drehbänke, Hobelbänke, Fräsmaschinen und Motoren. Damit sie erstehen und laufen, muß die Eisen- und Kohleproduktion wachsen. Es müssen Elektrizitätswerke geschaffen werden.

Doch auch das genügt noch nicht. Denn der Bauer hat wohl gelernt, ein Pferd vor den Pflug zu spannen. Mit dem Traktor umzugehen versteht er jedoch nicht. Ingenieure und Instrukteure müssen her. Agronomen treten ihnen zur Seite. Maschinen-Traktoren-Stationen entstehen. An ihrer Spitze steht neben dem Techniker der Parteifunktionär. Jeder lehrt und jeder überwacht seinen Nebenmann.

So führt die Industrialisierung zur Kollektivierung der Landwirtschaft und diese wiederum zur forcierten weiteren Industrialisierung. 1928 tritt der erste Fünfjahresplan in Aktion; 1930 triumphiert Stalin: „Das agrarische Rußland ist auf dem Wege zum Industrieland!"

Jetzt wächst die Industrieerzeugung in einem einzigen Jahre um 50 Prozent. Doch in Deutschland werden jährlich 13,4 Millionen Tonnen Roheisen erzeugt, in Frankreich 10,5 Millionen — in Rußland immer noch nur 5,5 Millionen. Was der Kapitalismus kann, muß der Sozialismus erst recht fertigbringen. Wer anders denkt, ist ein Klassenfeind. Die „Schlacht der eisenschaffenden Industrie" holt aus den Menschen das allerletzte heraus. Im Ural, in Sibirien, in Mittelasien wachsen die neuen Industrien empor — Bergwerke, Hochöfen, Walzwerke. Dennoch hinkt das Ergebnis allzu weit hinter den Erwartungen her. 1931 steigt die Produktion von Kohle und Stahl nur um fünf bis zehn Prozent.

Stalin gibt die Enttäuschung zu: „Rußland wird gestraft wegen seiner

Rückständigkeit!" Und wieder verspricht er: „In der Vergangenheit hatten wir kein Vaterland und konnten wir keins haben. Jetzt aber, wo wir den Kapitalismus gestürzt haben und bei uns die Arbeiter an der Macht stehen, haben wir ein Vaterland und werden seine Unabhängigkeit verteidigen ... Wir sind hinter den Fortschrittsländern um 50 bis 100 Jahre zurückgeblieben. Diesen Unterschied müssen wir in zehn Jahren einholen. Entweder bringen wir das zustande — oder wir werden zermalmt."

Drei Jahre später liegt die Roheisenproduktion bei 10 Millionen, 1941 bereits bei 17 Millionen Tonnen.

In dieser Welt aus Stahl und Eisen ist kein Platz für Religion. Der Sowjetstaat duldet keine göttliche Instanz neben sich. Mönche und Geistliche werden verfolgt. Zahllos sind die Menschen, die für ihren Glauben unter den Schüssen der Tscheka enden. Der Grundbesitz der Kirche fällt der allgemeinen Enteignung anheim. Ein 1925 gegründeter „Verband der Gottlosen" erhebt Religionsfeindlichkeit zum sittlichen Prinzip. Stalin selbst verkündet schließlich einen „Fünfjahresplan des Atheismus": „Im ersten Jahr muß ein genauer Plan für die Schließung von Kirchen und die Auflösung religiöser Gemeinschaften ausgearbeitet werden. Während des zweiten Jahres müssen alle jene Familien, in denen Religion gepflegt wird, liquidiert werden. Alle religiösen Menschen sind aus staatlichen Unternehmungen und Ämtern zu entlassen. Religiöse Literatur und religiöse Kulthandlungen werden verboten. 150 antireligiöse Filme sind herzustellen. Diese sollen in der ganzen Sowjetunion vorgeführt werden, vor allem in Schulen. Schwerpunkt des dritten Jahres wird eine Aktivierung von Zellen der Gottlosigkeit sein. Es ist vorgesehen, alle jene Anhänger religiöser Kulte aus der Sowjetunion zu entfernen, die ihren Ordensgemeinschaften nicht abschwören wollen. Im Verlauf des vierten Jahres werden alle Kirchen, Synagogen und Kapellen an die örtlichen Sowjets übergeben und als Kinos, Klubs und Räume für andere geistige Freizeitgestaltung verwendet. Ziel des fünften Jahres wird es sein, die an der atheistischen Front erzielten Ergebnisse zu vertiefen. Es soll in keinem Hause innerhalb der UdSSR mehr gebetet werden, und in den Köpfen der Menschen muß auch der kleinste Gedanke an Gott ausgelöscht werden."

Industrialisierung mit Blut und Tränen

Der erste Fünfjahresplan läßt die Hüttenwerke von Kriwoj Rog und Saporoschje entstehen sowie das Traktorenwerk in Stalingrad und das Kombinat für Roheisen- und Walzwerkprodukte in Magnitogorsk. In Dnjepropetrowsk wächst das gewaltigste Kraftwerk Europas empor. Zweck der Neuerung „Industriekombinat" ist, die verschiedenen Industriezweige einer Landschaft aufeinander abzustimmen, beispielsweise

Kohlengruben, Hüttenwerke, Walzwerke und chemische Betriebe zu einer Wirtschaftsgemeinschaft zusammenzufassen.

Dann beginnt der zweite Fünfjahresplan. Die Industrie wuchert über die Wolga und den Ural hinaus nach Osten. Die reichen Bodenschätze Zentralsibiriens und Turkestans werden erschlossen. Der Moskwa-Wolga-Kanal und der Weißmeerkanal entstehen. Die Elektrifizierung der Eisenbahnen schreitet fort. Nur die Menschen, sie werden noch immer nicht satt. Die Unzufriedenheit wächst. Sie glimmt auf in der Ukraine, pflanzt sich weiter und überspringt sogar die Mauern des Kremls.

Der Generalsekretär der Partei, die immer recht hat, antwortet mit dem Terror von Prozessen und Gefängnisstrafen. Nach der Ukraine entsendet er am 24. Januar 1933 seinen Vertrauensmann Postyschew. Bald hat sich dieser Mann den Namen eines „Henkers der Ukraine" verdient: 28 000 Mitglieder werden aus der Partei gestoßen, 237 Parteisekretäre abgesetzt. Der Vorsitzende des ukrainischen Rates der Volkskommissare wird gestürzt, der Volkskommissar Skrypnik, ein Kampfgefährte aus Lenins frühester Zeit, zum Selbstmord getrieben.

Indessen sind die Gewaltakte in der Ukraine nur ein Beispiel unter vielen. Die Zahl der Parteigenossen, die auf Stalins Befehl ausgestoßen werden, geht in die Hunderttausende. Jetzt ist die Zeit, in der Kamenew und Sinowjew nach Sibirien verbannt werden. Stalins zweite Frau Nadescha Allilujewa wird von ihrem Mann beschimpft, als sie für die gepeinigten Bauern Partei ergreift. Sie stirbt unter geheimnisvollen Umständen.

Auch im ZK wächst die Mißstimmung. Stalin verteidigt sich und wirft den Opponenten vor, sie seien „Mitglieder oder Komplizen einer konterrevolutionären Gruppe, die mit dunklen Methoden eine Organisation zur Wiederherstellung des Kapitalismus in der Sowjetunion aufzubauen versucht". Er bietet seinen Rücktritt als Generalsekretär an. Die Männer im Politbüro wagen kaum zu atmen. Keiner widerspricht. Lähmende Stille breitet sich aus. Schließlich rettet Molotow die Szene, indem er aufspringt und ruft: „Schluß damit! Schluß! Du hast das Vertrauen des Volkes!"

Stalin bleibt. Aber er zieht die Konsequenzen. Er öffnet die Speicher der Roten Armee und verteilt die Vorräte an die Hungernden. In den USA kauft er Getreide. Der Kolchosbauer erhält geringe Freiheiten zurück: Er darf in Zukunft ein kleines Stück Land für sich persönlich bestellen, darf sich etwas Geflügel, Kleinvieh, sogar eine Kuh halten. Und wird am Reingewinn der auf den freien Markt gebrachten Erzeugnisse beteiligt. Wie gehabt verkündet Stalin schließlich: „Es ist unsere nächste Aufgabe, alle Kolchosbauern wohlhabend zu machen. Jawohl, Genossen! Wohlhabend zu machen!" Die reiche Ernte des Jahres 1933 kommt ihm und den Notleidenden tatsächlich zur Hilfe.

Gleich fühlt Stalin sich wieder stark genug, eine bessere „Arbeitsmoral" zu verlangen. Die technischen Voraussetzungen für die Produktionsvermehrung sind gegeben. Jetzt soll auch der Mensch mehr leisten als bisher. Das ist durchaus möglich. Denn ein Vergleich mit den Tagesleistungen der Engländer, der Amerikaner oder der Deutschen zeigt, daß der russische Industriearbeiter nicht konzentriert und schnell genug arbeitet. Bisher ist im Donezbecken die Tagesleistung für den Kohleabbau auf sieben Tonnen je Mann festgesetzt. An dem ruhmreichen 31. August 1935 bringt es Alexej Stachanow, nach sorgfältiger Vorbereitung, auf 102 Tonnen. Das ist das Dreizehnfache. Diese geradezu phantastische Mehrleistung des als „Helden der Arbeit" Gefeierten ist sicherlich nicht ohne „Nachhilfe" erreicht worden. Dennoch macht sie deutlich, daß im bisherigen System ein Loch sein muß. Überall werden die festgelegten Sollsätze überprüft und neu festgelegt.

Und nun kommt es zur Maßlosigkeit in entgegengesetzter Richtung. Der Name Stachanow wird zum Kennzeichen für eine schonungslose und unerbittliche Ausbeutung der Arbeitskraft des Menschen. Die Akkordpeitsche wird zum Maßstab, ob der einzelne Werktätige ein „verantwortungsbewußter Proletarier" ist. Wehe dem, der es an diesem „Verantwortungsbewußtsein" fehlen läßt! Und solche Drohung gilt nicht allein für den Arbeiter, sie gilt genauso für den Funktionär. Er ist in dieser Weltordnung ein Hebel des Kollektivapparates geworden, ein „Apparatschik".

Ein Streikrecht, mit dem der überforderte Arbeiter sich wehren könnte, gibt es nicht. Unentschuldigtes Wegbleiben vom Arbeitsplatz kann als Sabotage gewertet und als solche bestraft werden. Wer dann Glück hat, kommt mit einer Lohnkürzung davon. Sie beträgt bis zu 25 Prozent. Doch er kann auch einen Freiheitsentzug bis zu sechs Monaten erfahren, zu Zwangsarbeit verbannt oder in ein Zwangsarbeitslager eingewiesen werden. Die Gewerkschaften aber sind in der Sowjetunion Staatsorgane. Sie dienen dem Staat — nicht dem Arbeiter.

Da die Gesellschaft sich ihrer „Klassenlosigkeit" rühmt, darf in den Anfangsjahren kein Betriebsführer und kein Werkmeister mehr verdienen als ein gelernter Arbeiter. Das führt dazu, daß immer weniger Leute Lust verspüren, sich als Antreiber im Dienste des Staatskapitalismus herzugeben. Ohne Bedenken sagt Stalin dem „gleichen Lohn für alle" die Feindschaft an. Man bezahlt nun die Leute nach der Bedeutung der Dienste, die sie dem „Proletariat" leisten.

Damit entsteht langsam eine neue Oberschicht. Sie besteht aus Staatsbeamten in führender Stellung, aus Parteifunktionären, aus Bürokraten, aus Technikern. Bald wird die „Intelligenz" den Industriearbeitern und Bauern auch „rangmäßig" gleichgestellt. Das Heer der Beamten wächst. Kaum ein Drittel der Bevölkerung besteht aus wirklichen Proletariern. Ihre „Diktatur" ist ein Popanz.

Schon in diesem 1927 von der KPD herausgegebenen Jubiläumsplakat blickt der
deutsche Kommunist hoffnungsvoll zur Roten Armee auf — statt umgekehrt

Wer vor einem halben Jahrhundert oder auch nur vor einem halben Jahrzehnt dem Ruf gefolgt ist: „Proletarier aller Länder, vereinigt euch!" — den hat die Vorstellung geleitet, daß diese Proletarier aller Länder eines Tages einer einzigen politischen Gemeinschaft, einer Art Weltstaat angehören würden — ohne Nationen, Völker oder Rassen. Keine Grenzen würden dann die Menschen trennen. Kein Haß, keine Feindschaft, kein Krieg könnten mehr entstehen.

Stalin denkt anders. Schon im Februar 1931 fordert er die Russen bei einem Vergleich der Produktionsverhältnisse Rußlands mit denen des Westens heftig auf, „die Rückständigkeit ihrer Industrie endlich zu überwinden". Die Art, in der er dies spricht, macht deutlich: Hier geht es nicht mehr um Unterschiede in den Leistungen von Menschen, sondern von Nationen. Sache des sowjetischen Volkes ist es, sich seiner nationalen Pflichten bewußt zu werden.

Drei Jahre später retten sowjetische Flieger in einer glänzenden Tat die Besatzung des im Polareis festgefahrenen Forschungsschiffes „Tscheljuskin". Stalin feiert sie in gebührender und verdienter Weise. Aber nicht „Söhne des Proletariats" nennt er die Männer, sondern sie sind „die Söhne unseres großen Vaterlandes".

Die russische Presse folgt dem mächtigen Mann. Sie vergißt gern, UdSSR zu schreiben und spricht statt dessen wieder von „Rossija", von Rußland, und vom „rodina", vom Vaterland. Das Regierungsblatt „Iswestija" stellt es als „Pflicht des Sowjetbürgers" hin, „seine Heimat zu lieben und ihre Geschichte zu kennen". Und die Parteizeitung „Prawda" bekennt mit aller Feierlichkeit im Dezember 1936: „Sowjeterde — groß und mächtig ist sie und ohne Grenzen, fröhlich und glücklich. Wahrlich, wir Werktätigen der Sowjetunion, wir lieben unsere Heimat. Wir sind Patrioten . . . Sogar die Luft der Sowjets ist uns heilig." Ein neues Lesebuch hämmert den Schülern „die Größe und Würde der nationalen Vergangenheit der Sowjetunion" ein. Zu ihr gehören selbst Großfürsten und Zaren, die russischen Heiligen und die Heerführer.

Das Umdenken und Zurückdenken bleibt dabei nicht stehen. Gleich nach der Revolution war die Ehe zu einer Formsache geworden. Die Eheschließung erfolgt seitdem durch einfache Eintragung in das standesamtliche Register. Die Ehescheidung kann von jedem Gatten durch einfache Mitteilung vollzogen werden. Freie Liebe und hemmungsloses Sichausleben gelten vielen als Konsequenz eines bis zum Ende gedachten Kommunismus. Bei dem Gedanken an die „Große Mutter Rußland" wird die Ehe jetzt wieder als Lebenszelle des Staatskörpers begriffen und erschwert man die soeben noch im Grunde geförderte Ehescheidung. Man unterstützt kinderreiche Familien, verbietet die Abtreibung und sperrt verwahrloste Kinder in Gefängnisse, Lager und Erziehungssiedlungen. Über Unverbesserliche kann die Todesstrafe verhängt werden, sofern sie mehr als zwölf Jahre alt sind. Alle diese Wandlungen werden von der Verfassung des Jahres 1936 fixiert.

Die Stalinsche Verfassung bekräftigt den föderativen Aufbau der UdSSR als einen Bundesstaat aus damals elf Sowjetrepubliken. Er trifft die Entscheidung in allen lebenswichtigen Fragen — über Krieg und Frieden, über die Verteidigung, über Außenhandel, Wirtschaftsplanung, Bankwesen, Post und Verkehr. Unabhängig von Rasse, Nationalität oder Geschlecht sind alle Bürger gleichberechtigt. Aktiv wie passiv wahlberechtigt ist, wer 18 Jahre alt ist. Jeder hat Anspruch auf Unterstützung bei Krankheit, Invalidität und im Alter. Die Freiheit und Unverletzbarkeit der Person und der Wohnung sowie das Briefgeheimnis sind „im Interesse der Festigung der sozialistischen Gesellschaft" gesichert. Für den, der außerhalb dieser Gesellschaft steht, gilt diese Garantie folglich nicht.

Eine Trennung der Gewalten — Gesetzgebung, Regierung, Rechtsprechung — gibt es nicht. Offizieller Träger der Staatsgewalt ist der Oberste Sowjet, das Parlament. Die Regierung ist nur sein wichtigster Ausschuß und die Justiz von ihr abhängig. Der Staat ist nicht „abgestorben", er ist mächtiger, als er unter dem Kaiser jemals war. In Wahrheit verfügt allein die Kommunistische Partei über die Macht, denn nur sie kann vom Volk „gewählt" werden. Sie bestimmt, wer im Obersten Sowjet vertreten ist. Ihr höchstes Organ ist das Zentralkomitee mit etwa 140 Mitgliedern. Dieses wird gelenkt vom Politbüro, bei dessen zwölf Mitgliedern die eigentliche Staatsführung liegt. Generalsekretär Stalin wiederum bringt es fertig, das Politbüro zu beherrschen. Seit langem schon ist er Rußlands allmächtiger „roter Zar". Nun geht er ans Werk, die bereits geschlagenen und gedemütigten Gegner auch physisch zu vernichten.

Ein Attentat gibt den äußeren Anlaß, brutal und unbarmherzig zuzuschlagen: Der Leningrader Parteisekretär Kirow wird im Dezember 1934 von dem Studenten Nikolajew ermordet, einem jungen Mann, der politisch Trotzki und Sinowjew nahesteht. Bei der Untersuchung stellen sich wunderliche Dinge heraus. Nikolajew ist schon vor einiger Zeit in Kirows Nähe mit einer Waffe gefaßt, aber wieder freigelassen worden. Der verantwortliche Wachhabende kommt dann bei einem nie aufgeklärten Verkehrsunfall ums Leben, als er zur Vernehmung unterwegs ist. Weitere Anzeichen, die Chruschtschow ein Vierteljahrhundert später offenlegt, lassen vermuten, daß in Wahrheit Stalin selbst hinter dem Mord an Kirow gestanden hat.

Kirow hat die Zeit für eine nachsichtigere Politik, für den Verzicht auf den Terror reif gehalten. Er hat zu den Leuten gehört, die kurz zuvor die Auflösung der GPU durchgesetzt und den Schrecken gedrosselt haben. Nicht verhindern aber hat er können, daß damit der Teufel an die Stelle Beelzebubs getreten ist. Die neue Geheimpolizei erweist sich als von noch größerer Macht und Rücksichtslosigkeit: Es ist das NKWD (wie es nach seiner obersten Behörde, dem Volkskommissariat für innere Angelegenheiten, abgekürzt genannt wird). Sein Chef Jagoda fürchtet, daß Kirow ihn — womöglich mit Hilfe einsichtiger Generale — stürzen könnte. Dem will er offenbar zuvorkommen.

Der Prozeß gegen den Kirow-Mörder erfolgt in aller Stille und unter Ausschluß der Öffentlichkeit. Dieser wird nur mitgeteilt, daß hinter Nikolajew eine im Ausland ansässige Organisation, ein „vereinigtes terroristisches Zentrum" stehe. Schon in der Vergangenheit habe es — angeblich — mehrere Attentate auf Stalin und seine Freunde versucht. Noch immer würden dieser sowie seine engsten Gefolgsleute Woroschilow, Kaganowitsch, Schdanow und Ordshonikidse auf der Mordliste stehen.

Mörder und Helfer werden hingerichtet. Gleichzeitig setzt eine unabsehbare Flut von Gewalttaten ein. Zunächst beseitigt Stalin einige Mißliebige aus seiner Umgebung. In Leningrad übernimmt Schdanow das Regiment, und Zehntausende werden nach Sibirien verbannt. Damit ist der Weg frei für eine lange Folge weiterer Tschistka — weiterer „Säuberungen". Man geht an die Vernichtung der „Volksfeinde". Das geschieht so raffiniert und hinterhältig, daß selbst der amerikanische Botschafter in Moskau keine Ahnung davon hat, was unmittelbar unter seinen Augen geschieht. Er lobt die „bewundernswerte Mäßigung" des Generalstaatsanwalts Wyschinski und charakterisiert ihn „als ruhig, leidenschaftslos und weise".

Dieser Ankläger selbst aber fordert in dem nunmehr begonnenen „Prozeß der Sechzehn", „daß diese tollwütigen Hunde allesamt erschossen werden". Die prominentesten Angeklagten sind Sinowjew (ZK-Mitglied seit 1907) und Kamenew (ZK-Mitglied seit 1917). Man hat sie aus dem sibirischen Straflager nach Moskau geholt und hier gefoltert und zermürbt. Sie „gestehen" alles, was man von ihnen verlangt: Geheime Zusammenarbeit mit Trotzki, die Ermordung Kirows, die Zusammenarbeit mit der Gestapo, der Geheimen Staatspolizei Hitlers. Kamenew beschuldigt sich und die anderen in geradezu schamloser Weise. Sinowjew sagt in seinem Schlußwort: „Mein defekter Bolschewismus hat sich in Antibolschewismus verwandelt, und über den Trotzkismus bin ich zum Faschismus gelangt."

Das Urteil lautet auf Erschießen. Am 25. August 1936 wird es vollstreckt. Zwei der ältesten Kampfgefährten Lenins sind erst als Menschen vernichtet und anschließend auch noch körperlich aus dem Weg geräumt worden.

Ein halbes Jahr später stehen 17 Angeklagte vor dem Gericht, Radek, Lenins alter Freund, gehört dazu. Der sturmerprobte Revolutionär bezichtigt sich, Werkzeug der Konterrevolution und „Kriegsbrandstifter" zu sein. Er kommt mit zehn Jahren Gefängnis davon.

Ein Strom von Verhaftungen setzt jetzt ein. Es geht um Trotzkisten, Menschewisten, Sozialrevolutionäre, Anarchisten, um heimgekehrte Emigranten, ausländische Kommunisten, Angehörige religiöser Sekten — also um alle Leute, die irgendwie einmal anderer Meinung waren oder es jetzt noch sind, um Millionen Arbeiter und Bauern, um Vagabunden, die nicht seßhaft werden wollen, es geht um Geistliche, Intellektuelle und Beamte, aber nicht zuletzt um bewährte Bolschewisten, die nicht bereit sind, Stalinisten zu werden.

Von den 140 Mitgliedern des ZK werden 125 verhaftet, von den zwölf Mitgliedern des Politbüros vier. Unter den Bauern befinden sich Hunderttausende, deren Verbrechen darin besteht, daß sie sich gegen die Kollektivierung auflehnen, die ja noch immer nicht abgeschlossen ist. Insgesamt gehen in den Jahren 1936 bis 1938 etwa acht bis neun Millionen Russen durch die Untersuchungsgefängnisse. Wenn die Verhöre zu langwierig werden, erpreßt man Geständnisse mit Prügeln. Vielleicht hilft man sich zusätzlich auch mit Drogen, die den seelischen Widerstand brechen.

Die Kollektivhaftung der Familie für jede „staatsgefährdende Handlung" ihrer Mitglieder wird eingeführt. Wer es unterläßt, einen „unzuverlässigen" Verwandten anzuzeigen, landet selbst im Verhörkeller des NKWD. Sämtliche Parteimitglieder werden „überprüft". Alle sollen sie sich in öffentlichen Parteiversammlungen der „Kritik und Selbstkritik" unterziehen. Die Säuberungswelle wächst und wächst. Schließlich reißt sie auch den NKWD-Chef Jagoda mit sich. Sein Nachfolger heißt Jeschow. Und die Mitte der dreißiger Jahre wird in die russische Geschichte als die „Jeschowtschina" eingehen.

Nicht immer führen die Prozesse zum Tode. In harmloseren Fällen begnügt man sich mit einer „humanen" Umerziehung, wie man sie bald nach der Revolution „erarbeitet" hat. Etwa 250 000 Strafgefangene haben „Glück"; sie werden zum Bau des Weißmeerkanals deportiert. Vielleicht sind sie überhaupt nur darum verhaftet worden, weil man freie Arbeiter nicht für Sibirien und das Polargebiet gewinnen kann.

Die Bevölkerung in Karelien und Murmansk wächst so um 558 Prozent, in Ostsibirien um 384 Prozent, im Fernen Osten um 329 Prozent. Die Zahl der Menschen in den Straflagern beträgt 1935 bis 1937 fünf bis sechs Millionen, 1940 bis 1942 wird sie auf zehn Millionen beziffert.

Der Tod des „roten Napoleon"

Besondere Sorgen macht Stalin Marschall Tuchatschewski, Generalstabschef der Roten Armee. Er hätte die Macht, einen Staatsstreich zu planen. Er wäre imstande, mit ihm treu ergebenen Soldaten das Politbüro zu besetzen und Stalin einzusperren. Der Gedanke ist schreckerregend, die Gefahr nicht von der Hand zu weisen. Und Tuchatschewski ist populär, auch bei der Bevölkerung. Der ehemalige Gardeleutnant des Zaren ist ein glänzend begabter Stratege, Held des Bürgerkrieges, war wie Napoleon Bonaparte mit knapp 25 Jahren sieggekrönter Feldherr und Armeeführer. Wird er der Bonaparte der russischen Revolution sein und die Schreckensherrschaft beenden?

Gerade jetzt wieder hat er bewiesen, was er kann. Im Hinblick auf die begonnene Aufrüstung Deutschlands hat er die Schlagkraft der sowjetischen Streitkräfte erhöht. Er treibt die Motorisierung der Truppe voran. Er predigt den Bau von Panzern und Flugzeugen. Und er hat die erste Fallschirmjägerdivision aufgestellt.

Also wird der Marschall zunächst abkommandiert und damit kaltgestellt. Dann läßt Stalin ihn verhaften und mit ihm andere Generale der Roten Armee. Am 12. Juni 1937 werden sie erschossen.

Das ist erst der Anfang. Bis zum nächsten Jahre werden zwei weitere Marschälle, 13 Armeegenerale, 65 Korps-Kommandeure, 110 Divisions-Kommandeure und 220 Brigade-Kommandeure umgebracht. Das sind drei Viertel der Generalität. So grausig und zwangsmäßig läuft diese von Stalin beherrschte, vom „Partei"-Marschall Woroschilow befeuerte Todesmaschinerie, daß Gamarnik, Haupt der Politischen Verwaltung der Roten Armee und der Roten Flotte sowie Mitglied des ZK der Partei, sich weigert, dem geheimen Militärgerichtshof beizutreten. Er lehnt es ab, seine Ehre, seinen Ruf, seine Selbstachtung in den Schmutz zu werfen. Er bestürmt Stalin, Einsicht zu haben. Als sein Bemühen ohne Erfolg bleibt, zieht er es vor, sein Leben durch Selbstmord zu beenden.

Insgesamt sind es 20 000 Offiziere, die vor Gericht gestellt werden, darunter 6000 höhere Offziere. Und von ihnen allein wird ein volles Viertel — werden 1 500 Mann — hingerichtet.

Warum „gestehen" so viele altbewährte Führer der Revolution und der Armee in den Schauprozessen derart unglaubwürdige und haarsträubende Verbrechen? Ein einziges Beispiel für zahllose andere: Auch Mratschkowski, Sohn eines Revolutionärs, Bolschewist seit 1905 und in den zwanziger Jahren Anhänger Trotzkis, legt ein „Geständnis" ab. Er glaubt, so der Partei zu dienen, deren Einheit nicht gefährdet werden soll. Später bekennt der Vernehmungsrichter: „Ich brachte ihn dahin, daß er zu weinen begann. Ich weinte mit ihm, als wir zu dem Ergebnis gelangten, daß nun alles verloren sei, daß weder Hoffnung noch Glauben übrigbleibe, daß nichts weiter zu tun sei, als eine verzweifelte Anstrengung zu machen, einen vergeblichen Kampf der unzufriedenen Massen zu verhindern." Und es folgt die ungeheuerliche Erläuterung: „Zu diesem Zweck brauchte die Regierung die öffentlichen Geständnisse der Oppositionsführer."

Die Todesmaschine läuft weiter. Die deutschen Kommunisten Max Hölz, Hermann Remmele und Heinz Neumann werden umgebracht. Nicht besser ergeht es Bela Kun, dem nach Rußland emigrierten Führer der ungarischen Kommunisten. Im März 1938 — die deutschen Truppen marschieren gerade in Österreich ein — findet in Moskau der „Dritte Trotzkistenprozeß" statt, der letzte große. Es ist der „Prozeß der Einundzwanzig". Auf der Anklagebank sitzen als prominenteste „Verräter" Bucharin, der ehemalige Cheftheoretiker, Rykow, der ehemalige Regierungschef und als solcher Nachfolger Lenins, sowie Ex-Geheimpolizist Jagoda. Auch sie gestehen. Auch sie werden erschossen.

Nun hat Stalin keinen Konkurrenten mehr zu befürchten. Die alte Garde ist liquidiert. Jetzt kann wieder zurückgeschaltet werden, um die erregte und erschütterte Bevölkerung zu beruhigen. Und wie 1793 in Frankreich Robespierre, die Verkörperung der Schreckensherrschaft, das Schaffot besteigen muß, um eben das Ende des Schreckens zu demonstrieren, so folgt im Dezember 1938 Jeschow seinem Vorgänger Jagoda in den Abgrund. Der neue NKWD-Chef heißt Berija. Er läßt sogar den einen oder anderen bereits Verurteilten wieder rehabilitieren. Vor allem Offiziere der Roten Armee gehören dazu, die dem Genickschuß bisher noch entgangen sind — unter ihnen Generale wie Rokossowski, Tobuchin und Jakowlew, die ihre Soldaten wenige Jahre später gegen Hitler zum Siege führen sollen.

Inzwischen hat man auch eine Geschichte der Kommunistischen Partei der Sowjetunion, der KPdSU, geschrieben. Sie ist 1938 erschienen und „beweist" jedem Zweifler, daß Stalin der beste Freund Lenins gewesen ist, dazu noch der einzige, der die Lehren des erhabenen Vorbilds voll und richtig begriffen hat. Lenin und Stalin — diese beiden sind diesem Buch zufolge ganz allein die Schöpfer der Oktoberrevolution. Stalin ist das größte, das einmalige Genie. Stalin ist darum auch der einzige und wirklich berufene Führer. Diesem großen Führer wird keine Hand in den Arm fallen, wenn er nun den ihm ausgelieferten Menschen der UdSSR noch schärfere Begriffe von Arbeit und Pflichterfüllung beibringt.

Für die Kolchosbauern kann es zwar nicht mehr schlimmer werden. Sie haben erfahren, daß die „proletarische Diktatur" für sie eine neue Leibeigenschaft gebracht hat. Aber nun wird auch dem Industriearbeiter vollends bewußt, was er im vielgepriesenen „Arbeiterparadies" in Wirklichkeit ist: ein Industriesklave. Wer nicht genug Fleiß zeigt, wer verspätet zur Arbeit kommt, wer Fehler macht, wird bestraft. Sein Lohn wird herabgesetzt, die Sozialversicherung schlechter, er muß auf Urlaub verzichten, seine Werkswohnung räumen, mit der Versetzung an einen anderen Arbeitsplatz rechnen. Womöglich wandert er ins Gefängnis. Gibt auch die offizielle Statistik den Machthabern recht, wenn sie behaupten, daß die Industrieproduktion gegenüber der Vorkriegszeit auf das Siebeneinhalbfache gewachsen ist, das Volksvermögen auf das Sechsfache, so stehen doch diese Zahlen in einem nicht zu vereinbarenden Gegensatz zu der Not, dem Blut und dem Elend, das „Väterchen" Stalin über Rußland heraufbeschworen hat.

Zu Füßen dieses „Stählernen", gegen den Iwan der Schreckliche verblaßt, wächst die neue Jugend der „Komsomolzen" heran. Der sozialistische Aufbau verspricht ihr eine „glückliche Zukunft". Von der Vergangenheit weiß diese Generation nichts mehr. Sie ist nach dem Kriege geboren und in der kommunistischen Umwelt aufgewachsen. Nur zu bereitwillig gibt sie sich der verheißungsvollen Zukunft, dem Glauben an ein technisches Zeitalter hin, in dem Rußland zu den führenden Mächten gehören und der junge Mensch von heute ein erfülltes Leben finden wird.

Stalins Blick muß sich zwangsläufig wieder über die Grenzen richten. Im Deutschen Reich ist 1933 Hitler an die Macht gekommen. In „Mein Kampf" hat er geschrieben, was er will: Rußland erobern, um dem deutschen Volk Lebensraum zu schaffen. Im „jüdisch-bolschewistischen" Sowjetstaat sieht er den Todfeind der nordischen Rasse. Hitler rüstet auf. Hitler sammelt Bundesgenossen in aller Welt. Er schließt mit Japan den gegen die Dritte Internationale gerichteten Antikominternpakt. Italien tritt ihm bei.

Die Faschisten formieren sich. Ihr Name kommt aus dem Italienischen. In Italien hat Mussolini 1922 mit seinem „fascio di combattimento", seinem „Kampfbund", die Macht an sich gerissen. Seitdem nennt man alle totalitären Bewegungen auf nationalistischer Grundlage faschistisch. Für die Kommunisten verkörpert der Faschismus die „Endphase des Kapitalismus".

Als Antwort Stalins wird der Volksfrontgedanke geboren. Was eben noch als Opportunismus und Reformismus galt — die politische Zusammenarbeit mit Sozialisten und Linksliberalen, um die bürgerliche Demokratie zu retten — wird nun gefeiert. Es gilt, den Vormarsch des Faschismus in den einzelnen Ländern zu stoppen. Es gilt, die Sowjetunion bündnisfähig zu machen. Auf die Revolution wird verzichtet. Und die nach Trotzkis und Sinowjews Abgang zur Bedeutungslosigkeit herabgesunkene Komintern stimmt der neuen Politik zu, die in Frankreich erste Früchte zeigt.

Auch hier scheint der Faschismus vor der Machtübernahme zu stehen. Die „Krise des parlamentarischen Regimes" wird zu einem von vielen nachgebeteten Schlagwort. „Feuerkreuzler" inszenieren Unruhen und Straßenschlachten in Paris; Marschall Pétain, seinerzeit Sieger von Verdun, Heros der Rechten, wird 1934 Kriegsminister. Streik und Straße bedrängen Parlament und Demokratie. Sozialisten und linksliberale „Radikalsozialisten" erklären sich bereit, mit den Kommunisten ein Bündnis einzugehen. Eine Linkskoalition übernimmt die Regierung. Bei den Wahlen erringt die „Volksfront" einen durchschlagenden Erfolg. Wenn Léon Blum, ihr Ministerpräsident, sich auch keine zwei Jahre als Regierungschef halten kann, der Griff der Ultrarechten zur Macht ist vorerst abgeschlagen, der Staat stabilisiert. Erst der Einmarsch der deutschen Truppen im Jahre 1940 wird Pétain an die Spitze Frankreichs stellen — und dann auch nur von Hitlers Gnaden.

Aber die Idee „Volksfront" findet noch in einem anderen Lande Anklang. Der Funke springt über die Pyrenäen und zündet in Spanien. Hier ist General Primo de Rivera 1930 inmitten der Weltwirtschaftskrise nach siebenjähriger Diktatur zurückgetreten, als sich gezeigt hat, daß die Armee nicht mehr bereit ist, ihm zu folgen. Und als ein Jahr später die Kommunalwahlen in den großen Städten die Republikaner zum Sieg gebracht haben, dankt der Schattenkönig Alfons XIII. eben-

Да здравствует 1 мая

Ein typisches Maiplakat aus den dreißiger Jahren: Stalin beherrscht die Szene, die Arbeiterschaft ist zur Statisterie degradiert — und über den Köpfen der Aufmarschierenden dröhnen Kampfflugzeuge

falls ab. Spanien wird zum zweiten Male in seiner Geschichte Republik. Doch zur Ruhe kommt es nicht.

Erregte Massen stürmen die Gutshöfe und die Kirchen. Die Armen verlangen ihren Anteil am Reichtum der Gesellschaft. Radikaler Antiklerikalismus tobt sich aus. Die Regierung in Madrid ist hilflos. Die hinter ihr stehenden Kräfte sind in unzählige Gruppen und Grüppchen zerfallen, die sich gegenseitig bekämpfen. Eine Sozialreform kommt nicht zustande. Dafür gewährt man den Frauen das Stimmrecht — und wundert sich, daß diese zur vom Mob bedrängten Kirche halten und monarchistisch wählen.

Das rechtsgerichtete neue Kabinett vermag zwar die Generale zu beruhigen, die bereits am 10. August 1932 in Madrid und Sevilla einen Putsch versucht haben, der im Feuer der Polizei zusammengebrochen ist. Sie begnadigt die führenden Putschisten, an der Spitze General Sanjurjo. Aber sie läßt zu, daß die Gutsbesitzer den Pachtzins erhöhen. Die kleinen Landpächter und auch ihre Frauen schwenken wieder nach links um. Und bei den Parlamentswahlen vom 17. Februar 1936 erobert die spanische Volksfront nun die absolute Mehrheit. Die Herrschaft der Linken scheint endgültig zu sein.

Als dann aber der führende monarchistische Parlamentarier Calvo Sotelo von republikanischen Polizeibeamten ermordet wird, sieht General Sanjurjo in dieser Untat das Fanal zu einem neuen Aufstand. Denn sie ist kein Einzelfall, sondern für das vorhandene Chaos und die Ohnmacht der Regierung kennzeichnend.

General Francisco Franco, der in Spanisch-Marokko das Kommando führt, stößt zu den Aufständischen. Und als Sanjurjo am 20. Juli 1936, dem dritten Tag des Bürgerkrieges, der sich aus der Erhebung entwickelt, mit dem Flugzeug abstürzt, übernimmt Franco den Oberbefehl über die „Weißen", wie ihre Gegner die Empörer nennen, während sich für die Anhänger der Regierung schnell der ebenso vereinfachende Name die „Roten" einbürgert.

Bald macht Franco sich auch zum Chef der provisorischen „Nationalregierung". Die gesamte Armee und der größte Teil der Polizeikräfte stellen sich ihm zur Verfügung. Die legale Regierung in Madrid ruft die Arbeiter auf, sich zum Widerstand zu formieren. Drei Jahre Blutvergießen heben an. Am Ende des Krieges ist Spanien ein Trümmerhaufen, und 1,2 Millionen Spanier haben ihr Leben verloren. Allein 126 000 Männer und Frauen sterben unter den Feuergarben der Hinrichtungspelotons und der Mordkommandos — der „weißen" ebenso wie der „roten".

Zur spanischen Linken gehören die Liberalen, die Sozialisten mit der sozialistischen Gewerkschaft, die Anarcho-Syndikalisten mit der bedeutenderen syndikalistischen Gewerkschaft, die Föderalisten aus dem Lager der Basken und der Katalonier, die starken Trotzkisten und schließlich noch die zunächst einflußlosen Kommunisten der Moskauer Richtung. Schon nach wenigen Tagen beschließt die Komintern, in Paris ein Verbindungsbüro zu eröffnen, das Freiwillige aus aller Welt nach Spanien schleust. Doch vorher werden diese Bewerber von Funktionären der Komintern und von Agenten des NKWD auf Herz und Nieren geprüft. Mitte September 1936 geht der erste Transport an Bord der „Ciudad de Barcelona" nach Alicante ab.

Allmählich wachsen die Internationalen Brigaden auf fast 40 000 Mann an. Davon sind fast ein Viertel Deutsche. Im Laufe der Zeit werden es noch mehr. Etwa 120 000 antifaschistische Freiwillige gehen insgesamt nach Spanien. Viele davon kommen nicht als Kämpfer. Vielmehr sind sie als „Industriearbeiter" von rotspanischen und sowjetischen Konsulaten überall in der Welt angeworben worden. Erst in Albacete, wo der Franzose André Marty als Komintern-Agent alle Fäden in der Hand hat, erfahren sie dann, was ihnen wirklich bevorsteht.

Besonders stark ist der Rückhalt bei der französischen Volksfrontregierung. Mit ihrer Unterstützung eröffnet der sowjetische Oberstleutnant Swierezewski ein Rekrutierungsbüro. Später kommandiert er als „General Walter" die XI. Internationale Brigade. Der deutsche Berufsrevolutionär Richard Staimer, der 1931 einen Lehrgang der Internationalen Militärschule in Moskau besucht hat, ist als „General Hoffmann" in Spanien tätig.

Die XI. Brigade wird zuerst aufgestellt. Eine direkte Verbindung zum spanischen Kommando der Volksfronttruppen ist ihr wie allen anderen Ausländerbrigaden von den Sowjets verboten. Als General Franco auf Madrid anrückt, wird die noch nicht ganz aufgefüllte Formation unter Emilio Kléber, einem früheren Hauptmann der österreichischen k. u. k. Armee, an die Front geworfen. 1917 in russische Gefangenschaft geraten, war „General Kléber" zu den Bolschewisten übergegangen. Damals hieß er noch Lazar Stern.

Der Bürgerkrieg nimmt seinen Fortgang. Von überall her kommen Freiwillige, meist Kommunisten. Junge Männer bestürmen die rotspanischen Gesandtschaften und Konsulate in Paris, London oder Kopenhagen und bitten um Einreisegenehmigungen. Moskau ist nur mit halbem Herzen dabei. Der Spanische Bürgerkrieg steht nicht auf dem bolschewistischen Programm. Stalins Kombinationen sind einfach und klar: Sowjetisches Eingreifen könnte zu sowjetischen Siegen führen, und sowjetische Siege müssen die Annäherung zwischen Deutschland und England, zwischen Italien und Frankreich zur Folge haben. Und diese wird dann gegen Rußland gerichtet sein. Da erscheint es sehr viel sinnvoller, vor allem die französischen Kommunisten und damit die französische Volksfrontregierung in die spanischen Unruhen zu verstricken. Ein Viererpakt gegen die Sowjetunion würde dadurch erschwert, möglicherweise Frankreich in die Arme des Kreml getrieben.

Aber Stalin macht diese Rechnung ohne den Wirt. Frankreich lehnt es ab, sich für die Sowjetunion die Finger zu verbrennen. So muß das Politbüro schließlich selbst Farbe bekennen. Es beschließt die sowjetische Intervention. Sie ist zunächst bescheiden und besteht in der Entsendung einer kleinen Luftwaffeneinheit, die gewissermaßen in ein „echtes Manöver" fährt. Es sind nur wenige höhere Offiziere, technische Instrukteure und eine Unzahl von NKWD-Agenten, die in Spanien eintreffen. „Haltet euch außerhalb der Reichweite der Artillerie", gibt Stalin ihnen als Befehl mit auf den Weg. Einer von ihnen ist der spätere sowjetische Verteidigungsminister Marschall Malinowski.

Der Bürgerkrieg weitet sich trotzdem aus. Deutschland und Italien greifen auf Francos Seite ein. Mussolini entsendet italienische Schiffe und 60 000 Mann. Hitler schickt die „Legion Condor", Flieger, Flak, Panzerabwehreinheiten und Panzerkompanien, dazu Material im Werte von einer halben Milliarde Mark. Und auch die Sowjets senden immer mehr Panzer, Kanonen, Flugzeuge — und Instrukteure.

Niederlage im Spanischen Bürgerkrieg

Weihnachten 1936 kommt es zur Schlacht bei Lopera. Allein die XIV. Internationale Brigade verliert 800 Mann. Marty macht den Führer des französischen Bataillons, Oberstleutnant de Lassalle, für die schweren Verluste verantwortlich. Er läßt ihn erschießen. Insgesamt werden mit ihm 500 weitere Interbrigadisten liquidiert. Marty erhält den Beinamen „Schlächter von Albacete" und muß sich des Blutbads wegen vor einer Kommission der Kommunistischen Partei Frankreichs verantworten. Seine Verteidigung: Die Hingerichteten waren „Räuber, Mörder und Spione".

Nach jeder Niederlage säubert das NKWD die Reihen der Brigaden. Die Stalinisten folgen dem Beispiel, das ihr Herr und Meister zur gleichen Zeit in Moskau bietet. Kommunisten können nicht verlieren. Verlieren sie doch, müssen Verräter am Werk sein. Die Verräter am Kommunismus sind die Trotzkisten.

Alle, die sich den Beauftragten Stalins nicht bedingungslos unterwerfen wollen oder nur in den Verdacht geraten, eine eigene Meinung zu vertreten, werden erbarmungslos ausgerottet. Und so erklären sich auch die ungeheuren Verluste der Brigaden. Nicht Francos Soldaten, sondern Martys Liquidationskommandos reißen in ihre Reihen so starke Lükken, daß sie in den zwei Jahren ihrer Teilnahme am Spanischen Bürgerkrieg drei- bis viermal aufgefüllt werden müssen.

Männer, die zehn Jahre später im Rampenlicht der Weltöffentlichkeit stehen sollen, gehören zu den politischen Kommissaren: Der Jugoslawe Tito, der Italiener Togliatti, der Deutsche Ulbricht, der Tscheche Gottwald, der Ungar Rajk.

Nachdem die Sowjets gegen ihren ursprünglichen Willen mehr und mehr in die spanische Affäre verwickelt werden, wollen sie auch den Nutzen davon haben. Nach alter Leninscher Devise muß die „bürgerliche Revolution", die zur Regierungsbildung der Volksfront geführt hatte, nun in die „proletarische Revolution" weitergeleitet werden. Das heißt, sollten die Roten schließlich die Weißen besiegen, darf es in ihrem Lager nur noch Kommunisten geben. Verdächtigungen, Verhaftungen, Massenerschießungen unterminieren die Kampfkraft der Republikaner. Trotzkisten, Anarcho-Syndikalisten, Liberale und Sozialisten werden vernichtet. Nur einige ihrer Führer bleiben noch, dem Ausland zuliebe, als Aushängeschild. Immer deutlicher schieben die ursprünglich so einflußlosen und schwachen spanischen Kommunisten sich nach vorn. Schließlich besetzen sie alle Schlüsselpositionen.

In den Interbrigaden wächst die Empörung. Was in der Etappe vor sich geht, bleibt nicht verborgen. Die Interbrigaden fühlen sich mißbraucht und betrogen. Und der Zustrom neuer Freiwilliger läßt merklich nach. Von italienischen und deutschen Panzern und Bombenfliegern unterstützt, berennen die „Nationalspanier" unermüdlich die rotspanischen Stellungen im Bogen um Madrid. Ein greifbarer Erfolg bleibt aus. Am 6. Juli 1937 treten die Republikaner zum Gegenangriff an. Mit massierten Kräften stoßen sie auf Brunete vor. Das Angriffsheer zählt 58 750 Mann. 136 Geschütze, 128 Panzerkampfwagen und 150 moderne Flugzeuge, davon ein Drittel Bomber, stehen an schweren Waffen zur Verfügung. Die bedeutsamste Schlacht des Krieges hat begonnen.

Drei der sechs roten Divisionskommandeure sind sowjetische Generale. Auch die Panzer und die Flieger werden von Russen befehligt. An den Brennpunkten der Schlacht kämpfen drei Internationale Brigaden. Franzosen und Belgier, Engländer und Iren, Amerikaner und Deutsche, Jugoslawen und Italiener, Polen und Skandinavier, Litauer und Letten stehen in ihren Reihen. Unter dem Gesang der „Internationale" gehen sie ins Feuer. Auf dem Schlachtfeld lastet lähmende Hitze. Die Tagestemperaturen steigen auf 45 Grad. Das Gelände ist schattenlos. Besonders die Ausländer brechen unter der stechenden Sonne in Scharen zusammen. Dazu kommt der blutige Kampf.

Neun Tage lang greifen die Roten an. Zweimal wechselt Brunete den Besitzer. Die Toten häufen sich. Die Verwundeten sterben, ehe sie versorgt werden können. 12 Kilometer tief dringen die Republikaner vor. Ihr Einbruchsraum ist 15 Kilometer breit. Dann bleiben sie endgültig im Gegenfeuer liegen. Sie graben sich ein.

Franco konzentriert die Bomber der Legion Condor auf das Schlachtfeld. Er übernimmt persönlich den Oberbefehl. Der Ausgang der Schlacht steht auf Messersschneide — und mit ihr der Ausgang des Krieges überhaupt. Da bricht die rote Luftherrschaft im Feuer der weißen Flak zusammen. Die Bomber vom Typ Ju 52 zerschlagen die letzte starke Bereitstellung sowjetischer Panzer. 25 000 Tote und Verwundete hat die Offensive die Roten schon gekostet. Das britische Bataillon Copeman zählt nur noch 80 Mann. Das halbe Angriffsheer ist vernichtet worden. Nun packt die Überlebenden die Panik. Von Tieffliegern gejagt, fliehen sie in die Ausgangsstellungen zurück. Drohende Kommissare stellen sich ihnen entgegen. Kavallerieverbände hauen mit Säbeln auf die Zurückflutenden ein. Feuerstöße aus Straßenpanzerwagen versuchen, die

Männer wieder gegen den Feind zu treiben. Vergeblich — es kommt zur Meuterei. Sie ist eine Folge der tiefen Vertrauenskrise, die insbesondere die Interbrigadisten erfaßt. Die Erschießungskommandos wüten wie immer. Panzer fahren auf, die 13. Brigade zu entwaffnen. Sie wird aufgelöst. Der Krieg aber tobt weiter.

Bei Teruel wagen die Roten im Dezember 1937 noch einmal eine Offensive. Diesmal ziehen sie 100 000 Mann zusammen. Aber ihnen fehlen Flugzeuge und Artillerie. Die Russen haben ihre Lieferungen eingeschränkt. Acht Wochen dauert das Ringen. Rotspanien verliert noch einmal mehr als 50 000 Mann. Stalin liefert dann zwar wieder Kriegsgerät: 350 Flugzeuge, 500 Feldhaubitzen, 165 Panzer, 11 000 Tonnen Munition. (Der Preis: Kommunisten in allen Schlüsselpositionen der Armee, der Polizei und der Verwaltung.) Aber das Rückgrat der rotspanischen Streitkräfte ist gebrochen. Sie sind nur noch zur Verteidigung fähig. Doch sie verteidigen sich zäh und tapfer und voller Erbitterung. Der Krieg dauert noch mehr als ein Jahr. Gewonnen werden kann er nicht mehr. Ende 1938 werden die Internationalen Brigaden zurückgezogen und demobilisiert.

Im März 1939 fällt Madrid ohne Kampf. Hunderttausende fliehen mit Frauen und Kindern über die Pyrenäen nach Frankreich. Der Krieg ist zu Ende. Stalin hat längst die Lust an ihm verloren. Er hat auch den Glauben an die Volksfront verloren. Wie kann sich die Sowjetunion vor den erstarkten Faschisten schützen? Die Antwort lautet: Nur durch die Faschisten selbst. Der „rote Zar" wagt den Sprung ins kalte Wasser. Er reicht Hitler die Hand zum Bund.

Stalins Pakt mit Hitler

Das Vorgehen Moskaus in Spanien zeigt deutlich: Es kommt den Sowjets jetzt nicht darauf an, die Weltrevolution voranzutreiben und den „ersten Arbeiter-und-Bauern-Staat der Geschichte" in deren Dienst zu stellen, sondern umgekehrt die Hoffnungen und Wünsche der Kommunisten aller Herren Länder für die Interessen der Großmacht Sowjetunion auszunützen. Je stabiler die Herrschaft Stalins wird, desto imperialistischer wird seine Politik und um so unverblümter mißbraucht er den Idealismus ausländischer Revolutionäre, aber auch der russischen Jugend zur Anbetung des Götzen Macht.

Um die Sowjetunion bündnisfähig zu machen, muß ihre militärische Kraft verstärkt werden. Hitler hat die Aufrüstung forciert in Gang gesetzt. Stalin macht es ihm nach. Der Militärhaushalt wächst von fünf Milliarden Rubel im Jahre 1935 auf das Dreifache im Jahre 1937 und auf das Siebenfache im Jahre 1940. Nun beträgt er 34 Milliarden Rubel. Im ähnlichen Verhältnis vergrößert sich das Heer. 1934 zählt es 940 000 Mann. 1940 sind es vier Millionen geworden. Diese werden von einer weiteren Million NKWD-Truppen und Miliz ergänzt. Und da die Ar-

mee Waffen braucht, schwillt gleichzeitig der Umfang der Rüstungsindustrie an. Dies bedeutet, daß ein Viertel des gesamten Volkseinkommens, und nicht nur etwa der Steuern, für die Militärmacht ausgegeben wird.
Die Westmächte, also England und Frankreich, sind sicher, daß die gewaltige „russische Dampfwalze" — wie 1914 — notfalls dazu beitragen wird, das sich bedrohlich gebärdende Deutschland zurückzudrängen. Zwischen Nationalsozialisten und Kommunisten herrscht Todfeindschaft. Als Hitler 1933 den Völkerbund, den Vorläufer der Vereinten Nationen, demonstrativ verlassen hat, ist die Sowjetunion ihm ebenso demonstrativ beigetreten. In Spanien haben Deutsche und Sowjetbürger einander offen mit der Waffe in der Hand bekämpft. Es gilt nur noch, meint man in London und Paris, die Modalitäten des Bündnisses auszuhandeln.
Polen und Rumänien, so fordern die Sowjets, sollen der Roten Armee im Kriegsfall das Durchmarschrecht zugestehen. Die Polen lehnen ab. Und der polnische Oberbefehlshaber Rydz-Smigly begründet den polnischen Standpunkt mit der Erklärung: „Mit den Deutschen laufen wir Gefahr, unsere Freiheit zu verlieren. Mit den Russen verlieren wir unsere Seele!" Er ist sich klar darüber, daß ein den Sowjets gewährtes Recht, durch Polen zu marschieren, ihnen zu jeder Stunde den Vorwand bieten kann, auf dem Wege „auszuruhen und zu verweilen".
In England betrachtet man die Dinge mit anderen Augen. Duff Cooper und Winston Churchill gelangen zu der Überzeugung, es sei unter den gegebenen Verhältnissen das vernünftigste, sich mit dem so „gigantischen Faktor" Sowjetunion zu arrangieren. Frankreich geht noch einen Schritt weiter. Es zeigt sich geneigt, der Sowjetunion in den baltischen Ländern „freie Hand" zu geben. Aber das ist Stalin nicht genug. Hitler bietet mehr.
Hitler muß mehr bieten. Er braucht Rückendeckung. Er will keinen Kampf an zwei Fronten. Der deutsch-polnische Konflikt spitzt sich zu. Hitler ist entschlossen, ihn gewaltsam zu lösen. Dabei nimmt er in Kauf, einen zweiten Weltkrieg zu entfesseln, denn England und Frankreich haben den Bestand des polnischen Staates garantiert. Hitler läßt sich allerdings von der Hoffnung leiten, daß die Westmächte nicht Ernst machen werden. Ein Jahr zuvor haben sie mit ihm das Münchener Abkommen getroffen, das ihm die sudetendeutschen Gebiete der Tschechoslowakei ausgehändigt hat. Und erst im März 1939, vor einem Vierteljahr, haben sie tatenlos zugesehen, wie die deutschen Panzer in Prag eingezogen sind und die Rumpf-Tschechoslowakei zerschlagen wurde.
Stalin denkt genauso. Auch er befürchtet einen Rückzieher des Westens. Läßt dieser Polen fallen, steht die Sowjetunion dem deutschen Militärkoloß allein und direkt gegenüber. Deshalb setzt Stalin auf die Karte Berlin. Am 19. August 1939 unterzeichnen das Deutsche Reich und die Union der Sozialistischen Sowjetrepubliken ein Wirtschaftsabkommen, das dem Kreml eine Anleihe von 180 Millionen Reichsmark zum Ankauf deutscher Waren innerhalb von zwei Jahren einräumt. Am 23.

August trifft Reichsaußenminister v. Ribbentrop persönlich in Moskau ein. Stalin empfängt ihn.

Sehr schnell wird man sich handelseinig. Ein Nichtangriffspakt auf zehn Jahre wird geschlossen, der — ein ungewöhnlicher Fall in der Diplomatie — vom Augenblick der Unterzeichnung an in Kraft tritt. Aber viel wichtiger ist das geheime Zusatzprotokoll. Die Kommunisten und die Nationalsozialisten beschließen die vierte Teilung Polens. Entlang der Flüsse Narew, Weichsel und San soll die Demarkationslinie verlaufen. Estland und Lettland werden den Sowjets zugesprochen, Litauen den Deutschen. An Bessarabien, dem nördlichen Teil Rumäniens, erklärt Deutschland sich „desinteressiert", das heißt, die Sowjets können es kassieren.

Der deutsch-sowjetische Pakt überrascht die Weltöffentlichkeit und erregt sie in ungeahntem Maße. Er ist die Sensation der dreißiger Jahre. Und Hitler nützt den Schock. Er marschiert am 1. September 1939 in Polen ein. In drei Wochen ist der erheblich schwächere Gegner geschlagen. Von Osten her nehmen Sowjettruppen den der Sowjetunion zugebilligten Teil Polens in Besitz. Eine neue Demarkationslinie wird gezogen, die den Deutschen noch das polnische Gebiet bis zum Bug zuschlägt. Dafür erhalten die Sowjets den Anspruch auf Litauen.

Und während Hitler seine Armeen mehr und mehr an der Westfront versammelt, wo die Truppen Frankreichs und Englands ihnen im Stellungskrieg gegenüberliegen, stellt Stalin plötzlich dem kleinen Finnland ein Ultimatum: Es soll die Grenze auf der karelischen Landenge zugunsten der Sowjetunion zurücknehmen. Die Finnen lehnen ab. Am 30. November 1939 treten 30 sowjetische Divisionen zum Angriff an. Das 190 Millionen Einwohner umfassende Sowjetimperium versucht, das kleine, nur viereinhalb Millionen zählende finnische Volk in die Knie zu zwingen.

Die Sowjets ernten die Empörung der Welt. Der Völkerbund schließt die Sowjetunion aus. Und die Sowjets ernten den Hohn der Welt. Erst am 15. Februar 1940 gelingt es ihnen, die finnischen Stellungen zu durchbrechen und die sich heldenhaft wehrenden, auf sich allein gestellten Finnen zum Nachgeben zu bringen. Für Deutschland wird der Finnische Winterkrieg bittere Nachwirkungen haben. Denn Hitler läßt sich verleiten, die Kampfkraft der Roten Armee nach diesem Fiasko einzuschätzen.

Im Mai 1940 marschieren die Sowjets dann in das Baltikum ein. Stalin treibt zur Eile. Deutschland ist dabei, Frankreich niederzuwerfen. Hitlers Macht wächst täglich an. Es stellt sich die Frage, wie lange er sich noch an die dem Kreml gemachten Zusagen halten wird. Im Juli vollzieht sich der offizielle staatsrechtliche Anschluß der drei baltischen Staaten an die Sowjetunion. Zur gleichen Zeit richtet diese ein Ultimatum an Rumänien, Bessarabien und die Bukowina abzutreten.

Bessarabien ist den Sowjets von den Deutschen im August 1939 zugestanden worden, die Bukowina, die zuvor nie in ihrer Geschichte zu

Rußland gehört hat, aber nicht. Hitler empört sich: „Ich lasse mich von den Russen nicht länger an die Wand drücken." Zwar fordert er die Rumänen auf deren Anfrage hin auf, sich den Wünschen Stalins gefügig zu zeigen. Am 18. Dezember 1940 aber, nachdem er Molotow in Berlin empfangen hat, den Vorsitzenden des Rats der Volkskommissare, und nachdem der Versuch mißlungen ist, den Sowjets Appetit auf Persien und Indien zu machen, um sie vom Balkan abzulenken, erläßt er die „Weisung Nr. 21": „Die deutsche Wehrmacht muß darauf vorbereitet sein, auch vor Beendigung des Krieges gegen England, Sowjetrußland in einem schnellen Feldzug niederzuwerfen (Fall Barbarossa)."

Der Große Vaterländische Krieg

Hitlers Krieg verspricht von der ersten Stunde an einen Gewinn für den Kommunismus. Denn wie immer er ausgehen mag — ob Deutschland, Italien und Japan oder ob die Westmächte siegen — in jedem Falle werden die „kapitalistischen" Staaten und Völker über Jahre hinaus gewaltige Blut- und Geldopfer bringen müssen. Am Tage des Friedensschlusses werden sie geschwächt und wirtschaftlich ausgeblutet sein. Jede Kampfhandlung ist für die Sowjetunion eine gewonnene Schlacht. Je länger, je blutiger, je kostspieliger dieser Krieg wird, desto gebrochener werden am Ende nicht nur die Besiegten, sondern auch die Sieger dastehen. Diese Rechnung ist eindeutig und sicher. Kein Zweifel darf darüber bestehen, daß Stalin sie anstellt und sich von ihr leiten läßt.

Dann aber tritt unerwartet und offenbar sinnlos die Wandlung ein: Am 22. Juli 1941, morgens um 3.15 Uhr, überfahren deutsche Panzer und überfliegen deutsche Bomber und Jagdflugzeuge die sowjetische Grenze. Das erste Ziel ist, mit Panzereinheiten keilförmig in das westliche Rußland zu stoßen und bis auf die Linie Archangelsk-Astrachan vorzudringen. Kampffähige sowjetische Truppen sollen von ihren rückwärtigen Verbindungen abgeschnitten und gefangengenommen, Gegenschläge der sowjetischen Luftwaffe verhindert werden. Die Anfangserfolge sind gewaltig: Millionen Russen geraten in die Gefangenschaft. Deutsche Truppen stoßen weit in die Sowjetunion vor.

Damit ist die scheinbar widersinnige Lage geschaffen, daß die UdSSR mit Frankreich und England gegen den gleichen Feind kämpft und so zu einer Schicksalsgemeinschaft verflochten wird. Kommunistische und „kapitalistische" Staaten erdulden die gleichen Kriegsgefahren. Sie bringen gleiche Opfer und stehen zum gleichen Ziel, auf Leben und Sterben vereint. Churchill erklärt: „Niemand ist in den letzten 25 Jahren ein unbedingterer Gegner des Kommunismus gewesen als ich. Ich werde kein Wort zurücknehmen, das ich jemals darüber geäußert habe. Aber all dies schwindet dahin vor dem Schauspiel, das jetzt abrollt."
Die Sowjetunion und England schließen einen Vertrag zur gegenseiti-

gen Hilfeleistung. Die Vereinigten Staaten von Nordamerika treten bei. US-Sonderbotschafter Harry Hopkins fliegt nach Moskau. Stalin schildert ihm die Verhältnisse mit einer bei ihm nie vorher beobachteten Ehrlichkeit. Er wünscht Waffen, Treibstoff und Aluminium. Denn 75 Prozent der sowjetischen Rüstungsbetriebe liegen im Raum von Moskau, Leningrad und Kiew und sind damit durch die Deutschen gefährdet.

Der jetzt geschlossene „Pacht- und Leihvertrag" und die Unterstützung der Sowjets durch amerikanisches Geld sowie amerikanische Waffenlieferungen — schon in den ersten drei Monaten belaufen sich die Güter auf 145 Milionen Dollar — schaffen die Voraussetzungen für einen starken Widerstand der Angegriffenen. Im Jahre 1942 erreichen die Lieferungen einen Wert von mehr als einer Milliarde Dollar. Geliefert werden bis Kriegsende 427 284 Lastkraftwagen, 13 303 Panzer und 35 170 Motorräder. Hinzu kommen zweieinhalb Millionen Tonnen Treibstoffe, außerdem 1 900 Dampf- und 66 Diesellokomotiven, mehr als 10 000 Eisenbahnwagen, Werkzeuge, industrielle Ausrüstungen, Waffen, Medikamente, viereinhalb Millionen Tonnen Fleischkonserven, Fett, Zucker, Mehl und Salz. Die Nahrungsmittelmengen aus den USA sind so groß, daß mit ihnen jeder Mann des zwölf Millionen starken sowjetischen Heeres täglich mit einem halben Pfund Nahrung versorgt werden kann. Der Gesamtbetrag der Lieferungen erreicht schließlich elf Milliarden Dollar.

Die Sowjetunion hat mit dem Überfall Hitlers offensichtlich nicht gerechnet. Nun also ist auch für Moskau der Krieg nicht mehr nur die Gewinnchance des „lachenden Dritten", sondern blutige und gefährliche Wirklichkeit. Merkwürdigerweise schweigt Stalin vorerst völlig. Aber Molotow springt ein: „Die Regierung ruft euch auf, Bürger und Bürgerinnen der Sowjetunion, eure Reihen noch enger um unsere ruhmreiche bolschewistische Partei, um unsere Sowjetregierung, um unseren großen Führer, den Genossen Stalin, zu schließen! Unsere Sache ist gerecht. Der Feind wird geschlagen werden. Der Sieg wird mit uns sein!"

Der Große Vaterländische Krieg der Sowjetunion — so nennt Stalin selbst die folgenden schicksalsschweren Jahre — ist da. Die Deutschen stoßen vor bis an den Kaukasus. Sie besetzen Saporoschje, Orel, Wjasma und Rschew. Deutsche Armeen umschließen Leningrad. Angriffsspitzen erreichen Chimki, acht Kilometer vom Moskauer Stadtrand entfernt. Der sowjetischen Hauptstadt droht die Belagerung.

Stalin wendet sich über den Rundfunk an das Volk. Er verteidigt seine Politik der letzten Jahre, insbesondere den Nichtangriffsvertrag. Er spricht von „tödlicher Gefahr". Mit heißen Worten fordert er den Widerstand: „Der grausame und erbarmungslose Feind ist aufgebrochen, um das Land zu erobern, das die sowjetischen Bauern mit ihrem Schweiß getränkt haben, um die Völker der Sowjetunion zu germanisieren." Er beabsichtige, diese zu „Sklaven der deutschen Fürsten und Barone" zu machen. Wieder drohe Rußland „die Herrschaft der Grundbesitzer und des Zaren". Wo die Bevölkerung zu fliehen gezwungen sei, solle sie

„nichts als eine Wüstenei" zurücklassen. Sie müsse dem Feind das gleiche Schicksal bereiten, das die Vorfahren 1812 dem Eindringling Napoleon beschieden haben. Die Taktik der „verbrannten Erde" wird proklamiert. Dem Feinde dürfe „keine Lokomotive, kein einziger Eisenbahnwagen, kein Pfund Mehl und keine Kanne Benzin in die Hand fallen". Partisanen sollen die Deutschen „im ruhelosen Kleinkrieg stören, sie durch Sabotageakte stören, Brücken sprengen..."

In dieser Art des Kampfes ist ein Teil der Bevölkerung seit Jahren geschult worden. Man weiß also, was zu tun ist. Stalin übernimmt persönlich den Vorsitz im Rat der Volkskommissare sowie die Leitung des Verteidigungskommissariats. Damit ist er auch Oberster Befehlshaber der Armee. Er verlangt widerspruchslosen Gehorsam.

Wie wichtig diese Forderung ist, zeigen vor allem die eigenwilligen Bewohner der nichtrussischen Westgebiete, insbesondere des Baltikums, aber auch die Ostpolen, die Bessarabier, Weißruthenen und Ukrainer. Sie feiern die deutschen Truppen als Befreier vom sowjetischen Joch. Endlich haben sie die Möglichkeit, sich gegen den verhaßten Bolschewismus zu empören. Doch diese Sympathien nutzt Hitler nicht. Er spielt sich als Kolonialherr auf und weist die Einwohner der Sowjetunion in Stalins Arme zurück.

Zuerst gibt es den „Kommissarerlaß": Alle gefangenen kommunistischen Kommissare sind ohne Gerichtsbeschluß sofort zu erschießen.

Der „Kommunistenerlaß" vom 16. September 1941 ordnet an, daß für jeden im besetzten Gebiet von Partisanen getöteten deutschen Soldaten 50 bis 100 Kommunisten zu erschießen sind.

Es folgt der „Geiselerlaß" vom 1. Oktober 1941. Er gestattet, auch Nichtkommunisten als Geisel festzuhalten.

Der „Nacht- und Nebelerlaß" vom 7. Dezember 1941 bestimmt ergänzend, daß zur Vergeltung von Terror- und Sabotageakten Leute der Zivilbevölkerung ohne Aufsehen nach Deutschland gebracht werden sollen, um hier in der Rüstungsindustrie zu arbeiten.

Im neugeschaffenen Ostministerium spricht man von den baltischen Ländern, der Ukraine und Weißrußland als von „Reichsländern". Sie sind dazu ausersehen, den Platz für Militärkolonien und Wehrbauernhöfe zu bieten. Die Folgen: Aus Freunden werden Partisanen, die den deutschen Soldaten in den Rücken fallen.

Trotzdem bleiben die Sorgen der Sowjetregierung groß. Gegen Ende 1941 haben die Deutschen ein Gebiet besetzt, in dem 40 Prozent der russischen Gesamtbevölkerung wohnen. Hier wurden vor dem Kriege 65 Prozent der Kohle gefördert, 48 Prozent des Roheisens, 58 Prozent des Stahls, 60 Prozent des Aluminiums, 38 Prozent des Getreides und 84 Prozent des Zuckers erzeugt. 41 Prozent des Eisenbahnnetzes liegen hier. Eilig werden 1 360 Fabriken und Werkstätten nach dem Osten verlagert. Mit ihnen treten Millionen Arbeiter und ihre Familien den gleichen Weg an. Sitz der Rüstungsindustrie werden das Gebiet der mittleren Wolga, das Uralgebiet, das Kusnezker Kombinat, die Gegend von Karaganda.

Als die deutschen Vorausabteilungen 50 Kilometer vor Moskau stehen, werden dort aus Freiwilligen Arbeiterbataillone aufgestellt und nach einer Ausbildung von nur sieben Tagen an die Front geschickt. Die Bevölkerung baut Panzersperren, Stellungen für die Artillerie und für Maschinengewehrposten. Über der Stadt hängt seit dem 19. Oktober 1941 der Belagerungszustand. Die Ämter der Volkskommissariate werden an die Wolga verlegt. Was an Akten und Archivmaterial nicht mitgenommen werden kann, wird verbrannt.

Und dann ereignet sich etwas für Außenstehende Unerwartetes, obgleich es Kenner Stalins nicht überraschen kann: Auf der Revolutionsfeier 1941 — sie findet wegen der Fliegergefahr in einer Station der Moskauer U-Bahn statt — besinnt man sich auf die ruhmreiche nationale Vergangenheit. Nicht die Helden der Revolution oder des Bürgerkrieges werden von dem Redner beschworen und dem Volk als beispielhaft nahe gebracht, sondern die großen Russen der Zarenzeit. „Laßt die großen Bilder unserer großen Vorfahren Alexander Newski, Dimitri Donskoi, Minin und Poscharski, Suworow und Kutosow vor euerm inneren Auge aufleben. Sie sollen eure Führer in diesem Kriege sein!" Der Redner heißt Stalin. Vorbei ist es also mit einem Patriotismus, der nur die Roten gelten läßt. Unter dem Klang uralter Märsche rücken die Truppen zur Parade und vom Roten Platz sofort an die Front.

Der Erfolg bleibt zunächst aus. Die Menschen werden von der Panik gepackt. Sie sehen, daß die Behörden die Stadt verlassen, folgern die unvermeidliche Katastrophe und versuchen, sich ebenfalls zu sichern. Sie stürmen die Lebensmittelgeschäfte. Parteimitglieder verbrennen ihre Ausweise und werfen die Abzeichen fort. Dann aber stellt man mit Erstaunen und Scham fest, daß Stalin noch immer im Kreml sitzt. Selbst Hitlers Drohung, diesen „in die Luft zu sprengen, um damit den Sturz des bolschewistischen Systems zu besiegeln", ändert nichts an dem Entschluß des Diktators, auszuharren. So fassen auch die Bewohner der Stadt wieder Mut.

Im folgenden sehr frühen Winter erlahmt die deutsche Offensive. Unter schneidender Kälte und wildem Schneetreiben gehen die Sowjets zum Gegenangriff über. Sie zwingen die Deutschen zum Rückzug.

Um die gleiche Zeit verhungern im belagerten Leningrad 600 000 Menschen. Die Leichname bleiben meistens in den Wohnungen: So können die Hinterbliebenen die Lebensmittelrationen der Toten für sich fordern.

Zwar stoßen die deutschen Divisionen im folgenden Sommer weiter im Süden über Rostow und Krasnodar bis in den Kaukasus und an die untere Wolga vor. Doch dann verlagert sich das Schwergewicht der Kämpfe nach Stalingrad, der Stadt, die dereinst Zarizyn hieß und — wie jeder Komsomolze lernen muß — von Stalin vor mehr als 20 Jahren gegen den Ansturm der Weißen verteidigt worden ist.

Ein sowjetisches Plakat zu Beginn des deutsch-sowjetischen Krieges 1941. Der Text oben lautet: „Besser sterben in Ehren als leben in Schande!" und unten: „Möge euch das tapfere Vorbild unserer großen Ahnen in diesem Krieg anspornen! J. Stalin"

Die Sowjets leisten hartnäckigen Widerstand. Wohnviertel und Fabrikanlagen werden erbittert umkämpft. Nur schrittweise gewinnen die Deutschen Boden. Ihre Verluste sind blutig und schwer. Ende Oktober 1942 haben sie erst zwei Drittel der Stadt in Händen. Die Offensive ist steckengeblieben. Stalingrad fällt ebensowenig wie ein Jahr zuvor Moskau.

Sowjetische Verbände unter Marschall Rokossowski treten zum Gegenstoß an. Sie überrennen zwei Armeen der mit den Deutschen verbündeten Rumänen, die die in Stalingrad kämpfende 6. Armee flankieren. Am 22. November vereinigen sich die Angriffskeile der Sowjets westlich der Stadt. 22 Divisionen, 330 000 Mann sind eingeschlossen.

Ein mit unzulänglichen Kräften unternommener Entsatzversuch schlägt fehl. Die Luftversorgung reicht nicht aus. Einen Ausbruch untersagt Hitler. Die 6. Armee soll Stalingrad halten, komme was da wolle. Von Hunger und Kälte zermürbt, wehren sich die Eingeschlossenen noch bis Ende Januar 1943 verzweifelt gegen die sowjetische Übermacht. Schließlich kapitulieren die überlebenden letzten 90 000 Mann. Die Sowjets haben ihren bis dahin größten Sieg errungen. Das russische Volk gewinnt in seiner Mehrzahl wieder Vertrauen zu sich selbst und zu seiner Führung.

Und wieder und weiter wird die alte, in den letzten Jahrzehnten unterdrückte, verdächtig und verächtlich gemachte nationale Tradition beschworen. Stalin hat erkannt, daß er den durch die bedrohliche Gegenwart beunruhigten Menschen nicht mehr mit den Erinnerungen an den Bürgerkrieg kommen darf. Da predigt er tauben Ohren. Sind im Juni 1941 wieder politische Kommissare zur Überwachung der Truppe eingesetzt worden, so werden sie jetzt, im Oktober 1942, erneut „abgeschafft". An der Stelle der Kriegskommissare stehen fortan „Kommandeure für politische Angelegenheiten". Sie haben Offiziersrang.

Weiter wandelt sich das Bild: Die „Prawda" bringt im November 1942 einen Artikel, der früher dem Schreiber den Kopf gekostet hätte. Kurz und bündig steht zu lesen: „Kein Soldat hat sozialistische Verpflichtungen. Seine Aufgabe beschränkt sich auf den Dienst fürs Vaterland."

Im November 1917 sind die Garderegimenter des Zaren gegen die Revolutionäre eingesetzt worden. Seither stand die Erinnerung an sie im Zeichen des Hasses und der Verachtung. Nun werden aus den Stoßarmeen neue Gardetruppen gebildet. Sie leben in der alten Tradition. An Revolution und Kommunismus erinnern nur die roten Fahnen. Neue Dienstränge werden geschaffen, die Schulterstücke wieder eingeführt. Der Kutusow- und der Suworow-Orden werden als Auszeichnungen für Tapferkeit verliehen — wie einst zur Kaiserzeit. Der militärische Gruß wird zur Pflicht. Stalin nimmt den Rang eines Marschalls an.

Der Anspruch Stalins auf einen Kult seiner Person, der schon vor dem Kriege zur Maßlosigkeit geführt hat, erfährt groteske und herausfordernde Formen. Er wird gespeist und gefördert durch die zahllosen Kriecher, die Stalin umgeben oder aus der Ferne anhimmeln, um damit einen Abglanz der Kreml-Sonne auf sich selbst zu lenken oder um die Anordnungen aus Moskau bei der unruhig und unsicher gewordenen Bevölkerung leichter durchzusetzen.

Stalin selbst ist klein und plump gewachsen. Im Verhältnis zum Oberkörper sind seine Arme und Beine zu kurz. Er hat einen dicken Bauch und schütteres Haupthaar. Sein Gesicht zeigt den bleichen „Kremlteint". Seine Augen spielen zwischen Strenge und Schalk. So jedenfalls sieht ihn der jugoslawische Besucher Milowan Djilas, der sich zwar bemüht, sachlich und nüchtern zu urteilen, aber verständlicherweise auch der Blendung verfällt, als er sich — Vertreter einer kleinen und niedergeworfenen Nation — dem Führer der großen Sowjetunion gegenübersieht. Wenn es darum geht, dem russischen Volk — und darüber hinaus den Menschen in der weiten Welt — diesen Stalin in Photographien oder Wochenschauen zu zeigen, so tritt er in majestätischer Pose auf. Sein Gang ist steif und bedächtig. Im persönlichen Verkehr hingegen stellt er sich schlicht, sachlich und ohne Pose. Er spricht überaus lebhaft. In der Hand hält er einen blauen Stift. Mit ihm umschreibt er gewissermaßen die von ihm gesprochenen Sätze oder durchkreuzt sie mit einem schrägen Strich, wenn er das Thema für abgeschlossen ansieht.

Das Jahr 1942 bringt weitere tief einschneidende Veränderungen im Auftreten der kommunistischen Führer und sicher auch in ihrer Geisteshaltung. Bisher steht am Kopf vieler Zeitungen die Zeile: „Proletarier aller Länder — vereinigt euch!" Jetzt heißt es: „Nieder mit den faschistischen Eindringlingen!"

Die kirchlichen Würdenträger, die bis eben im atheistischen Bolschewismus den erklärten Feind gesehen haben, legen nun ein Treuebekenntnis ab. Eine kirchliche Waffenspende schlägt Brücken zwischen ihnen und dem Staat. Nach der Befreiung Stalingrads empfängt Stalin die Erzbischöfe, an ihrer Spitze den Metropoliten Sergius als Haupt der russischen Kirche. Sie führen ein langes, freundschaftliches Gespräch. Stalin weiß natürlich auch hier, was er will: Es gibt in Rußland noch viele Anhänger der christlichen Religion, vor allem aber ist die Tradition enger Bindung zwischen der russischen Kirche und der griechisch-orthodoxen Kirche des Balkans unvergessen ...

Als im November 1942 wieder der Revolutionstag gefeiert wird, erinnert kein offizielles Wort mehr an die Weltrevolution. Wenn an diesem Tage die Musikkapellen die festliche Hymne anstimmen, ist es überdies nicht der feierliche Lobgesang der Arbeiterbewegung, der für die gesamte Welt erklingt, also nicht die „Internationale", sondern eine neue — eine sowjetische Nationalhymne. Ein russischer Dichter hat den Text verfaßt und dem russischen Verlangen nach Zusammengehörigkeit Ausdruck verliehen. Und ein russischer Komponist hat diesen Text in Musik gesetzt. Der Bruch mit der Idee von der Weltrevolution findet damit sichtbaren Ausdruck.

In der gleichen Linie liegt dann die offizielle Auflösung der Komintern, dieser „internationalen Weltpartei", deren ausgesprochener Zweck es sein sollte, „für den Sturz der internationalen Bourgeoisie und für die Schaffung einer internationalen Sowjetrepublik" zu kämpfen. Die Sowjetunion, die heute um ihre Existenz ringt, ist national geworden. In ihr hat Stalins „Sozialismus in einem Land" über Trotzkis „permanente Weltrevolution" triumphiert.

Eigentlich ist zur Auflösung der Komintern der Beschluß eines Weltkongressses notwendig. Stalin setzt sich darüber hinweg. Er befiehlt — und alle folgen. Seine Gründe - die wirklichen oder auch nur die vorgeblichen — nennt der Auflösungsbeschluß vom 15. Mai 1943: „Der Lauf der Ereignisse im letzten Vierteljahrhundert und die Erfahrung, die von der Komintern gesammelt wurde, zeigten überzeugend, daß die organisatorische Form der Arbeitervereinigung ... im steigenden Maße veraltet, obwohl sie den Notwendigkeiten der Anfangsperiode der Arbeiterbewegung entsprochen hatte. Die Bewegung wuchs über ihre Aufgaben hinaus, und diese selbst wurden in den verschiedenen Ländern immer komplizierter. Schließlich wurde die Komintern sogar zum Hindernis einer weiteren Konsolidierung der Arbeiterparteien."

Ein Blick auf die politischen Hintergründe und Tatsachen hebt die wirklichen Motive aus den Verschleierungen des Wortschwalls: Der Weltkommunismus wird nicht von der Arbeiterschaft der Welt, sondern von Stalin und dem ZK der KPdSU gesteuert und als Mittel zum Zweck benutzt. Durch den Krieg ist die internationale Lage so verändert worden, daß die Komintern nun den staatsegoistischen Interessen der Großmacht Sowjetunion im Wege steht. Darum muß sie verschwinden. Darum ist diese Form der Arbeitervereinigung „veraltet", weil die um das Überleben kämpfende Sowjetunion Hilfe allein bei den kapitalistischen Ländern finden kann, deren Mißtrauen es zu überwinden gilt.

Was wirklich hinter all dem steckt, wird spätestens bei Kriegsende deutlich, als Stalin die angesehensten ehemaligen Kominternfunktionäre in ihre Heimatländer zur politischen Weiterarbeit schickt. Es gehen Georgi Dimitroff nach Bulgarien, Palmiro Togliatti nach Italien, Wilhelm Pieck und Walter Ulbricht nach Deutschland, Johann Koplenig nach Österreich, Matthias Rakosi nach Ungarn, Maurice Thorez und André Marty nach Frankreich. Die Komintern ist tot — es lebe die kommunistische internationale Zusammenarbeit. Und nicht mehr eine jedenfalls dem Ansatz nach unabhängige Institution wacht über das Schicksal des internationalen Kommunismus, sondern die KPdSU ist die getarnte Befehlszentrale für alle anderen kommunistischen Parteien in der Welt geworden. Mit einem Trick, der als eine großartige Geste der Versöhnung kaschiert ist, hat Moskau es fertiggebracht, seine Herrschaft über den Weltkommunismus weiter zu festigen.

Diese Aktion entspricht wie keine zweite dem Charakterbild des Mannes, der sie in Gang gesetzt hat. „Bei Stalin war jedes Verbrechen möglich; denn es gibt kein einziges, das er nicht begangen hätte", schreibt der durch die Vorgänge ernüchterte Milovan Djilas, der Kampfgefährte Titos, der dreimal als zweitmächtigster Mann Jugoslawiens nach Moskau geschickt, später aber in seinem Heimatland wegen seiner Kritiken am Kommunismus mehrmals zu langjährigen Gefängnisstrafen verurteilt werden soll. Bei den Besuchen im Kreml Stalins kommt sich dieser Sohn der armen, von der Natur stiefmütterlich behandelten Landschaft Bosniens wie in ein Märchenland versetzt vor. Er sieht sich am Hof eines mittelalterlichen Kriegsherrn, und vergeblich versucht er, diesen in seinem Gemisch von Willkür und Gefühlsseligkeit, von geistiger Kraft und Launenhaftigkeit, von Schamlosigkeit, Abgebrühtheit, frecher Grundsatzlosigkeit und tobender Anmaßung zu begreifen. Und so folgert er: „Mit welchem Maß wir ihn auch messen wollen, ihm wird jedenfalls — hoffen wir für alle Zeiten — der Ruhm zufallen, der größte Verbrecher der Geschichte zu sein. Denn in ihm gesellt sich zur verbrecherischen Gefühlsseligkeit eines Caligula die Raffinesse eines Borgia und die Brutalität eines Zaren vom Format Iwans des Schrecklichen."

Djilas fragt sich, wie es dazu kommen konnte, daß ein so düsterer, verschlagener und grausamer Mensch die Geschicke eines der größten Staaten lenkt, nicht nur einen Tag oder ein Jahr lang, sondern 30 Jahre hindurch. Und er findet die Antwort in der Tatsache, daß Stalin inmitten einer erschöpften und verzweifelten nachrevolutionären Gesellschaft wirkt, mit einer „herrschenden politischen Bürokratie der Partei, die gerade für solch einen Mann Verwendung hatte ... Er führte sie wahrhaftig von Sieg zu Sieg ... Er war methodisch allumfassend und total wie ein Verbrecher. Er war einer jener seltenen schrecklichen Dogmatiker, die fähig sind, neun Zehntel der Menschheit zu vernichten, um das letzte Zehntel ‚glücklich' zu machen."

Wie sein Gegenspieler Hitler scheut Stalin nicht vor den schwersten Gewalttaten zurück. Im September 1939 sind den Sowjets in Ostpolen etwa 14 500 Polen, darunter 8 000 Offiziere, in die Hände geraten, die vorher von den Deutschen gefangengenommen worden waren. Sie werden in der Gegend von Smolensk in Internierungslager gebracht. Im ersten halben Jahr erhält die Außenwelt noch gelegentlich Nachrichten. Dann hören diese auf. Der polnische Botschafter verlangt Aufklärung von Stalin. Der weicht der Antwort aus. Später behauptet er gegenüber dem Chef der polnischen Exilregierung in London, General Sikorski, die Insassen des Lagers seien über die Mandschurei entwichen.

Nachforschungen der Polen sind unmöglich, da inzwischen das Gebiet von Smolensk von den Deutschen besetzt ist. Dann, im Frühjahr 1943, entdecken diese in der Nähe — in Katyn — ein Massengrab polnischer Offiziere. Die Sowjets versuchen, den Mord den Deutschen in die Schuhe zu schieben. Untersuchungen, an denen neutrale und internationale Sachverständige teilnehmen, erbringen den Beweis dafür, daß die Erschießungen schon im Frühjahr 1940, also vor der deutschen Besetzung, stattgefunden haben.

Die Motive des ungeheuerlichen Geschehens sind klar: Mit den Offiziersmorden von Smolensk und den Massengräbern von Katyn sollen die Stützen der alten Gesellschaft, die aktivsten Gegner des Bolschewismus ausgelöscht und der Widerstand des polnischen Volkes gegen die Herrschaft des Kommunismus ein für allemal gebrochen werden.

Diese entsetzliche Geschichte läßt gerade vor dem Hintergrund der Kriegspropaganda und der Bemühungen Moskaus, der Umwelt ein gutes Gesicht zu zeigen, aufhorchen. Der Sieg von Stalingrad zu Beginn des Jahres lenkt aber das Interesse daran schnell wieder ab. Mit dieser einzigen Schlacht gewinnt die Sowjetunion den Rang einer Weltmacht. Mit Bewunderung und Begeisterung blicken nun auch die westlichen Nationen auf Stalin, auf sein Heer, auf sein Volk. Und ebenso erkennen dieses Volk und seine Armee in ihrem „Marschall" den Helden, dessen Hand und dessen Schwert Geschichte machen.

„Hiwis" und Partisanen

Dennoch hört der innere Widerstand gegen das rote System nicht völlig auf. Ende 1942 ist in der deutschen Wehrmacht die Zahl der russischen „Hilfswilligen" — der „Hiwis" — auf etwa eine Million Mann angewachsen. Keine bolschewistische Propaganda kann sie zurückhalten. An der Front nützen Zahllose jede Gelegenheit zum Überlaufen. Zehntausende in der Etappe verstümmeln sich selbst, damit sie nicht zu kämpfen und nicht für das verhaßte bolschewistische System ihr Leben einzusetzen brauchen. Freiwilligenverbände werden dem deutschen Heer eingegliedert. Sie denken dabei selbstverständlich kaum an den Nationalsozialismus und noch weniger an einen Pangermanismus, wie er Hitler vorschwebt. Sondern sie wollen ihre russische Heimat frei sehen von der roten Gewaltherrschaft. Und sie hoffen, daß die Deutschen ihnen behilflich sein werden.

Als die deutschen Heere 1942 auf den Dnjepr vorstoßen, gehen 70 000 Kosaken zu ihnen über, um gegen die Roten zu kämpfen. Ein besonderes Kosakenkorps mit zwei Divisionen steht unter dem Befehl von General Pannwitz, ein weiterer Kosakenverband unter dem Ataman Domanow. Diese Kosaken sind Russen und wollen Russen bleiben. Ihr Kampf ist nicht gegen „Mütterchen Rußland" gerichtet, sondern gegen den Bolschewismus.

Nicht anders denkt Andrej Andrejewitsch Wlassow, der Bauernsohn aus der Gegend von Nischni-Nowgorod. Als Siebzehnjähriger hat er an der Oktoberrevolution teilgenommen. Auch der Kommunistischen Partei gehört er an. Die große Säuberung — er erlebt sie zu seinem Glück als militärischer Berater von Tschiang Kai-schek im fernen China — öffnet ihm dann die Augen. Trotzdem bleibt er Soldat. 1941 zeichnet er sich in der Schlacht um Moskau aus und erhält den Orden der Roten Fahne. Dann aber wird die ihm unterstellte 2. Stoßarmee am Wolchow eingekesselt. In diesen Tagen kommt er zu dem Entschluß, das russische Volk zum Kampf gegen den Bolschewismus aufzurufen. In deutscher Gefangenschaft entsteht der „Offene Brief" vom 3. März 1943, in dem Wlassow begründet, weshalb er den Kampf für ein „neues Rußland" für notwendig hält.

Dieses „neue Rußland" allerdings widerstrebt Hitler und Rosenberg, dem Herrn des Ostministeriums. Sie haben das Ziel vor Augen, das russische Imperium in seine vielen Einzelvölker aufzulösen. Dies ist auch der Grund, aus dem sie sich vor allem an die nichtrussischen Völker im Lande wenden. Dabei verkennen sie völlig, daß auch die „Nichtrussen" im russischen Raum sich seit Jahrhunderten Rußland zugehörig fühlen.

Wlassow wird kaltgestellt. Er erhält eine Villa in Dahlem und „Ehrenhaft". Damit ist er einflußlos und mundtot gemacht. Statt dessen gibt es einen besonderen deutschen „General der Osttruppen". Ihm unterstehen 1944 etwa 650 000 Mann. Sie sind in Kriegsgefangenen- und Baubataillonen zusamengefaßt. Unter ihnen befinden sich mehr als 100 000 Männer aus Turkestan, etwa ebenso viele Kaukasier, 35 000 Tataren und 29 Schwadronen Kalmücken. Hinzu kommen die schon früher erwähnten Kosaken, kommen viele Tausende, die sich aufgrund des Aufrufs in der Kriegsgefangenenzeitung „Drobowolez" — Der Freiwillige — melden oder sich dem in Smolensk gegründeten „Russischen Befreiungskomitee" zur Verfügung gestellt haben. Kurz vor Kriegsende wird auch Wlassow wieder aus der Versenkung hervorgeholt. Er soll drei Divisionen aufstellen. (Die Wlassow-Verbände fallen später den Amerikanern in die Hände, die sie an die Sowjets ausliefern. Der General selbst wird im August 1946 in Moskau hingerichtet.)

Mit ihrer Instinktlosigkeit und ihrer Unfähigkeit, fremde Völker zu begreifen, spielt die nationalsozialistische Führung den Bolschewisten in die Hände. Diese verstehen es, im Laufe der Zeit — und im Zusammenhang auch mit den eigenen militärischen Erfolgen — die katastrophale Entwicklung der ersten Kriegsjahre aufzufangen.

Einen wesentlichen Beitrag dazu leistet der Staatssicherheitsdienst des MWD, des Ministeriums für innere Angelegenheiten (wie das NKWD heißt, nachdem sogar das revolutionäre Wort „Volkskommissar" von dem altüberlieferten, seriösen „Minister" abgelöst worden ist). Sein Personal wächst jetzt auf 600 000 Mann an. Eine besondere Unterorganisation überwacht alle militärischen Stellen. Das MWD ist von so brutaler Rücksichtslosigkeit, daß es ihm gelingt, militärische Disziplin und staatsbürgerliches Pflichtbewußtsein nach und nach wieder zu festigen und Volk, Partei und Armee in den Griff zu bekommen.

Behilflich ist dieser Politik, daß Stalin der Bevölkerung die gewaltigen Lieferungen von Material und Lebensmitteln durch die USA verschweigt und so den Eindruck einer ungebrochenen, großartigen Leistungsfähigkeit der Sowjetunion vortäuscht, die selbst durch den Krieg und seine Zerstörungen nicht geschwächt wurde.

Stalins Beute: Das halbe Europa

Die Erfolge der Roten Armee, die Wiederbelebung des Nationalgefühls und die schlechten Erfahrungen mit den deutschen Besatzern treiben schließlich Russen, Weißrussen und Ukrainer in Scharen den Partisanen in die Arme, die hinter der Front zu agieren beginnen.

Den Anstoß zum Aufschwung der Partisanenbewegung geben die Rekrutierungen von „Ostarbeitern" für die deutsche Rüstungsindustrie. Millionenweise werden diese Menschen nach Deutschland gebracht, ohne daß sie nach ihren Wünschen gefragt werden. Menschliche Bindungen gelten nichts. Und Psychologie geht den Rekrutierungskräften dieser Arbeitssklaven, die im Reich selbst der Gefahr politischer Infiltrierung wegen in geschlossenen Lagern untergebracht und mit dem als herabsetzend empfundenen „Ostarbeiterabzeichen" versehen werden, völlig ab.

Sobald sich Arbeitseinsatzkommandos den russischen Dörfern nähern, fliehen die Einwohner in die Wälder, wie früher die Bewohner Zentralafrikas beim Nahen der arabischen Sklavenjäger. Die Flüchtlinge verbergen sich im Sumpf und im Busch und nehmen willig ein entbehrungsreiches Dasein auf sich, nur um sich dem Zugriff der Häscher zu entziehen. Und wenn die deutsche Gendarmerie auftaucht, entwickelt sich blutiger Widerstand.

Die so entstehenden Partisanengruppen, von der KPdSU bald kontrolliert, von der Sowjetarmee auf dem Luftwege mit Waffen und Munition versorgt, werden zu einem heimtückischen Gegner der deutschen Wehrmacht. Partisanen unterbrechen Verbindungslinien und überfallen Nachschubkolonnen. Reserveverbände und Einzelposten werden vernichtet, Straßen, Brücken, Eisenbahnstrecken und Munitionslager gesprengt. Von Monat zu Monat wird dieser hinterlistige Gegner gefährlicher. Immer mehr deutsche Soldaten werden benötigt, Konvois zu bewachen — und so der kämpfenden Truppe entzogen.

Die Deutschen verschärfen ihre Vergeltungsmaßnahmen Schritt für Schritt und schrecken auch vor Geiselerschießungen und dem Niederbrennen ganzer Dörfer nicht zurück. Je härter die Besatzer durchgreifen, desto erbitterter wird der Partisanenkrieg. Und die Judenmorde durch SS-Einsatzkommandos, deren Zeuge die Bevölkerung des Hinterlandes wird, tragen erheblich bei, die eingedrungenen Deutschen verhaßt zu machen.

Das Seine tut schließlich auch Gauleiter Erich Koch in seiner Eigenschaft als Reichskommissar für die Ukraine. Er lehnt es ab, die Kolchosen aufzuteilen und die Bauern, wie sie hoffen, wieder zu einzeln wirtschaftenden Eigentümern zu machen. Nur von der Beibehaltung der Kollektivgüter verspricht der nationalsozialistische Machthaber sich lohnende Ernteergebnisse, die der deutschen Kriegswirtschaft behilflich sein können, diesen gewaltigen Krieg durchzustehen.

Von dem schweren Schock, der ihr bei Stalingrad versetzt worden ist, erholt sich die deutsche Wehrmacht nicht wieder. Langsam weicht sie dem Druck der Sowjetarmee, die schließlich eine dreifache Überlegenheit erreicht. Hitler hat den zweiten Weltkrieg verloren. Aber er läßt weiterkämpfen.

Inzwischen haben die Westmächte mit der Invasion in Nordfrankreich die zweite Front eröffnet. Finnland, Deutschlands Verbündeter, schert aus, nachdem bereits ein Jahr zuvor Italien kapituliert hat, und schließt mit der Sowjetunion einen Waffenstillstand.

Im Juli 1944 wird Warschau erobert. Nun ergeben sich auch die Rumänen dem sowjetischen Sieger. Rumänisches Öl fällt künftig für die deutschen Panzer und Flugzeuge fort. Bulgarien verständigt sich mit der Sowjetunion. Die Deutschen ziehen sich aus Jugoslawien zurück, wo die Partisanen des alten Spanienkämpfers Tito die Macht an sich reißen. Die Sowjets fallen in Ungarn ein. Im Januar 1945 stehen sie an der deutschen Grenze.

Es kommt zur Schlacht an der Weichsel. Schlesien, Pommern, Brandenburg werden überrannt. Vom Rhein her nähern sich Engländer und Amerikaner. Bei Torgau an der Elbe reichen sich die Verbündeten am 25. April die Hände. Berlin wird belagert und im harten Kampf erobert. Hitler begeht Selbstmord. Am 6. Mai 1945 kapituliert die deutsche Wehrmacht. Stalin kann die Beute in Empfang nehmen. Das halbe Europa fällt ihm zu.

Schon während des Krieges, als der Kampf noch dauert, ist es ihm zugesagt worden, auf den Konferenzen von Teheran im November 1943 und Jalta im Februar 1945. Jetzt in Potsdam, der ehrwürdigen Residenz der alten preußischen Könige, wird der Schlußstein gesetzt. In Österreich und Deutschland werden der Sowjetunion Besatzungszonen zugesichert. Polen, die Tschechoslowakei, Ungarn, Jugoslawien und der gesamte Balkan fallen ihr als Einflußgebiet zu, mit Ausnahme Griechenlands. Auch die Meerenge zwischen Europa und Asien bekommt sie nicht, die Molotow 1940 in Berlin vergeblich von Hitler verlangt hatte. Dafür ist sie in Mitteleuropa reichlich entschädigt. Auf dem Brandenburger Tor flattert die rote Fahne der Sieger. Stalin streckt tastend seine Finger nach dem Ruhrgebiet aus.

V

STALINS TRIUMPH UND VERDAMMUNG

Wiederaufbau nach dem Krieg

Der Krieg hinterläßt in Rußland — wie in Deutschland — ein Trümmerfeld. Die Zahl der getöteten Menschen liegt bei etwa 20 Millionen. Sie sind bei den Erdkämpfen umgekommen, bei den Luftangriffen, sie sind dem Hunger erlegen oder in den Lagern zugrundegegangen. Weiter gibt es 25 Millionen Obdachlose, deren Wohnungen vernichtet sind. Ihre Arbeitsstätten sind zerstört oder nach dem Osten verlegt.

Schon vor dem Kriege ist man daran gegangen, Teile der sowjetischen Wirtschaft in die weiten, menschenarmen, jedoch an Rohstoffen reichen Gebiete des Ostens oder des Nordens zu verlagern. Die Invasion der Deutschen hat dieser Umgliederung die Gesetze des Krieges aufgezwungen und zu einer improvisierten, vielfach fluchtähnlichen Abwanderung von Industrie und Bevölkerung geführt.

Im Zuge des Wiederaufbaus werden mehr als 6000 Betriebe in den Westgebieten völlig neu errichtet und von den 2500 ursprünglich verlagerten Betrieben 1360 in den Westen zurückgeholt. 60 Millionen Quadratmeter neuer Wohnraum entsteht in den Städten.

Und dann können die „Stalinbauten des Kommunismus" emporwachsen. Ihr Zweck ist, „die Natur umzugestalten" und gleichzeitig die Welt von den friedlichen Absichten der Sowjetunion zu überzeugen. (Das ist umso notwendiger, als die USA, England und Frankreich nach dem Krieg entschieden abgerüstet haben, während in der UdSSR die „Vergrößerung der Defensivstärke", wie es umschrieben wird, und „die Ausrüstung mit den modernsten Waffen" zu den wichtigsten Zielen des neuen Fünfjahresplans gehören.) So entstehen gigantische Großbauprojekte für die Kraftstromversorgung, die Bewässerung und die Ausweitung des Verkehrsnetzes. Nach den USA nimmt die Industriemacht Sowjetunion jetzt den zweiten Platz in der Welt ein.

Wie noch stets in der Geschichte, kommt es zwischen den Siegern zum machtpolitischen Zusammenprall — in diesem Fall um Deutschland, um Mitteleuropa. Der Gegensatz nimmt so scharfe Formen an, daß die Formel vom „Kalten Krieg" geprägt wird.

1947 veröffentlicht Nikolai Wosnessinski, Chef des obersten Planungsamts und zugleich jüngstes Mitglied des Politbüros, ein Buch unter dem Titel „Die Kriegswirtschaft der UdSSR in der Periode des Vaterländischen Krieges". Darin behauptet er, der kommunistische Block sei den kapitalistischen „Bedrohern" in jeder Weise überlegen. Also brauche er einen Krieg nicht zu fürchten. Der Autor erhält für sein Buch den Stalinpreis.

Parallel dazu erarbeitet der sowjetische Generalstab einen Operationsplan für den Kriegsfall. Erste Phase ist der Vorstoß quer durch Deutschland in Richtung Westen. Dann folgt ein Frontalangriff auf Frankreich mit Durchbruch zur Atlantikküste, während ein zweiter Stoßkeil über Jugoslawien und Norditalien die französischen Alpenpässe erreichen soll. Außenminister Molotow triumphiert um diese Zeit: „Alle Wege führen nach Moskau!"

Wosnessinski gilt als enger Freund Schdanows, der immer mehr in die Rolle des „Kronprinzen" hineingewachsen ist und dann — am 31. August 1948, erst 52 Jahre alt — plötzlich an einem Herzschlag stirbt. Hat Stalin ihn ermorden lassen, weil er über zuviel Macht verfügte? Hat das MWD die Hand im Spiel, um einen gefährlichen Rivalen Berijas aus dem Wege zu räumen? Jedenfalls wird anschließend unter den Freunden des bisher zweitmächtigsten Mannes im Staate „gesäubert". Auch Wosnessinski fällt.

Chruschtschow gibt später Einzelheiten bekannt. Danach hat Wosnessinski Stalin vorgeschlagen, die Zügel der überzentralisierten Wirtschaft, ähnlich wie Lenin nach dem Bürgerkrieg, vorübergehend etwas lockerer zu halten. Stalin antwortet: „Sie versuchen, den Kapitalismus in Rußland wieder herzustellen." Vor den Spitzen der bulgarischen KP in Sofia sagt Chruschtschow 1955: „Das war genug, um beim Genossen Wosnessinski ernste Besorgnis zu erwecken. Er kam zu uns (zu Chruschtschow, Malenkow und Molotow) mit der Bitte, bei Stalin zu vermitteln. Wir drei baten Stalin um eine Unterredung und wurden vormittags von ihm empfangen. Wir erklärten, daß wir die von Wosnessinski vorgeschlagenen Maßnahmen gesehen hätten und sie befürworteten. Stalin hörte uns an und sagte: ‚Bevor Sie weiterreden, sollten Sie wissen, daß Wosnessinski heute früh erschossen wurde'".

Chruschtschow fügt hinzu: „So war die Situation. Was konnte man machen? Ein Mann ist bereit, ein Märtyrer zu sein, aber welchen Sinn hatte es, wie ein Hund im Straßengraben zu krepieren? Es gab nichts, was wir tun konnten, solange Stalin noch lebte."

Am 21. Dezember 1949 feiert Stalin seinen 70. Geburtstag. Der Diktator wird als der große Staatsmann, als der Lehrmeister der Völker, als die Koryphäe der Wissenschaft gepriesen. Er erscheint als die Personifizierung des Sowjetmenschen, des sowjetischen Staates, der Freiheit, der Demokratie, der Wahrheit. Die Sowjetunion selbst aber stellt sich als der „Vater der Völker" dar.

Im Laufe der nächsten Jahre tritt eine weitere Konsolidierung der Sowjetunion ein. Die Achse Moskau-Peking wird geschaffen. Seit Errichtung der Volksrepublik China im Oktober 1949 gehören insgesamt 800 Millionen Menschen zum Lager des Leninismus. Erfolge der kommunistischen Agitatoren in Pakistan, Indonesien, Ägypten und unter der farbigen Bevölkerung Afrikas weiten das Feld der Moskauer Hoffnungen. In der Sowjetunion verstärkt sich die Macht der Partei noch mehr. 1939 zählt man 2,3 Millionen Parteimitglieder, 1940 3,4 Millionen, 1942 4,6 Millionen, 1944 5 Millionen und 1945 5,7 Millionen. Der Anteil der Bauern und Arbeiter sinkt ständig, während umgekehrt der Anteil der Funktionäre lawinenartig anschwillt. Für den Funktionär ist das Mitgliedsbuch die Voraussetzung für seine Stellung in der Staats- und Wirtschaftsbürokratie und für das Gehalt, von dem er leben will. Bauer und Arbeiter finden dagegen Vorwände genug, um der Parteimitgliedschaft zu entgehen — und erst recht Gründe: Noch immer geht der Kampf um die Kolchosen, jetzt um ihre Zusammenlegung zu Großkollektiven. Noch immer bleibt die Produktion von Verbrauchsgütern hinter den Versprechen und sogar hinter der Planung zurück. Immer wieder schafft das Millionen Enttäuschte. Die Unzufriedenheit drückt sich in Gleichgültigkeit auf dem Arbeitsplatz und in unbefriedigenden Leistungen aus.

Stalins Tod

Wie krankhaft mißtrauisch und bedenkenlos der altgewordene Tyrann und Diktator ist, beweist die neue Säuberung, die im Oktober 1952 über das Land bricht und wieder Verhaftungen über Verhaftungen im Gefolge hat. Selbst Veteranen des Stalinismus wie Molotow, Woroschilow und Mikojan gelten in den Augen des Kremlgewaltigen als „unzuverlässig". Berija, Kaganowitsch und Bulganin stehen ebenfalls auf der Abschußliste. „Ihr seid blind wie junge Katzen", sagt Stalin im vertrautesten Kreise. „Was würdet ihr wohl ohne mich machen? Das Land wird untergehen, weil ihr eure Feinde nicht erkennen könnt."
Die Säuberung bedroht vor allem die Intelligenz: Wirtschaftswissenschaftler, Juristen, Parteiideologen, Historiker, Naturwissenschaftler, Ärzte, Männer der Presse und des Rundfunks, Angestellte der Museen und Bibliotheken, aber auch Wirtschaftsfunktionäre. Dazu kommen Personen jüdischer Abstammung, Staatsfunktionäre, Funktionäre der nichtrussischen Unionsrepubliken, Parteifunktionäre, Funktionäre des Jugendverbandes der Komsomolzen, Sowjetbürger, die während des Krieges im Auslande lebten, ehemalige Trotzkisten und Menschewiki. Mangelnde Wachsamkeit, Objektivismus, Versagen im Amt, politische Unzuverlässigkeit, Spionage — das sind die Hauptvorwürfe, die man erhebt. Von den Sowjetführern wagt keiner, sich zu dieser Säuberung zu äußern.
1953 kommt es zur Anklage gegen neun Ärzte der medizinischen Verwaltung des Kremls, denen vorgeworfen wird, durch falsche Diagnosen den Tod führender Persönlichkeiten herbeigeführt zu haben. Gleichzeitig werden Schlagworte wie Kosmopolitismus und Zionismus hochge-

peitscht — unter den neun Ärzten sind sechs Juden. Die „Prawda" beschimpft sie als „Unmenschen", „Mörderärzte", „verachtungswürdige Ausgeburten", „gedungene Mörder", „Giftmenschen". Ihr Ziel sei der Versuch gewesen, „die Gesundheit führender militärischer Persönlichkeiten zu untergraben und damit die Landesverteidigung zu schwächen". Drei der Professoren sind angeblich seit Jahren Agenten des britischen Geheimdienstes.

Bei Stalin machen sich in diesen Wochen zunehmend die Folgen des Alters bemerkbar. Er leidet unter Bluthochdruck und schwerer Arteriosklerose der Gehirngefäße. Sein Wesen verhärtet sich endgültig. Er verliert die geistige Elastizität und sehnt sich nach Ruhe. Am 4. März 1953 stirbt er nach offiziellen Angaben an den Folgen eines Schlaganfalls.

Der Schlaganfall hat Stalin wahrscheinlich in der Nacht vom 1. zum 2. März 1953 getroffen. Bekanntgegeben wird er erst nach zwei Tagen. Warum läßt man sich soviel Zeit? Ist der Tod des Diktators früher eingetreten als man zugeben will? Brauchte man ein Zeitpolster, um den „richtigen" Männern den Platz am Hebel der Macht zu verschaffen?

Eine Stunde nach der Bekanntgabe des Todes am 6. März gibt es bereits ein Komitee für die Beisetzung. Nikita Chruschtschow ist der Vorsitzende. Und schon am gleichen Abend ist die neue Staats- und Parteispitze bestimmt. Die Leitung des Landes, sagt sie, erfordert größte Geschlossenheit der Führung „und die Verhütung jeglicher Verwirrung und Panik".

Tatsächlich herrscht bei der Bevölkerung überall Ruhe. Westliche Beobachter vergleichen ihr Verhalten mit dem eines Arbeitspferdes, das 20 Jahre lang einen schweren Karren schleppen mußte und nun, von dieser Last plötzlich befreit, in dumpfe Erstarrung verfällt, weil es unfähig ist, das Ergebnis zu begreifen, und erst recht, sich frei zu bewegen. Nur die herrschende Schicht ist aufgewühlt. Aber sie ist dies bereits seit einem halben Jahr, als die Verhaftungswelle der letzten Stalinschen Säuberung eingesetzt hat.

Acht Mann tragen nach Beendigung der Trauerfeier Stalins Sarg in das Lenin-Mausoleum: Malenkow, Molotow, Berija, Kaganowitsch, Woroschilow, Mikojan, Bulganin und Chruschtschow. Bei ihnen liegt jetzt die Macht. Sie beherrschen das Parteipräsidium (wie das Politbüro neuerdings heißt) und das Sekretariat des Zentralkomitees. Sie beherrschen damit den Staatsapparat. Malenkow übernimmt die Ämter des Toten: den Vorsitz im Ministerrat und den Vorsitz im Parteipräsidium. Wird er auch in die Fußstapfen des toten Giganten treten? Schon am 14. März muß er eines der beiden Ämter aufgeben. Er entscheidet sich — freiwillig oder notgedrungen, niemand im Westen weiß es — für das des Regierungschefs. Neuer Parteisekretär wird Nikita Sergejewitsch Chruschtschow.

Chruschtschow ist der Sohn eines Bergarbeiters bäuerlicher Herkunft. Am 16. April 1894 wird er in Kalinowka bei Kursk geboren. Nachdem er 1918 der Partei beigetreten ist und im Sommer 1919, zuletzt als Regimentsführer, an den Kämpfen an der Südfront teilgenommen hat, geht seine Karriere steil nach oben: Besuch der Industrieakademie in Moskau, Parteifunktionär in der Hauptstadt, 1934 schon ZK-Mitglied und 1939 Mitglied des Politbüros. Während der großen Säuberungen beschimpft er die „Trotzkisten" in öffentlicher Rede auf dem Roten Platz als „niederträchtige Nullen". Er himmelte seinen Herrn und Meister an: „Stalin — unsere Hoffnung, Stalin — unsere Erwartung, Stalin — der Leuchtturm der fortschrittlichen Menschheit, Stalin — unser Banner, Stalin — unser Wille, Stalin — unser Weg!" Als Erster Sekretär der Ukraine und Mitglied des Kriegsrats verschiedener Frontabschnitte im Rang eines Generalleutnants übersteht er den zweiten Weltkrieg. Er und Malenkow sind bei Stalins Tod die einzigen Kommunisten, die sowohl dem Parteipräsidium als auch dem ZK-Sekretariat angehören.

Am 27. März 1953 proklamiert die „Prawda" die kollektive Führung zum Parteiprinzip. Niemals mehr, heißt es, soll ein Mann allein entscheiden. Einen Tag später verkündet die Zeitung eine allgemeine Amnestie. Ausgenommen sind nur „konterrevolutionäre Verbrechen". Auch die Kremlärzte werden aus dem Gefängnis entlassen. Die Rehabilitierung erfolgt durch das Innenministerium, also durch Berija. Will er sich damit das Ansehen eines Verteidigers der „sozialistischen Gerechtigkeit" verschaffen und einen neuen Kurs vorbereiten?

Tauwetter

Drei Monate später wird derselbe Lawrenti Berija als „Feind" der Partei und des Staates „entlarvt", aus der Partei ausgestoßen und verhaftet. Ein ganzer Sack voller Anklagen wird über ihn ausgeschüttet. Seine wirkliche Schuld besteht aber wohl einfach darin, daß seine Kollegen in der Parteiführung ihm mißtrauen und Angst vor der Machtfülle des Innenministers haben.

Das Genick hat ihm offenbar bereits ein erregender Vorgang gleich nach Stalins Tod gebrochen. Um seine Bedeutung zu demonstrieren, hat Berija Spezialverbände des ihm unterstellten Staatlichen Sicherheitsdienstes in Moskau zusammengezogen. Der Schrecken darüber bleibt den Parteiführern in den Gliedern stecken.

Am 23. Dezember 1953 wird der Gestürzte zusammen mit seinen engsten Mitarbeitern hingerichtet. Die Parteipresse schreibt: „Der Name dieses Verräters wird ewig verflucht sein! Er war ein bürgerlicher Renegat, der in letzter Zeit frech und unverschämt geworden, sein wahres Gesicht zu zeigen begann ... ein Söldling imperialistischer Kräfte... und ein verfluchter Spion des internationalen Imperialismus."

Trotzdem — oder deswegen? — bricht das „Tauwetter", das mit der allgemeinen Amnestie und der Ärzterehabilitierung eingesetzt hat, nun auch in der Literatur das Eis. Bisher war diese eingefroren in den jede freie Geistesbewegung lähmenden „sozialistischen Realismus", der bis dahin als die „Hauptmethode der sowjetischen schöngeistigen Literatur" gegolten hat. Er verlangt vom Schriftsteller, „die Wirklichkeit in ihrer revolutionären Entwicklung darzustellen".

Der Zweck dieser geistigen Knechtung ist klar: Der Schriftsteller soll dazu beitragen, die Werktätigen im Geiste des „Sozialismus" zu beeinflussen. Wie auf dem Gebiet der Wissenschaft, so wird auch hier „Parteilichkeit" gefordert. Der erste, der sie verlangt hat, ist Lenin selbst gewesen, als er der Literatur die Aufgabe stellte, „keine von der allgemeinen Sache des Proletariats unabhängige, individuelle Angelegenheit zu sein", sondern statt dessen „zu einem Bestandteil der allgemeinen proletarischen Sache zu werden, zu einem Rädchen und Schräubchen des allgemeinen großen Mechanismus, der von dem klassenbewußten Vortrupp der Arbeiterklasse in Bewegung gesetzt wird".

Literatur ist seither Parteiarbeit. Stalin und Schdanow fordern das gleiche. Und sie gehen dabei noch über Lenin hinaus, der seine Forderungen immerhin sehr wesentlich wieder eingeschränkt hatte: „Das literarische Schaffen ist am wenigsten mechanischer Gleichmacherei, der Nivellierung, der Herrschaft der Mehrheit über die Minderheit unterworfen." Folgerichtig hatte er dann weiter gesagt: „Es besteht kein Zweifel, daß auf diesem Gebiet der persönlichen Initiative, der individualistischen Neigungen, der Gedanken und der Phantasie, der Form und dem Inhalt unbedingt ein größerer Spielraum gegeben werden muß." Der später von Schdanow eingeführte Drill der Literatur, die Schdanowschtschina, weiß von dieser persönlichen Initiative nichts mehr.

Nun scheint es mit dem Zwang vorbei zu sein. Der Chefredakteur der „Prawda", Dimitrij Schepilow, ruft die sowjetischen Schriftsteller zusammen, um mit ihnen „die schändlichsten Auswirkungen des Personenkults" zu besprechen. Die mitteldeutsche Zeitschrift „Einheit" berichtet: „In dem Gefühl der Befreiung von einem schwer getragenen Druck war der eine oder andere Schriftsteller geneigt, Gedanken und Kritiken vorzubringen, die ihm aus diesem oder jenem Grund seit langem am Herzen liegen."

Die sowjetischen Künstler verstehen den Wink. Aram Chatschaturjan, der berühmte Komponist, ist einer der ersten, der sich in einem Artikel gegen die „gedankenlosen Anpassungstendenzen" ausspricht. Sehr deutlich fordert er: „Ich glaube, es ist an der Zeit, das bestehende System behördlicher Bevormundung der Komponisten zu ändern. Mehr als das: Die Musikbehörden müssen unbedingt auf die schädliche Praxis der Einmischung in das künstlerische Schaffen der Komponisten verzichten. Schöpferische Probleme kann man nicht mit bürokratischen Methoden lösen."

Noch deutlicher wird der Schriftsteller Ilja Ehrenburg. Er verbittet sich, „daß die Zeitschriftenredaktionen Autoren zu schöpferischer Arbeit abkommandieren". Man solle nicht erwarten, „daß der Schriftsteller die Konzeption für einen Roman im Koffer mitbringe". Er sei „kein Apparat, der Begebenheiten mechanisch registriere". Wenn er selbst nach langem Überlegen eben jetzt diese Fragen zur Diskussion stelle, dann geschehe dies darum, „weil in der Sowjetunion die Zeit für eine große Literatur reif sei ... Nun muß sie durch die Darstellung der Menschen, die diese Werke vollbringen, weiter erstarken."

So ist es dann auch Ilja Ehrenburg, der ein Buch mit dem Titel „Tauwetter" schreibt. Viele andere Schriftsteller denken ebenso.

Wera Panowa hat den Mut, in ihrem Schauspiel „Jahreszeiten" dem Apparatschik unter die Weste zu blicken. Da erweist sich ein Betriebsdirektor als genußfreudiger Schieber, der schließlich durch Selbstmord endet. Ein Funktionär betrügt den Staat, ein Oberbürgermeister zeigt sich als charakterloser Kriecher.

Noch massiver wird Leonid Sorin. Einer seiner Helden im Schauspiel „Gäste" ist Pjotr, der Sohn eines Revolutionärs und selbst Abteilungsleiter im Justizministerium, ein Mann, der machtlüstern ist und den Mantel nach dem Wind hängt. Überheblich trägt er seine Lebenserfahrung vor: „Der Staatsapparat — das ist wie ein Orchester. Willst du mitspielen, dann mußt du nach dem Dirigenten blicken und den Rhythmus mitmachen." Und auf die Frage Warwaras, der Schwester Pjotrs, an den Journalisten Trubin: „Woher ist eigentlich diese Oberschicht in unserem Lande gekommen?" zuckt dieser mit den Schultern: „Woher sie gekommen ist? Aus der Gemeinheit, aus der Gier, aus dem Ehrgeiz, aus ihrem Unvermögen und aus unserer Duldsamkeit. Wenn denen viel gegeben wird, von denen man wenig erwarten kann, dann kann nichts Gutes herauskommen." Warwara weiß das rechte Wort, das „kurze Wort" für dieses „Nichts Gutes". „Macht!" sagt sie.

Die Geister wagen sich wieder zu regen — ob im Theaterleben, im Filmwesen, im Rundfunk oder in der bildenden Kunst. Alexandrow, ein einst von Schdanow gemaßregelter Philosophieprofessor, jetzt Kultusminister, legt neue Wege frei. Nun kann es Neszmejanow, Chemieprofessor und Präsident der Akademie der Wissenschaften, sogar unternehmen, wieder für den Austausch wissenschaftlicher Erfahrungen und Forschungen mit dem Auslande einzutreten. Seit 25 Jahren hat es das nicht mehr geben dürfen.

Sogar weitab von den schönen Künsten und von den Wissenschaften glaubt man in der Sowjetunion wieder an das Recht, leben und denken zu dürfen: Einst hat Stalinscher Terror die Zwangslager eingerichtet, um den Widerstand gegen seine Gewaltherrschaft zu brechen. Nun, wo er tot ist, kommt es zunächst in Workuta und Norilsk und im nächsten Jahre auch in Karaganda zu Revolten unter den gepeinigten Menschen. Und als habe man nur auf einen Vorwand gewartet, werden jetzt die verhaßten und übel beleumdeten Zwangslager „als nicht mehr zeitgemäß" bezeichnet. Überdies stellt man fest, daß sie unrentabel sind. Viele werden aufgelöst und die Insassen größtenteils entlassen. Dabei bevorzugt man jene Unglücklichen, die in den Jahren 1935 bis 1937 der Großen Säuberung zum Opfer gefallen sind.

Leider scheint es nicht nur zu den Regeln der Meteorologie zu gehören, daß jedem Tauwetter irgendwann einmal wieder ein neuer Frost folgt. Zwar sieht die neue Führung den Freiheitsdemonstrationen etwa ein Jahr lang zu und schweigt. Dann aber schlägt Alexander Surkow zurück. Er ist Sekretär des Schriftstellerverbandes, Altkommunist und Mitglied des Obersten Sowjets. In seinen Augen ist das, was die Schriftsteller da geschrieben haben, „ideologisch schädlich". Sorins Schauspiel „Gäste" wird wegen „Verleumdung der sowjetischen Wirklichkeit" verboten. Chefredakteure literarischer Zeitschriften, die das Tauwetter gefeiert haben, werden hinausgeworfen. Auf dem nächsten Schriftstellerkongreß im Dezember 1954 wagen zwar noch einmal einige verwegene Leute wie Scholochow, Owetschkin und andere Unbelehrbare den Versuch, zu retten, was zu retten ist. Bald aber müssen sie den Mund halten und sich der Parteidisziplin unterwerfen.

Der neue Kurs

Im Grunde ist es bis zu letzter Konsequenz gebrachter Marxismus, der Stalin dazu getrieben hat, der Schwerindustrie unter allen Umständen den Vorrang einzuräumen und alle anderen Aufgaben und Bedürfnisse zurückzustellen. Die Landwirtschaft in ihrer überlieferten Bedeutung zurückzudrängen, das ist der erklärte Zweck dieser Politik, nicht aber, was erreicht wird, ihr Niedergang.

Nach dem Kolchosstatus vom 17. Februar 1935 darf jeder Kolchosbauer einen viertel bis einen halben Hektar Hofland persönlich nützen. Er darf sich eine Kuh, zwei Kälber, eine Sau mit Ferkeln, bis zu zehn Ziegen oder Schafe, ferner 20 Bienenstöcke sowie Geflügel und Kaninchen halten. Da die Versorgung der Sowjetunion mit Lebensmitteln gerade infolge der Zwangswirtschaft in den folgenden Jahren nicht besser, sondern schlechter wird, wird der Bauer folgerichtig eine Art neuer „Ausbeuter". Denn er hat nicht nur die Möglichkeit, die Erträgnisse seiner „freien" Wirtschaft privat zu verkaufen, sondern mehr oder weniger auch die, den Preis zu diktieren.

Das paßt nicht in das System. Stalin schaltet um. Wieder werden die bäuerlichen Einnahmen gedrosselt. Die Bauern verlieren schließlich sogar das Interesse am privaten Hofland. Der Bestand an Vieh — besonders an Kühen — schwindet weiter. Selbstverständlich geht die Arbeitsfreudigkeit der Bauern im Dienst der Kolchosen erst recht zurück. Diese werden immer unrentabler.

Stalin und mit ihm Chruschtschow suchen den Ausweg in der Zusammenlegung von Kolchosen, also in der Schaffung landwirtschaftlicher Großbetriebe. Das Schlagwort „Agrarstädte" taucht auf. So sinkt dann die Zahl der Kolchosen bis 1950 auf 250 000. 1951 sind es noch 123 000 und im Todesjahr Stalins nur noch 93 000.

Der Großteil der Ernte wird vom Staat erfaßt. Die Preise sind äußerst niedrig. Ein weiterer Teil geht in die Maschinen-Traktoren-Stationen als Entgelt für geleistete Hilfe. Der für die Kollektivwirtschaft selbst und für die Kolchosmitglieder übrigbleibende Rest ist gering.

Die Maschinen-Traktoren-Stationen (MTS) sind staatliche Maschinenparks, die den kapitalarmen einzelnen Kolchosen landwirtschaftliche Großgeräte, insbesondere Traktoren, zur Verfügung stellen. Sie liegen weit verstreut im ganzen Land. Jede betreut eine gewisse Anzahl von Kolchosen und überwacht gleichzeitig die Kolchosbauern politisch. Die MTS erweisen sich als wirksames Instrument in der Hand der Partei — die nach dem Kriege übrigens den in Klammern gesetzten Zusatz Bolschewiki (B) hinter dem Parteinamen gestrichen hat.

Die verschärfte Agrarpolitik wirkt sich für die Ernährung der Sowjetmenschen verheerend aus. Die Anbaufläche für Kartoffeln sinkt auf weniger als die Hälfte des Vorkriegsstands. Das Defizit auf anderen Gebieten ist nicht weniger erschreckend. War der Pferdebestand im Jahre 1941 wieder auf 21 Millionen angestiegen, beträgt er jetzt nur noch 15,2 Millionen. Die Zahl der Kühe ist um 8,9 Millionen niedriger als 1928. Zwar gibt es auf dem Papier 350 000 Fachleute der Landwirtschaft. Jedoch nur 5 Prozent davon haben ihren Arbeitsplatz in den Kollektivwirtschaften, 95 Prozent stecken in Ämtern und Büros.

Am 8. August 1953 rückt Ministerpräsident Malenkow deutlich von Stalins Lieblingsidee der Bevorzugung der Schwerindustrie ab. Die Leichtindustrie soll gleichberechtigt sein. Und er verspricht: „Das Sowjetvolk hat das Recht, von uns und in erster Linie von den in der Massengüterindustrie Beschäftigten haltbare, gut verarbeitete, hochwertige Waren zu verlangen."

Die Versorgung der Bevölkerung mit Lebensmitteln und industriellen Konsumgütern soll entscheidend verbessert werden, ein regelrechter Handel den von Stalin angestrebten zentralgeleiteten Güteraustausch ersetzen. Wieder einmal erhalten die Kolchosen das Versprechen, daß der Privatbesitz nicht weiter reduziert werde. Ihnen sollen sogar die rückständigen Steuern erlassen und künftige Steuern auf die Hälfte ermäßigt werden.

Drei Wochen danach greift Chruschtschow das gleiche Thema auf. Noch vor zweieinhalb Jahren hat er zwar als getreuer Wortführer Stalins die Begrenzung der freien Nutzfläche der Bauern auf 10 bis 15 Ar gefordert. Das ist nun vergessen. Mit staunenswerter Wendigkeit erklärt er das Gegenteil von damals: „Nur Menschen, welche die Politik der Partei, die Politik des Sowjetstaates nicht verstehen können, denken, daß das Vorhandensein von produktivem Vieh als persönlichem Eigentum des Kolchosbauernhaushalts irgendeine Gefahr für die sozialistische Ordnung darstellt. Es muß auch mit dem Vorurteil Schluß gemacht werden, daß es für einen Arbeiter oder Angestellten schimpflich sei, Vieh als persönliches Eigentum zu besitzen."

Schließlich verkündet Chruschtschow das Neulandprogramm. Allein im

Jahre 1954 sollen danach in Sibirien und Kasachstan 2,3 Millionen Hektar Ackerland erschlossen werden. Für 1955 sind 10,7 Millionen Hektar vorgesehen. Die neugewonnenen Anbaugebiete sollen zusätzlich 19,5 Millionen Tonnen Getreide liefern.

Mit dem Ruf „Neuland unter den Pflug!" drängt sich der vitale Ukrainer in der Parteiführung vor. Er bekommt den Titel „Erster Sekretär des Zentralkomitees." Und künftig stehen unter den Erlassen und Gesetzen die Namen der Parteifunktionäre vor denen der Staatsfunktionäre. Die Macht gehört nach wie vor der KPdSU.

Gleichzeitig aber bringt Chruschtschows Neulandaktion schon wieder das Ende der forcierten Konsumgüterproduktion. Wenn mehr Nahrungsmittel erzeugt werden sollen, benötigen die Kolchosbauern mehr Maschinen. Die Zahlen 10 000 Mähdrescher und 120 000 Traktoren werden genannt. Also muß die Schwerindustrie erneut den Vorrang bekommen ... Chruschtschow verbindet sich, um sein Neulandprogramm durchzuboxen, mit der Armeeführung, die nicht auf eine weitere energische Aufrüstung verzichten will. Malenkow gerät in die Defensive.

Auch mit Formulierungen zum Thema Kalter Krieg eckt der Ministerpräsident bei den Generalen an. In einer Rede am 12. März 1954 führt er aus, daß die Fortsetzung der spannungsgeladenen, feindseligen Politik zwischen den Siegermächten des zweiten Weltkriegs nur zu einem neuen Weltgemetzel führen könne — und das bedeute „im Hinblick auf die Mittel der modernen Kriegstechnik den Untergang der Weltzivilisation".

Sechs Wochen später korrigiert sich der Regierungschef. In einer neuen Rede heißt es einschränkend, ein Atomkrieg würde lediglich „unausweichlich zum Untergang des kapitalistischen Gesellschaftssystems führen". In einem Gedenkartikel zu Stalins Tod in der „Prawda" bekräftigen die Parteiführer am 5. März 1955 unmißverständlich diese These: „Sollte es den Imperialisten gelingen, einen dritten Weltkrieg zu entfesseln, dann würde nicht die Weltzivilisation, sondern das bis an die Wurzeln verfaulte kapitalistische System untergehen."

Als diese Zeilen gedruckt werden, ist Malenkow schon entmachtet. Immerhin, die Form seines Sturzes ist für sowjetische Verhältnisse ungewöhnlich. Es gibt eine regelrechte Rücktrittserklärung. Sie erfolgt am 8. Februar 1955 auf einer Sitzung des Obersten Sowjets. Bleich, bleicher noch als sonst, hört der Ministerpräsident zu, wie seine „Bitte" verlesen wird, ihn von seinem Amt zu entbinden und an seine Stelle einen anderen Genossen zu setzen, der „größere Erfahrung in der Staatsarbeit" besitze. Gefaßt gibt er dann selbst eine kritische Erklärung ab, in der er sich die Schuld „für die entstandene unbefriedigende Lage in der Landwirtschaft" beimißt und sich zum Vorrang der Schwerindustrie bekennt. Nachfolger wird Nikolai Alexandrowitsch Bulganin, der bisherige Verteidigungsminister. Malenkow erhält das Ministerium für Elektrizitätswerke.

Bulganin und Chruschtschow, die „politischen Zwillinge" an der Spitze der Sowjetunion, leiten unvermittelt eine Periode diplomatischer Aktivität ein mit dem Ziel, Sympathien im neutralen Ausland zu gewinnen und die Führer der kleineren Ostblockstaaten wieder fest an die Kette des Kreml zu legen. Insbesondere unternehmen sie den Versuch, sich mit Jugoslawien zu verständigen, wo seit 1945 der Kommunist Tito regiert, der es aber schon 1948 zum Bruch mit Stalin hat kommen lassen.

Jugoslawien — Brutstätte des „Titoismus"

In Jugoslawien gibt es seit langem eine Kommunistische Partei. Bereits 1920 ist sie die drittgrößte des Landes. Als sie 1921 verboten wird, geht sie in den Untergrund.

Nach Ausbruch des deutsch-sowjetischen Krieges beginnen die Kommunisten, Partisanenbanden zu bilden. Ihr Führer ist Josip Broz, genannt Tito. Sie kämpfen nicht nur gegen die Deutschen, die das Land im Frühjahr 1941 überrannt haben, sondern auch gegen die königstreue Widerstandsbewegung in Serbien, Bosnien, Montenegro und Kroatien.

Dennoch setzt Stalin auf den König und seine Exilregierung in London. Er billigt ihrer diplomatischen Vertretung im Kreml den Rang einer Botschaft zu. Von unabhängigen Kommunisten hält er nichts. Zum gleichen Zeitpunkt beginnen dagegen die Westmächte, insbesondere Großbritannien, Tito stärker zu unterstützen und die Königstreuen hintanzustellen. Denn Titos Männer sind erfolgreicher. Überdies sind dem britischen Premierminister Winston Churchill — seinem politischen Partner und Gegenspieler im Kreml an Schlauheit und politischem Instinkt durchaus ebenbürtig — Kommunisten mit lokalem Eigengewicht auf dem Balkan hundertmal lieber als gekrönte Puppen am Drahtseil sowjetischer Marionettenspieler. Nun wird der Mechaniker von einst „selbständiger alliierter Befehlshaber". Und er gewinnt den Deutschen das Land in zähem, erbittert geführten Kleinkrieg nach und nach wieder ab.

Nach Kriegsende geht Tito, der sich jetzt Marschall nennt, an die Neuordnung des Landes. Im November 1945 erzielt seine „Volksfront" einen gelenkten Wahlsieg mit 90 Prozent der Stimmen. Die alten Parteien werden aufgelöst. Am 29. November 1945 ist Tito Ministerpräsident der neu konstituierten Föderativen Volksrepublik Jugoslawien, die aus den Teilstaaten Serbien, Kroatien, Slowenien, Bosnien-Herzegowina, Mazedonien und Montenegro besteht. Sie wird beherrscht vom „Bund der Kommunisten", wie in Erinnerung an Marx und Engels die jugoslawische KP heißt. Er zählt über 780 000 Mitglieder.

Wenige Monate später ist Tito Staatspräsident. Sein Selbstbewußtsein steigt. Und im Gefühl, die Unabhängigkeit seines Staates der eigenen Kraft, nicht der Sowjetunion zu verdanken, gerät er in wachsenden Gegensatz zu Josef Stalin.

Im Jahr 1947 tritt an die Stelle der 1943 aufgelösten Komintern das „Kommunistische Informationsbüro" — Kominform. Sein Zweck ist, so heißt es offiziell, die einzelnen kommunistischen Parteien zu informieren und zu koordinieren. Angeschlossen sind ihm die kommunistischen Parteien Bulgariens, Frankreichs, Italiens, Jugoslawiens, Polens, der Sowjetunion, der Tschechoslowakei und Ungarns. In Belgrad unterhält das Kominform ein eigenes Büro.

Zunächst läuft alles glatt. Dann aber unternimmt Tito den Versuch, Bulgarien zur Bildung einer Balkan-Föderation mit Jugoslawien zu gewinnen. Der bulgarische KP-Chef Dimitroff — langjähriger Moskauaufenthalt als führender Kominternfunktionär hat ihm gezeigt, was es bedeutet, wenn nur ein Staat das Machtmonopol innerhalb der kommunistischen Welt ausübt — möchte zustimmen. Für den Kreml droht die Entstehung eines zweiten kommunistischen Zentrums, das seiner Kontrolle entgleiten und ihm eines Tages den Führungsanspruch streitig machen könnte. Unvermittelt schlägt Stalin zu. Er befiehlt Jugoslawen und Bulgaren zum Appell nach Rußland. Schroff erklärt er ihnen, daß sie ihren Plan aufzugeben hätten. Gleichzeitig beordert er Titos Hauptmitarbeiter Kardelj am 11. Februar 1948 um Mitternacht in Molotows, des sowjetischen Außenministers, Arbeitszimmer. Ein Vertrag wird vorgelegt, den weder Kardelj noch ein anderer Jugoslawe bis dahin gesehen, geschweige denn gelesen haben. Molotow verlangt mit rauher Stimme: „Unterschreiben Sie!" In Zukunft sind die Jugoslawen verpflichtet, sich in außenpolitischen Fragen mit der Sowjetunion abzustimmen.
Im Vorgefühl ihres scheinbaren Sieges planen die Sowjets nun, den Partisanenmarschall vollends zu zermürben. In einem Brief vom 27. März 1948 wird Tito mit Trotzkis Schicksal gedroht. Wörtlich heißt es: „Wir halten Trotzkis politische Karriere für lehrreich genug." Die Sowjets sprechen von „Nationalismus" und „Verrat an der Arbeiterklasse". Sie rufen ihre Sachverständigen aus Belgrad zurück. Immer schärfer wird die Form der Auseinandersetzungen. Das Schimpfwort „Titoisten" entsteht und verdrängt für Jahre die Bezeichnung „Trotzkisten" aus dem sowjetischen Schimpfwortvokabular.
Die anderen kommunistischen Parteien stellen sich, wie zu erwarten, auf die Seite Moskaus. Auch sie verurteilen die Jugoslawen. Doch diese bleiben hart und unerbittlich.
Das Kominform schließt Belgrad faktisch aus. Das Kominformbüro wird nach Sofia verlegt. Dann beginnt ein allgemeiner Boykott. Zunächst erhöhen die Ostblockstaaten die Preise für die Lieferungen an Jugoslawien um 40 Prozent. Schließlich stellen sie die Lieferungen und auch die Zahlungen an den unfolgsamen Bruderstaat vollends ein. Trotz allem bleibt Tito bemüht, den abgerissenen Faden zu Stalin und dem Kominform erneut zu knüpfen. Da er aber durchaus keine Reue zeigen will und der andere jetzt auch offen den Sturz Titos fordert, ist dieser Versuch zum Scheitern verurteilt.

Nach anderthalb Jahren erkennt Tito die Notwendigkeit, das Steuer völlig herumzuwerfen. Seine Angriffe auf die kapitalistischen Staaten hören auf. Im Oktober 1949 wird Jugoslawien gegen die Stimmen des Ostblocks zum nichtständigen Mitglied des Weltsicherheitsrats der UNO gewählt. Die Begriffe „Blockfreiheit" und „Block der Neutralen" bestimmen künftig die jugoslawische Außenpolitik.

Im Innern wird eine Abart des Marxismus-Leninismus praktiziert, deren tragender Gedanke die Vorstellung vom „Absterben des Staates" in der letzten Phase des Kommunismus ist. In Jugoslawien tritt an die Stelle der vom Staat gelenkten zentralen Verwaltungswirtschaft eine dezentralistische Verwaltung der Betriebe durch „Räte" der Arbeiter. Wirtschaftshilfen von Seiten Englands und Amerikas ermöglichen Tito diese Politik. Allein in den Jahren 1951 bis 1953 belaufen sie sich auf rund einviertel Milliarden Mark. In Erinnerung an die früheren Enttäuschungen mit den Sowjets dürfen zwar keine amerikanischen Instrukteure ins Land, dafür aber schickt Tito jugoslawische Offiziere nach den USA zur Ausbildung. Ein „Balkanpakt" mit Griechenland und der Türkei soll eine großräumige Südosteuropapolitik anbahnen. Als dann die neuen Verbündeten sich 1952 der NATO anschließen, wird Jugoslawien indirekt in das westliche Verteidigungsbündnis einbezogen.

Nach Stalins Tod lenkt Moskau ein. Chruschtschow und Bulganin statten Jugoslawien im Mai 1955 einen Besuch ab, und gleich auf dem Flugplatz rehabilitiert der Erste Sekretär der KPdSU die Jugoslawen, indem er ihnen einen „eigenen Weg zum Sozialismus" zugesteht. Nun kann Tito sich wieder der alten Zugehörigkeit zur sozialistischen „Familie" erinnern. Drei Jahre später wird das Kominform aufgelöst. Und nun reist Tito selbst nach Moskau und verzichtet vorerst auf weitere amerikanische Hilfe.

Ein Abgott wird gestürzt: Entstalinisierung

In der Plenarsitzung des Zentralkomitees vom 4. bis 12. Juli 1955, dem Juli-Plenum, stehen die Beziehungen zu Jugoslawien auf der Tagesordnung. Molotow opponiert: Man dürfe mit Tito nicht über Parteiprobleme sprechen. Chruschtschow unterbricht ihn ungestüm: „Aber Sie brachten es fertig, 1939 mit (Hitlers Außenminister) Ribbentrop zu reden!"

Molotow unterwirft sich. Und zwei Monate danach veröffentlicht die führende Parteizeitschrift „Kommunist" die Selbstkritik des alten Kampfgefährten Stalins. Er bezichtigt sich „falscher" und „politisch schädlicher" Formulierungen in ideologischen Fragen. Denn eine Rede von ihm vom 8. Februar 1955 habe den Eindruck erweckt, als ob die Sowjetunion erst die „Grundlagen der sozialistischen Gesellschaft" errichtet hätte. In Wirklichkeit sei dieses bereits 1932 der Fall gewesen, und seit 1939 sei man in der „Periode des allmählichen Überganges zur kommunistischen Gesellschaft".

Wenn die Sowjets den einzelnen kommunistischen Staaten — wie in Belgrad eingeleitet — künftig den „eigenen Weg zum Sozialismus" konzedieren wollen, um einen völligen Abfall von Moskau zu unterbinden, wenn also die „führende Rolle der Sowjetunion" nicht mehr darin bestehen kann, daß sie auf der einzigen Straße vorausmarschiert, die zum Endziel führt und auf der alle anderen kommunistischen Staaten bis zum letzten Kilometerstein nachfolgen müssen, dann soll wenigstens dokumentiert werden, wie weit die Satelliten noch in der gesellschaftlichen Entwicklung zurückliegen. Während sie erst mit dem Aufbau des Sozialismus beschäftigt sind, nähert die Sowjetunion sich bereits seit langem dem Endstadium aller menschlichen Entwicklung, dem Paradies auf Erden, dem Kommunismus. Nach wie vor steht damit nur den Herren im Kreml die „führende Rolle" zu.

Dabei stimmt die Formulierung „Herren im Kreml" nicht mehr im vollen Wortlaut. Auch das ist ein Zeichen für das immer stärkere Abrücken von Stalin: Die Sowjetführer arbeiten zwar nach wie vor in diesem streng bewachten alten Stadtschloß der Moskauer Zaren, aber sie wohnen nicht mehr in ihm. Schon zum Jahreswechsel 1953 auf 1954 haben sie die düsteren Säle hinter den dicken Mauern verlassen, um wenigstens privat freiere Luft zu atmen.

Und bereits unmittelbar nach Stalins Tod hat man den „Erfinderrummel" aufgegeben, die Manie, alle bedeutsamen Erfindungen der Neuzeit Russen zuzuschreiben. Jetzt wird von den sowjetischen Wissenschaftlern und Ingenieuren verlangt, vom Ausland zu lernen. Denn „die Produktionskräfte fahren fort, sich auch unter den Verhältnissen des Imperialismus zu entwickeln".

Am 17. September 1955 erläßt das Präsidium des Obersten Sowjets eine Amnestie für Sowjetbürger, die während des zweiten Weltkriegs mit den deutschen Besatzern zusammengearbeitet haben. Zur gleichen Zeit findet ein großer Prozeß gegen ehemalige Funktionäre des Staatsicherheitsdienstes in Georgien statt: Sieben hohe Beamte werden verurteilt, weil sie Untersuchungsakten gefälscht und Verhaftete durch Mißhandlungen zu falschen Aussagen gebracht haben. Ihre Opfer, der Stalinschen Säuberung erlegene georgische Parteiführer, an ihrer Spitze der alte Bolschewik Ordshonikidse (der 1937 in den Selbstmord getrieben worden ist) werden rehabilitiert. Weitere Rehabilitierungen folgen.

Zu den Rehabilitierten gehören der ehemalige sibirische Parteifunktionär Robert Eiche, der ehemalige stellvertretende Volkskommissar für Verteidigung Unschlicht, die Marschälle Blücher und Jegorow, Jan Gamarnik, der ehemalige Leiter der Politischen Hauptverwaltung der Streitkräfte, nicht zuletzt aber auch Alexej Rykow, der 1938 hingerichtete frühere Regierungschef. Die Sensation des kommenden Jahres, die sogenannte Entstalinisierung, bahnt sich an.

Aber der Rehabilitierung bleiben Grenzen gezogen. Nur solche von Sta-

lin verfolgten und liquidierten Kommunisten erfahren sie, die bis zum
Jahre 1934, bis zum „Parteitag der Sieger" über „Trotzkisten" und
„Rechtsabweichler", zu den engsten Anhängern ihres späteren Mörders
gehört haben. Die Antistalinisten der zwanziger und frühen dreißiger
Jahre bleiben nach wie vor verfemt, ob sie nun Trotzki oder Bucharin,
Kamenjew oder Sinowjew heißen.

Am 10. November 1955 wird die „Zuckerbäckerarchitektur" verdammt,
allerdings vorerst noch, ohne Stalins Namen zu nennen. Partei und Regierung stellen fest, daß die „von krassen Auswüchsen strotzende,
prunkhafte Seite der Architektur ... der Linie der Partei ... in der Architektur und im Bauwesen nicht entspricht". Architekten und Ingenieure sollen künftig auf sparsame Bauweise, Bequemlichkeit für die Bevölkerung und moderne Bautechniken achten. Die sowjetische Architektur
müsse sich durch „Einfachheit, Strenge der Formen und Sparsamkeit in
den Lösungen auszeichnen". Die Türme, Säulenreihen, Skulpturen und
Triumphbögen der Stalinzeit, insbesondere die Bauten des Wolga-Don-
Kanals, gestern noch als „markante Leistung" gelobt, ernten heute Hohn
und Spott. Für sie sind, so heißt es, „viele Millionen Rubel zum Fenster hinausgeworfen".

Am 29. November 1955 macht der Oberste Sowjet wieder einen schüch-
ternen Schritt zu den Freiheiten des Kommunismus der ersten Jahre zurück. Das absolute Abtreibungsverbot wird aufgehoben. Allerdings dürfen nur Krankenhäuser und andere Heilstätten Schwangerschaften künstlich unterbrechen. Ein neues, milderes Strafgesetzbuch wird angekündigt. Die führenden Schichten verkehren in zunehmendem Maße gesellschaftlich mit ausländischen Diplomaten und Journalisten. Kolchosvorsit-
zende und Betriebsdirektoren erhalten mehr Rechte und Selbständigkeit.
Die Wirtschaft wird Zug um Zug dezentralisiert. Tausende von Häft-
lingen verlassen die Arbeitslager. Die Furcht vor dem Staatssicherheitsdienst schwindet. Die Menschen in der Sowjetunion, jahrzehntelang ge-
knutet und geknechtet, empfinden schon die spärlichen neuen Freiheiten
als beglückend. Sie atmen auf.

Im Februar 1956 hält die Führung die Parteimitglieder dann für reif
genug, die Wahrheit zu erfahren, daß der „weise und gütige" Stalin ein
Verbrecher war. Die Bombe platzt auf dem XX. Parteitag.

1355 Delegierte mit beschließender und 81 Delegierte mit beratender
Stimme treten am 14. Februar 1956 im großen Kongreßsaal des Kreml zusammen. Sie repräsentieren 6,8 Millionen Parteimitglieder und 420 000
Kandidaten. (Bevor ein Parteigenosse vollgültiges Mitglied wird, muß er
sich erst einmal ein Jahr lang als Kandidat bewähren.) Außerdem haben
55 ausländische kommunistische Parteien Abordnungen entsandt.

Titos „Bund der Kommunisten Jugoslawiens" gehört nicht dazu. Lediglich eine im zurückhaltenden Ton gehaltene Grußbotschaft des Marschalls wird verlesen — vom Parteitag aber, wie das Protokoll verrät,
mit „stürmischem, langanhaltenden Beifall" aufgenommen. Die Distan-

zierung von Stalin scheint bei den Delegierten Widerhall zu finden. Werden sie aber auch den offenen Bruch billigen?

Stalins Bild fehlt im Saal. Nur Lenin prangt über dem Podium. Chruschtschow bittet die Parteitagsteilnehmer, sich zu Ehren dreier großer Verstorbener von den Plätzen zu erheben und nennt feierlich die Namen: Stalin, Gottwald, Tokuda. Den Anwesenden stockt der Atem. Ein Raunen geht durch ihre Reihen. Der Erste Sekretär hat es gewagt, den toten tschechoslowakischen Staatspräsidenten und den völlig unbekannten toten japanischen Parteiführer mit dem Manne gleichzusetzen, der ein Vierteljahrhundert lang Abgott des Weltkommunismus gewesen ist. Auch in seinem siebenstündigen Rechenschaftsbericht erwähnt Chruschtschow Stalin nur ein einziges Mal, ganz nebenbei, bei der Bemerkung, nach seinem Tod hätten die Feinde der Sowjetunion vergeblich auf Zwietracht und Hader in der Führung gehofft.

Andere Redner gehen weiter. Sie greifen Stalin direkt an. Suslow kritisiert die Alleinherrschaft, den „Personenkult", und feiert die kollektive Führung. Malenkow bekundet, der Personenkult habe zu Diktatur und Willkür geführt. Mikojan wirft dem verstorbenen „Weisen der Weisesten" vor, in seiner letzten Schrift die komplizierten Erscheinungen des modernen Kapitalismus überhaupt nicht begriffen zu haben. Nun wagt auch Chruschtschow einen zusätzlichen Schritt: Er verdammt die bislang parteioffizielle „Geschichte der KPdSU — Kurzer Lehrgang", deren Autorenschaft Stalin beansprucht hat, als Machwerk, das nicht auf historischen Tatsachen beruhe.

Wie ein Relikt aus vergangener Zeit wirkt dagegen das Auftreten Trofim Lyssenkos, der in der Stalin-Ära die Rolle eines „Biologie-Diktators" gespielt hat. Seine Behauptung, durch Pfropfung und Versetzung von Pflanzen in eine andere Umgebung würden diese vererbbare neue Eigenschaften erwerben, widerspricht den Erkenntnissen der modernen Biologie, paßt aber vortrefflich in die materialistische Denkschematik und hat den Beifall Stalins gefunden. Das Fernziel: der ideale „Sowjetmensch", der unter den Bedingungen der „sozialistischen" Gesellschaft aufwächst und zur Vollkommenheit hochgezüchtet wird. Um ihm näherzukommen, muß ausgemerzt werden, wer der Erbmasse größere Bedeutung beimißt als der Umwelt der Lebewesen. Lyssenkos Gegner wandern in die Zwangsarbeitslager oder sie widerrufen ...

Nun aber bringt Stalins Lieblingsprofessor selbst seinen Schwanengesang. Er übt äußerste Zurückhaltung, meidet jede Polemik, nennt sich in ihm fremder Bescheidenheit einen „parteilosen Wissenschaftler" und beschränkt sich auf die sachliche Darstellung landwirtschaftlicher Aspekte. Aufsehen erregt er nicht. (Zwei Monate später wird er seines Amtes als Präsident der Akademie für agrarwissenschaftliche Forschung enthoben.)

Aufsehen kann er nicht erregen, farblos muß er wirken; denn die Delegierten stehen im Bann des epochemachenden Ereignisses der Entstalinisierung. In den Wandelgängen finden erregte Diskussionen statt. Die Opposition der kleinen Funktionäre aus Sibirien, aus Kasachstan, kurzum aus der Provinz formiert sich. Sie sind noch längst nicht alle auf Chruschtschow eingeschworen. Viele von ihnen trauern dem Toten nach, dessen Knute hart und schrecklich war, der aber klare und eindeutige Befehle erteilt und den örtlichen Machthabern, den „kleinen Stalins", die Verantwortung abgenommen hatte. Auch die neuen Kremlherren verlangen Unterordnung — unter die Partei, unter ein mehr oder weniger anonymes Kollektiv. Die gewohnte Bindung an die personifizierte Macht in Form einer einzelnen, wenn auch furchterregenden Gestalt dagegen fehlt. Die Disziplin lockert sich. Die Verwirrung wächst.

Da entschließt die Parteiführung sich zu einem ungewöhnlichen Schritt. Am 24. Februar 1956 wird die Nachmittagsveranstaltung des Parteitags plötzlich abgesagt und für den 25. Februar um 10 Uhr eine Geheimsitzung aller Delegierten anberaumt. Das Parteipräsidium will einen „heilsamen Schock". Es riskiert die Flucht nach vorn. Nikita Chruschtschow hält die berühmteste Rede seines Lebens.

Chruschtschows Geheimrede

„Da noch nicht alle Genossen begriffen haben", so beginnt Chruschtschow, „welche praktischen Konsequenzen sich aus dem Personenkult ergeben und wie überaus schädlich die Verletzung des Prinzips der kollektiven Führung innerhalb der Partei ist, aus der die Zusammenballung ungeheurer, unbegrenzter Macht in den Händen eines einzelnen resultiert, hält es das Zentralkomitee für absolut notwendig, dem XX. Parteitag das diese Angelegenheiten betreffende Material zugänglich zu machen."

Der neue Parteichef rechnet mit dem alten ab, ohne Rücksicht und ohne Erbarmen. Wenn er Rücksicht nimmt, dann nur auf Leute wie sich, Mikojan und Bulganin, die ja schon unter Stalin Macht und Einfluß besessen haben und mehr oder weniger an seinen Taten beteiligt gewesen sind. Nicht geschont werden jedoch Molotow, Kaganowitsch und Malenkow, die der Redner nahezu unverhüllt der Beihilfe an den Verbrechen des Georgiers bezichtigt.

Chruschtschows Bild von dem toten Tyrannen wird vom Haß gezeichnet — und vom Grauen. Er war schließlich schon ein „gemachter Mann", als Stalin ihn noch stundenlang im Vorzimmer warten ließ. Als er endlich vorgelassen wurde, lastete ein seltsamer Druck auf der Brust, der auf Angst hindeutete. Würde man den Abend noch lebend überstehen? Doch Stalin war gut gelaunt. Er hatte getrunken. Seine Augen funkelten. „Der kleine Dicke da", wies er vor den versammelten Parteispitzen auf Chruschtschow hin, „der hat nur Weiber, Alkohol und Lieder im Kopf." Dann zogen sich die dunklen Augen zu einem schmalen Schlitz zusammen. Der volle Mund wurde merkwürdig hart. „Tanze, Genosse Chruschtschow", befahl Stalin, „los, zeig uns mal, was man in der Ukraine macht. Tanz uns den Gopak vor! Tanz Ukrainer!" Und Chruschtschow tanzte voll Wut und Scham.

Jetzt rächt er sich. Sein Bild von Stalin könnten die ärgsten Gegner des Kommunismus nicht schärfer zeichnen. Der Tote wird der gemeinsten Verbrechen bezichtigt, des organisierten Massenmordes, der Ausrottung ganzer Völker. Stalin steht als Wahnsinniger da, als Hysteriker, als Mann, der sich in widerwärtigster Weise selbstverherrlicht hat. Stalin hat Sadisten freie Hand gewährt und seine treuesten Gefolgsleute foltern und umbringen lassen. Seine besten Freunde wurden von ihm in den Selbstmord getrieben.

Es wimmelt in dem Referat von Ausdrücken wie „Überheblichkeit", „Größenwahn", „krankhaftes Mißtrauen", „launenhaftes und despotisches Wesen" und „ins Unermeßliche gesteigerter Verfolgungswahn". „Grober Mißbrauch der Macht" und „brutale Willkür" — das waren, so hören die entsetzten Delegierten, die Kennzeichen der Stalin-Epoche.

Chruschtschow bringt Enthüllungen über die Zeit der „Großen Säuberung" von 1936 bis 1938, wenn auch nur aus dem Zusammenhang gerissene Einzelheiten. Er fordert Marschall Woroschilow, den Verteidiger des späteren Stalingrads im Bürgerkrieg auf, offen zu sagen, welch untergeordnete Rolle Stalin in Wirklichkeit bei der Schlacht gespielt hätte. Er wirft Stalin vor, im zweiten Weltkrieg militärisch versagt und Hitler bis zuletzt vertraut zu haben. Er geißelt die Deportation ganzer, angeblich unzuverlässiger Völkerschaften während der Kriegszeit (verschweigt aber die Liquidierung der autonomen Republiken der Wolgadeutschen und der Krimtataren, deren Bevölkerung auf Sibirien und Kasachstan verteilt und noch immer nicht in geschlossenen Siedlungsgebieten zusammengefaßt worden ist). Und Chruschtschow zählt Einzelheiten aus den „Affären" der Nachkriegszeit auf, deren im Westen bekannteste, die angebliche Ärzteverschwörung, ja erst durch Stalins Tod ihren Abschluß gefunden hat.

Die Vorwürfe gegen Stalin wegen seines Verhaltens im Krieg lauten wörtlich: „Die in den Händen einer einzigen Person, nämlich Stalins, angehäufte Macht hatte ernste Folgen während des Großen Vaterländischen Krieges. Vor dem Kriege waren unsere Presse und unsere gesamte politische Erziehungsarbeit charakterisiert durch ihren prahlerischen Ton: Wenn ein Feind den heiligen Sowjetboden verletzt, dann werden wir jeden Schlag des Feindes mit drei Schlägen beantworten, wir werden den Kampf gegen den Feind in seinem eigenen Lande führen und ohne großen Schaden für uns selbst den Sieg davontragen. Aber diese optimistischen Erklärungen stützten sich nicht überall auf konkrete Vorkehrungen, die geeignet gewesen wären, die Unverletzlichkeit unserer Grenzen wirklich zu garantieren.

Während des Krieges und danach brachte Stalin die These auf, die Tragödie, die unsere Nation während der ersten Kriegsphase erlebte, sei das

Ergebnis des ‚Überraschungsangriffs‘ der Deutschen auf die Sowjetunion gewesen. Aber, Genossen, das ist vollkommen unwahr. Sobald Hitler in Deutschland zur Macht kam, stellte er sich selbst die Aufgabe, den Kommunismus zu liquidieren. Die Faschisten sagten dies ganz offen; sie machten keinerlei Hehl aus ihren Plänen.

Aus Dokumenten, die jetzt veröffentlicht wurden, geht hervor, daß Churchill am 3. April 1941 Stalin durch den englischen Botschafter in der UdSSR, Cripps, persönlich warnen ließ, daß die Deutschen mit einer Umgruppierung ihrer Streitkräfte begonnen hätten, in der Absicht, die Sowjetunion anzugreifen.

Stalin nahm jedoch von diesen Warnungen keine Notiz. Und was noch schlimmer ist, Stalin befahl, daß Informationen dieser Art kein Glaube zu schenken sei, um nicht den Beginn militärischer Operationen herauszufordern.

Wir müssen feststellen, daß uns Informationen dieser Art, die sich auf eine drohende deutsche Invasion des sowjetischen Territoriums bezogen, auch über unsere eigenen militärischen und diplomatischen Quellen zugingen; aber wegen der Voreingenommenheit der Führung gegen solche Nachrichten war man ängstlich bei der Weiterleitung und zurückhaltend bei der Auswertung.

Auch folgende Tatsache ist bekannt: Am Vorabend der Invasion des sowjetischen Staatsgebietes durch die Hitlerarmee kam ein deutscher Staatsbürger über die Grenze und teilte mit, die deutschen Armeen hätten Befehl erhalten, die Offensive gegen die Sowjetunion in der Frühe des 22. Juni um drei Uhr zu beginnen. Stalin wurde sofort davon in Kenntnis gesetzt, aber er ignorierte selbst diese Warnung.

Man darf auch nicht vergessen, daß Stalin nach den ersten schweren Niederlagen und Rückschlägen an der Front glaubte, daß dies das Ende sei. In einer seiner Reden sagte er damals: ‚Alles, was Lenin geschaffen hat, haben wir für immer verloren.‘ Stalin leitete danach lange keine militärischen Operationen mehr und tat überhaupt nichts.

Hier ist jedoch nicht nur vom Kriegsbeginn die Rede, der eine bedrohliche Desorganisation unserer Armee und bedeutende Verluste mit sich brachte. Auch nach dem eigentlichen Kriegsbeginn zeigte Stalin Anzeichen von Nervosität und Hysterie, die, da er sich laufend in die militärischen Operationen einmischte, unserer Armee ernstlichen Schaden zufügten.“

Während Chruschtschow kein Wort der Kritik am Pakt mit Hitler und den als Ergebnis dieses Paktes erfolgten Annexionen findet, kritisiert er lediglich Stalins Verhalten seit Mitte 1941:

„Stalin hatte nicht das geringste Verständnis für die wirkliche Situation, die sich an der Front entwickelte. Dies war nur natürlich, denn er hat während des ganzen Vaterländischen Krieges niemals einen Frontabschnitt oder eine befreite Stadt besucht, wenn man von einer kurzen Fahrt auf der Moschaisker Rollbahn bei ruhiger Frontlage absieht. Dieser Episode wurden später viele phantasievolle literarische Werke jeglicher Art sowie viele Gemälde gewidmet. Stalin mischte sich gleichzeitig in Operationen ein und erteilte Befehle, die die wirkliche Lage in den einzelnen Frontabschnitten außer acht ließen und die deshalb zwangsläufig zu schweren Verlusten führen mußten.

Ich möchte mir in diesem Zusammenhang erlauben, einen charakteristischen Vorfall zu schildern, der beispielhaft zeigt, wie Stalin die Lagen an der Front leitete. An diesem Parteikongreß nimmt auch Marschall Bagramjan teil, der seinerzeit Chef der Operationsabteilung beim Oberkommando der Südwestfront war und der bestätigen kann, was ich Ihnen sagen werde.

Als sich im Jahre 1942 im Raume Charkow eine für unsere Armee höchst bedrohliche Lage entwickelte, hatten wir uns ganz richtig für den Abbruch einer Operation entschieden, deren Ziel die Einkreisung von Charkow war, da die Fortführung dieser Operation in Anbetracht der damaligen Gegebenheiten katastrophale Folgen für unsere Armee hätte haben können. Wir erstatteten an Stalin Bericht darüber und wiesen darauf hin, daß die Lage eine Änderung der Operationspläne erforderlich mache, um zu verhindern, daß der Feind große Teile unserer Armee in diesem Raum vernichten könne. Gegen jede Vernunft lehnte Stalin unseren Vorschlag ab und gab den Befehl, die Einkreisung Charkows fortzusetzen, obwohl viele Teile unserer Armee selbst in Gefahr waren, eingekreist und vernichtet zu werden. Ich telefonierte mit Wassilewski und bat ihn: ‚Alexander Michailowitsch' — Wassilewski ist ebenfalls hier anwesend — ‚nimm eine Landkarte und erkläre dem Genossen Stalin die Lage, in der wir uns hier befinden.' Dabei muß man wissen, daß Stalin militärische Operationen auf einem Globus plante.

Ja, Genossen, er pflegte den Frontverlauf auf einen Globus einzuzeichnen. Ich sagte zum Genossen Wassilewski: ‚Erkläre ihm die Lage auf einer Landkarte; in der gegenwärtigen Lage können wir die geplante Operation nicht fortsetzen. Die alte Entscheidung muß aus sachlichen Gründen revidiert werden.' Wassilewski antwortete mir, Stalin habe das Problem bereits studiert, und er werde Stalin die Sache nicht mehr vortragen, da letzterer bezüglich dieser Operation nicht mehr mit sich reden lasse.

Nachdem ich mit Wassilewski gesprochen hatte, rief ich Stalin in seiner Villa an. Doch nicht Stalin war am Apparat, sondern Malenkow. Ich sagte dem Genossen Malenkow, daß ich von der Front anrufe und daß ich Stalin persönlich zu sprechen wünsche. Stalin ließ mir durch Malenkow ausrichten, daß ich mit diesem sprechen solle. Ich sagte nun zum zweitenmal, daß ich Stalin persönlich über die bedrohliche Situation unterrichten wolle, die sich für uns an der Front ergeben habe. Aber Stalin hielt es nicht für nötig, selbst an den Apparat zu kommen und wiederholte, ich solle über Malenkow mit ihm sprechen, obgleich Stalin nur wenige Schritte vom Telefon entfernt war. Als er auf diese Weise unseren Notruf ‚zur Kenntnis genommen' hatte, sagte Stalin: ‚Laßt alles so, wie es ist!'

Und was war das Resultat? Das schlimmste, was wir befürchteten. Die Deutschen schlossen unsere Truppenmassierungen ein, und wir verloren so Hunderttausende unserer Soldaten. Die Militärs wissen, daß Stalin Ende 1941, statt bereits damals das großangelegte Umfassungsmanöver im Rücken des Feindes einzuleiten, pausenlose Frontalangriffe und die Einnahme von einer Ortschaft nach der anderen verlangte. Dafür mußten wir mit großen Verlusten bezahlen, bis unsere Generale, auf deren Schultern die ganze Last der Kriegführung ruhte, die Umstellung auf eine beweglichere Kampfweise erringen konnten, was dann sofort bedeutende und für uns günstige Veränderungen an der Front mit sich brachte.

Das war Stalins ‚Feldherrngenie‘, und das hat es uns gekostet.“

Lähmung in Rußland, Unruhe im Ostblock

Die Reaktion auf Chruschtschows Enthüllungen ist unterschiedlich. Während es bei den einen eher zu einer Lähmung wie unter Keulenschlägen kommt, wächst bei den anderen die Unruhe. Überall stellt sich die Frage: Wie konnte das geschehen? Ist das Sowjetsystem untauglich? Der Parteichef umgeht sie nicht. Er darf sie nicht umgehen. Denn er will die Autorität der Partei erhalten, die Partei reinwaschen. Sie soll Entlastung erfahren, und die Lehren von Marx und Engels sollen ebenfalls Entlastung erfahren. Also muß alle Schuld einem einzelnen aufgebürdet werden, dem Verbrecher Stalin.

Wie der aber die Partei düpieren und alle Macht an sich reißen konnte, ohne rechtzeitig entlarvt zu werden — schließlich hatte ja Lenin, wie Chruschtschow zugeben muß, in seinem „Testament“ vor Stalin gewarnt —, das erklärt der wortgewandte Ukrainer so:

„Zunächst müssen wir bedenken, daß die Mitglieder des Politbüros diese Dinge zu verschiedenen Zeiten verschieden beurteilten. Anfangs gaben viele von ihnen Stalin tatkräftige Unterstützung, weil er einer der stärksten Marxisten war und mit seiner Logik, seiner Festigkeit und seinem Willen die Kader und die Parteiarbeit erheblich beeinflußte. Es ist bekannt, daß Stalin nach Lenins Tod und insbesondere in den ersten Jahren danach aktiv für den Leninismus eintrat und ihn gegen die Feinde der leninistischen Lehre und gegen Abweichler verteidigte.

Von Lenins Lehre ausgehend nahm die Partei mit dem Zentralkomitee an der Spitze auf breiter Basis die sozialistische Industrialisierung des Landes, die Kollektivierung der Landwirtschaft und die kulturelle Revolution in Angriff. Zu jener Zeit gewann Stalin große Popularität, Sympathie und Unterstützung. Die Partei mußte gegen jene kämpfen, die das Land von dem richtigen leninistischen Weg abzubringen suchten; sie mußte gegen die Trotzkisten, Sinowjewisten, die Rechten und die bürgerlichen Nationalisten kämpfen. Dieser Kampf war unerläßlich. Später allerdings begann Stalin, seine Macht in zunehmendem Maße zu mißbrauchen, den Kampf auf hervorragende Partei- und Regierungs-funktionäre auszudehnen und mit Terrormaßnahmen vorzugehen."

Die Delegierten sind Chruschtschow für seinen Versuch, die Partei aus der Verantwortung für Stalins Willkürherrschaft herauszuhalten, dankbar. Und sie sind fest entschlossen, die Enthüllungen geheimzuhalten. Am Schluß des Geheimberichts heißt es: „Wir dürfen diese Angelegenheit nicht aus den Reihen der Partei hinaus, insbesondere nicht in die Presse gelangen lassen ... Wir müssen die Grenzen kennen; wir dürfen dem Feind keine Munition liefern; wir dürfen unsere schmutzige Wäsche nicht vor seinen Augen waschen. Ich denke, die Kongreßdelegierten werden alle diese Vorschläge verstehen und richtig beurteilen." An dieser Stelle vermerkt das Protokoll: „Tosender Beifall".

Nach dem Parteitag wälzt sich eine Versammlungswelle über das Land. Die örtlichen Parteimitglieder werden mit Chruschtschows Ausführungen vertraut gemacht. Die Größen des Sowjetregimes selbst sprechen auf Betriebsversammlungen und lokalen Parteikongressen. „Das darf sich nicht wiederholen!" — lautet das Generalthema. „Der Personenkult darf niemals wiederkehren!"

Hier und dort verschwinden die ersten Stalinstandbilder. Aus den Galerien entfernt man pompöse Stalingemälde. Straßen- und Ortsnamen, die auf Stalin Bezug nehmen, werden umgetauft. Stalingrad heißt plötzlich Wolgograd. Und Stalins mumifizierter Leichnam verliert in der Folgezeit seinen Platz im gläsernen Sarg neben dem Lenins. Er muß das Mausoleum verlassen und wird an der Kremlmauer begraben.

In der Bevölkerung, der die Vorgänge trotz zäher Versuche selbstverständlich nicht verborgen bleiben können, kommt es zu tiefgehenden Zerwürfnissen und zum Vertrauensschwund. Insbesondere in Georgien, wo Stalin als Nationalheld gilt, und bei den Jugendlichen, die im Glauben an Stalin erzogen worden sind wie an ein göttliches Wesen, erhebt sich Widerstand. Es soll Wochen und Monate dauern, bis der „heilsame Schock" sich auch tatsächlich als heilsam erweist — aber nicht im Sinne der Partei. Die Kontrolle über die Menschen droht der Führung zu entgleiten. Die Menschen, von den geistigen Fesseln der Stalinschen Zwangsherrschaft befreit, wollen nun überhaupt keine Fesseln mehr dulden, auch nicht die weicheren und geschmeidigeren, die Chruschtschow parat hält. Insbesondere in Osteuropa kommt es zunehmend zur Entfremdung vom Kreml.

Während es aber in Rußland, in der Sowjetunion selbst, wo der Kommunismus nach fast vierzigjähriger Herrschaft und einem siegreichen Weltkrieg inzwischen mit den nationalen Belangen identifiziert wird, allmählich gelingt, eine Beruhigung herzustellen und das öffentliche Leben wieder dem Gleichmaß des Alltags anzupassen, verstärkt in den osteuropäischen Satellitenstaaten die Tatsache, daß die Kommunisten unter Stalins Oberbefehl mehr oder weniger als landfremde Eroberer eingebrochen und eine Fremdherrschaft aufgerichtet haben, die Bewegung. Weitere auf dem XX. Parteitag verlesene Thesen, die von der

„Koexistenz" und die schon beim Belgrad-Besuch verkündete vom „unterschiedlichen Weg zum Kommunismus", tun das ihre. Im Ostblock schwillt der Nationalismus zu einer Lawine an, die das gesamte Sowjetimperium zum Einsturz zu bringen droht.

Die ideologische Begründung der Koexistenz, des krieglosen Nebeneinanderbestehens von kapitalistischen und kommunistischen Staaten, die in der Praxis schon seit Stalins Tod Leitmotiv der sowjetischen Außenpolitik ist, fällt der Parteiführung besonders schwer. Denn sie muß auf das beliebte Vorgehen, neue Wege mit alten, meist aus dem Zusammenhang gerissenen Zitaten von Marx, Engels und Lenin zu rechtfertigen, verzichten. Es gibt keine einschlägigen Zitate. Ja, Lenin hat in seiner Schrift „Der Imperialismus als höchstes Stadium des Kapitalismus" noch einmal ausdrücklich erklärt, Kriege seien unvermeidlich, solange es die kapitalistische Gesellschaftsordnung gäbe.

Die Kremlführung scheut sich nicht, Lenin zu revidieren. Chruschtschow erklärt, Lenins These habe sicherlich für den ersten, zum Teil auch noch für den zweiten Weltkrieg gegolten, jetzt sei der Imperialismus jedoch kein umfassendes Weltsystem mehr. Starke, „am Frieden interesssierte Kräfte" würden bestehen, nämlich die Sowjetunion mit ihren Verbündeten, die neutrale Staatengruppe in Asien und Afrika, die „Arbeiterbewegung" und die „Weltfriedensbewegung". Das seien Faktoren, die es den kapitalistischen Mächten unmöglich machten, leichtfertig Kriege zu entfesseln. Auch die Imperialisten seien zur Koexistenz gezwungen und müßten den Bestand der Sowjetunion respektieren.

Allerdings, betont Chruschtschow, gelte die Koexistenzpolitik nicht in ideologischen Fragen. „Die absolut richtige These über die Möglichkeit der Koexistenz von Ländern mit verschiedenen sozialen und politischen Systemen auf das Gebiet der Ideologie" übertragen zu wollen, so stellt er fest, sei ein „schädlicher Irrtum". Vielmehr müsse die Partei nach wie vor „die bürgerliche Ideologie unermüdlich ... entlarven und ihren volksfeindlichen, reaktionären Charakter" aufdecken.

Diese unverblümte Abkehr von Lenin, der im Verfolg des XX. Parteitags nächst Marx und Engels wieder als das alleinige Idol der Kommunisten in den Vordergrund gestellt wird, erfolgt nahezu stillschweigend. Sie steht im Schatten der spektakulären Entstalinisierung und der wichtigeren und bahnbrechenderen ideologischen Veränderung, der Proklamation des Rechts auf unterschiedliche Wege zum Sozialismus.

Unterschiedlicher Weg zum Sozialismus — das galt seit Stalins Bruch mit Tito im Sommer 1948 als gefährliche und todeswürdige Ketzerei. „Wir folgen dem Beispiel der großen Sowjetunion", hieß es in Budapest, Prag und Ost-Berlin. „Von der Sowjetunion lernen, heißt siegen lernen", beteten die Agitatoren der Bevölkerung von Warschau, Bukarest und Sofia unermüdlich vor.

Nun schlägt Chruschtschow einen anderen Ton an: Der Übergang zum Sozialismus müsse keineswegs „unter allen Umständen mit dem Bürgerkrieg" verbunden sein. Den russischen Bolschewiki sei der parlamentarische Weg damals „verschlossen" gewesen. Heute aber bestehe in mehr als einem kapitalistischen Land die Möglichkeit, „den reaktionären, volksfeindlichen Kräften eine Niederlage zuzufügen, eine stabile Mehrheit im Parlament zu erobern und es aus einem Organ der bürgerlichen Demokratie zu einem Werkzeug" der Kommunisten zu machen. Dabei müßten sie sich auf eine „Massenbewegung der Werktätigen" stützen.

Bei dieser These wäre es leicht, von Marx, Engels und Lenin stützende Zitate zu übernehmen. So hat Marx 1878 gesagt: „Gewinnt in England oder den Vereinigten Staaten die Arbeiterklasse die Majorität im Parlament oder Kongreß, so könnte sie auf gesetzlichem Wege die ihrer Entwicklung im Wege stehenden Gesetze und Einrichtungen beseitigen."

1891 schreibt Engels: „Man kann sich vorstellen, die alte Gesellschaft könne friedlich in die neue hineinwachsen, in Ländern, wo die Volksvertreter alle Macht in sich konzentrieren, wo man verfassungsgemäß tun kann, was man will, sobald man die Majorität des Volkes hinter sich hat; in demokratischen Republiken wie Frankreich und Amerika, in Monarchien wie England, wo diese Dynastie gegen den Volkswillen ohnmächtig ist."

Dennoch werden diese Zitate nach wie vor verschwiegen. Auch Lenin hören die Delegierten nicht, der 1919 erklärt hat: „Man darf nichts aus Moskau dekretieren", und 1921: Die Kommunistische Internationale werde niemals verlangen, daß die anderen kommunistischen Parteien „die Russen sklavisch nachahmen".

Immerhin findet Mikojan den Mut, wenigstens eines der während der Stalin-Zeit unterdrückten Marx-Zitate, und zwar den 1872 in Amsterdam gebrauchten Satz, heranzuziehen:

„Wir haben nicht behauptet, daß die Wege, um zu diesem Ziel (dem Sozialismus) zu gelangen, überall dieselben seien. Wir wissen, daß man die Institutionen, die Sitten und das Herkommen der verschiedenen Gegenden berücksichtigen muß, und wir leugnen nicht, daß es verschiedene Länder gibt, wie Amerika, England, und wenn ich eure Einrichtungen besser kennte, würde ich vielleicht hinzufügen, Holland, wo die Arbeiter auf friedlichem Wege zu ihrem Ziele gelangen können."

Es ist wiederum Mikojan, der in seiner Rede die Frage aufwirft, ob die Partei mit dieser neuen These nicht etwa „auf die schiefe Ebene der Revisionisten des Marxismus gerate". Nein, sagt er, denn Reformisten und Revisionisten seien „Apologeten des Kapitalismus". Die Möglichkeit eines friedlichen Weges zum Sozialismus dürfe man niemals mit den Vorstellungen der Reformisten in einen Topf werfen, denn — so steht es im Druck hervorgehoben im amtlichen Parteiprotokoll — niemand dürfe vergessen, „daß die Revolution, gleichviel ob friedlich oder nicht friedlich, stets eine Revolution sein wird".

Damit macht Mikojan deutlich: Die Sowjetführer sehen im „friedlichen

Übergang" nur eine Möglichkeit unter anderen. Sie sind nicht bereit, grundsätzlich auf den gewaltsamen Umsturz zu verzichten. Trotzdem tragen diese Ausführungen dazu bei, die kommunistische Herrschaft in Osteuropa zu erschüttern.

VI

MOSKAUS MACHT AUF DEM HÖHEPUNKT

Die kommunistische Herrschaft in Osteuropa

Zum kommunistischen Staatensystem in Osteuropa gehören seit 1945 — außer dem von Moskau unabhängigen Jugoslawien und dem als Folge der Entstalinisierung in die Arme der Chinesen getriebenen Albanien — Rumänien, Bulgarien, die Tschechoslowakei, Polen und Ungarn. Die Versuche, in Griechenland und Österreich Fuß zu fassen, sind fehlgeschlagen oder nach einer Übergangsperiode wieder aufgegeben worden. In Griechenland sind während des zweiten Weltkrieges — ähnlich wie in Jugoslawien — zwei einander bekämpfende Widerstandsbewegungen entstanden, eine kommunistische und eine monarchistische. Doch der „griechische Tito", der sich „General Markos" nennt und ebenfalls von 1936 bis 1939 in Spanien militärische Erfahrungen gesammelt hat, kann sich nicht durchsetzen, als nach Abzug der Deutschen die Engländer ins Land kommen und die Monarchisten unterstützen.
1946 zieht die kommunistische Bürgerkriegsarmee sich in die Berge zurück. Drei Jahre lang führt sie von dort aus einen Partisanenkrieg. Dann fallen nach der Entzweiung Titos mit Stalin Nachschub und Unterstützung aus dem nördlichen Nachbarland fort. Der König beauftragt Marschall Papagos, den Vernichtungsschlag zu führen. Und 1949 werden dann die letzten Bastionen der Kommunisten im Grammosgebirge vernichtet.

In Österreich, das wie Deutschland nach 1945 in vier Besatzungszonen aufgeteilt worden ist, setzen die Sowjets sich im Burgenland, in Niederösterreich und einem Teil Oberösterreichs fest. Außerdem erhalten sie einen Sektor von Wien. Doch die Tatsache, daß die Westmächte sehr schnell die von den Sowjets unter dem demokratischen Sozialisten Renner eingesetzte Regierung als für ganz Österreich zuständig anerkennen, verhindert, daß diese zum Werkzeug der Kommunisten wird. Und als es infolgedessen am 25. November 1945 zu gesamtösterreichischen Parlamentswahlen kommt, erleidet die Kommunistische Partei Österreichs eine vernichtende Niederlage: Sie erhält nur vier Sitze im Nationalrat, während sich die Österreichische Volkspartei und die Sozialisten in die restlichen 161 teilen. Die massive sowjetische Unterstützung der Kommunisten schlägt diesen zum Nachteil aus.

Die Sowjetunion erklärt sich zu einem Friedensvertrag mit Österreich, Staatsvertrag genannt, bereit. Er sieht vor, daß der Donaustaat sich zur Neutralität verpflichtet, und er verbietet jeden neuen Anschluß an Deutschland. Nach jahrelangem Tauziehen wird der Staatsvertrag am 15. Mai 1955 unterzeichnet. Nicht lange danach ziehen die letzten sowjetischen und westalliierten Truppen ab.

In Rumänien dagegen gibt es keine Soldaten der Westmächte, die Demokraten oder Monarchisten stützen können. Das Land gerät als erstes in die Hände der Sowjets.

Im Sommer 1944 hat König Michael die Sinnlosigkeit einer Fortsetzung des Krieges an der Seite der Deutschen begriffen. Er macht den Westmächten mehrere Waffenstillstandsangebote, findet kein Gehör und bricht nun von sich aus mit Deutschland. Die Rote Armee rückt ein, in der Hauptstadt Bukarest wird verhandelt. Eine angeblich unzulängliche Erfüllung der Waffenstillstandsbedingungen wird zum Vorwand für sowjetischen Druck. Die Staatsregierung wird umgebildet. Die Kommunisten — bis dahin eine Splitterpartei — erhalten fünf Ministerien.

Alsbald kommt Wyschinski aus Moskau. Er setzt den Rücktritt des Regierungschefs General Satanescu durch. Bald darauf bildet der Kommunistenfreund Petru Groza eine neue Regierung der „Nationaldemokratischen Front“. Damit liegt praktisch die Macht bereits in der Hand der Kommunisten. Der König wird überspielt. Grozas kommunistisch beherrschte Sammlungsbewegung erhält bei den Parlamentswahlen 90 Prozent aller Stimmen.

Bauernpartei und Liberale sind jeder Möglichkeit beraubt. Der Terror greift um sich. Maniu, der Führer der Bauern, protestiert, wird verhaftet und mit Gefängnis bestraft. Die gesamte diplomatische Auslandsvertretung wird abberufen. Die meisten Botschafter ziehen es vor, nicht in die Heimat zurückzukehren. Am 30. Dezember 1947 muß der König abdanken. Ihm wird freie Abreise ins Exil zugesichert. Rumänien ist Republik.

Die Kommunistische Partei nimmt den linken Flügel der Sozialisten und die linksorientierte Landarbeiterfront auf und heißt nun Rumänische Arbeiterpartei. Die nächsten Wahlen — im November 1952 — erfolgen nach einer Einheitsliste, die 99,9 Prozent der Stimmen erhält. Die anderen Parteien werden aufgelöst. Die Kommunisten sind am Ziel.

Schon 1945 wird die Oberschicht durch die Enteignung des Großgrundbesitzes zerschlagen. Die Industrialisierung beginnt. Und wie in Rußland, so bildet sich auch in Rumänien eine neue Gesellschaftsschicht, die durch die Funktionäre getragen wird.

Die „Bodenreform“ verteilt 1,43 Millionen Hektar Gutsland an landlose Bauern. Die Siebenbürgen-Deutschen werden von Haus und Hof gejagt. Kollektivwirtschaften entstehen nach dem Vorbild der sowjetischen Kolchosen. Einen Teil der enteigneten Güter übernimmt der Staat.

Handels- und Industriebetriebe werden „nationalisiert". Fünfjahresplä-ne schematisieren die Wirtschaft. Sie sind zugleich Industriealisierungs-pläne. Der Erfolg ist eine Zunahme des Industrieanteils am Sozialpro-dukt von 35 Prozent im Jahre 1938 auf 63 Prozent im Jahre 1953. Der Anteil der Landwirtschaft fällt in der gleichen Zeit von 65 auf 37 Pro-zent. Außenpolitisch und militärisch bleibt Rumänien eng an die So-wjetunion gebunden. Dafür sorgt Anna Pauker, der moskauhörige weib-liche Außenminister.

Ähnlich erfolgt der Ablauf der Dinge in Bulgarien, das im zweiten Weltkrieg nur gegen die Westmächte Krieg führt, aber nicht gegen die Sowjetunion.

Im September 1944 erstrebt die bulgarische Regierung einen Vertrags-abschluß mit den USA und Großbritannien. Sie will aus dem Krieg aus-brechen. Die Sowjetunion kommt dem zuvor und erklärt Bulgarien nun ihrerseits kurzerhand den Krieg. Danach provozieren die Sowjets einen Staatsstreich der „Vaterländischen Front", einer aus Moskau gesteuerten Verbindung der illegalen Kommunisten mit den legal gebliebenen Bau-ernparteilern und Sozialisten. Zwei Generale haben sich ihr angeschlos-sen. Und nun kämpft die bulgarische Armee an der Seite der Roten Armee, die sie eben erst überfallen hat, gegen das Deutsche Reich.

Unter dem Schutz der neuen Regierung drängen die Kommunisten of-fen zur Macht. Sie zetteln als Auftakt eine Reihe von Kriegsverbre-cherprozessen an, um sowohl die alten Gegner wie auch die in der „Va-terländischen Front" mitwirkenden bürgerlichen Koalitionsgenossen zu vernichten. Alles, was in der bisherigen Führung Name und Ansehen hat, wird verhaftet. Nach amtlichen Angaben sind es 25 000 Personen. Viele werden gehängt oder erschossen. Die nichtkommunistischen Par-teien werden „gesäubert". Als im Dezember 1945 Wahlen stattfinden, erhält die Einheitsliste die „Zustimmung" des Volkes zu beinahe 90 Pro-zent.

Im September 1946 wird die Monarchie abgeschafft und die Volksrepu-blik unter Georgi Dimitroff ausgerufen. Er war der Starangeklagte des Berliner Reichstagsbrandprozesses von 1933, in dem er freigesprochen worden war. Später war er Generalsekretär der Kommunistischen In-ternationale.

Die Bauernpartei, Repräsentantin von fast einem Drittel der Bevölke-rung, geht in die Opposition. Sie wird aufgelöst und der Oppositionsfüh-rer Petkoff 1947 trotz des Protestes der Westmächte hingerichtet.

Eine neue Verfassung nach sowjetischem Vorbild tritt in Kraft, Kommu-nisten und Sozialdemokraten fusionieren zwangsweise zu einer Einheits-partei und nennen sich nun Bulgarische Arbeiterpartei. Wer von der sozialdemokratischen Führung widerstrebt, kommt ins Gefängnis. Bei den nächsten Wahlen im Winter 1949 erhält die Einheitspartei fast 98 Prozent der Stimmen. Von 25 Ministern sind 22 Kommunisten.

Die Außenpolitik steht völlig unter dem Einfluß Moskaus. Als Dimitroff den Plan erwägt, mit Jugoslawien eine Balkan-Föderation zu bilden, wird dies vom Kreml verhindert. Bulgarien muß seinen Bündnisvertrag mit Jugoslawien aufheben.

Nach Dimitroffs Tod 1949 kommt es zum Gegensatz zwischen Stalinisten und Titoisten. Der alte Kommunist Kostoff, bisher stellvertretender Ministerpräsident und Parteisekretär, sowie seine Anhänger und Mitarbeiter werden auf Weisung Moskaus wegen Konspiration mit Tito hingerichtet.

Albanien dagegen scheint eine sichere Beute Titos zu werden. Das Land liegt in einer wilden Gebirgslandschaft am Adriatischen und Ionischen Meer. Seine Menschen leben von Ackerbau und Viehzucht. Industrie und Handel gibt es beinahe überhaupt nicht. 1962 zählt es 1,7 Millionen Einwohner, also weniger als Hamburg.

Erst im Jahre 1912 ist Albanien unabhängig geworden. Bis dahin hat es den Türken gehört. 1939 wird es von Italien annektiert. Im zweiten Weltkrieg brechen ausgedehnte Partisanenkämpfe aus. Kommunisten übernehmen die Führung. Dann kapituliert Italien, und deutsche Truppen rücken ein. Der Partisanenkrieg wird noch heftiger. Im Mai 1944 bildet sich der „Antifaschistische Volksbefreiungsrat". Nach Abzug der Deutschen besetzen die Partisanen Tirana.

Nach Kriegsende erhalten dann jugoslawische Spezialisten den Auftrag, Albanien wirtschaftlich und kulturell auf das kommunistische System vorzubereiten. Das Land erhält eine „volksdemokratische" Verfassung, gleich nach Jugoslawien, im März 1946. Einzige Partei ist die in Albanische Arbeiterpartei umbenannte Kommunistische Partei. Der Staatsaufbau ist zentralistisch und autoritär. Die politische Macht liegt in den Händen des Generalsekretärs der Arbeiterpartei. Er ist zugleich Ministerpräsident, Außen- und Kriegsminister sowie Oberbefehlshaber der Volksarmee. Sein Name: Enver Hodscha.

Es gibt Grenzkonflikte und ewige Streitereien mit den Nachbarstaaten, zumal, als die Freundschaft mit Jugoslawien auf Stalins Geheiß zerbricht. Nachdem die Sowjets sich Jugoslawien wieder nähern, kommt es zur Entfremdung mit Moskau. Albanien entdeckt 1960 sein Herz für Rotchina.

Staatsstreich in Prag

Bis in die Zeit vor Ausbruch des zweiten Weltkriegs sieht — das Minderheitenproblem ausgenommen — der politische und gesellschaftliche Aufbau der Tschechoslowakei nicht anders aus als beispielsweise der in Frankreich, England oder Österreich. Es gibt eine leidlich funktionierende parlamentarische Demokratie. Die „Bürgerlichen" haben das Übergewicht, und kaum jemand nimmt den Gedanken ernst, daß sich daran etwas ändern könnte. 1929 gewinnen die Kommunisten 41 (von insgesamt 300) Mandaten. Bei den Wahlen von 1929 und 1935 sinken sie wieder auf 30 Sitze ab.

Seit Februar 1929 ist Klement Gottwald Generalsekretär der Kommunistischen Partei. Im Oktober 1929 wird er ins Parlament gewählt, und hier ruft er den anderen Parteien zu: „Wir gehen zu den russischen Bolschewisten nach Moskau, um dort zu lernen, euch das Genick zu brechen. Ihr wißt ja, daß die russischen Bolschewisten darin Meister sind." Die Zuhörer in Prag mögen bei diesen Worten verächtlich die Schultern zucken, Stalin jedoch klingen die Drohungen so angenehm in den Ohren, daß er die Rede „groß, staatsmännisch und wahrhaft bolschewistisch" nennt.

Das politische Übergewicht der bürgerlichen Kreise verschiebt sich, als Hitler im Jahre 1938 das Sudetenland erhält und Ansprüche auf die ganze Tschechoslowakei erhebt. Denn jetzt fordern die Kommunisten im sicheren Gefühl, Beifall in allen Kreisen, sogar bei ihren Gegnern zu finden, schroffe Unnachgiebigkeit. Sie sind zuversichtlich, daß die Sowjetunion ihrem Lande Hilfe leisten wird, sollte es wirklich hart auf hart kommen.

Gerade diese Aussicht aber macht viele Nichtkommunisten besorgt. Lieber wollen sie dem deutschen Druck nachgeben, als sich den Sowjets anzuvertrauen. Dabei blicken sie zugleich voll Hoffnung auf England und Frankreich. Doch die von hier erwarteten Versprechen bleiben aus. Im März 1939 marschieren die Deutschen ein. Die Slowakei wird abgetrennt, Böhmen und Mähren werden deutsches „Reichsprotektorat".

Tiefe Enttäuschung ist die Folge. Sie klingt nach über die lange Dauer des zweiten Weltkriegs und bleibt auch in der Katastrophe des deutschen Zusammenbruchs von 1945 unvergessen. So geschieht es, daß die nichtkommunistischen Exilparteien den Staatspräsidenten Dr. Eduard Benesch bevollmächtigen, noch im Kriege — 1943 — den Kreml zu besuchen und trotz Widerratens der Engländer einen Beistandspakt mit den Sowjets abzuschließen.

Das tschechoslowakische Staatsoberhaupt zeigt sich von dem, was es in Moskau sieht, so sehr beeindruckt, daß es nun eine enge Zusammenarbeit zwischen Kommunisten, Sozialdemokraten und Nationalen Sozialisten für erstrebenswert erklärt, ja den letztgenannten, seinen eigenen Parteifreunden, sogar den Rat erteilt, sich aufzulösen. Um die gleiche Zeit etwa schreibt er in seinem Buch „Demokratie heute und morgen": „Der Kommunismus hat in seiner Philosophie und Moral große Ähnlichkeit mit der Demokratie."

Bei dieser Stimmung, die weite Kreise der Bevölkerung erfüllt, haben die alten Drohungen Gottwalds so sehr ihren Schrecken verloren, daß Nichtkommunisten und Kommunisten 1945 auf Rat der Sowjets eine „Regierung der Nationalen Front" bilden. Der Zusammenbruch des Deutschen Reiches, die Übermacht der siegreichen Sowjets, der noch immer nicht vergessene „Verrat" des Westens und möglicherweise der Wunsch, im Chaos der kommenden Jahre mit dem Rücken an der Wand zu bleiben, bieten die Erklärung für dieses Verhalten.

In der von der Roten Armee besetzten Stadt Kaschau in der östlichen Slowakei beschließen Tschechoslowaken und Sowjets das „Kaschauer Programm": Alle faschistischen Organisationen sollen aufgelöst und nicht zugelassen werden, ferner jene Parteien, „die sich schwer am Interesse der Nation und der Republik versündigt haben". Das zielt im Grunde auf alle bürgerlichen Parteien. Doch deren Vertreter in Kaschau scheinen blind und taub zu sein. Sie spüren nicht, daß alles, was hier geschieht, Vorarbeit für die spätere Alleinherrschaft der Kommunisten ist.

Diese beanspruchen überdies gerade jene Ministerien, die für die Ausweitung ihrer Macht die wichtigsten sind: Sie stellen zwei stellvertretende Ministerpräsidenten, den Innenminister, den Schulminister, den Informationsminister und den Landwirtschaftsminister. Damit beherrschen sie die Polizei und die Propaganda einschließlich Presse und Rundfunk. Schließlich bekommen sie die geplante Bodenreform in den Griff.

Selbstverständlich gehört Klement Gottwald dieser Regierung an. Ministerpräsident Fierlinger, der Vorsitzende der Sozialdemokraten, ist in Wahrheit längst kein Sozialdemokrat mehr. Er hat sich während des Krieges als tschechischer Gesandter in Moskau heimlich den Kommunisten angeschlossen.

Am 8. April 1945 beruhigt Gottwald die bürgerlichen Bundesgenossen. Er stellt die Frage: „Ist es schon heute an der Zeit, sich als nächstes Ziel die Sowjetrepublik, den sozialistischen Staat zu setzen?" Und er gibt die Antwort: „Nein! Das wäre ein großer strategischer Fehler ... Trotz der günstigen Situation sind die nächsten Ziele nicht Sowjets und Sozialisierung, sondern die wirklich konsequente Durchführung einer demokratischen, nationalen Revolution."

Einen Monat später wird das Vermögen aller Deutschen und Ungarn unter staatliche „Verwaltung" gestellt und nochmals einen kurzen Monat darauf das landwirtschaftliche Vermögen der Deutschen und Ungarn enteignet. Betroffen werden von diesen Maßnahmen mehr als vier Millionen Menschen, fast ein Drittel der Gesamtbevölkerung. Das sind Begleiterscheinungen der rücksichtslosen Vertreibung der Sudetendeutschen aus ihrer Heimat, die nicht nur „nationalen" Aufgaben dient, sondern zugleich der Kollektivierung. Millionen von Tschechen sind über die Ereignisse, die sich unter ihren Augen abspielen, entsetzt.

Im Oktober 1945 werden dann die Bergwerke, die Aktienbanken, die Großbetriebe und die privaten Versicherungsgesellschaften verstaatlicht. Der „Sozialismus" scheint zu marschieren. Im Dezember 1945 ziehen die Sowjets ihre Truppen ab.

Aber die Parlamentswahl von 1946 bringt den Kommunisten nur einen Stimmenanteil von 36,7 Prozent. Sie entscheiden sich deshalb für den Staatsstreich. Im Februar 1948 ist es soweit. Ausgesuchte Parteimitglieder, die den Kommunisten hörige Polizei sowie Arbeitermilizen besetzen die Sekretariate der demokratischen Parteien, deren Zeitungen nicht mehr erscheinen können und deren Politiker verhaftet werden.

Außenminister Jan Masaryk, der Sohn des ersten Staatspräsidenten der Tschechoslowakei, wird nach einem Sturz aus dem Fenster tot aufgefunden. Präsident Benesch tritt zurück. Sein Nachfolger, Gottwald, sagt den Tschechoslowaken mit einem Ausspruch Lenins, was sie zu erwarten haben: „Der Übergang vom Kapitalismus zum Kommunismus wird sicher einen großen Reichtum und eine große Vielfalt der politischen Formen mit sich bringen, das Wesen aber wird dabei unausweichlich nur das eine sein: Die Diktatur des Proletariats."

Verständlicherweise finden die Vorstellungen Titos von einem Sonderweg zum Sozialismus auch in Prag Anhänger. Moskau ist so beunruhigt, daß es deren Liquidierung fordert. Sie werden — an ihrer Spitze Generalsekretär Slansky — hingerichtet. Dann aber stirbt Stalin und wenige Tage später Gottwald. Die Macht gehört nun dem Ersten Sekretär Nowotny. Die Entstalinisierung setzt ein und „Rudé Pravo", das Parteiorgan, schreibt in bombastischer Art: „Lenin ist die Partei ... Wir sagen das deshalb, weil Lenin wirklich die Partei ist, weil es wahr ist ... Wenn wir daher sagen, daß Lenin die Partei ist, dann sagen wir damit die reine Wahrheit, weil Lenin gleichzeitig ein lebendiges Programm ist."
1960 wird der Staatsbezeichnung das Wort „Sozialistisch" hinzugefügt: „Tschechoslowakische Sozialistische Republik", abgekürzt CSSR.

Die Entwicklung in Polen

In Polen nehmen die Dinge eine andere Entwicklung. Hier zählt die KP vor dem Kriege kaum 40 000 Mitglieder. Anfang 1938 wird sie — ohnehin verboten — wegen Unbotmäßigkeit von der Komintern aufgelöst. Ihre Führer stehen im Gegensatz zu Stalin.
Dann kommt es zum Krieg und zur Besetzung durch deutsche Truppen. Die Exilregierung, die sich in London bildet, hat in ihren Reihen keine Kommunisten. Nach Ausbruch des deutsch-sowjetischen Krieges vereinbart sie mit der Sowjetunion ein „Abkommen auf gegenseitige Hilfe" sowie einen „Freundschaftsvertrag".
Den Sowjets genügt diese mit Sozialisten, Christlichen Arbeiterparteilern und Nationalen getroffene Vereinbarung allerdings nicht. Zur gleichen Zeit kommt es in Saratow zu einer geheimen Zusammenkunft von in die Sowjetunion emigrierten polnischen Kommunisten, die den Stalinschen Säuberungen entgehen konnten. Das sind die Leute, die nach Stalins Plänen und Wünschen Polen später regieren sollen.
Im Jahre 1942 entsteht in Polen selbst unabhängig davon und in Auflehnung gegen die deutsche Besatzung die Polnische Arbeiterpartei, deren Führer bald Gomulka wird. Sie ist getragen von den in Polen gebliebenen Kadern der ehemaligen Kommunistischen Partei und „erfüllt von den Ideen des Marxismus-Leninismus". Dennoch streitet sie jede Verbindung mit der Vorkriegs-KP ab. Zu Kriegsende zählt sie etwa

12 000 Mitglieder. Sie verweigert strikt die Zusammenarbeit mit der polnischen Exilregierung und ihrem Führer General Sikorski.

Diese, inzwischen zu einem „Kabinett der nationalen Einheit" erweitert, bemüht sich um enge Zusammenarbeit mit der Sowjetunion. Als sie dann aber im April 1943 die Untersuchung des Falles Katyn verlangt, benutzen die Sowjets das als Vorwand, die Bildung einer neuen polnischen Regierung zu fordern, welche „die Freundschaft der Sowjetunion anstreben werde". Vier Wochen später ist ein „Verband polnischer Patrioten" gegründet. Er hat seinen Sitz in Rußland. Polnische Divisionen innerhalb der Roten Armee werden aufgestellt. Ihre Führer predigen die „Ideologie des Kampfes für nationale Befreiung und soziale Gerechtigkeit".

Dann stirbt im Juli 1943 General Sikorski. Die neue Exilregierung unter seinem Nachfolger Mikolaiczyk erklärt sich zu einer Wiederaufnahme der Beziehungen mit der Sowjetunion bereit. Doch die Sowjets senden Boleslaw Bierut in das noch immer von den Deutschen besetzte Polen, um in Warschau illegal einen „Landesnationalrat" zu bilden, der dann am 21. Juli 1944 das „Polnische Komitee der nationalen Befreiung", die Untergrundregierung, beruft. Am gleichen Tage überschreiten die in der Sowjetunion aufgestellten polnischen Einheiten als „Befreiungsarmee" zusammen mit der Roten Armee den Bug. Ein „Manifest der Nationalen Befreiung" beschimpft die Exilregierung in London als „usurpatorisches, illegales Regime". Und die sowjetischen Truppen verhaften die Kommandeure der polnischen „Heimatarmee" der Exilregierung, die in ihre Hände fallen. Einige werden gehängt, andere erschossen, andere nach der Sowjetunion deportiert.

Schließlich bricht am 1. August 1944 der Warschauer Aufstand der „Heimatarmee" unter General Bor-Komorowski aus, den die Deutschen blutig niederschlagen. Sowjets und polnische Kommunisten stehen am rechten Weichselufer, das sie inzwischen erreicht haben, und sehen von dort aus ungerührt zu.

Englands Premierminister Churchill spricht mit Stalin und fragt ihn besorgt: „Wird es den nichtkommunistischen Parteien möglich sein, zu arbeiten, ohne als ‚Faschisten' oder ‚Reaktionäre' gebrandmarkt zu werden?" Und Stalin verspricht: „Ich werde es befehlen! Polen wird nicht durch Bürgerkrieg gestört werden."

Danach stellt die Sowjetregierung die Forderung nach Anerkennung der 1939 in Zusammenarbeit mit Hitler erfolgten Annexion in Ostpolen. Die Exilregierung lehnt ab. Die westlichen Alliierten halten sich zurück. Sie wollen es mit keinem Teil verderben. So kommen die Sowjets schnell voran. Das Befreiungskomitee wird am 31. Dezember 1944 offiziell in die Provisorische Regierung des inzwischen von den Deutschen befreiten Polen umgebildet. In ihr sind formell die Polnische Sozialistische Partei, die Bauernpartei und die Demokratische Partei mit von der Exilregierung unabhängigen Angehörigen sowie die kommunistische Arbeiterpartei vertreten. Die letztere besetzt drei Ministerien und benennt als stellvertretenden Ministerpräsidenten Wladislaw Gomulka.

Die Exilregierung protestiert — niemand hört auf sie. Und im Februar 1945 erkennen auch die Westmächte die Provisorische Regierung an. Dabei vereinbaren Churchill und Roosevelt mit Stalin, daß in Polen „sobald als möglich aufgrund des allgemeinen und geheimen Wahlrechts freie und unbehinderte Wahlen" stattfinden werden.
Im Frühjahr 1945 begeben sich 16 polnische Untergrundführer, die der Exilregierung nahestehen, aufgrund ehrenwörtlicher Zusicherungen hoher Sowjetoffiziere zu Verhandlungen nach Moskau. Aber sie treffen nicht ein, sondern verschwinden unterwegs. Lange sucht man nach ihnen vergeblich. Dann lichtet Molotow das Geheimnis: Die Politiker sind mit Wissen der Provisorischen Regierung wegen Verletzung sowjetischer Gesetze zum Schutze der Roten Armee verhaftet. Zur Wahrung des Scheins werden sie von einem Moskauer Militärgericht zu Freiheitsstrafen verurteilt.

Am 28. Juni 1945 bildet der Schatten-Ministerpräsident Osobka-Morawaski eine „Regierung der Nationalen Einheit". Mikolaiczyk, der bereits Ende 1944 mit der Exilregierung gebrochen und die Abtretungen an die Sowjetunion anerkannt hat, wagt die Flucht nach vorn. Er wird stellvertretender Ministerpräsident. Doch die Kommunisten halten ihn von der Macht fern. Sie allein besetzen die entscheidenden Positionen. Und sie zögern die „freien" Wahlen immer weiter hinaus. Stalin bestimmt zynisch: „Die Wahlen müssen vor den Wahlen gewonnen werden."
„Wir wissen sehr wohl, daß bei freier Wahl die Kommunisten keine fünf Prozent der Stimmen erhalten würden", urteilt Mikolaiczyk, „doch können wir wenig Hoffnung hegen, daß die Wahlen frei sein werden."
Endlich, am 19. Januar 1947, erfolgen sie — „entsprechend den Traditionen der polnischen Nation". 60 bis 70 Prozent der Mikolaiczyk-Kandidaten sind vorher von den Wahllisten gestrichen worden. „Die Zwangsmaßnahmen haben ein solches Maß erreicht, daß es ausgeschlossen erscheint, die Wahlen entsprechend dem Potsdamer Abkommen durchzuführen", schreiben die USA in einer Protestnote. Moskau antwortet: „Für die Sowjetunion besteht kein Anlaß, bei der polnischen Regierung Schritte zu unternehmen, die eine Einmischung in innenpolitische Angelegenheiten bedeuten würden." Bierut, nunmehr Staatspräsident, erklärt die Vorwürfe der USA als „gänzlich unbegründet".
Es werden rund elf Millionen Stimmen abgegeben. Davon entfallen mehr als neun Millionen auf den kommunistisch geführten „Demokratischen Block". Mikolaiczyk erringt immerhin noch 1,1 Millionen Stimmen. US-Botschafter Lane berichtet seiner Regierung: „Die Einschüchterung war so stark, daß die Regierung vielleicht nicht einmal zur Fälschung greifen mußte ... Übereinstimmend ging die Meinung dahin, daß ... das polnische Volk nichts dazu tun konnte. Die Sowjets und ihre

polnische Marionettenregierung hatten entschieden, letztere müsse an der Macht bleiben. Das Ergebnis war unausweichlich, wie es in Jugoslawien, Bulgarien, Rumänien unausweichlich gewesen war."

„Polnischer Frühling"

Was dann in Polen weiter geschieht, ähnelt den Vorgängen in den anderen sowjetischen Satellitenstaaten und insbesondere auch in Mitteldeutschland wie ein Ei dem andern: Die Sozialisten schließen sich unter Druck mit der Arbeiterpartei zu einer Einheitspartei zusammen. Ihre widerstrebenden Führer wandern ins Gefängnis. Zehntausende einfacher Sozialisten gehen ebenfalls diesen Weg. Osobka-Morawski macht keine Ausnahme.

Neuer Ministerpräsident wird Cyrankiewicz. Er beherrscht die Verwaltung, der Sicherheitsminister die Polizei, der Industrieminister das Wirtschaftsleben, der Außenminister sieht seine Hauptaufgabe darin, Polens Diplomatie in Gleichschritt mit den Sowjets zu bringen. Bis auf wenige Ausnahmen bestimmen Kommunisten; auch die Ausnahmen verschwinden bald. Und nun laufen Verstaatlichung der Wirtschaft, Enteignung, Bodenreform, landwirtschaftliche Kollektivierung und die Sowjetisierung in Rechtsordnung, Heerwesen, Verwaltung, Kultur und Bildung nach bekanntem Muster ab.

Ihr Hauptaugenmerk richten die Kommunisten auf das letzte Bollwerk des Widerstands, die katholische Kirche. Sie erweist sich als stabil und unerschütterlich. Mehr als ein Jahrhundert lang hat sie den nationalen Gedanken gehütet. Nationalismus und Katholizismus sind in Polen nahezu identisch.

Generalsekretär Gomulka will das respektieren. Der Kreml denkt anders und brandmarkt ihn als Titoisten. Er und seine Freunde verschwinden im Zuchthaus. Dem Schicksal des Tschechen Slansky und des Bulgaren Kostoff können sie entgehen. Ein Schauprozeß findet nicht statt. Die Stalinisten unter Bierut fühlen sich stark genug, darauf verzichten zu können. Sie wissen die Armee hinter sich. Ihr Oberbefehlshaber ist Sowjetmarschall Rokossowski, ein gebürtiger Pole — und dennoch in den Augen der empfindsamen Polen, ob Kommunisten oder nicht, Symbol für russische Unterdrückung. Aber das Volk gehorcht. Es hat genug Opfer gebracht und genug gelitten seit 1939. Nun resigniert es. Und es hat eine gewaltige Aufgabe: Die Neubesiedlung der alten deutschen Ostgebiete.

Zum Ausgleich für die Abtretung Ostpolens an die Sowjetunion haben die Polen Danzig, Schlesien, das halbe Ostpreußen, Hinterpommern und Teile Brandenburgs bekommen. Oder und Neiße bilden die neue Grenze, die von den Westmächten zwar nur als „vorläufig" anerkannt, tatsächlich aber voll respektiert wird. Die deutsche Bevölkerung — einschließlich der von den Tschechen ausgewiesenen Sudetendeutschen sind es 13,6 Millionen Menschen — ist brutal und systematisch vertrieben worden. (Die zweite Hälfte Ostpreußens, das Gebiet um Königsberg, gliedert Stalin der Sowjetunion direkt an.) In den auf diese Weise menschenleer gewordenen deutschen Provinzen siedeln nun Polen und versuchen, dem Land einen polnischen Charakter zu geben. Sie nennen es „Westpolen".

Stalins Tod kann Bierut zunächst nichts anhaben. Er bleibt fest im Sattel — und mit ihm herrschen nach wie vor die Stalinisten. Dann überstürzen sich die Ereignisse. Moskau betreibt die Entstalinisierung. Entsetzt erlebt Bierut den XX. Parteitag der KPdSU. Fast unmittelbar nach der Rückkehr aus Moskau, am 12. März 1956, stirbt er. Sein Nachfolger Ochab versucht zu retten, was zu retten ist. Er kommt der sturmschwangeren Stimmung in Partei und Bevölkerung entgegen. Der „Nationalkommunist" Gomulka wird rehabilitiert. Dessen Anhänger besetzen Schlüsselpositionen in Partei, Verwaltung, Polizei und Armee. Am „Personenkult" wird Kritik geübt. In Presse und Literatur brechen alle Dämme. So frei wie jetzt hat man sich nie gefühlt. Das Wort vom „Polnischen Frühling" macht die Runde.

Am 28. Juni 1956 bricht in Posen ein Aufstand der Arbeiter und Studenten aus. Die Arbeiter verlangen Lohnerhöhung. Das hat die Regierung auch zugesagt, aber nicht gehalten. Die Stimmung ist explosiv. Es kommt zum illegalen Streik in den „Stalin-Werken", dann zum Generalstreik. Die Arbeiter gehen auf die Straße. Die Studenten erklären sich mit ihnen solidarisch. Gewaltige Massendemonstrationen verlaufen friedlich und geordnet. Aber die gesamte Bevölkerung Polens ist nun vom Fieber des Aufruhrs gepackt.

Die Sicherheitspolizei eröffnet das Feuer. Der Kampf beginnt. Die Regierung setzt Militär und Panzer ein. Die Straßenschlacht tobt. Erst am 29. Juli gegen Abend ist sie beendet. Noch einmal hat die Regierung gesiegt. 59 Tote und 300 Verwundete liegen auf dem Pflaster.

Den Sommer über kann Ochab sich noch halten. Jeden Tag droht der Ausbruch eines neuen Volksaufstandes, diesmal in ganz Polen. Die Partei entschließt sich zu einem dramatischen Schritt. Sie entläßt im Oktober 1956 Marschall Rokossowski und macht Gomulka zum neuen Ersten Sekretär. Aber auch Ochab verschwindet nicht in der Versenkung, sondern gehört weiterhin zu Polens führenden Kommunisten. Die Vernunftehe zwischen Stalinisten und Antistalinisten leitet zu einer friedlichen Entwicklung über. Die Frage lautet nur: Wird der Kreml sich das bieten lassen?

Chruschtschow eilt aus Moskau herbei. Mikojan, Kaganowitsch und Molotow unterstützen ihn. Sie ziehen die sowjetischen Truppen in Polen zu einem Stoß gegen Warschau zusammen. Dort bewaffnen sich die Arbeitermilizen. Die polnische Armee bereitet sich auf den offenen Konflikt mit den „sowjetischen Brüdern" vor. Dann gibt Chruschtschow nach.

Er kann Gomulkas Machtergreifung nicht verhindern. Und dieser erklärt:

„Anläßlich des November-Plenums vor sieben Jahren sprach ich zum letzten Male vor den Mitgliedern des Zentralkomitees ... Aber jene Periode liegt hinter uns und ist abgeschlossen. Es ist meine tiefste Überzeugung, daß sie unwiederbringlich der Vergangenheit angehört. Viel Böses ist geschehen. Das Erbe, das jene Jahre der Partei der Arbeiterklasse hinterlassen, ist auf einigen Lebensgebieten mehr als beunruhigend ... Wir stehen heute ... enormen wirtschaftlichen Schwierigkeiten gegenüber, welche von Tag zu Tag größer werden ... Die außenpolitischen Beziehungen müssen auf ... der Solidarität der internationalen Arbeiterklassen beruhen ... Innerhalb dieses Rahmens sollte jedes Land völlige Unabhängigkeit haben; die Rechte einer jeden Nation auf eine souveräne Regierung in einem freien Lande sollten gegenseitig respektiert werden. So sollte es sein, und — so möchte ich sagen — so beginnt es jetzt zu werden."

Das ist eine sehr deutliche Absage an die UdSSR. Die Zeit des Stalinismus ist also auch in Polen vorüber. Das ganze Volk steht hinter einer Führung, die solche Grundsätze verkündet. Sie bringt auf zahlreichen Gebieten Erleichterung und Vernunft. Die Freiheit jedoch bringt sie noch nicht. Auch die Wahlen, die dieser „Oktober-Revolution" folgen, sind nicht frei.

Hingegen wird die Zwangskollektivierung der Landwirtschaft rückgängig gemacht. Mittel- und Großbauern werden gefördert, Agrarproduktionsgenossenschaften aufgelöst. Das gleiche Schicksal erfährt die Staatliche Planwirtschaftskommission.

Von Béla Kun bis Imre Nagy

In Ungarn wird der Kommunismus zuerst im Zusammenhang mit Béla Kun ein Begriff. Diesem radikalen sozialistischen Journalisten aus Siebenbürgen hat in der Zeit der chaotischen Zustände nach dem ersten Weltkrieg der noch von dem abtretenden Kaiser und König zum Ministerpräsidenten ernannte linksorientierte Graf Károlyi die Herrschaft übertragen.

Kun ist im Krieg in russische Gefangenschaft geraten. Es gelingt ihm, die Verbindung zu Lenin herzustellen, der ihm ein Kommando in der Roten Armee anvertraut. Die ungarischen Kriegsgefangenen bearbeitet er mit bolschewistischer Propaganda.

1918 kehrt Béla Kun nach Ungarn zurück, wo er die Kommunistische Partei organisiert. Seine Erfolge sind in jenen Monaten, in denen niemand weiß, was morgen mit ihm geschehen wird, erstaunlich groß. Am 21. März 1919 kann er bereits die „Diktatur des Proletariats" ausrufen. Eine Räteregierung wird geschaffen. Aber die Herrlichkeit währt nicht lange. Schon am 1. August 1919 bricht die Räterepublik unter dem Gegenstoß konservativen Militärs zusammen.

Kun flieht zunächst nach Wien. Dann begibt er sich nach Rußland, wo er im Verlauf der Stalinschen „Säuberungen" hingerichtet wird. Die Kommunistische Partei Ungarns arbeitet illegal im Untergrund weiter.

Am Ende des zweiten Weltkriegs sucht das mit Deutschland verbündete Ungarn angesichts der drohenden Niederlage Anschluß an die Westmächte. Aber diese verweisen es im Herbst 1944 — ebenso wie Rumänien und Bulgarien — an die vor den Toren stehenden Sowjets.

Der Frontwechsel Rumäniens ermöglicht der Roten Armee den Einmarsch in den Osten des Landes. Reichsverweser Admiral Horthy erkennt die verzweifelte Lage und fordert die Armee auf, die Waffen zu strecken und zu den Sowjets überzugehen. Da er — mangels anderer Möglichkeiten — den Befehl über den Rundfunk erteilt, fangen ihn auch die Deutschen auf, die schnell reagieren, Horthy festnehmen und die Ungarn entwaffnen.

In Ostungarn entsteht eine „Ungarische Nationale Unabhängigkeitsfront". Ihr gehören die Partei der kleinen Landwirte, die Sozialdemokraten und die Kommunisten an. Im „Szegeder-Programm" fordern sie eine Agrarreform, Verstaatlichung der Industrie, Volksgerichte und Maßnahmen gegen die deutsche Minderheit. Eine provisorische Nationalversammlung wird gewählt. Präsident der provisorischen Regierung wird ein General, Landwirtschaftsminister der Kommunist Imre Nagy. Neben diesem gibt es nur noch ein zweites kommunistisch geführtes Ministerium. Nach der Besetzung des gesamten Landes durch die Sowjetarmee wird Marschall Woroschilow Hoher Kommissar auch im Namen der Westmächte. Er ordnet Parlamentswahlen an, die den Kommunisten eine herbe Enttäuschung bringen. Sie gewinnen nur 70 Sitze. Die Kleinlandwirtepartei erzielt dagegen 245. 57,5 Prozent der Wähler entscheiden sich für sie.

Doch der neue Ministerpräsident Ferenc Nagy, Führer der siegreichen Partei, sieht sich gezwungen, neun Kommunisten in sein Kabinett aufzunehmen, unter ihnen Imre Nagy und Mátyás Rákosi. Es ist ein geringer Trost, daß ein weiterer führender Politiker der kleinen Landwirte, Zoltán Tildy, Staatspräsident wird. Denn die Taktik der Kommunisten zielt nun auf die Spaltung der Kleinlandwirtepartei hin. Sabotage, Verschwörungen, Prozesse, Parteiausschlüsse führen zu unablässiger Beunruhigung. Und bald setzen die Sowjets den Regierungschef unter Druck. Als er einen Urlaub in der Schweiz verbringt, wird sein dreijähriger Sohn in der Heimat als Geisel festgenommen und sein Vermögen beschlagnahmt. Gegen Nachsendung des Kindes und Übermittlung von 400 000 Schweizer Franken tritt Ferenc Nagy zurück. Er wählt das Exil. Die Kleinlandwirtepartei zerfällt. Bei der Neuwahl im August 1947 folgen ihr nur noch 15,1 Prozent der Wähler. Die Kommunisten rücken mit 22 Prozent auf Platz Nr. 1. Sie zwingen die Sozialdemokraten und die „Nationale Bauernpartei" zur Fusion. Die anderen Parteien lösen sich allmählich auf.

Die neue Einheitspartei nennt sich Partei der ungarischen Werktätigen. Sie wird von Parteisekretär Rákosi beherrscht, der 1952 das Amt des Ministerpräsidenten erhält und schließlich auch die Rolle des Staatsoberhauptes übernimmt.

Der Weg zur unumschränkten Macht führt dabei über die Leiche des erbittertsten Konkurrenten, des langjährigen Innen- und späteren Außenministers Lázlo Rajk. Dieser fanatische Kommunist und erbarmungslose Vernichter einer jeden Opposition droht Rákosi gefährlich zu werden. Ein Grund, ihn auszuschalten, findet sich schnell: „Nationalistische Abweichung und Titoismus". Und weil Rajk, im Gegensatz zu dem Parteisekretär, während des Krieges nicht im fernen Moskau, sondern als Organisator der Widerstandsbewegung in Ungarn selbst gewesen ist, ist das Todesurteil Stalin plausibel. In einem Schauprozeß nach sowjetischem Muster, in dem Rajk im Leierton die unwahrscheinlichsten Verbrechen „gesteht", wird es gefällt. Der „Arbeiterverräter" endet im September 1949 am Galgen.

„In der Ungarischen Republik gehört alle Gewalt dem arbeitenden Volk." So steht es in der Verfassung von 1949. Aber in Wirklichkeit entscheiden allein die Funktionäre, die genau wissen, daß nur ein kleiner Teil der Bevölkerung hinter dem Regime steht. Immer fester klammern sie sich an die staatliche Geheimpolizei, die AVH (Államvédelmi Hatóság). In ihr bestimmen sie von erster Stunde an. Und durch sie zwingt eine Handvoll Stalinisten 9,5 Millionen Ungarn ihre Herrschaft auf.

Damit werden die Männer der AVH zu den Peinigern des ganzen Volkes. Rákosi und seine Freunde Farkas und Gerö lassen ihre Gegner in den Folterkammern auspeitschen und überantworten sie Sadisten, die Instrumente zur Zermalmung der Geschlechtsteile benützen, um Geständnisse zu erzwingen. Spitzel und Lockvögel dienen der Geheimpolizei und erhalten das Drei- bis Zwölffache des Durchschnittslohnes und außerdem Luxuswohnungen, während anständige Menschen zu Tausenden in Elendsquartieren und Kellern hausen. Von den 700 000 Parteimitgliedern, wird geschätzt, sind die Hälfte Postenjäger. Wer nicht gehorcht, wird terrorisiert, eingesperrt oder ermordet.

Dann stirbt Stalin. Sein Tod wirkt sich schnell in Ungarn aus. Imre Nagy wird Ministerpräsident. Er stoppt den Ausbau der Schwerindustrie und fördert die Konsumgüterproduktion, um die Versorgung zu verbessern. Aber nach Chruschtschows Kurswechsel in Moskau, nach Malenkows Sturz, ertönt für Ungarn eine neue Melodie. Nagy wird im Frühjahr 1955 seines Amtes enthoben und später als „Rechtsabweichler" aus der Partei ausgeschlossen. Rákosis Stern geht von neuem auf. Und selbst als Chruschtschow die Verbrechen Stalins zu brandmarken beginnt, bleibt in Ungarn alles beim Stalinismus.

Doch die ungarischen Schriftsteller spüren das „Tauwetter". Sie lassen sich nicht einschüchtern. Der nach dem ungarischen Freiheitskämpfer und -dichter des 19. Jahrhunderts benannte Petöfi-Zirkel erinnert sich der Tradition des Mannes, dessen Namen er trägt. Insbesondere der Posener Aufstand der Arbeiter und Studenten im mit Ungarn schicksalhaft verbundenen Polen erregt die Gemüter. Der dort gezündete Funke überspringt die Grenzen und beginnt, zu einer verzehrenden Flamme emporzulodern.

In Scharen strömen die Menschen in den nach dem ungarischen Freiheitskämpfer von 1848 benannten Kossuth-Klub, in dem der Petöfi-Kreis tagt. Die Räume quillen über. Sie reichen nicht aus für die Massen. Mit Lautsprechern werden die Reden nach draußen übertragen, auf den Hof, auf die Straße, wo spannungsgeladen und mit glänzenden Augen stundenlang die ausharren, die nicht einmal im Treppenhaus einen Platz finden.

Am 18. Juni 1956 erscheint Julia Rajk, die Witwe des gehängten Rákosi-Widersachers. Stürmischer Beifall empfängt die schwarzgekleidete, leichenblasse, damals 40 Jahre alte Frau, die fünf Jahre Kerkerhaft hinter sich hat. „Genossen", ruft sie aus, „ich werde nicht eher ruhen, bis jene, die das Land ruiniert, die Partei korrumpiert, Tausende vernichtet und Millionen zur Verzweiflung getrieben haben, ihre gerechte Strafe erhalten. Helfen Sie mir bei diesem Kampf!" Die Anwesenden erheben sich wie ein Mann — Studenten, Arbeiter, Offiziere, alte Kommunisten, Intellektuelle: „Nieder mit Rákosi! Es lebe das ungarische Volk!"

Nach der Nachtsitzung des 27. Juni 1956 strömen 6 000 Menschen auf die Straßen. Sie fordern Freiheit des Denkens und eine echte Demokratie. Drei Wochen später kommt Mikojan nach Budapest. Rákosi muß zurücktreten. General Farkas wird wegen der von ihm begangenen „Verletzungen der sozialistischen Gesetzlichkeit" degradiert und aus der Partei ausgestoßen. János Kádár rückt ins Politbüro auf. Aber Imre Nagy, nach dem die Massen rufen, bleibt entmachtet, und gegen Rákosi-Nachfolger Ernö Gerö, ebenfalls Stalinist, hebt sich keine Hand.

Am 23. Oktober 1956 bricht dann, wieder von den Vorgängen in Polen entflammt, die Revolution aus. Sie beginnt mit einer Studentendemonstration, in der das Unabhängigkeitsstreben des polnischen Volkes und Gomulkas Sieg gefeiert werden. Gerö beschimpft die Studenten als „feindliche Elemente, welche die politische Ordnung in Ungarn stören". Tatsächlich fordern die jungen Leute auch diesmal wieder vor allem die Rückkehr von Imre Nagy. Keiner spricht sich gegen den Kommunismus an sich aus. Sie wollen die Freundschaft mit Moskau auf der Basis der Gleichberechtigung und die Wahl einer neuen Parteileitung durch einen Nationalkongreß. Sie verlangen freie Wahlen, freie Presse, akademische Freiheit. Am wichtigsten ist ihnen die Auflösung der Sicherheitspolizei und der Abzug der sowjetischen Soldaten.

Abends gegen 20 Uhr trifft Imre Nagy vor dem Parlamentsgebäude ein. Mit kurzen Worten versucht er, die fiebernden Menschen zu beruhigen. Es gelingt ihm nicht. Dann sucht sich der Tatendrang der Demonstranten ein Ventil. Geschlossen ziehen sie zum Sinnbild der Unterdrückung, zum 31 Meter hohen Stalin-Monument. Traktoren fahren heran und Lastwagen. Sie bringen dicke Drahtseile mit. Und unter dem Gejohle der inzwischen hunderttausendköpfigen Menge stürzt um 21.35 Uhr der Bronzekoloß.

Nun schießen AVH-Männer vom Rundfunkhaus aus auf die Versammelten, die alle Plätze und Straßen der Innenstadt füllen. Arbeiter und Studenten rücken ab, um sich zu bewaffnen. Sie finden Gewehre und Munition in den Magazinen der Armee. Dann kehren sie wieder. Die Soldaten verbrüdern sich mit den Aufständischen. Auch einrückende Panzerkampfwagen nehmen nicht Front gegen die Bürger von Budapest, sondern gegen die sich verzweifelt wehrenden AVH-Männer, die um ihr Leben kämpfen. Denn blitzschnell hat sich bei ihnen herumgesprochen: Jeder Geheimpolizist, der der Bevölkerung in die Hände fällt, wird gelyncht.

In der Parteizentrale halten sich 40 AVH-Angehörige verschanzt. Das Büro wird von Aufständischen erstürmt. Die Männer werden aufgehängt. Überall in den Straßen hängen ihre Kameraden zu Dutzenden mit den Köpfen nach unten an den Bäumen und an den Laternenpfählen. Die Leichen werden von der Menge bespuckt.

Gerö weicht dem Schein nach dem Druck der Straße. Nagy wird Ministerpräsident. Aber Gerö behält das Amt des Ersten Parteisekretärs. Die Stalinisten wollen lediglich Atem schöpfen. Am 24. Oktober appellieren sie an Moskau, Truppen zu schicken. Der Kreml hat einen Wink gegeben, daß er dazu gewillt sei. Schon seit Stunden stehen die sowjetischen Kampfverbände einsatzbereit. Ohne zu zögern rücken sie an. Doch in viertägigen blutigen Kämpfen werden sie wieder aus Budapest vertrieben.

Währenddessen wird Gerö am 25. Oktober auch als Erster Parteisekretär abgesetzt. Sein Nachfolger János Kádár hat unter Rákosi jahrelang als „Titoist" im Gefängnis gesessen. Er ist gefoltert worden. Nun erhoffen sich die Ungarn von ihm Hilfe. Er gilt als ungarischer Gomulka. Die sowjetischen Parteiführer Mikojan und Suslow kommen nach Budapest, um sich ein Urteil zu bilden. Am 28. Oktober kündigt Ministerpräsident Nagy nach Verhandlungen mit ihnen den unmittelbaren Abzug der sowjetischen Truppen an. Um 18.00 Uhr stellen diese das Feuer ein. Die AVH wird aufgelöst. Zwei Tage später wird der Einparteienstaat offiziell abgeschafft. Die alten Parteien entstehen aufs neue. Sie bilden mit den Kommunisten eine „Regierung der nationalen Konzentration". Überall im Land übernehmen „Nationalkomitees" die Regierungsgewalt und Arbeiterräte die Betriebe.

Kardinal Mindszenty, das Oberhaupt der katholischen Kirche in Ungarn, 1948 zu lebenslänglicher Haft verurteilt, wird — wie 5 500 weitere politische Gefangene — aus dem Gefängnis befreit und kehrt in die Hauptstadt zurück. In ihr weilt auch Mikojan wieder. Die Sowjets wollen Zeit gewinnen. Während sie Budapest völlig räumen, sickern immer mehr ihrer Truppenverbände über die Grenzen in das übrige Ungarn ein. Am 1. November verkündet Nagy als Antwort darauf den Austritt Ungarns aus dem östlichen Verteidigungsbündnis, dem Warschauer Pakt. Er proklamiert die Neutralität des Landes und appelliert an die Vereinten Nationen, die Ungarnfrage aufzugreifen.

Doch diese haben andere Sorgen, ebenso die USA. Der dritte Weltkrieg droht nämlich. Großbritannien und Frankreich haben, im Bündnis mit Israel, das Suez-Abenteuer gewagt. Sie wollen Ägypten in die Knie zwingen, das den Suezkanal zwischen Mittelmeer und Indischem Ozean verstaatlicht hat. Die Amerikaner verurteilen die anglo-französische Aggressivität. Und die Sowjets stellen sich sogar lautstark und kraftmeierisch hinter Ägyptens Präsidenten Nasser. Sie drohen mit einem Atombombardement Frankreichs und der britischen Inseln. So bleibt Nasser Sieger — und behalten die Sowjets in Ungarn freie Hand.

Dort setzt sich Kádár unbemerkt aus Budapest ab. Die Kommunisten haben jede Kontrolle über den Gang der Entwicklung verloren. Kádár ist nicht bereit, Nagy weiter zu unterstützen. Der ernennt am 3. November General Maléter zum Verteidigungsminister und entsendet ihn mit einer Delegation nach Tölköl ins sowjetische Armeehauptquartier zu Verhandlungen über den Abzug der Sowjets. Der NKWD verhaftet die Männer um Mitternacht.

Nun, am 4. November, beginnt der konzentrierte Angriff der Sowjetarmee auf Budapest und die anderen Zentren des Widerstands. Kádár bildet unter sowjetischer Aufsicht in Szolnok in Ostungarn eine Gegenregierung, die ausschließlich aus Kommunisten besteht, die sich den Sowjets zur Verfügung gestellt haben und angesichts der sowjetischen Entschlossenheit, wieder Herr der Lage zu werden, nur in der Zusammenarbeit mit ihnen eine Möglichkeit für das ungarische Volk sehen.

Dr. Zoltán Tildy, Minister im Kabinett Nagy und früherer Staatspräsident, hält trotzdem noch immer einen sowjetischen Angriff für ausgeschlossen. Aber am nächsten Morgen donnern schwere Geschütze ihre Geschosse nach Budapest hinein. Viele Russen, die sie bedienen, wissen überhaupt nicht, daß sie in Ungarn stehen. Sie meinen, in Deutschland, vielleicht in Berlin zu sein. Bald liegen große Teile der Stadt, vor allem die Arbeiterviertel, in Trümmern. Vier Tage und Nächte lang dauert die Beschießung, 800 Panzer rollen durch die Straßen und beschießen die Gebäude aus nächster Nähe.

Die Menschen hungern. Hunderttausende stehen um Brot an. Läden und Gaststätten sind geschlossen. Aber noch immer geben die Freiheitskämpfer nicht auf. Mit selbstgemachten Granaten und Molotow-Cocktails setzen sie sich zur Wehr und greifen damit Panzer vom Typ T 54 an. Selbst Dreizehn- und Vierzehnjährige greifen zum Maschinengewehr. Kleine Mädchen schütten den Panzern Benzin in den Weg und zünden es an. Elf Tage lang währt der Kampf. Jedoch die Sowjets drängen von Straße zu Straße Schritt für Schritt vor. Am Ende sind sie die Sieger. Mindestens 3 500 Tote gibt es bei ihnen. Bei den Ungarn sind es über 20 000.

Kardinal Mindszenty sucht in der US-Botschaft Asyl, Imre Nagy flieht in die Botschaft Jugoslawiens. Gegen das Versprechen, daß die Regierung Kádár nicht gegen Nagy vorgehen werde, liefern die Jugoslawen ihn aus. Kádár hält dem Schein nach Wort. Denn nicht er, sondern die Sowjets übernehmen die Henkersarbeit. Zuerst nach Rumänien verschleppt, wird Nagy schließlich von ihnen hingerichtet. Erst am 17. Juni 1958 gibt Moskau die Exekution bekannt.

Alle Macht für Chruschtschow

Die Stalinisten kreiden Chruschtschow den Rückschlag in Ungarn persönlich an. Er muß lavieren und Molotow neuen Einfluß gewähren: Stalins engster Vertrauter erhält das wichtige Amt eines Ministers für Staatskontrolle. Doch er will mehr. Im Bündnis mit Malenkow und Kaganowitsch nutzt er im Sommer 1957 einen Staatsbesuch Chruschtschows und Bulganins in Finnland zu einem, wie er meint, entscheidenden Schlag. Das eilig zusammengetrommelte Parteipräsidium beschließt im Geheimen, Chruschtschow und seine Freunde ihrer Ämter zu entheben. Molotow soll neuer Erster Sekretär, Malenkow wieder Ministerpräsident werden.
Aber Chruschtschow stellt sich dem Kampf. Nach der Rückkehr von der Auslandsreise kommt es am 18. Juni 1957 zu einer weiteren Präsidiumssitzung. Dem Parteichef gelingt es, Aufschub zu erlangen. Nicht das Präsidium, sondern das (einschließlich der Kandidaten) zweihundertfünfzigköpfige Zentralkomitee soll entscheiden.
Molotow und Malenkow stimmen zu. Sie bauen auf eine Mehrheit unter den in Moskau weilenden ZK-Angehörigen. Doch Chruschtschow verbündet sich mit der Armee. Marschall Schukow stellt Flugzeuge bereit. Und pausenlos rollen die Militärmaschinen mit ZK-Mitgliedern aus den fernsten Provinzen auf dem Moskauer Flugplatz aus. Jedes Flugzeug bringt zusätzlich Chruschtschow-Anhänger in den Kreml. Die Abstimmung nach tagelanger Rednerschlacht bringt dem Parteichef den Sieg.

Molotow, Kaganowitsch, Malenkow und Schepilow, Chruschtschows alter Freund, der jetzt in Verkennung der wahren Machtlage zur anderen Seite übergelaufen ist, werden als „Parteifeinde" aus dem Zentralkomitee ausgestoßen. Molotow wird nach der Äußeren Mongolei verbannt, wo er das Amt eines Botschafters zu übernehmen hat. Malenkow aber muß sich mit der Leitung eines Elektrizitätswerkes im fernen Ostkasachstan begnügen. Kaganowitsch wird Fabrikdirektor im Ural, Schepilow Professor an einer Provinzhochschule.

Jetzt bemächtigt sich der Chruschtschow-Flügel endgültig der Parteiführung. Männer wie Breschnew und Kossygin rücken auf. Aber noch ein anderer wird belohnt: Marschall Schukow, seit 1953 Verteidigungsminister, ist nun Vollmitglied des Parteipräsidiums. Das hat vorher noch nie ein Berufssoldat erreicht.

Schukow ist das Idol der bewaffneten Macht, die übrigens schon seit 1947 nicht mehr „Rote Arbeiter-und-Bauern-Armee" heißt, sondern schlicht „Sowjetische Streitkräfte". Der Marschall gilt als Verteidiger Moskaus, als Sieger von Stalingrad, als Eroberer Berlins — und als politisch Verfolgter. Denn Stalin hat den Konkurrenten nach dem Krieg um Ruhm und Ehre gebracht und auf untergeordnete Posten abgeschoben.

Schon am 27. Oktober 1957 ist der Traum der Militärs von einem der Partei gleichrangigen Einfluß auf Staat und Gesellschaft wieder aus. In der Parteizeitung „Prawda" erscheint eine vierzeilige Mitteilung, nach der Marschall Schukow von Marschall Malinowski als Verteidigungsminister ersetzt worden ist. Seine Forderung, die Entstalinisierung weiterzutreiben, Marschall Tuchatschewski zu rehabilitieren und die Macht der Politkommissare in der Armee noch weiter einzuschränken, als es bereits der Fall ist, bricht ihm das Genick. Am 3. November schließt ihn auch das Parteipräsidium aus seinen Reihen aus. Schukow leistet Selbstkritik — und spielt in der Sowjetunion keine Rolle mehr.

Chruschtschow steht auf dem Gipfel seiner Macht und seines Ansehens. Und für den von ihm regierten Staat gilt das gleiche. Mit außergewöhnlichem Pomp begeht die Kommunistische Partei der UdSSR am 7. November 1957 den 40. Jahrestag der Oktoberrevolution. Ein weithin sichtbares Fanal gibt den Auftakt. Ein „Sputnik" ist in das Weltall geschossen worden, der zweite künstliche sowjetische Erdsatellit, der den Planeten umkreist. Die Weltmacht Sowjetunion demonstriert ihre Entschlossenheit, führende Weltallmacht zu sein.

Eine Woche später, am 14. November, beginnt die größte internationale Konferenz kommunistischer Parteien seit 1935. Der Weltkommunismus kommt zusammen, eine einheitliche Linie festzulegen. 64 Parteien sind vertreten. Tito fehlt zwar mit seinen Jugoslawen, wenn er auch wohlwollend zusieht. (Er hat gerade als erster außerhalb des Ostblocks die DDR-Regierung diplomatisch anerkannt und mit der Bundesrepublik Deutschland gebrochen.) Dafür ist ein viel gewichtigerer Gast erschienen, Rotchinas Parteiführer Mao Tse-tung.

Mao spricht als erster Redner und erklärt: Wie jede kleine Parteigruppe, so müsse die kommunistische Weltbewegung selbst ein „Haupt" haben. Dieser Stellung sei die KP Chinas nicht würdig. Wenn China auch über große Erfahrungen im sozialistischen Aufbau verfüge, die Erfahrungen der Sowjetunion seien noch größer. Überdies besäße Moskau Sputniks. Die Chinesen hätten nicht einmal einen viertel Sputnik. Chinas Industrie sei zu klein. Aber im Schlußkommuniqué findet sich eine bemerkenswerte Änderung gegenüber dem ursprünglichen Entwurf. In ihm steht nichts mehr über die „führende Rolle" der sowjetischen KP innerhalb aller kommunistischen Parteien der Erde, sondern nur etwas über die „führende Rolle" des Staates Sowjetunion innerhalb des Ostblocks.

Ungeachtet dessen scheint es niemand mehr zu wagen, dem nur 1,59 m großen, untersetzten und pausbackigen Chruschtschow entgegenzutreten. Nach den Wahlen zum Obersten Sowjet im März 1958 — wie stets Scheinwahlen, weil es für jeden Wahlkreis nur einen Kandidaten gibt, den die KP benennt — nimmt der Parteichef die Gelegenheit wahr, sich zusätzlich noch zum Ministerpräsidenten ernennen zu lassen. Bulganin erhält, wenn auch spät, die Quittung für sein etwas zwielichtiges Verhalten während der Molotow-Malenkow-Krise des Vorjahrs.
Einige Monate hält sich der Ex-„Zwilling" noch als Leiter der Staatsbank im Ministerrang. Schon im August wird er zum örtlichen Wirtschaftsfunktionär im Nordkaukasus degradiert, im September aus dem Parteipräsidium ausgeschlossen und im November im Zusammenhang mit Malenkow, Kaganowitsch und Molotow als „Parteifeind" bezeichnet. Chruschtschow hat auf der ganzen Linie gesiegt. Die Welt fragt sich, ob die Sowjetunion einen neuen Diktator, einen neuen Stalin hat.
Doch Nikita Chruschtschow hat es nicht nötig, den Terror anzuheizen. Die mehr lautlosen Formen der Kontrolle über Partei, Staat und Bevölkerung genügen. Ungehindert geht er ans Werk, die Wirtschaft nach seinen Vorstellungen umzukrempeln, ohne allerdings die Produktivität entscheidend steigern zu können. Die überzentralisierte Planwirtschaft wird gelockert, und die bedeutsamsten Vollmachten werden 104 regionalen Volkswirtschaftsräten, den sogenannten Sownachosen, übertragen. Kaum ist dieses Experiment in die Wege geleitet, beginnt der alte Landwirtschaftsexperte mit einer neuen Reform auf dem Agrarsektor. Die staatlichen Maschinen-Traktoren-Stationen, bewährte Eckpfeiler der Parteiherrschaft auf dem flachen Lande, werden aufgelöst, und ihr Maschinenpark wird an die Kollektivwirtschaften verkauft. Der Landbevölkerung wird nahegelegt, mehr Mais anzubauen, denn „Mais ist die Rakete des Friedens", sagt Chruschtschow, oder „Mais ist Wurst am Stiel". Weniger Freude als an den Kollektivbauern, die ihm bei seinen sporadischen Inspektionsreisen strahlend goldgelbe Maiskolben entgegenstrecken, hat der Partei- und Regierungschef an den Schriftstellern, die wieder einmal aufmucken und freie Ellbogen zu fordern beginnen. Dabei entwickeln sie die im Jahre 1958 viel diskutierte „Distanztheorie". Wenn Autoren Gegenwartsprobleme darstellen, so lautet diese, müssen sie sich von leidenschaftlichen, umstrittenen und noch nicht ganz geklärten Tagesproblemen distanzieren. Die „Prawda", Sprachrohr der Partei, ist damit selbstverständlich nicht einverstanden und nennt die „Distanztheoretiker" kurzweg „literarische Tagediebe".
Dann überschattet der Fall Pasternak, der weltweites Aufsehen erregt,

allen kleineren Zwist. Boris Pasternak hat einen autobiographischen Roman geschrieben, „Dr. Schiwago", die unpolitische Geschichte eines unpolitischen Menschen in einer hochpolitischen Zeit. Romanheld Schiwago durchlebt Krieg und Bürgerkrieg und stirbt 1929 an einer Herzattacke in einer überfüllten Straßenbahn. Die literarische Zeitschrift „Nowi Mir" nimmt zunächst das Manuskript zum Abdruck an. Dann lehnt sie überraschend doch noch ab, denn „die geistige Haltung des Romans" sei „die Ablehnung der sozialistischen Revolution".

Inzwischen hat sich jedoch der italienische Verleger Feltrinelli den Text des Buches verschaffen können. Jetzt, nach der überraschenden Verdammung, wittert er eine literarische Sensation. Er druckt es. „Dr. Schiwago" wird zum Bestseller in der westlichen Welt. Dem Dichter wird der Nobelpreis verliehen. Der regimefreundliche Sowjetpublizist Saslawski beschimpft den so Geehrten als „Unkraut". Der Schriftstellerverband schließt Pasternak aus. Die Begründung lautet: Der Roman ist „aus dem dekadenten Müllhaufen hervorgeholt".

Noch weiter geht der Jugendfunktionär Semitschastni, der — in der „Komsomolskaja Prawda" wörtlich abgedruckt — am 29. Oktober 1958 auf einer Festversammlung ausruft: „Ein Schwein — und alle Leute, die mit diesem Vieh zu tun haben, kennen die Eigenheiten des Schweins — verunreinigt niemals den Platz, an dem es frißt, besudelt nie den Platz, an dem es schläft. Vergleicht man also Pasternak mit einem Schwein, so hätte ein Schwein nie das getan, was er getan hat."

Gleichzeitig fordert der Redner, sicherlich nicht ohne Wissen der Parteiführung, den Schriftsteller auf, sich ins Ausland zu begeben: „Ich bin überzeugt, daß ihm weder die Öffentlichkeit noch die Regierung irgendwelche Hindernisse in den Weg legen, sondern im Gegenteil in seinem Verschwinden aus unserer Mitte eine Reinigung der Luft sehen würden."

Pasternak ist entsetzt. Er schreibt an Chruschtschow: „Diese Ausreise ist für mich unmöglich. Ich bin mit Rußland durch meine Geburt, mein Leben, meine Arbeit verbunden ... Das Verlassen meiner Heimat wäre für mich der Tod." Er verzichtet auf den Nobelpreis.

Auf dem III. Schriftstellerkongreß im Großen Kremlsaal in Moskau im Mai 1959 schlägt Chruschtschow dann gegenüber dem Gedemütigten mildere Töne an: „Den Wehrlosen schlägt man nicht." Und er erläutert, als ob er vor Maisbauern spräche: „Meiner Ansicht nach hat das Volk dem Schriftsteller nicht nur das Recht, schlecht zu schreiben, sondern vor allem das Recht, falsch zu schreiben, genommen." Was falsch sei, bestimme selbstredend die Partei. Bücher mit „falscher Ausgangsposition" dürfe man „niemals zulassen". Sie seien „literarischer Ausschuß".

Pasternak bleibt in Rußland. Am 30. Mai 1960 stirbt er, 70 Jahre alt, in Peredelkino bei Moskau.

Chruschtschow hat Haus und Hof bestellt. Seine Herrschaft ist gefestigt, die Vorrangstellung des Parteiapparats gegenüber Staatsbürokratie, Wirtschaftsfunktionären, Armeeführung und Geheimpolizei garantiert. Nun kann der dynamische und vitale Bauernsproß aus der Ukraine darangehen, den sowjetischen Machtbereich außerhalb der Staatsgrenzen der Sowjetunion abzusichern und, wo möglich, auszuweiten. Dazu bedarf es, wie stets bei Marxisten, der entsprechenden und passenden Theorie. Unversehens wird in der Sowjetunion der seit mehr als 20 Jahren als „trotzkistisch" verpönte und von Stalin bespöttelte Ausdruck „Weltrevolution" wieder hoffähig.

Im Herbst 1958 erscheint in Moskau ein neues parteiamtliches Lehrbuch über die „Grundlagen der marxistischen Philosophie". Einer seiner Abschnitte trägt den Titel „Die Bedingungen der sozialistischen Entwicklung in der Epoche des Imperialismus". In ihm wird der Begriff Weltrevolution neu ausgelegt. Danach stehen an der Spitze der weltrevolutionären Bewegung nicht mehr, wie Marx und Engels lehrten, die fortgeschrittenen Industriestaaten. Denn in ihnen hat die herrschende Klasse eine Arbeiteraristokratie gezüchtet, die am Kapitalismus profitiert. Somit ist in den Industriestaaten das Proletariat gespalten. Seine Aktionen werden gelähmt und verzögert. Nur dort, wo die gesellschaftlichen Widersprüche am schärfsten sind, in Afrika, Asien und Südamerika, kann der Sozialismus siegen. „Antifeudale demokratische Befreiungsbewegungen" und „antiimperialistische Revolutionäre" in den Kolonialländern tragen die Weltrevolution im gleichen Maße wie die sozialistische Arbeiterschaft, selbst wenn sie lediglich national gefärbt sind. „Nicht durch den gleichzeitigen Zusammenbruch des Kapitalismus in allen Ländern, sondern durch den Abfall einzelner Länder von diesem System" erfolgt der Übergang vom Kapitalismus zum Sozialismus, der im übrigen — und damit bleibt die These von der Koexistenz weiter gerechtfertigt — den Völkern nicht von außen aufgezwungen wird, sondern das unvermeidliche Ergebnis der sozialen Entwicklung ist.

Der angestrebten „Expansion ohne Krieg" dient nicht zuletzt die verstärkte wirtschaftliche Zusammenarbeit der einzelnen Ostblockstaaten. Sie beginnt schon 1949, als der Rat für gegenseitige Wirtschaftshilfe (RgW), im Westen Comecon genannt, gegründet wird. Er gilt als etwas verspätete Antwort auf die Unterstützung, die den westeuropäischen Ländern durch die Vereinigten Staaten von Amerika nach den Zerstörungen des zweiten Weltkrieges für den Wiederaufbau geleistet wird, dem sogenannten Marshallplan, den in Anspruch zu nehmen Moskau seinen Satelliten verboten hat. Bis zu Stalins Tod steht der RgW jedoch mehr oder weniger nur auf dem Papier.

Inzwischen beginnt allerdings Westeuropa aufzublühen und nicht zuletzt durch die Bildung der Europäischen Wirtschaftsgemeinschaft (EWG) einen unerwarteten ökonomischen Aufschwung zu nehmen. Die neuen

Führer im Kreml fassen nun den Plan, auch die osteuropäischen Nationalwirtschaften zu integrieren und einen einheitlichen Großraum zu schaffen. Mitglieder sind die Sowjetunion, Polen, Bulgarien, Ungarn, Albanien, Rumänien, die DDR und die Tschechoslowakei. Als „Ständige Beobachter" nehmen die asiatischen Ostblockstaaten China, Nordvietnam und Äußere Mongolei an der Ratsarbeit teil.

Die Zusammenarbeit erreicht im Sommer 1958 ihren Höhepunkt. Eine „Gipfelkonferenz" des Ostblocks tritt in Moskau zusammen, an der Spitze Chruschtschow und Mikojan. In der Folge wird eine Arbeitsteilung, eine Spezialisierung der einzelnen Staaten auf bestimmte Schwerpunkte beschlossen. Viele Länder stoppen die bisher nach sowjetischem Muster betriebene Forcierung der Schwerindustrie. So beginnt Mitteldeutschland beispielsweise den Ausbau der chemischen Industrie zu verstärken.

Aber nicht überall herrscht Begeisterung über die neuen Vorhaben. Sie schwächen zwangsläufig die Stellung der einzelnen Mitgliederstaaten und machen sie noch abhängiger von der Sowjetunion, die als einziges Land autark ist und bleiben soll. Insbesondere in Rumänien beginnt sich die Opposition gegen diesen erneuten Versuch zu regen, die kleineren kommunistischen Mächte ans Gängelband zu nehmen. Im großen und ganzen behalten die Beschlüsse der Comecon-Spitzengremien theoretischen Charakter.

Wichtiger genommen wird im Kreml von Beginn an, alle diese Staaten auch militärisch zusammenzufassen. Die UdSSR ist inzwischen zur stärksten Macht der Erde geworden, soweit es um den Einsatz der herkömmlichen Waffen und der gewaltigen sowjetischen Landstreitkräfte geht. Die Atomrüstung kommt der amerikanischen zwar nicht gleich, reicht aber aus, um jenes oft besprochene „Gleichgewicht des Schreckens" zu schaffen, in dem viele die sicherste Garantie für den Weltfrieden erblicken: Ein globaler Krieg unter Atommächten wäre gleichbedeutend mit einer Vernichtung des größten Teils der Menschheit. Niemand würde Sieger sein.

Trotz ihres ungeheuren eigenen Rüstungspotentials sieht sich die UdSSR im Zeichen des Kalten Krieges sehr früh veranlaßt, Militärbündnisse mit ihren Satelliten einzugehen. Den Anfang macht ein Vertrag mit der Tschechoslowakei. Ihm folgen Vereinbarungen ähnlichen Inhalts mit Polen, Rumänien, Ungarn und Bulgarien. Sie werden ergänzt durch Beistandsverträge, welche die sowjetischen Satellitenstaaten untereinander abschließen. Alle diese Zusammenschlüsse führen zu einer hohen Machtkonzentration.

Auf der anderen Seite sehen sich die USA, England, Frankreich, Italien, Belgien, die Niederlande, Luxemburg, Island, Dänemark, Norwegen und Portugal infolge der bedrohlichen Stalinschen Außenpolitik veranlaßt, zu ihrer kollektiven Sicherung am 4. April 1949 den Nordatlantikpakt — NATO — auf 20 Jahre Dauer, aber ohne automatische Beistandsverpflichtung zu schaffen. 1952 treten ihm Griechenland und die

Türkei, am 23. Oktober 1954 schließlich auch die Bundesrepublik Deutschland bei.

Diese Entwicklung findet ihre Krönung in der am 14. Mai 1955 erfolgten Gründung des „Warschauer Beistandspaktes" zwischen der UdSSR, Albanien, Bulgarien, Mitteldeutschland, Polen, Rumänien, der Tschechoslowakei und Ungarn. Er verpflichtet die Partner auf 20 Jahre zur gegenseitigen militärischen Hilfeleistung in Europa. Der Sowjetunion gibt er eine neue weitere Möglichkeit in die Hand, die Volksdemokratien ihr Übergewicht fühlen zu lassen.

An der Spitze der Warschauer Paktorganisation steht nach dem Wortlaut der Vertragstexte ein aus Regierungsvertretern der Mitgliedstaaten gebildeter Politischer Beratender Ausschuß. Aber bisher hat er die ihm zugedachte Rolle nicht gespielt. Statt wie vereinbart jährlich zweimal zusammenzutreten, tagt er beispielsweise in der Zeit von 1955 bis 1964 ganze sieben Mal. Die eigentliche Führung liegt beim Vereinten Oberkommando, das seinen Sitz, wie alle Paktgremien, in Moskau hat und dem stets ein sowjetischer Marschall vorsteht, der in der Regel auch das Amt eines Ersten Stellvertretenden Verteidigungsministers der Sowjetunion bekleidet. Seine nominellen Stellvertreter sind die Verteidigungsminister der einzelnen Paktstaaten. Zur Seite steht ihm ein Stab des Vereinten Oberkommandos mit interalliierter Zusammensetzung. Auch der Stabschef ist — wie nicht anders zu erwarten — ein sowjetischer General.

Die DDR hat ihre Streitkräfte bereits im Frieden dem Vereinten Oberkommando unterstellt. Die anderen Staaten sind zur generellen Unterstellung ihrer Truppen erst im Kriegsfall verpflichtet. Zu den dennoch schon jetzt dem Vereinten Oberkommando zugeteilten Verbänden zählen jene 26 sowjetischen Divisionen, die in Mitteldeutschland, Polen und Ungarn stationiert sind.

Zu den Friedensaufgaben der Kommandostellen des Warschauer Pakts gehört vor allem das Abhalten von Manövern, an denen Einheiten verschiedener Nationalität teilnehmen. Der engen und reibungslosen Zusammenarbeit von Truppen mehrerer Staaten im Feld gilt das besondere Augenmerk bei diesen Übungen.

Abgesehen von den Milizen zur Territorialverteidigung verfügen die Staaten des Warschauer Pakts über 4,9 Millionen Mann mobiler Truppen und über 27,4 Millionen Mann ausgebildeter Reserven. Das Übergewicht der Sowjetunion wird deutlich, wenn man die Zahl des sowjetischen Kontingents allein festhält: 3,6 Millionen Mann mobil, 20 Millionen in Reserve.

Dieses gewaltige Menschenpotential wird geistig nach der marxistischleninistischen Theorie vom „gerechten Krieg" und vom „ungerechten Krieg" gedrillt. „Gerechte Kriege", das sind „Befreiungskriege" und „Verteidigungskriege". Die „ungerechten Kriege" sind „Raubkriege". Wer „Raubkriege" abwehrt, führt natürlich einen „gerechten Krieg", selbst wenn er einen Präventivkrieg, also einen Angriffskrieg auslöst, um seinerseits einem vermeintlichen oder wirklichen Angriff des Gegners zuvorzukommen. Kriege zur „Befreiung eines Volkes von der Sklaverei des Kapitalismus" sowie Kriege zur „Befreiung von Kolonien oder abhängigen Ländern von der Bedrückung durch den Imperialismus" sind selbstverständlich ebenfalls „gerecht". Und daraus ergibt sich der Glaube, daß sowjetische Soldaten von der Sache her überhaupt nur „gerechte Kriege" führen können.

Ende der vierziger Jahre beginnt die Vollmotorisierung der Sowjetarmee. Etwa seit 1960 erhalten die Streitkräfte der anderen Paktstaaten ebenfalls eine moderne Ausrüstung und eine qualifizierte Ausbildung. Das gesamte Rüstungsmaterial gilt als zweckmäßig, einfach und robust. Es gibt nur vier Kraftfahrzeugtypen und nur drei Panzerfahrgestelle. Das erleichtert die Versorgung und spart Personal.

Auch der Sowjetunion ist es nämlich nicht mehr so leicht wie früher möglich, Massenheere aufzustellen. Der Übergang vom Agrar- zum Industriestaat legt Arbeitskräfte fest, die in der Heimat wichtiger sind als in der Armee. Moskaus militärische Stärke beruht darum in erster Linie auf der hohen Feuerkraft und der Beweglichkeit seiner mobilen Truppen, die im übrigen völlig auf eine Verwendung in Europa zugeschnitten sind — und natürlich auf seiner Atom- und Raketenwaffe.

Mit spektakulärem Getue hat Chruschtschow im Januar 1960 sogar die radikale Reduzierung der Streitkräfte um 1,2 Millionen Mann zu Lasten des Heeres angekündigt, diesen Beschluß allerdings, noch bevor er richtig zum Tragen kommen kann, im Juli des folgenden Jahres wieder rückgängig gemacht. Denn inzwischen begehrt das riesige China gegen den roten Waffenbruder auf.

VII

WIRD PEKING DEN KOMMUNISMUS RETTEN?

Soziale und nationale Revolution im Reich der Mitte

China, das Reich der Mitte, wird seit 1949 von den Kommunisten beherrscht. Der Weg zur kommunistischen Machtergreifung ist lang und hart. An seinem Ende stehen für das chinesische Volk zwar ein ihm vom Ursprung her wesensfremdes Regime, aber auch zum ersten Male seit Generationen wieder eine Periode des Friedens.

Die Geschichte der innerchinesischen Unruhen und Revolutionen ist alt. Seit die letzte Kaiserdynastie — keine Chinesen, sondern Mandschu-Tataren — ab 1644 ihre Ansprüche auf den „Thron des Himmels" geltend macht, nehmen die Empörungen kein Ende. Sie werden getragen von Geheimgesellschaften wie „Zur Wasserlilie", „Zum reinen Tee", „Dreieinigkeitsbund" oder „Gesellschaft der vereinten drei (Himmel, Erde und Mensch)".

Die Heimischmachung bisher unbekannter, aber ertragreicher Agrarprodukte wie Mais, Bataten und Erdnüsse hat seit dem Ende des 17. Jahrhunderts bis zur Mitte des 19. Jahrhunderts die Bevölkerung von 112 Millionen auf das Zweieinhalbfache anwachsen lassen. Das führt zu einer immer stärkeren Aufteilung des Grundbesitzes. Hat der Anteil am Ackerland 1685 noch etwa 36 Ar je Kopf betragen, so ist er nun auf weniger als die Hälfte gesunken. Die Folge sind Not und Hunger.

1839 kommt es aus fast unbegreiflichem Grund zwischen China und England zum Krieg. Den Anlaß bilden 20 263 Kisten mit Opium, deren — verbotene — Einfuhr den britischen Kaufleuten Einnahmen von 2,5 Millionen Pfund Sterling verspricht, aber auch zur Bezahlung chinesischer Ausfuhrgüter verwandt werden soll, während sie vom Kaiser in Peking mit Todesstrafe belegt ist. Die Engländer, besser gerüstet, siegen. 1842 muß der Kaiser den Rauschgiftimport erlauben und Hongkong abtreten.

Damit ist die militärische Schwäche des Reiches den Chinesen selbst deutlich geworden. Sie macht den Empörern den Mut zu einer Revolution, bei der es um dreierlei geht: Um den Sturz des Kaisers, um eine neue Weltanschauung und um Boden für die verarmte Landbevölkerung. Führer des nun ausbrechenden Taiping-Aufstandes ist Hung Hsiu-tsuan aus Südchina. Er ist viermal durchs Staatsexamen gefallen und dann Dorfschullehrer geworden. 1837 wird er schwer krank. Er hat Visionen, in denen er sich in den Himmel versetzt und als König sieht. Bald darauf lernt er den deutschen Missionar Gützlaff — einen Protestanten — kennen. Er wird vom Christentum gepackt, wirft die alten Kultbilder aus der Schule und aus dem Hause. 1845 beginnt er zu predigen und zu schreiben. 1848 zerstört er ein hochverehrtes Wunderbild. Die ersten Anhänger sammeln sich um ihn.

Überschwemmungen und Hungersnöte heizen die Erregung der Massen an. Jünger Hung Hsiu-tsuans werden hingerichtet. Aber dadurch flutet die Empörung nur höher. Im August 1851 erobern von Hung Hsiu-tsuan geführte Banden ein Städtchen in Kuangsi. Hung Hsiu-tsuans Zukunftstraum geht in Erfüllung. Er wird der Gründer der neuen Dynastie Taiping = „Großer Friede". Sechs Provinzen südlich des Jangtsekiang werden gewonnen und schließen sich dem Aufstand an.

Dieses Gebiet ist in einer besonderen Lage. Dem nahen Schanghai geben die europäischen Händler mehr und mehr ein westliches Gepräge. Im Bannkreis der Metropole erweist sich die Schwäche der Mandschu-Dynastie also am deutlichsten und sind die abendländischen Einflüsse von besonderer Anziehungskraft.

Im März 1853 besetzt Hung Hsiu-tsuan Nanking. Er nennt die Stadt Tienking, „Himmelsresidenz", und sieht in ihr den Mittelpunkt des neuen Reiches. Sich selbst betrachtet er als gleichwertig mit den chinesischen Kaisern und dem Dalai Lama in Tibet. Er tituliert sich „Himmelsfürst", „Jüngerer Bruder von Christus", läßt große Auflagen des Neuen und des Alten Testaments drucken und verbreitet sie. Chinas alter Philosoph Konfuzius gilt als abgetan.

Hand in Hand mit dieser Taiping-Rebellion geht ein Programm sozialer und wirtschaftlicher Neuordnung. Urkommunistische Vorstellungen fließen mit christlichem Gedankengut zusammen. Die Rebellen fordern Neuaufteilung des Landes. Die Einfuhr von Opium soll aufhören, die Stellung der Frau angehoben werden. Mit der Gleichheit der Geschlechter sollen Konkubinat und befohlene Eheschließung ihr Ende finden. Das Verkrüppeln der weiblichen Füße und das Tragen des Zopfes werden verboten.

Die Bewegung macht Fortschritte. Aber innere Streitigkeiten und Disziplinlosigkeit schwächen ihre Kraft. Plünderer schließen sich zu Banden zusammen, denen das politische Ziel nur Vorwand ist. Gewalttaten nehmen kein Ende. Andererseits hindert ein neuer Krieg, den England und Frankreich zur gleichen Zeit nach China tragen, die Mandschu-Regierung an durchgreifenden Gegenmaßnahmen.

Schließlich erkennen auch die Engländer und Franzosen, daß der Taiping China stark machen und auf die Dauer für sie gefährlicher werden könnte als der Mandschu-Kaiser. Gemeinsam mit diesem beginnen sie nun den Krieg gegen die Revolutionäre. In grausamen Gemetzeln werden die Rebellen hingeschlachtet. Sie werden aufgerieben. Das von ihnen besetzte Land wird zurückerobert. Immer weiter müssen sie sich zurückziehen. Aber immer noch residiert der Taiping-Führer Hung Hsiu-tsuan in Nanking. Im Juli 1865 fällt dann auch diese Stadt. Der „Himmelsfürst" begeht Selbstmord.

Die Taiping-Revolution ist beendet. Sie hat zwei Millionen Menschenleben gekostet und schwere wirtschaftliche Schäden angerichtet. Aber die Reformbewegung, an die der Gründer gedacht hat, ist damit nicht abgeschlossen. Gelehrte chinesische Beamte, die bei der Zerschlagung des Taiping-Aufstandes mitgewirkt haben, versuchen nun eine „Revolution von oben her". Ihnen geht es dabei weniger um die Bauern und deren Los, als um die politische, wirtschaftliche und militärische Stärkung Chinas.

Diese Kreise erhalten Auftrieb, nachdem es dem verachteten, aber in Industrie, Verwaltung und Heerwesen westlichen Vorbildern folgenden Japan 1894 und 1895 gelingt, China militärisch niederzuwerfen und zum Verzicht auf Formosa und Korea zu zwingen. Dann nimmt es sich auch noch die Peskadoren.

Die Großmächte beeilen sich, ebenfalls einen Brocken China zu erhaschen. England holt sich 1898 zusätzlich zu Hongkong den Stützpunkt Wei-hai-wei, Frankreich annektiert Kuang-tschu-wan, Rußland bekommt Port Arthur, und das Deutsche Reich „pachtet" auf 99 Jahre die Halbinsel Kiautschau mit der aufblühenden Stadt Tsingtau.

Nun lösen die Modernisten die „Reform der 100 Tage" aus. Die Intellektuellen, die dabei zur Führung vorstoßen, gewinnen den jungen Kaiser Kuang-hsu für ihre Ideen. Er erläßt ein dickes Paket von Reformverordnungen. Sowohl die Streitkräfte als auch das Schulwesen sollen europäisiert werden. Dann aber schlagen die Reaktionäre unter Führung der energischen Kaiserwitwe Tse-hsi, genannt „Der alte Buddha", zu. Sie entmachten den Herrscher, sperren ihn im Palast ein, heben die Reformen auf und richten die Reformer hin.

Dabei glauben die reaktionären Hofschranzen, sich einer Massenbewegung bedienen zu können, die fanatischen Fremdenhaß predigt. Es ist die wachsende und immer stärkeren Widerhall findende Organisation „Boxer der Rechtlichkeit und Eintracht". Die Kaiserwitwe unterstützt 1900 einen „Marsch auf Peking". Die Extremisten ergreifen Besitz von den Straßen und öffentlichen Plätzen der Hauptstadt. Feindseligkeiten gegen alle Fremden beginnen. Die westlichen Gesandtschaften werden auf Befehl der Machthaberin belagert.

Eine internationale Streitmacht rückt 1901 an, deren Oberbefehl dem deutschen Generalfeldmarschall Graf Waldersee angetragen wird. Erstmals erschallt der legendäre Ruf: „The Germans to the front!" Peking wird besetzt. Der Mob plündert derweil den Palast. Hof, Schattenkaiser und Kaiserwitwe fliehen.

Zu demütigenden Bedingungen muß China den „Boxerkrieg" mit den Großmächten beenden. Ein kaiserlicher Prinz, der „Sühneprinz", begibt sich in die europäischen Hauptstädte, um Verzeihung zu erbitten. Groll und Erregung schwellen in China noch weiter an.

Am 14. November 1908 stirbt der entmachtete Kaiser Kuang-hsu. Einen Tag später stirbt die Usurpatorin. Ein zweijähriges Kind, Pu-i, wird auf den Thron gehoben. Schwache Regenten versuchen zu regieren. Zwei Männer sammeln die Opposition von rechts und von links: Sie heißen Yüan Schi-kai und Sun Yat-sen. Der eine, General, ist Ratgeber der Kaiserwitwe gewesen und hat als solcher beigetragen, die Reform zu verhindern. Der andere ist Protestant, Arzt, hat in Amerika studiert und 1894 im Alter von 28 Jahren einen Geheimbund gegründet, aus dem jetzt die Nationale Volkspartei, die Kuomintang, hervorgeht.

Im Oktober des Jahres 1911 kommt es in Wutschang, einer Stadt am Jangtsekiang, zur Revolte, die sich bald zu der seit langem fälligen Revolution auswächst: Der Streit lokaler Größen mit Vertretern der schwächlichen Zentralregierung über den Bau und die Organisation weiterer Eisenbahnlinien löst einen örtlichen Militärputsch aus; der Funke fliegt in die benachbarten Provinzen, zündet und entflammt das riesige Land. Überall werden die Mandschus niedergemetzelt, die — ursprünglich Herren und Besatzer — seit langem nur noch ein Parasitendasein führen und zum Symbol des Rückschrittes geworden sind.

Der augenblickliche Regent holt den 51jährigen Yüan Schi-kai aus der Verbannung. Er macht ihn zum Ministerpräsidenten und gibt ihm den Auftrag, eine parlamentarische Monarchie nach dem Vorbild Großbritanniens zu schaffen. Der General beginnt sein Werk, indem er die erste modern bewaffnete und geführte Truppe aus dem Boden stampft.

Zur gleichen Zeit tagen Revolutionäre der verschiedensten Richtungen in Nanking. Sie rufen die Republik aus und wählen Sun Yat-sen am 29. Dezember 1911 zum provisorischen Präsidenten. Er schwört, die Mandschuherrschaft ein für allemal zu beseitigen. Seine begeisterten Anhänger schneiden sich die Zöpfe ab, die den Chinesen von den Mandschus als Haartracht auferlegt worden sind, und zwingen die Bevölkerung in den von ihnen beherrschten Gebieten, ein Gleiches zu tun.

Inzwischen beginnt Yüan Schi-kai gegen die Aufständischen zu marschieren. Doch er will nicht die Restauration der morschen Dynastie. Er will die Macht. Darum verständigt er sich mit den Revolutionären, als diese bereit sind, ihn zum Präsidenten zu proklamieren. Sun Yat-sen verzichtet.

Der Sieg der Revolution und die Einheit des Reiches sind damit allerdings nur dem Scheine nach gerettet. Der mehrfache Versuch des neuen Staatspräsidenten, sich nach bonapartischem Vorbild selbst zum Kaiser zu erhöhen, scheitert endgültig mit seinem Tod am 6. Juni 1916. Nun jedoch zerfällt China in ein gutes Dutzend verschiedener Regionen, in denen „Kriegsherren" die Macht ergreifen und nahezu souverän regieren.

Einer dieser „Kriegsherren" wird im Grunde auch Sun Yat-sen. In Kanton gelingt es 1918 nämlich der Kuomintang, sich festzusetzen. Überlebende des ersten chinesischen Parlaments von 1913 treffen ein. Sie bilden eine neue Regierung, die den Anspruch erhebt, für ganz China zu sprechen und rufen Sun Yat-sen ein zweites Mal zum republikanischen Staatsoberhaupt aus. Ein junger, 34 Jahre alter Offizier schließt sich ihm an, der sich bald als begabter Heerführer offenbaren soll. Sein Name ist Tschiang Kai-schek. Er weitet den Machtbereich der Kuomintang in ständigen Gefechten zielstrebig und energisch aus.

Sun Yat-sen stellt die „Drei Grundsätze vom Volk" auf. Sie lauten: 1. Volksnationalismus, d. h. die Befreiung Chinas von der Herrschaft der Weißen und anderen Fremden sowie nationale Einheit; 2. Regierung durch das Volk, also Demokratie; 3. Lebensbedingungen für das Volk oder Sozialismus.

Obgleich dieser „Sozialismus" vom Marxismus entschieden abweicht und Sun Yat-sen weder den historischen Materialismus noch die Theorie vom Mehrwert oder den Klassenkampf akzeptiert, im ganzen sogar eher als gemäßigter Bodenreformer linksliberalen Anstrichs charakterisiert werden kann, fasziniert ihn Lenin. In der Machtergreifung durch die Bolschewisten in Rußland sieht er ein Beispiel auch für China. Bald schon holt er sowjetische Berater und Militärinstrukteure in das Land.

Chinas Kommunisten gründen ihre Partei

Vielen jungen Chinesen aber ist die Kuomintang längst nicht mehr radikal genug. Sie wollen einen großen Schritt nach vorn, den völligen Bruch mit der Vergangenheit. Und sie wollen nicht nur Freundschaft mit den Kommunisten in der Sowjetunion. Sie wollen den Kommunismus selbst.

Auch der jetzt fünfundzwanzigjährige Mao Tse-tung gerät in den Sog dieser Ideen. Er stammt vom Lande. Sein Vater ist ein reich gewordener Bauer und Getreidehändler. Mao wird Student. So lernt er den Pekinger Nationalökonomen Li Ta-tschao kennen, der im Frühjahr 1918 eine „Vereinigung zum Studium des Sozialismus" ins Leben ruft. Mao wird sein Schüler und damit Marxist und Berufsrevolutionär, nachdem sich Li Ta-tschao 1919 offen zum Marxismus bekennt.

In diesem Jahr kommt es zu einer neuen nationalistischen Welle, die insbesondere die akademische Jugend erfaßt. Als die Versailler Friedenskonferenz nach dem ersten Weltkrieg den Deutschen zwar Kiautschau abspricht, die Kolonie aber nicht den Chinesen zurückgibt, sondern den Japanern überantwortet, geht die Bevölkerung auf die Straße. In Peking findet am 4. Mai 1919 eine gewaltige Massendemonstration statt. Als Folge leistet Japan auf seine Deutschland abgenommene Eroberung Verzicht. Die Studenten, die jugendlichen Organisatoren der „Bewegung vom 4. Mai", triumphieren. Viele von ihnen schließen sich im Bewußtsein eigener Stärke den kommunistischen Zirkeln an.

Natürlich nehmen diese Fühlung mit Moskau. Hier erkennt die Führung der Komintern sehr schnell die Möglichkeit, eine Kommunistische Partei in China zu gründen. Als Abgesandter bildet Gregorij Woitinski Zellen zunächst in Schanghai und Peking, dann auch in den Provinzhauptstädten. Der Literaturhistoriker Tschen Tu-hsiu stellt zur gleichen Zeit Gruppen auf, die sich nicht mit dem bloßen Studium der kommunistischen Gedankenwelt begnügen wollen, sondern auch an die Tat denken — also an die kommunistische Revolution. Mao Tse-tung übernimmt die Leitung des in der Provinz Hunan entstehenden Kreises Gleichgesinnter.

Mit dem Kommunismus sympathisierende chinesische Studenten in Paris, Göttingen und Berlin besuchen nicht nur die Universitäten, sondern arbeiten studienhalber auch in Fabriken. Unter dem Einfluß der Pariser Gruppe bilden sie ein „Sozialistisches Jugendkorps", in dem ein junger Student namens Tschu En-lai besonders in Erscheinung tritt.

Am 1. Juli 1921 findet in Schanghai der erste Parteitag statt. Er wird von zwölf Delegierten besucht. Mit Mehrheitsbeschluß bilden sie ein Zentralkomitee. Generalsekretär wird Tschen Tu-hsiu. Das Ziel ist Gründung und Ausbreitung einer selbständigen chinesischen Arbeiterbewegung. Die „Massenbasis" soll das Industrieproletariat bilden. Das ist zwar nicht logisch, denn die meisten Chinesen sind Bauern. Aber man folgt zunächst wie in Rußland der Idee von Karl Marx, nach der eben allein der Industriearbeiter für den Aufbau des Kommunismus berufen sei.

Dabei ist Tschen Tu-hsiu fern von jeder Romantik, wenn er schreibt: „Das chinesische Proletariat ist quantitativ wie qualitativ unreif. Die meisten Arbeiter sind noch voller patriarchalischer Vorstellungen, ihre Familienbindungen und ihr regionaler Patriotismus sind überaus stark. Diese ehemaligen Handwerker bewahren sich die Gewohnheit ihrer früheren Existenz auch noch, nachdem sie Industriearbeiter geworden sind. Sie empfinden nicht die Notwendigkeit politischen Handelns und sind noch voll alten Aberglaubens."

Unter sowjetischem Einfluß kommt es sehr früh zu einer Zusammenarbeit der Kommunistischen Partei mit der national-bürgerlichen Kuomintang, der die Kommunisten korporativ beitreten. Gemeinsame Aufgabe ist die Verwirklichung der nationalen Revolution in ganz China.

Derweil regiert Sun Yat-sen phantasievoll, aber plan- und machtlos in Kanton. Vergeblich hat er in Amerika und Europa um Unterstützung für seine Ideen geworben. Um so mehr schließt er sich Moskau an. 1923 geht Tschiang Kai-schek — inzwischen General — an der Spitze einer Kuomintang-Abordnung für einige Zeit nach Sowjetrußland, um Organisationsfragen zu studieren.

Im März 1925 stirbt Sun Yat-sen. Sein Nachfolger wird Wang Tschingwei. Neben ihm zeigt sich Tschiang Kai-schek als starker Mann der Kuomintang.

Am 30. Mai werden bei Demonstrationen in Schanghai 13 chinesische

Arbeiter von britischer Polizei erschossen. Eine neue Sturmflut nationalen Unwillens ist die Folge. Die Mitgliederlisten der Kommunistischen Partei wachsen an. In fast allen Hafenstädten entlädt sich der Haß gegen die Europäer in Streiks und Wirren.

In diesen Monaten der Unruhe wächst Mao-Tse-tung über die ihm bisher gezogenen Grenzen hinaus. Er wird zum Führer der verelendeten Bauern in Hunan. Mit flammenden und oft von dichterischer Inbrunst beflügelten Worten wendet er sich an die Ärmsten der Armen: „Unser Volk wird nie wieder ein demütiges Volk sein!" Das ist der Weckruf, dem sich in dieser Stunde kaum ein Chinese entziehen kann.

Als dann im Januar 1926 der zweite Nationalkongreß der Kuomintang zusammentritt, trägt ihr linker Flügel einen Überraschungssieg davon. Die Leitung aller wichtigen Abteilungen des ZK der Nationalpartei gleitet in die Hände von Kommunisten. Ihnen unterstehen Organisation, Propaganda, Bauern und Arbeiter. Die von ihnen geführten Gewerkschaften und Bauerngruppen zählen 1,5 Millionen Mitglieder.

In diesen Zahlen wird die unverkennbare Bedrohung der Kuomintang deutlich. Tschiang Kai-schek gibt sich darüber keinen Illusionen hin. Und da er vorerst noch die Hand am Hebel der Macht hat, entschließt er sich durchzugreifen, bevor es zu spät ist. Auf seine Weisung werden 60 kommunistische Führer in Schlüsselstellungen verhaftet und Kampftruppen der kommunistischen Gewerkschaften entwaffnet. Borodin-Grusenberg, der sowjetische Abgesandte, muß Kanton verlassen. Während sich Wang Tsching-wei nach Europa begibt, fällt Tschiang Kai-schek die Stellung eines Alleinherrschers über Kuangtung zu.

Aber Kuangtung ist nicht China. In den einzelnen Provinzen regieren immer noch die Kriegsherren, die ihre eigenen Vorstellungen von Gegenwart und Zukunft haben. Mit einer starken Armee rückt der General gegen sie vor. Er plant die Eroberung des ganzen Landes. Drei Monate später — im Oktober 1926 — ist er Herr über Südchina. Auch an der Ostküste erkämpft er Sieg um Sieg. Die Chinesen lechzen offensichtlich nach einer starken Zentralgewalt und beugen sich willig dem neuen Machthaber, der sich jetzt offiziell zum Staatschef proklamieren läßt und den gerade heimgekehrten Wan Tsching-wei für abgesetzt erklärt.

Sun Yat-sen wird, wie Lenin nach seinem Tode, zum Nationalhelden erhoben sowie zum Mittelpunkt eines geradezu religiösen Kults gemacht. Und der Generalissimus — Tschiang Kai-scheks neuer militärischer Titel — verkündet Chinas Neuaufbau nach den drei Stufen des Meisters: 1. Stufe — Militärdiktatur der siegreichen Kuomintang-Armee; 2. Stufe — „Erziehende Regierung" durch die Kuomintang, die treuhänderisch für das chinesische Volk die Macht ausübt und den Gemeinden überwachte Selbstverwaltung zubilligt; 3. Stufe — Berufung aller Staatsorgane durch demokratische Wahlen, sobald das Volk „politisch mündig" geworden ist.

So groß der Glanz ist, der Tschiang Kai-schek umgibt, so unsicher fühlt er sich. In seinem Rücken weiß er immer noch die formell der Kuomintang verbündeten, aber eigene Ziele verfolgenden Kommunisten. Die Zahl ihrer Mitglieder hat sich in den letzten Monaten verdoppelt und beträgt jetzt 58 000 ausgesuchte Mann. Der von ihnen kontrollierte Gewerkschaftsbund zählt sogar 2,8 Millionen Mitglieder. Und die von dem jungen Mao Tse-tung organisierten Bauernbünde besitzen allein in der Provinz Hunan mehrere Millionen Anhänger. Wie lange werden sie noch leidlich treue Bundesgenossen sein?

Am 12. April 1927 gibt der Generalissimus plötzlich den Befehl zum endgültigen Bruch mit den Kommunisten. Er läßt in Chinas größter Stadt, der sechs Millionen Einwohner zählenden Metropole Schanghai, der Hochburg der westlichen Zivilisation im Lande, alle wichtigen Kreuzungen und Gebäude besetzen. Er gibt den Befehl, die hier besonders starken Kommunisten auszurotten.

Es kommt zu blutigen Massakern. Hunderte von kommunistischen Funktionären werden an die Wand gestellt. Ähnliche Blutbäder in anderen Städten folgen. In wenigen Tagen zertrümmern die Kuomintang-Leute den in den Städten verankerten, zur Industriearbeiterschaft hin orientierten Teil der KP.

Auch Parteigründer Li Ta-schao wird im fernen Peking vom dortigen Kriegsherrn Tschang Tso-lin hingerichtet. Den zweiten Parteigründer und Parteivorsitzenden Tschen Tu-hsiu stempeln die übriggebliebenen Kommunisten zum Sündenbock und setzen ihn ab. Die letzten russischen Berater verlassen China. Die KPCh ist kein Faktor von Bedeutung mehr. Nach und nach wird Mao Tse-tung Führer ihrer Reste. Er meditiert: Schon in Rußland haben die Kommunisten sich mit den Bauern verbünden müssen, um die „Arbeiter" an die Macht zu bringen. In China muß der Kommunismus noch viel bäuerlicher ausgerichtet sein, wenn er sich durchsetzen will.

Mit 1 000 Mann und 200 Gewehren zieht Mao Tse-tung auf den Tschingkanschan, einen dicht bewaldeten Gebirgszug an der Grenze der Provinzen Hunan und Kiangsi. Hier verbarrikadiert er sich. General Tschu Teh, ein Offizier der alten Schule, der in Deutschland Kommunist geworden ist, wo er studiert und wo man ihn 1925 ausgewiesen hat, schließt sich ihm mit weiteren 2 000 Mann an. Sie beginnen, ihren Machtbereich auszudehnen und in der Umgebung das Land unter den Bauern neu zu verteilen. Unbekümmert um Tschiang Kai-schek, der sich inzwischen daran macht, Peking zu erobern, errichten sie im kleinen einen kommunistischen Staat. Bald ist ihre Streitmacht 11 000 Mann stark, dann 40 000, schließlich 180 000.

Gemeinsam entwickeln Mao Tse-tung und Tschu Teh jetzt die Guerillataktik, die sie eines Tages zum Sieg führen soll. Begeistert lernen ihre Soldaten:

> „Naht der Feind, so weichen wir;
> flieht der Feind, so stören wir;
> weicht der Feind, so folgen wir;
> ist er müde — schlagen wir!"

Im November 1931 rufen die Kommunisten in ihrem Machtbereich die „Chinesische Räterepublik" aus. Mao Tse-tung wird ihr Präsident.

Gleichzeitig haben sich auf der außenpolitischen Ebene über Nacht die Verhältnisse verschoben. Schon im September 1931 sind die Japaner in die Mandschurei, das Industriezentrum Chinas, eingedrungen. Sie errichten ein dem Schein nach souveränes Kaiserreich Mandschukuo, dessen Thron Chinas letzter Kaiser Pu-i besteigt. Er ist auf ihm ebenso machtlos wie damals in Peking.

Tschiang Kai-schek versucht, sich der Japaner zu erwehren. Das ist für ihn besonders schwer, weil er sich zur gleichen Zeit mit den inneren Feinden auseinandersetzen muß. 1934 vereinbart er dann mit Japan ein Stillhalteabkommen. Damit ist ihm die Bewegungsfreiheit im Innern zurückgegeben. Er will sie gegen die Kommunisten nützen.

Beraten von deutschen Offizieren, an der Spitze die Generale von Seeckt und von Falkenhausen, rückt Tschiang Kai-schek mit 900 000 Mann gegen Mao Tse-tungs Räteregierung in Südchina vor. Fünf Feldzüge werden geführt, die als die „Vernichtungsfeldzüge" in die Geschichte des kommunistischen China eingehen. Viermal wird Tschiang Kai-schek zurückgeschlagen. Das fünfte Mal kann er siegreich durchgreifen.

Im Herbst 1934 ist die Rote Armee von Soldaten der Nationalregierung eingekesselt. Maos Tage scheinen gezählt. Verzweifelt entschließt er sich, einen Ausbruchsversuch zu wagen. Dieser gelingt 90 000 Mann.

Vom „Langen Marsch" zum Sieg im Bürgerkrieg

Und nun beginnt die Heldengeschichte der Roten Armee. Sie steht unter dem stolzen Wort des „Langen Marsches". Er führt über 11 000 Kilometer, durch die Provinzen Kweitschau und Szetschuan, durch Jünnan und Kansu. Kaum ein Tag ist ohne Kämpfe mit den verfolgenden Soldaten Tschiang Kai-scheks, kaum ein Tag ohne Überfälle durch Eingeborenenstämme.

Im Sommer 1935, bei Gelegenheit eines Verschnaufens, findet Mao Zeit, Tschiang Kai-schek ein Zusammengehen gegen den gemeinsamen Gegner Japan vorzuschlagen. In einem Aufruf vom 1. August 1935 heißt es: „Wenn die Kuomintang-Armeen ihre Angriffe auf die chinesischen Rätedistrikte einstellen und statt dessen gegen die japanische Invasion kämpfen, dann wird die Rote Armee — ungeachtet der Feindseligkeit über interne Probleme, die zwischen ihnen und der Roten Armee in der Vergangenheit bestanden — nicht nur unverzüglich ihre Kampfhandlungen gegen sie einstellen, sondern auch bereit sein, mit ihnen Hand in Hand gemeinsam für die Rettung des Landes zu kämpfen."

Eine Antwort erhält er nicht. Die Führung der Kuomintang erblickt in diesem Ruf „nach Rettung des Landes" eher einen Notschrei, bei dem es dem zerschlagenen Gegner um die eigene Rettung geht.

Am Ende des Langen Marsches liegt die Stadt Jenan in Schensi. Als Mao sie erreicht, ist Herbst 1935. Von den einst 90 000 Mann leben noch 20 000.

Wieder versucht Mao, die Gegensätze zur Kuomintang zu bagatellisieren. Er fragt: „Worin besteht die grundlegende taktische Aufgabe der Partei?" Die Antwort lautet: „Sie besteht einzig und allein in der Bildung einer breiten revolutionären nationalen Einheitsfront." Diese soll gegen die Japaner gerichtet sein, „gegenwärtig der Hauptfeind". Die Leute, die dies verkennen, „verscheuchen den Fisch, und er geht in die Tiefe. Sie verscheuchen die Vögel, und diese fliegen ins Dickicht." Eines Tages wird der Fisch wieder auftauchen und werden die Vögel erneut aus dem Dickicht brechen ...

Aber Mao droht nicht nur, er lockt auch: Durch den Zusammenschluß mit „fortschrittlichen Elementen" aus anderen Klassen soll aus der „Arbeiter- und Bauernrepublik" eine „Volksrepublik" entstehen. Und Mao gibt das Versprechen: „Die Volksrepublik schafft das Privateigentum, soweit es keinen imperialistischen oder feudalen Charakter trägt, durchaus nicht ab. Sie beschlagnahmt durchaus nicht die Industrie- und Handelsunternehmungen der nationalen Bourgeoisie, sondern fördert im Gegenteil die Entwicklung solcher Unternehmungen ... In der Etappe der demokratischen Revolution hat der Kampf zwischen Arbeit und Kapital seine Grenzen."

Das ist vorsichtig formuliert. Und es ist nur für eine Übergangszeit gemeint. Denn es heißt weiter: „Das Hinüberwachsen unserer vorerst nur bürgerlich-demokratischen Revolution in die sozialistische Revolution ist eine Sache der Zukunft ... und dazu kann eine ziemlich lange Zeitspanne benötigt werden."

Zugleich proklamiert Mao die „Antijapanische Einheitsfront des chinesischen Volkes". Sein Hauptschlagwort heißt jetzt: „Chinesen kämpfen nicht gegen Chinesen!"

Besonders die jungen Intellektuellen greifen diese These mit Begeisterung auf. Schon lange beobachten sie mit Groll, daß die Nationalregierung und ihr Führer Tschiang Kai-schek sich zu keinem entscheidenden Schlag gegen die Japaner aufraffen.

Der Generalissimus hat nun im Dezember 1936 das Unglück, dem Marschall Tschang Hsüe-liang in die Hände zu fallen. Dieser Mann — Sohn und Nachfolger des 1928 ermordeten Kriegsherrn Tschang Tso-lin — will die ihm von den Japanern entrissene Mandschurei zurückerobern und tendiert deshalb zu einem Burgfrieden mit den Kommunisten. Er bringt es fertig, den von ihm als Oberbefehlshaber anerkannten Tschiang Kai-schek in zwei Wochen Haft so sehr unter Druck zu setzen, daß dieser schließlich einem Waffenstillstand mit Mao Tse-tung zustimmt.

Nach der Haftentlassung ändert sich das Spiel. Tschiang Kai-schek schlägt zurück, stellt Tschang Hsüe-liang vor Gericht und läßt ihn zu lebenslänglichem Zuchthaus verurteilen. Aber der Waffenstillstand mit den Kommunisten bleibt aufrechterhalten, und im Mai 1937 versichert

Mao, daß das von ihm beherrschte Gebiet nunmehr aufhöre, eine Räterepublik zu sein; statt dessen sei es einfach „Bestandteil der chinesischen Republik".

Zwei Monate später kommt es zu dem „Zwischenfall auf der Marco-Polo-Brücke". Die Japaner halten — obgleich sie dazu kein Recht haben — in der Nähe von Peking Manöver ab. Dabei entsteht auf der unweit der alten Kaiserstadt liegenden Brücke eine Schießerei zwischen japanischen und chinesischen Soldaten. Für die Japaner ist das der gegebene Anlaß, ihren Machtbereich in China zu erweitern. Sie besetzen Peking und Umgebung und dringen weiter nach Süden vor. Tschiang Kai-schek sieht sich in einen richtigen Krieg mit einem modernen Industriestaat verwickelt und muß seine wenig stabilen Truppen in die Schlacht werfen.

Im November 1937 fällt Schanghai, im Dezember ziehen die siegreichen Nachbarn vom Inselreich im Pazifik auch im Regierungssitz Nanking ein. Tschiang Kai-schek ist gezwungen, nach Tschungking, tief im Innern des riesigen Landes, auszuweichen. Langsam aber stetig schieben die Japaner ihre Front weiter nach vorn. Im Oktober 1938 nehmen sie Hankau und Kanton. Alle wichtigen Städte im dichtbesiedelten Zentral- und Südchina sind ebenso in ihrem Besitz wie der Norden.

Im Juni 1940 haben sie die meisten Eisenbahnlinien, die Unterläufe der schiffbaren Flüsse und die Seehäfen fest in ihrer Hand. Tschungking liegt in greifbarer Nähe. Das Kuomintang-Regime ist von der westlichen Welt völlig abgeschnitten. In Nanking heben die Eroberer eine Marionettenregierung in den Sattel, an deren Spitze Tschiang Kai-scheks alter Gegenspieler Wang Tsching-wei steht.

Dann stellt Japan sich an die Seite des Deutschen Reiches. Es tritt in den zweiten Weltkrieg ein. Am 6. Dezember 1941 überfallen seine Bomber die bei Pearl Harbour liegende amerikanische Flotte. Amerika schlägt zurück. Die Japaner geraten in Bedrängnis. Die gewaltigen Pazifik-Schlachten absorbieren die Kraft des 100-Millionen-Volkes. Seine Offensive in China verliert an Kraft. Tschiang Kai-schek kann Luft schöpfen. Die Engländer und Amerikaner bauen von Burma aus nach Tschunking eine Autostraße durch Dschungel und Steppen, auf der Nachschub rollt. Sie sehen die Chance, japanische Truppen und japanisches Kriegsmaterial in China zu binden. Aber erst nachdem die Atombomben über Hiroschima und Nagasaki Feuer und Vernichtung ausbreiten und die Japaner kapitulieren, rücken deren Armeen aus China ab und marschieren die Verbände Tschiang Kai-scheks vor. Schnell ist das Land in ihren Händen — bis auf den Norden. Ihn besetzen die Kommunisten.

Sie haben den Krieg mit Japan ohne Schaden überstanden und ihr Herrschaftsgebiet von 1937 bis 1945 fast unbemerkt von Jahr zu Jahr erweitert, zäh und unermüdlich. Anfangs besitzen sie ein Gebiet von 50 000 Quadratkilometern, in dem 95 Millionen Menschen leben. Ihre Armee, die mit den Japanern nicht mehr als Scharmützel riskiert hat und von den Aggressoren links liegengelassen worden ist, zählt zweieinhalb Millionen Mann. Vorgesehen ist, sie auf viereinhalb Millionen zu bringen.

Nicht ganz selbstverständlich kommen auch die Sowjets den chinesischen Kommunisten zu Hilfe; denn Tschiang Kai-scheks Verbindungen zu Moskau sind längst wieder herzlich geworden. Stalin baut auf die Kuomintang. Dennoch ordnet er an, die den Japanern in der Endphase des zweiten Weltkriegs von den Sowjettruppen abgenommene industriereiche Mandschurei weder zu behalten noch dem Kuomintang-Generalissimus auszuhändigen. Mao Tse-tung nimmt sie in Empfang und Verwaltung. Er stößt dabei auf gewaltige Lager mit modernen japanischen Beutewaffen und mit Munition. Ohne Furcht können seine Soldaten nun den von den Amerikanern ebenso modern ausgestatteten „Reaktionären" entgegentreten.

Ende 1948, nach langen und fruchtlosen Verhandlungen mit Tschiang Kai-schek, fühlen die Kommunisten sich stark genug, die Begegnung mit den Regierungstruppen zu wagen. In Nordchina gehen sie zur Offensive über und schlagen die Elitetruppen der Kuomintang vernichtend. Im Januar 1949 besetzen sie Peking, wohin sie ihr Hauptquartier verlegen. Sie erobern Nanking, Wuhan und Schanghai.

Allmählich sind die Menschen des grausamen und endlosen Blutvergießens müde. Jede Seite der Streitenden hat in den letzten Jahren eine halbe Million Soldaten verloren. Überdies häufen sich in der Kuomintang die Korruptionsfälle und bricht in weiten Kreisen der bisher regierungstreu gebliebenen Bevölkerung das Vertrauen zusammen. Regimenterweise treten nun die Männer der Nationalarmee zu den Roten über. Als dann auch General Liu Fei mit den Operationsplänen Tschiang Kai-scheks in der Tasche überläuft, kommt es zur Entscheidungsschlacht, in der Nationalchina 600 000 Tote und Verwundete sowie 400 000 Gefangene verliert. Die Verluste der Kommunisten betragen 500 000 Mann. Sie sind die Sieger.

Immer weiter werden die Kuomintang-Truppen zurückgeworfen. Soweit sie sich nicht ergeben, fliehen sie nach Formosa oder Burma. Auf Formosa, das von 1895 bis 1945 den Japanern gehört hat, etabliert Tschiang Kai-schek seine Restherrschaft.

Am 1. Oktober 1949 ruft Mao Tse-tung in Peking die Volksrepublik China aus. 22 Jahre des Bürgerkrieges liegen hinter den gequälten Menschen, über die er nun als „Vorsitzender des Zentralen Volksregierungsrates" herrscht.

Keine Atempause für die Chinesen

Schon 1950 unternehmen die Kommunisten in Peking ihren ersten Vorstoß über die Grenzen des eigentlichen China hinaus. 100 000 Mann marschieren in Tibet ein und gliedern den Priesterstaat im mittelasiatischen Hochland in die Chinesische Volksrepublik ein. Der Dalai Lama, oberster Priester und Staatsoberhaupt der 1,3 Millionen Tibeter in einem, wird zunehmend entmachtet und schließlich 1959 zur Flucht nach Indien gezwungen.

Die Rotchinesen schlagen die zahlreichen Aufstände der Bevölkerung rücksichtslos nieder und verändern deren Struktur durch Zwangsumsiedlungen völlig. Für die ausgesiedelten Tibeter kommen Chinesen ins Land. Allein in der Hauptstadt Lhasa, die früher nie mehr als 20 000 Einwohner zählte, leben bald 60 000 der Eroberer.

Die lamaistischen Klöster werden enteignet, zum Teil völlig aufgehoben. Kollektivgüter und Viehzuchtstationen pressen die nomadisierenden Hirten und die wenigen Kleinbauern in die kommunistische Zwangsjacke.

Ebenfalls im Jahre 1950, und zwar am 26. November, greifen die Rotchinesen in den Koreakrieg ein. Korea, das seit 1895 unter japanischem Einfluß stand, war 1910 regelrecht zum Bestandteil Japans erklärt worden. Nach dessen Niederlage im zweiten Weltkrieg besetzen sowjetische und amerikanische Truppen die Halbinsel. Der 38. Breitengrad, der das Land fast genau in der Mitte teilt, wird als Demarkationslinie festgesetzt.

Verhandlungen der Besatzungsmächte über die Abhaltung gesamtkoreanischer freier Wahlen und die Bildung einer Zentralregierung schlagen fehl. Die Amerikaner errichten in Südkorea eine parlamentarische Republik unter Syngman Rhee, die Sowjets einen kommunistischen Staat unter Kim Il-Sung. Ende 1948 ziehen die Besatzer ihre Soldaten zurück. Korea ist seinem Schicksal überlassen.

Das nützen die Nordkoreaner im Juni 1950 zu einem überraschenden Überfall aus. Die südkoreanische Armee bricht zusammen. Trotz der sofortigen Unterstützung durch die Vereinten Nationen und insbesondere durch die USA können die Soldaten Syngman Rhees nur noch den Brückenkopf Pusan gegen den Angreifer halten. Dann jedoch ist die internationale Streitmacht so stark geworden, daß sie Mitte September zur Gegenoffensive übergehen kann. Gleichzeitig landet sie 60 000 Mann bei Intschön in der Flanke der Kommunisten.

Das Kriegsglück wendet sich. Jetzt fällt die Armee der Aggressoren auseinander. Blitzschnell befreien die UN-Soldaten Südkorea. In raschem Vorstoß überrennen sie Nordkorea. Fünf Wochen später stehen sie am Jalu, dem chinesisch-koreanischen Grenzfluß.

Die rotchinesische Intervention erfolgt unter dem Stichwort Dschen Hai, „menschliche Flut". Zahlenmäßig weitüberlegene chinesische „Freiwilligenverbände" dringen in Nordkorea ein und werfen die Divisionen der Vereinten Nationen bis hinter die südkoreanische Hauptstadt Söul zurück. Erst am 10. Januar 1951 kommt die Front zum Stehen. Monate verlustreicher Zermürbungsschlachten folgen. Allmählich müssen sich die Chinesen wieder zurückziehen. Aber Nordkorea bleibt fest in kommunistischer Hand.

US-Präsident Truman verwirft den Plan des Oberbefehlshabers der UN-Truppen, General MacArthur, den Krieg — notfalls mit Atombomben — ins chinesische Hinterland zu tragen. Der General wird in dramatischer Weise abgesetzt. Auch die Sowjetunion nimmt eine drohende

Haltung ein und stellt sich deutlich an die Seite der Rotchinesen und Nordkoreaner. Nach langen, zäh geführten Verhandlungen kommt es am 27. Juni 1953 zum Waffenstillstand. Peking hat seinen Einstand auf der weltpolitischen Bühne gegeben.

Mao Tse-tung ist der mächtigste Mann Chinas und einer der mächtigsten Männer der Erde geworden. Der Kommunismus beherrscht ein Volk, dessen zahlenmäßige Größe niemand genau kennt und das für das Jahr 1949 auf annähernd 600 Millionen Menschen geschätzt wird. Unter den in Peking zusammengetretenen 510 Delegierten der „Beratenden Politischen Volkskonferenz" sind die Abgeordneten der KPCh in der Mehrzahl. Aber daneben gibt es noch die Vertreter kleinerer nichtkommunistischer Parteien und Gruppen, die — ähnlich wie in Osteuropa nach 1945 — mit herangezogen und dem Schein nach an der Verantwortung beteiligt werden.

Die Kommunisten stellen ein Drei-Punkte-Programm auf: 1. Die Schwerindustrie verdient den Vorrang. 2. Daneben steht der Aufbau der Leichtindustrie, welche der Bevölkerung Kleidung, Nahrung und alle anderen Konsumgüter liefert. 3. Die Landwirtschaft muß völlig umgestaltet und modernisiert werden.

All dies hat zentrale Planung zur Voraussetzung. Nichts aber hat den Chinesen bisher ferner gelegen als Zentralismus. Jedes Dorf hatte an sich selbst genug. Jede städtische Großfamilie bildete eine Art Staat im Staat. Jede Handwerkergilde, jede Kaufmannsgilde lebte nach ihren eigenen Gesetzen.

Das hat zur Folge, daß die KPCh in jede dieser Körperschaften eindringen muß, wenn sie ihre Politik durchsetzen will. Stieß die Umgestaltung der Gesellschaft schon in Rußland auf große Widerstände, so wachsen diese in China ins Unermeßliche. Nur rücksichtslose Gewalt, nur kältester Terror können die Bande der Sippen- und Gevatternwirtschaft, der Familiengefolgschaft, der Zunft, der Innung, der Gilde, des Dorfes sprengen. Wer sich weigert mitzumachen, ist „Gegenrevolutionär".

Die Männer der KPCh sind unerbittlich. 1951 beginnen sie den „Feldzug gegen die Konterrevolutionäre". Nach westlichen Schätzungen werden im Laufe weniger Jahre mehr als 800 000 Menschen aufgrund schnell gefällter Urteile hingerichtet und eine weitere Million ohne Urteil kurzerhand erschossen.

Noch brutaler setzen die Kommunisten die „Landreformbewegung" durch, die Neuverteilung des Bodens und die Beseitigung der dörflichen Gruppenwirtschaft. Der Widerstand, der den Kommunisten dabei geleistet wird, springt sie aus beinahe jedem Hause an. Und so kann nur härtester Terror zum Ziele führen. Mao bemäntelt ihn mit der Formel von der „Drei-Anti-Kampagne", dem Kampf gegen Korruption, gegen die Verschwendung und gegen Bürokratismus. Unter „Zwei-Anti-Kampagne" wird dagegen die Säuberung des Beamtenapparats und der großbürgerlichen Kreise verstanden. Die Gesamtzahl der Todesopfer beträgt mehr als fünf Millionen.

Nach Abschluß der „Landreform" gibt es ungefähr 120 Millionen selbständige Bauern. Die Kommunisten haben das Versprechen Sun Yat-sens verwirklicht: „Das Land den Pflügern!" Nun aber folgt die Kollektivierung des Landes. Und das bedeutet, daß 740 000 landwirtschaftliche Produktionsgenossenschaften den Pflügern die Felder wieder abnehmen. Der Traum vom Eigentum war kurz.

Schon 1952 sind Chinas Industrie und Landwirtschaft soweit erstarkt, daß sie die Produktionszahlen der Zeit vor dem Japankrieg erreicht haben. Der erste „Fünfjahresplan für wirtschaftlichen Aufbau" wird verkündet. Es werden nun fast 5 500 Kilometer Eisenbahnen und 9 200 Kilometer Autostraßen gebaut. Die jährliche Produktion von Baumwolle wächst um 25 Prozent, von Stahl um 40,4, von Roheisen um 33,2, von Steinkohle um 17,3, von Elektrizität um 22,4, von Erdöl um 26,9, von Zement um 15,3, von Kunstdünger um 36 Prozent. Zwölf Millionen Hektar Ackerland werden neu bestellt und zehn Millionen Hektar Wald aufgeforstet.

Doch das chinesische Volk erbringt diese gewaltigen Leistungen nicht freiwillig. Hinter den Menschen steht ein rücksichtsloser Terror, der vor keiner Gewalttat zurückschreckt, um aus den Arbeitern, den unwilligen wie auch aus den willigen, aber oft leistungsschwachen und kranken, das Letzte und mehr als das herauszuholen. Wieder reden Zahlen die deutlichste Sprache: In den zehn Jahren von 1949 bis zum Ende des ersten Fünfjahresplanes werden nach den Schätzungen erfahrener und vorsichtiger Kenner des Landes insgesamt zehn bis zwölf Millionen Personen hingerichtet. Weitere fünfzehn Millionen werden in Zwangsarbeiterlager verschleppt.

Die Erfolge, die auf diese Weise eingetragen werden, scheinen weitere Radikalisierung zu rechtfertigen.

Mao verkündet den „Großen Sprung nach vorn". Er soll China auf Anhieb zu einem der führenden Industriestaaten machen. Verheißung und Zwang greifen ineinander wie Zahnräder.

Tatsächlich werden im Anlauf des nächsten Jahres große Ergebnisse erzielt. Aber das dicke Ende zeigt sich bald. Zwar wächst die Stahlproduktion schlagartig um 49,9 Prozent, der größte Teil des Stahls — in sogenannten Küchenhochöfen von Dilettanten gekocht — erweist sich jedoch als unbrauchbar.

„Volkskommunen sind das Paradies"

„Laßt China schlafen", soll Napoleon Bonaparte gewarnt haben, „wenn es erwacht, wird die Welt es bedauern." Für Karl Marx jedoch stellt sich knapp ein halbes Jahrhundert später die Frage ganz anders: „Kann die Menschheit ihrer Bestimmung genügen, ohne eine fundamentale Revolution im sozialen Zustand Asiens?" Seine Jünger in Peking haben sich daran gemacht, die Fundamente jahrtausendealter Vergangenheit zu zertrümmern und neue zu errichten. 1958, neun Jahre nach dem Sieg im Bürgerkrieg, stürzt sich Rotchina in das Experiment der Volkskommunen.

Damit findet die Diskussion über den weiteren Weg des Riesenreiches zunächst ein Ende. China, so beschließt die Partei im Frühjahr 1958 auf Drängen Mao Tse-tungs, geht nicht den Weg Rußlands. An die Stelle der gewaltigen und gewaltsamen Industrialisierung nach westlichem Muster — wobei der Unterschied zu den überlieferten Industrienationen England, Deutschland, Frankreich und Amerika allein darin besteht, daß der Staat die Rolle des einzigen und damit allmächtigen Kapitalisten spielt — tritt der sofortige Marsch in den Kommunismus.

Das Volk zählt inzwischen rund 630 Millionen Menschen. Davon leben etwa 40 Millionen in städtischen Metropolen. Der große Rest gehört zur bäuerlichen Bevölkerung und ist — soweit arbeitsfähig — den einzelnen Kolchosen eingegliedert. Nun sollen alle über einen Kamm geschoren werden: Sämtliche Chinesen — lautet der Befehl — werden Volkskommunen zugeteilt. Niemand kann sich ihm entziehen. Der gewaltige Koloß chinesische Nation besteht in Zukunft aus 26 000 Arbeits- und Verbrauchergemeinschaften, die jeweils 20 000 bis 70 000 Menschen umfassen und die Freud und Leid miteinander teilen. Gemeinsam sollen sie sich von den Plagen der Überschwemmungen und Dürren befreien, blühende Industrien schaffen und die Zivilisation vorantreiben. Der Parteidichter singt:

„Die Volkskommunen sind das Paradies.
Die Volkskommunen sind der Weg zum Glück.
Die Bauern, die davon hören, sind voller Lächeln.
Der ganze Osten erglüht im Morgenrot.
Schwarze Wolken hängen über dem Westen.
Die Volkskommune ist unser Frühling.
Der Ostwind ist stärker als der Westwind."

Mit Elan dient insbesondere die Jugend der neuen Aufgabe. Propagandaschriften ermuntern sie dabei, die ein idyllisches Leben in den Volkskommunen verheißen. „Beim ersten Hahnenschrei wird mit fröhlicher Musik geweckt", preisen sie an. Muntere Kommunenmitglieder springen glückstrahlend aus den Federn und eilen aus der Wohnung zur Produktionsbrigade. Dort beginnt man den Arbeitstag mit gesundheitsfördernden gymnastischen Übungen.

Die Arbeit macht Freude. Mal besteht sie aus Pflügen, dann aus Häuserbau. Kugellager werden hergestellt, Stahlkocher betätigt, Flüsse reguliert, Waffen produziert — die Volkskommune macht alles. Auch die Frauen stehen Seite an Seite mit den Männern im Produktionsprozeß. Um ihre Kinder brauchen sie sich nicht zu kümmern. Sie werden in Kindergärten betreut. Und der lästige Haushalt entfällt. Es gibt Reinigungskolonnen, die alle Wohnräume pflegen. Das Essen wird selbstverständlich in einer Gemeinschaftsküche hergestellt und gemeinsam eingenommen. Die Frau ist frei, von der „trivialen Hausarbeit" entlastet, endlich wirklich gleichberechtigt. Und ehelichen Streit kennt man auch nicht mehr. Sind die Ehepartner beieinander, haben sie keine Sorgen und keine Last. Sie müssen sich einfach ständig gern haben. Je kürzer die Liebesstunden, desto glücklicher sind sie, meinen manche Volkskommunenleitungen. Sie propagieren die Sonnabendnacht-Ehe. Alle Wohnhäuser werden abgerissen. Aus dem Material werden Schlafsäle errichtet, getrennt für Männer, Frauen und Kinder. Nur in der Nacht vom Sonnabend auf den Sonntag finden die Pärchen zueinander. Und damit der Kommunismus seine Vervollständigung findet, werden sogar die einzelnen Abtritthäuschen beseitigt und durch eine Gemeinschaftslatrine ersetzt.

Aufsehen erregt im Westen auch eine „Kommune der 16 Bedürfnisse", über die ein indischer Soziologe nach einer Chinareise berichtet. Sie hat ihren Namen von den Dingen, die sie ihren Mitgliedern kostenlos zur Verfügung stellt: Essen — Kleidung — Wohnung — Benutzung der Verkehrsmittel — Kosten der Mutterschaft — Behandlung und Pflege bei Krankheit — Altersfürsorge — Bestattung im Todesfall — Schule und Berufsausbildung — Hochzeitsfest — zwölfmaliges Haarschneiden im Jahr — 20 warme Bäder im Jahr — Beaufsichtigung der Kinder — Urlaub und Erholung — Schneiderarbeiten — Elektrizität. Die vormarxistischen Theoretiker vom Schlage Campanella, Fourier und Cabet scheinen in der Praxis fröhliche Urständ zu feiern.

Schon am 10. Dezember 1958, gerade ein halbes Jahr nach dem Startschuß für die Volkskommunenbewegung, setzt Peking einen ersten Dämpfer auf. Der „Industrieflügel" der Partei unter Liu Schao-tschi, der nach Moskau schielt und wie die Russen meint, Kommunismus könne erst nach einer Vollindustrialisierung kommen und diesem Zweck sei alles unterzuordnen, gewinnt wieder an Boden. Er setzt zwei entscheidende ZK-Beschlüsse durch.

Der wichtigste: Jeder Versuch der Volkskommunenbildung in größeren Städten ist zu unterlassen. Das Land soll künftig aus zwei völlig verschieden organisierten Sektoren bestehen: Dem städtischen Sektor mit dem Charakter einer modernen Industriegesellschaft, mit staatlichen Fabriken und Großbetrieben sowie hunderttausenden Handwerkergenossenschaften auf der einen und dem bäuerlichen Sektor mit den Volkskommunen auf der anderen Seite.

Der zweite Beschluß lautet: Stoppt die Übertreibungen. Auch in den Volkskommunen sollen danach das Geld nicht abgeschafft und die Kindererziehung in öffentlichen Einrichtungen nicht erzwungen werden. Fahrräder und ähnlicher Besitz privaten Charakters müssen persönliches Eigentum bleiben. Das gilt auch für die Häuser. Und Sonnabendnacht-Ehen — das ZK erwähnt sie ausdrücklich — sind ebenso absurd wie lächerlich.

Mao Tse-tung hat eine Teilniederlage erlitten. Er legt das Amt des Staatspräsidenten nieder und behält nur das — natürlich bedeutsamere — des Parteivorsitzenden. Neues Staatsoberhaupt wird Maos Widersacher Liu Schao-tschi.

China hat sich den Weg zur Weltmacht offengehalten und macht sich daran, neben der Schwer- eine Atomindustrie aufzubauen. Natürlich ist auf diesem Gebiet Mao Tse-tungs Wort ebenso gültig wie in der Landwirtschaft: „Drei Jahre lang hart arbeiten, um tausend Jahre glücklich zu leben."

Den Russen wird dieser Arbeitseifer der Chinesen unheimlich. Ihre Einheitskleidung aus billigem Drillich gibt ihnen den Spitznamen „blaue Ameisen". Und wie bei diesen emsigen und fleißigen, anonym wirkenden Insekten kribbelt und krabbelt es im unermeßlichen Reich der Mitte. Gebannt richten die anderen asiatischen Völker, die noch den Feudalismus erdulden oder die Fremdherrschaft der Kolonialherren spüren, ihre Blicke nach Peking — wie Jahrzehnte früher nach Tokio: Das scheint der Weg zu sein, um aus eigener Kraft zur Freiheit zu kommen, national und sozial.

Schon im April 1955 erringt die Volksrepublik China ihren ersten großen außenpolitischen Erfolg: In Bandung, der indonesischen Hafenstadt, kommen die Delegierten der Staaten Asiens und Afrikas zusammen. Der indische Volkstribun Nehru und der burmesische Sozialist U Nu werden umjubelt. Das Schlagwort: „Gegen Kapitalismus, Kolonialismus und Kommunismus" fällt. Aber auch China ist eingeladen. Schnell spielt Tschu En-lai die Rolle des Dritten im Bunde. Niemand wettert noch öffentlich gegen das dritte K, den Kommunismus. Und die asiatischen kommunistischen Parteien, an der Spitze die große indische KP, beginnen sich nach Peking neu zu orientieren.

Moskau horcht auf. Es sieht seine Position als führende Macht des Weltkommunismus bedroht. Insbesondere als Mao Tse-tung 1958 den „Großen Sprung nach vorn" und die Volkskommunen zu propagieren beginnt, den vom sowjetischen Beispiel unabhängigen direkten Weg zum Kommunismus. Chruschtschow beschließt, den stürmischen Vormarsch des gelben Bruders im roten Lager zu bremsen.

Zunächst verkündet der starke Mann der Sowjetunion, daß nur die Sowjets die „Periode des allmählichen Übergangs zum Kommunismus" erreicht hätten und damit an der Spitze des Fortschritts marschieren würden. Dann proklamiert er den „friedlichen Wettbewerb" mit den USA. Er sagt: „Die Wirtschaft ist das Hauptfeld, auf dem sich der friedliche Wettbewerb des Sozialismus mit dem Kapitalismus entfaltet, und wir sind daran interessiert, diesen Wettbewerb in historisch kurzer Zeit zu gewinnen." Dabei versäumt er nicht, in Überschätzung der eigenen Kraft das Jahr 1970 als konkreten Zeitpunkt für dieses Ziel zu nennen.

In der Praxis macht er den Versuch, die sich abzeichnende Teilung der Welt in zwei Herrschaftsbereiche, der sowjetischen und der amerikanischen Erdhälfte, zu fixieren. Er wird von Eile getrieben. Denn er sieht bei aller ideologischen Verklemmung und utopischen Verblendung, daß sich in Ost und West neue Zentren bilden, die Moskau und Washington den Alleinherrschaftsanspruch streitig machen: Europa spürt ebenso selbstbewußt seine wachsende Kraft wie Ostasien.

Chruschtschow will vollendete Tatsachen schaffen, ehe es zu spät ist. Und er baut darauf, daß eine östliche, von Moskau gelenkte Welthälfte einer friedlichen und stabilen Entwicklung entgegensehen könne, während ein Imperium Americanum, um das neue Mittelmeer, den Atlantik, gruppiert, auf die Dauer ein Opfer der sozialen Erschütterungen sein muß, die zwangsläufig von Afrika und Südamerika ausgehen würden. Der vollständige Sieg des Kommunismus wäre nur eine Frage der Zeit.

Amerika, meint der sowjetische Alleinherrscher, hat bereits zweimal gezeigt, daß es gewillt ist, den Machtbereich der Sowjetunion zu respektieren: Weder 1953 beim Volksaufstand in Mitteldeutschland noch 1956 beim Volksaufstand in Ungarn haben die Amerikaner auch nur den Versuch einer Einmischung unternommen. Unter dem offen verkündeten Motto „Wen du nicht schlagen kannst, den mußt du küssen", versucht Chruschtschow die Verständigung des Kremls mit dem Weißen Haus herbeizuführen.

Chinas Bruch mit Moskau

Chruschtschow glaubt, ein Druckmittel in der Hand zu haben, das die Amerikaner zum Nachgeben zwingt: die Raketenlücke. Jahrzehntelang sind die Sowjets den verhaßten Yankees hinterhergestolpert. Die erste amerikanische Atombombe explodiert 1945, die erste sowjetische 1949. Die erste amerikanische Wasserstoffbombe detoniert 1951, die erste sowjetische ein Jahr später. 1952 verfügen die Amerikaner über die ersten strategischen Langstreckenbomber, die Sowjets 1954. 1955 stellt Amerika sein erstes atomgetriebenes U-Boot in den Dienst, die UdSSR folgt 1960.

Nur bei der Raketenentwicklung führt Moskau lange Jahre. Ihm gelingt am 4. Oktober 1957 der Start des ersten Erdsatelliten. Seine Raketen sind in der Anfangsphase des Wettrennens um den Weltraum schubkräftiger und zielgenauer. Und es scheint — jedenfalls glaubt man das lange Zeit in Amerika — auf dem Gebiet der interkontinentalen Fernraketen eine auch mengenmäßig vierfache Überlegenheit zu haben. (Erst 1962 wird allgemein bekannt, daß das gewaltig übertrieben ist.)

Aber Chruschtschow besitzt mit der angeblichen Raketenlücke nicht nur ein Druckmittel, sondern auch ein Lockmittel: den Atomteststopp. Im August 1959 geben sowohl Amerika als auch die Sowjetunion nach langem Hin und Her einseitige Erklärungen ab, daß sie künftig auf Atomversuche in der Atmosphäre verzichten werden und bereit sind, einen weltweiten Atomteststoppvertrag abzuschließen. Die Türen zur Verständigung der beiden Weltmächte sind weit geöffnet. Das Ende des Kalten Krieges zeichnet sich ab. Chruschtschow wird nach Amerika eingeladen. Im September 1959 betritt zum erstenmal in der Geschichte ein sowjetischer Partei- und Regierungschef den Boden der Neuen Welt. Chruschtschow genießt die eigentlich nur einem Staatsoberhaupt zustehenden protokollarischen Ehren. Der Unterschied zwischen den „armseligen Anfängen des Kommunismus" und seiner machtvollen Gegenwart wird ihm — so gesteht er später — dabei bewußt. Er denkt bei den einzelnen Salutschüssen: Der ist für Marx, der für Engels, der für Lenin ...

In New York tritt Chruschtschow vor der Vollversammlung der Vereinten Nationen auf und hält eine Rede, in der er die totale Abrüstung aller Länder der Erde bis zum letzten Bajonett innerhalb von vier Jahren vorschlägt, und voller Stolz über das weltweite Aufsehen, das seine Propagandatiraden erregen, besucht er Washington und Hollywood. Im amerikanischen Filmeldorado läßt er sich Cancan vortanzen und findet ihn unmoralisch. Dann macht er dem US-Präsidenten Eisenhower auf dessen Farm Camp David eine Privatvisite. Die beiden Staatsmänner scheiden wie gute Freunde voneinander mit dem Versprechen, sich im Mai des nächsten Jahres in Paris wiederzusehen, gemeinsam mit den Regierungschefs Frankreichs und Großbritanniens, um auf einem Gipfeltreffen von historischer Bedeutung eine neue Ära der Menschheit herbeizuführen. Auch ein Gegenbesuch Eisenhowers in Rußland wird geplant.

Die Rückreise führt Chruschtschow über Peking. Die Kenner horchen auf. Gemeinsam nehmen die Parteichefs von KPdSU und KPCh die Parade der Hunderttausenden ab, die vor ihnen zu Ehren des zehnten Jahrestages der kommunistischen Machtergreifung in China vorbeidefilieren — im leidlich modischen Anzug mit schwarzem Homburg der eine, in schlichter graublauer Parteiuniform und mit Ballonmütze der andere. Und dann führt Mao Tse-tung seinem Gast einen Militärchor vor, in dem 200 Generale singen. Wohlgefällig und monströs demonstrieren die Chinesen ihre Macht.

Mao erklärt: „Wir dürfen niemals vergessen, daß wir eine Bevölkerung von weit über 600 Millionen Menschen haben, daß das eine objektive Tatsache und unser Reichtum ist."

Chruschtschow kontert: „Das Entscheidende für den Sieg der neuen Gesellschaftsordnung ist, die Sowjetmenschen mit der vollkommensten Technik auszurüsten."

Und wieder Mao: „Die eigentliche militärische Stärke liegt in den Volksmassen. Waffen sind im Kriege ein wichtiger, aber nicht der entscheidende Faktor. Der entscheidende Faktor ist nicht das Material, sondern der Mensch."

Dagegen Chruschtschow: „Ich glaube, daß unsere nuklearen Waffen der mächtigste Faktor sind, die aggressiven Pläne des Imperialismus zu stoppen."

Mit Maos Warnung in den Ohren, die Revolution nicht zu verraten, reist der Kremlchef in die Heimat. Seine Pläne sind gescheitert. China folgt ihm nicht und China kuscht nicht vor ihm. Es gilt zunächst, die Einheit des Ostblocks wieder herzustellen, entweder mit Gewalt oder durch Überredung. Das Gipfeltreffen ist zum Scheitern verurteilt, bevor der eine der beiden Initiatoren wieder hinter seinem angestammten Schreibtisch in Moskau Platz genommen hat. Nur — der Westen wird es erst Monate später erfahren.

Die amerikanische Luftaufklärung über dem sowjetischen Staatsgebiet mit dem in mehr als 30 Kilometer Höhe fliegenden Flugzeug vom Typ U 2 gibt Moskau den idealen Anlaß, die Konferenz mit den westlichen Regierungschefs auffliegen zu lassen. Am 1. Mai 1960 schießt die sowjetische Luftabwehr bei Swerdlowsk eine dieser Maschinen ab. Der Pilot Francis Gary Powers gerät in Gefangenschaft. Am 5. Mai gibt Chruschtschow den Zwischenfall vor dem Obersten Sowjet bekannt, verbunden mit heftigen Angriffen gegen Amerika und dessen Präsidenten. Bundesgenosse Mao höhnt mit deutlicher Anspielung auf seinen Moskauer Amtsbruder: „Manche Leute haben Eisenhower als einen friedliebenden Mann bezeichnet. Hoffentlich haben die Tatsachen diesen Leuten jetzt die Augen geöffnet."

Amerikas Präsident verbietet sofort alle weiteren U-2-Flüge und nimmt die Verantwortung für sie persönlich auf sich. Chruschtschow fordert daraufhin die öffentliche Entschuldigung Eisenhowers und das Bekenntnis der USA, sich der Aggression schuldig gemacht zu haben. Sonst könne das Gipfeltreffen nicht stattfinden. Dennoch begibt er sich nach Paris. Gleich nach der Landung auf dem Flugplatz am 16. Mai schürt er das Feuer weiter: „Selbst mein Enkel fragt mich, wozu denn jetzt wohl noch ein Besuch des amerikanischen Präsidenten bei uns gut sein könnte." Eisenhower wird ausgeladen.

Frankreichs General de Gaulle übernimmt die Vermittlerrolle. Aber der Ukrainer bleibt hart: „Erst muß sich Eisenhower entschuldigen." Und, um es noch deutlicher zu machen, daß die Gipfelkonferenz geplatzt ist: „Obendrein versteht es sich von selbst, daß die Vereinigten Staaten die Schuldigen zur Rechenschaft ziehen und streng bestrafen."

Mit Mühe und Not läßt sich der Kremlchef zu einem „vorbereitenden Treffen" mit den Führern der drei anderen Mächte bewegen. Es dauert keine Stunde. Der einzige Beschluß, der gefaßt wird, lautet, die Konferenz nicht stattfinden zu lassen. Eisenhower beklagt sich: „Ich bin müde. Es ist widerwärtig. Chruschtschow ekelt mich an."

Ungerührt krempelt dieser sich die Ärmel hoch, um im eigenen Stall auszumisten. China läßt ihn nicht zur Ruhe kommen. Der Parteitag der rumänischen KP im Sommer 1960 gibt die Gelegenheit. Mao schickt Peng Tschen, den Bürgermeister von Peking, einen als radikal verschrieenen Mann. Der donnert vor der versammelten Creme des Weltkommunismus: Die Politik der friedlichen Koexistenz taugt nichts. Die politische Unterstützung von neutralistischen Politikern wie Nehru in Indien und Nasser in Ägypten, die im eigenen Land die Kommunisten bekämpfen, ist falsch. Die sowjetische Entwicklungshilfe dient den bürgerlich-nationalistischen Regierungen in Asien und Afrika, ihre Staaten gegen den Kommunismus immun zu machen, und benachteiligt die auf finanzielle Unterstützung angewiesenen kommunistisch regierten Länder. Peng

Tschen rechnet vor, daß die nichtkommunistischen Entwicklungsländer mit 8,3 Milliarden Rubel fünfmal soviel Geld erhalten haben wie China, das nur 1,7 Milliarden Rubel bekommen hat.

Asiens und Afrikas Kommunisten jubeln auf und klatschen Beifall. Sie fühlen sich angesprochen. Da unternimmt Chruschtschow zwei dramatische Schritte. Er läßt den Bruch mit Peking offenkundig werden und beschließt, sichtbar die Führung der farbigen Welt zu übernehmen.

Zunächst wird die russische Ausgabe der chinesischen Zeitschrift „Freundschaft" verboten. Sehr viel empfindlicher verletzt Chruschtschow die „roten Brüder", indem er die sowjetischen Techniker und Berater aus China zurückruft und damit den chinesischen Industrieaufbau schmerzhaft trifft. Denn nicht weniger als 178 Großbauten sollten mit sowjetischer Hilfe erstellt werden. Ein Teil davon steht noch auf dem Reißbrett, andere Bauten sind bereits in der Errichtung begriffen. Nun bleiben sie unvollendet. Und da die sowjetischen Techniker auch die Pläne mit nach Hause nehmen, finden die Chinesen vorerst keine Möglichkeit, die begonnenen Arbeiten mit ihren ungeschulten Hilfskräften weiterzuführen.

Die Gefolgschaft der farbigen Völker will Chruschtschow sich mit spektakulären Angriffen auf den UN-Generalsekretär, den Schweden Dag Hammerskjöld holen, der wegen seines energischen Auftretens anläßlich der Kongowirren ins Schußfeld der Afrikaner und Asiaten geraten ist. Der Kremlchef fährt wieder nach Amerika, um die Offensive vor der Vollversammlung persönlich zu leiten.

Schon im Hotel in New York erregt er Aufsehen. Er stellt sich hemdsärmelig auf den Balkon, ballt die Faust zum Kommunistengruß und singt mit heiserer Stimme die „Internationale". Während Dag Hammerskjölds Rechenschaftsbericht bearbeitet er mit beiden Fäusten in wütendem Protest das Pult seiner Delegiertenbank. Und während der langatmigen Ausführungen des philippinischen Delegierten springt er plötzlich auf, zieht seinen rechten Schuh aus und tut so, als ob er den Redner bewerfen will. Dann besinnt er sich eines Besseren und wirft nicht, trommelt aber mit dem Absatz des Schuhs auf dem Pult herum. Schließlich hastet er zum Sitzungspräsidium und brüllt die Frage in den Saal: „Warum darf dieser Nichtsnutz, dieser Speichellecker, dieser Knallkopf, dieser Knecht des Imperialismus, dieser Narr, diese Puppe des amerikanischen Imperialismus, dieser Lakai Fragen berühren, die offenkundig nicht zur Sache gehören?"

Die Delegierten sind schockiert. Chruschtschow setzt sich grinsend — und wundert sich, daß auch die neutralistischen Staatsmänner nicht bereit sind, ihm zu folgen. Dag Hammerskjölds Position wird gestärkt. Chruschtschow erleidet eine Schlappe, die die Chinesen weidlich auszunützen beginnen.

Im November 1960 treten unter der Bezeichnung „Konferenz der 81 kommunistischen und Arbeiterparteien" in Moskau für vier lange Wochen die Delegierten des Weltkommunismus zusammen. Chruschtschow verlangt die Unterordnung unter die KPdSU. Sie wird ihm verweigert. Nur der Titel „Vorhut der kommunistischen Bewegung" wird den Sowjets noch zugestanden.

Als erster kommunistischer Staat stellt sich das kleine Albanien offen gegen den Kreml und kündigt die Militärstützpunkte und U-Boot-Basen. Enver Hodscha grollt: „Die Sowjetratten haben zu fressen, aber mein Volk hungert." Im November 1961 enden zum erstenmal zwischen zwei kommunistischen Ländern die diplomatischen Beziehungen. Albanien zieht nach brüsker sowjetischer Aufforderung seinen Botschafter aus Moskau zurück und legt ein Treuebekenntnis zu China ab. Peking revanchiert sich und hilft seinem kleinen europäischen Bundesgenossen, indem es aus Solidarität die letzten noch bestehenden sowjetischen Konsulate in Schanghai, Dairen, Charbin und Kanton schließt sowie den Vertrieb der russischsprachigen KP-Zeitungen als „ausländische Publikationen" verbietet.

Im Laufe des Jahres 1962 häufen sich an der 12 000 Kilometer langen sowjetisch-chinesischen Grenze die Zwischenfälle. Mao verkündet öffentlich, daß die Russen den Chinesen im vorigen Jahrhundert in Mittelasien und im Fernen Osten ein Gebiet von 1,5 Millionen Quadratkilometern abgenommen hätten, zu dem die Großstadt Wladiwostok und die Insel Sachalin gehörten, und unterstreicht: „Dafür haben wir die Rechnung noch nicht präsentiert."

China setzt im April 1964 durch, daß die Sowjetunion zu der für 1965 vorgesehenen zweiten Konferenz der Bandung-Staaten nicht zugelassen wird, weil es eine europäische Macht sei. Und die chinesische KP schreibt den Sowjets einen Brief, in dem sie Chruschtschow kurzweg den „größten Sektierer, Krakeeler und Schurken der Geschichte nennt". Der Kremlchef, heißt es darin, betreibe einen Pseudokommunismus, fördere die Restauration des Kapitalismus in Rußland und beute samt seiner machtgierigen Clique die Russen und die anderen zur Sowjetunion gehörenden Völker rigoros aus.

In China selbst kommt es wieder zu Mißernten und Hungersnöten. Die Menschen in den Volkskommunen weigern sich, auf Lohn zu verzichten und allein mit Nahrungsmitteln, Kleidern und anderen Naturalien abgefunden zu werden. Die Folge sind Unruhen. Die Ernteergebnisse sinken weiter. Im Winter 1960/61 ist es besonders schlimm. Zehn Millionen Menschen werden vom Hunger dahingerafft. Die Produktion von Industriegütern sinkt ebenfalls. Der Rückgang beträgt 1961 gegenüber dem Vorjahr bei Stahl 40, bei Roheisen 38, bei Steinkohlen 20, bei Elektrizität 27 Prozent. So geht es in langer Reihe weiter.

Um die Städter wenigstens notdürftig zu ernähren, nimmt man den Bauern ihre spärliche Ernte und verweist sie selbst auf die wilden Wurzeln, die sich ja im Walde in Mengen finden ließen und sehr nahrhaft seien. Reis, Fleisch, Pflanzenöle und Zucker bleiben weiterhin rationiert. Der Schwerarbeiter in der Industrie erhielt 1955 monatlich etwa 40 Kätti Reis, jetzt muß er sich mit 26 Kätti begnügen. (Ein Kätti entspricht 605 Gramm.) Die Bauern müssen sogar mit 15 Kätti zurechtkommen, ihre Kinder mit fünf Kätti. Sofern auch diese Reismengen nicht zur Verfügung stehen, gibt es Süßkartoffeln oder Sojabohnen. Dazu kommen monatlich ein viertel Kätti Fleisch und ein achtel bis ein viertel Kätti Pflanzenöl von jener Sorte, die auch für Brennzwecke Verwendung findet.

Wer daran nicht genug hat, der mag auf dem Schwarzen Markt kaufen. Die Preise sind horrend. Konnte sich noch nach den 1955 festgelegten Preisen ein Städter für 20 Yuan, ein Bauer für 10 Yuan soviel kaufen, wie er zum Leben brauchte, so kostet jetzt ein einziges Kätti Hühnerfleisch schon zehn Yuan, ein Kätti Gänsefleisch sechs Yuan, ein Ei 1,20 Yuan, ein Kätti Reis 3,50 Yuan.

Noch dazu bekommt man die Ware nicht überall. Der beste Einkaufsplatz ist Schumtschun an der Grenze von Hongkong. Die Fahrkarte von Kanton nach dort kostet offiziell 2,50 Yuan. Auf dem Schwarzen Markt muß man 46 Yuan anlegen.

Hongkong ist Ausland — ist „England". Eine gewaltige Flut von Flüchtlingen bricht im Mai 1962 nach der Insel auf, wo alle Menschen satt werden. Die Engländer fürchten Differenzen mit Peking und errichten Stacheldrahtverhaue, um die Flüchtlinge zurückzuhalten. Als die Polizei in Kanton die chinesischen Flüchtlinge hindern will und die Ausgabe von Fahrkarten nach Schumtschun sperrt, kommt es zur Straßenschlacht.

Hinzu treten die Nöte, die durch das Ausbleiben der sowjetischen Hilfe sichtbar werden. „China gleicht einem Friedhof der unvollendeten Bauwerke", schreibt ein Kritiker und früherer hoher Beamter. Die Eisen- und Stahlfabrik in Kanton entläßt 60 Prozent der Arbeiter. Die Zahl von 9 000 Beschäftigten Anfang 1959 schmilzt Ende 1962 auf 2 000 zusammen. Die Stahlfabrik in Paoutu in der Inneren Mongolei legt von acht Hochöfen sieben still. 90 Prozent der Arbeiter werden entlassen. In anderen Industriezweigen sieht es nicht besser aus.

Die Folge sind „verbrecherische Handlungen" überall im Lande. Das Ministerium für Staatssicherheit stellt den Chinesen diese Untaten in einer Aufstellung vor Augen: Es registriert 249 012 Fälle „konterrevolutionärer Tätigkeit". Sie teilen sich u. a. auf in 146 852 Plünderungen von Getreideanlagen, 3 738 Fälle von Aufruhr, 94 531 Brandstiftungen, 1 235 Attentate auf Parteifunktionäre, 391 Fälle von Piraterie und 28 „Versuche zur Bildung konterrevolutionärer Regierungen mit dem Ziel der Beseitigung der Volksherrschaft". Zur Bekämpfung dieser Konterrevolutionäre werden die Staatssicherheitsorgane 28 697mal eingesetzt.

Niemanden kann diese entsetzliche Entwicklung lieber sein als Tschiang Kai-schek und seinen Nationalchinesen. Jetzt darf er wieder hoffen, einen Gegenschlag mit Aussicht auf Erfolg zu führen. Zu diesem Zweck wirbt er aus den Hungersnotflüchtlingen Partisanen an, bildet sie aus und schickt sie mit Spezialaufträgen nach Rotchina zurück. In Peking belohnt man seither jeden, der einen Partisanen greifen hilft, mit 200 Kätti Reis. Zugleich trifft man Vorkehrungen gegen den befürchteten Volksaufstand.

Es werden in der Folgezeit 194 475 Partisanen getötet und 63 242 gefangengenommen. Die Regierung erbeutet 43 360 Gewehre, 24 851 Handgranaten, 69 Granatwerfer und elf Feldgeschütze. Bei den Partisanen findet man gefälschte Banknoten im Wert von 13 Millionen Yuan und 120 Kisten Medikamente.

Und dann kommt es zu einer Groteske besonderer Art: Nach Hongkong sind inzwischen zwei Millionen Rotchinesen geflohen. Sie verspüren verständlicherweise den Wunsch, die Daheimgebliebenen mit Lebensmittelpäckchen zu unterstützen. Eine Einfuhrsperre macht ihnen dies zunächst unmöglich, bis die Kommunisten den schöpferischen Einfall haben, in Hongkong eine Aktiengesellschaft unter dem Namen Chinese Enterprises Limited zu gründen.

Diese kapitalistisch aufgezäumte Institution ist allein berechtigt, Lebensmittel nach Rotchina zu befördern. Allerdings verlangt sie für die bei ihr zum Zwecke des Versands gekauften Lebensmittel etwa das Dreifache des Marktpreises. Dieser „Vorzugspreis" gilt aber nur für das lediglich 400 Kilometer entfernte Kanton. Wer Sendungen nach Hankau oder Schanghai auf den Weg bringen will, muß noch tiefer in die Tasche greifen. Für ihn erhöht sich der Preis um die Hälfte. Da ist es also folgerichtig, wenn Geschenksendungen nach Peking nochmals um 20 Prozent teurer werden. Bei Sendungen nach Sinkiang kosten 50 Pfund des gleichen australischen Mehls, das auf dem freien Markt für 13,50 Hongkong-Dollar zu haben ist, sogar 166,50 Dollar.

Seit Mitte 1962 tragen die China-Flüchtlinge täglich 150 000 bis 200 000 Mark zur Chinese Interprise Limited, und die Regierung in Peking, die unfähig ist, die Hungersnot im eigenen Lande zu dämmen, steckt auf diesem Wege monatlich fünf Millionen Mark in Dollardevisen ein.

Mao Tse-tung braucht Geld und nochmals Geld; denn er hat sich auf einen kostspieligen Versuch eingelassen, den Bau einer eigenen Atombombe. Schon 1952 hat der rotchinesische Wissenschaftler Li Su-kuang verkündet: „Wir arbeiten an der Entwicklung von Kernwaffen." 1956 beschließt das ZK einen „Zwölfjahresplan für die Entwicklung der Atomenergie". 1957 erklärt sich Moskau bereit, den Rotchinesen auf dem Gebiet der Atomwaffen behilflich zu sein. 1958 setzen Chinesen unter sowjetischer Anleitung den ersten Atomreaktor in Betrieb. Auch nach dem abrupten Abzug der sowjetischen Berater arbeiten Maos Wissenschaftler unermüdlich weiter. Selbst der Atomteststoppvertrag, den Amerika, die Sowjetunion und Großbritannien endlich offiziell am 5. August 1963 unterzeichnen, setzt diesen Bemühungen kein Ende.

Es kann nicht ausbleiben, daß die Entwicklung auf Kritik stößt. Es sind nicht Arbeiter, nicht Bauern, nicht Soldaten, sondern es sind die Philosophen, die Universitätsprofessoren, die Schriftsteller und Künstler, die Naturwissenschaftler, die ihre Bedenken gegen die Fehler und Mißgriffe des Systems vortragen. Und dieses System, das ja grundsätzlich nicht irren kann, weil es durch Marx, Engels, Lenin und Mao Tse-tung gegen jeden Fehler gefeit ist, setzt sich zur Wehr.

„Laßt hundert Blumen blühen"

Einer der bedeutendsten Kritiker ist der Parteitheoretiker Jang Sintschen, Mitglied des Zentralkomitees der Kommunistischen Partei Chinas und früher Direktor der Höheren Parteischule in Peking. Im Sommer und Herbst 1964 erhebt er seine Stimme, um eine „interne Diskussion" auszulösen. Er will erkannt haben, daß die Gegensätze in der gesellschaftlichen Entwicklung einer neuen übergeordneten Einheit zustreben. Also entwickelt er in echt marxistischer Art seinen Widerspruch dialektisch und formuliert die so gefundene Forderung in vier Worten: „Aus zwei wird eins!"

Damit greift er in ein Wespennest. Die Gegner berufen sich auf Mao: Der hat früher die Ansicht vertreten, daß die Einheit der Gegensätze kein besonderes Gewicht habe. In Wahrheit sei diese nur bedingt, nur vorübergehend und nur relativ. Die wahrhaft revolutionäre Philosophie aber forme den Kampf der Gegensätze zur Absolutheit. Und also seien den irrigen vier Worten Jangs vier richtige entgegenzustellen: „Aus einem werden zwei!"

(In die normale menschliche Sprache übersetzt bedeutet es: Jang vertritt die Ansicht, aus der Natur der Gegensätze ergäbe sich, daß man nach der Einheit suchen müsse. Es komme darum darauf an, die gemeinsamen Grundlagen zu erkennen. Dabei können die Verschiedenheiten im übrigen ruhig bestehen bleiben. Konkret heißt das: Der Klassenkampf ist verfehlt. Vielmehr ist ein Ausgleich der Gegensätze anzustreben. Dann wird am Ende die friedliche Koexistenz mit allen stehen, auch mit den Andersdenkenden, sogar mit den Imperialisten. Revolutionäre Befreiungskriege mögen in der Vergangenheit ihre Berechtigung gehabt haben. Für die Zukunft sind sie falsch.)

Auch der fünfundsiebzigjährige Kuo Mo-jo, einer der ältesten Kämpfer für den chinesischen Kommunismus, greift in die Auseinandersetzung ein. Er ist Dichter und Historiker. Schon im Bürgerkrieg hat er sich zu Mao Tse-tung in Wort und Schrift bekannt. So kann er nach der Machtergreifung zum geistigen Repräsentanten des Kommunismus werden. Als Mao am 2. Mai 1952 den Künstlern und Schriftstellern sagt: „Laßt hundert Blumen blühen!" und den Wissenschaftlern zuruft: „Laßt hundert Schulen miteinander wetteifern!" warnt Kuo: Die „hundert Schulen" müßten mit hundert Musikern verglichen werden, die in einem Orchester spielen. Auch hier könne nicht jeder machen, was ihm eben in den Kopf komme, sondern er müsse sich an die Noten halten. „Wir müssen ,wetteifern'; aber wir dürfen dies nicht in Verwirrung tun... Man muß so richtig wetteifern, daß dabei der sozialistische Aufbau gefördert wird."

Mao läßt sich nicht beirren. Er verkündet: „Die Marxisten brauchen Kritik von keiner Seite zu fürchten. Im Gegenteil! Im Kampf mit der Kritik ... müssen sie sich stählen, verbessern und neue Positionen erobern. Der Kampf gegen die falschen Ideen ist wie ein Impfstoff, der Mensch entwickelt größere Immunität gegenüber der Krankheit, wenn er geimpft ist ..."

Der in Deutschland geschulte Tschang Po-tschün fordert daraufhin gutgläubig eine rasche Entwicklung der nichtkommunistischen Parteien und ihren Zusammenschluß. Lo Lung-tschi, Doktor der Columbia-Universität in New York, beschwert sich über die unwürdige Behandlung der Intelligenz und mahnt: „Der Gelehrte zieht den Tod der Erniedrigung vor!" Professor Fei Hsia-tung sorgt sich darum, daß ein plötzlicher politischer Frost die hundert Blumen wieder knicken könne. An der Volksuniversität von Peking tadelt ein Professor die Funktionäre: Früher haben sie zertretene Schuhe getragen, jetzt aber fahren sie in Luxusautos und tragen wollene Uniformen. Dabei werden sie mit ihrem „Wir sind der Staat" unerträglich. „Der Sturz der Kommunistischen Partei Chinas wäre nicht der Sturz Chinas!" sagt er. „Marxismus ist Dogmatismus!" Und: „Die ,Volkszeitung' ist eine Gefängnismauer, hinter der die Wahrheit verkommt!"

Jetzt setzt die Partei zum Gegenschlag an. Bisher habe sie geschwiegen, „um den Giftgewächsen die Möglichkeit zu geben, ins Kraut zu schießen, damit das Volk dies alles sieht und voll Entsetzen zusammenzuckt ... Und nun sind die reaktionären Klassenfeinde in die Falle gegangen. ... Dunkle Dämonen kann man nur vernichten, wenn man sie aus dem Versteck herausholt; Giftpflanzen kann man besser ausreißen, wenn man sie hat wachsen lassen ... Ausgerissenes Unkraut kann man als Dünger benützen." So steht es im Juni 1957 in der damals noch in russischer Sprache erscheinenden chinesischen Zeitung „Druschba". Die Kommunisten antworten den Intellektuellen mit Zwangsarbeit und Verfolgung. Die Folgen sind Verzweiflung, Reue und Unterwerfung.

Die Schriftsteller von Schanghai verpflichten sich nun, im Laufe von zwei Jahren 3 000 literarische Werke zu schaffen. 3 000 Arbeiter und Soldaten setzen sich zusammen und „dichten" an einem einzigen Abend 3 000 Gedichte und 360 Lieder. Ein „Held der Arbeit" schreibt in einem einzigen Jahr die für 17 Jahre geltende „Norm" an Gedichten. Seine „Ode an die Sonne" wird preisgekrönt:

„Wenn der Vorsitzende Mao kommt,
leuchtet der Osten rot.
Alles gedeiht,
die Erde ist rot,
sechshundert Millionen
strahlend wie Pfingstrosen,
jeder ist rot.
Alle unsere schönen Berge und Flüsse
sind für immer rot."

Da ist es nicht mehr überraschend, wenn nun sogar Kuo Mo-jo, der Mann, der den „Faust" ins Chinesische übersetzt hat, plötzlich erklärt, daß alles, was er bisher geschrieben habe, verbrannt werden müsse. „Es ist nichts wert! Schamgefühl überwältigt mich, das Parteimitglied und den ,sogenannten Wissenschaftler'." Zu dieser Selbstkritik bringt ihn eine Rüge des stellvertretenden chinesischen Kulturministers Schin Hsi-min. Kuo Mo-jo beeilt sich zu dem Bekenntnis, daß ihn Dankbarkeit gegenüber all den Arbeitern, Bauern und Soldaten erfülle, diesen „verehrungswürdigen Lehrmeistern", die darum höchstes Lob verdienten, weil sie die Ideen des Vorsitzenden Mao Tse-tung beherrschten und schöpferisch anzuwenden wüßten.

Ähnlich ergeht es Feng Ting, Professor für dialektischen Materialismus an der Universität Peking und Präsident der Philosophischen Gesellschaft. Er hat 1956 bekannt: „Solange die Arbeiterklasse die Revolution steuert, wird der Sieg der Revolution auf friedlichem Wege erreicht." Und weiter: „Unsere Hauptaufgabe muß darin bestehen, daß wir uns in einen friedlichen Wettbewerb mit den Völkern der Welt begeben, auch wenn sie unterschiedliche soziale Systeme haben. Wir müssen den Menschen ermöglichen, Gutes und Schlechtes zu vergleichen, damit sie am Ende ihre Wahl treffen." In seinem Buch „Kommunistische Lebensauffassung" schreibt er: „Wenn das Glück der Menschen Norm sein soll, dann können wir diese nur erreichen, wenn wir Frieden, nicht aber, wenn wir Krieg haben, wenn wir gut essen können, schönere Kleider und ein großes, sauberes Haus besitzen, und wenn Liebe und Harmonie zwischen Eheleuten, Eltern und Kindern herrschen. Dies ist ohne Zweifel richtig, und danach müssen wir streben."

Feng Ting muß widerrufen. Doch an seine Seite stellt sich Professor Tschu Ku-tscheng, Lehrer an der Futang-Universität in Schanghai und Mitglied des Nationalen Volkskongresses. 1962 schreibt er das Essay „Die historische Stellung des künstlerischen Schöpfertums". Gute Kunst hat die Aufgabe, den „Geist der Zeit" zu deuten. Der Künstler darf keinen Abklatsch der herrschenden Ansichten seiner Epoche liefern, sondern er muß diese in der ihm eigenen eigenwilligen Form und mit der ihm geschenkten Darstellungsmöglichkeit gestalten. Denn „das Gefühl ist die Triebkraft jeder Kunst, und jedes ursprüngliche Gefühl ist stärker als alles Klassenbewußtsein".

Noch weiter geht er in seiner „Allgemeinen Geschichte Chinas". In ihr stellt er die „ungeheuerliche" Behauptung auf: „Es ist abwegig, viele der Bauernaufstände in der chinesischen Geschichte der feudalen Ausbeutung anzukreiden. Das versuchen zwar die Kommunisten. Richtig ist aber allein die Rückführung der Aufstände auf die allgemeine Übervölkerung."

Das Echo solcher kühnen und wagemutigen Ansichten ist laut, und viele Intellektuelle stimmen freudig zu. Filmproduzenten und Schriftsteller leugnen die Richtigkeit des „wissenschaftlich erwiesenen Klassenprinzips". Sie wollen den Menschen so darstellen, wie er ist, und der Künstler dürfe nicht davor zurückschrecken, sich ganz besonders jenen Menschen zu widmen, die „noch immer zwischen dem sozialistischen und dem kapitalistischen Wege schwanken".

Diese Gedanken spricht der stellvertretende Vorsitzende des chinesischen Schriftstellerverbandes, Schao Tschuen-lin, unverblümt auf einer Sitzung in Dairen im Jahre 1964 aus. Und mutig fügt er hinzu: „Diese Leute bilden in China die überwiegende Mehrheit der Bevölkerung. Auch aus diesem Grund hat der Künstler die Pflicht, sich gerade mit ihnen bevorzugt zu befassen. Will man sie zu einem allmählichen und schmerzhaften ideologischen Erwachen bringen, dann muß der Künstler Charaktere schaffen, in denen sie sich wiedererkennen und selber deuten können...
All das, was wir bisher gemacht haben, ist nichts anderes als Augenwischerei. Alle unsere Helden in der Literatur haben rote Gesichter. Und deshalb mag kein Mensch unsere Bücher lesen."

In der Pekinger Oper gehört es zur Tradition, daß die positiven Helden rote Masken tragen. Die Funktionäre geraten in Wut. Sie grollen in der amtlichen Kulturzeitung: „Wenn solche Grundsätze zum Zuge kommen, dann wird unsere Literatur und Kunst ihrer revolutionären Seele beraubt werden ..." Und Ministerpräsident Tschu En-lai spricht von groben Verfehlungen, die strenge Rügen verdienen.

Die „Große Kulturrevolution"

Der chinesische Kulturkrieg hält weiter an. Die „Pekinger Volkszeitung" trifft die volle Wahrheit, wenn sie Ende 1965 schreibt: „An der kulturellen Front ist ein scharfer Meinungskampf entbrannt — ein Kampf zur Verteidigung der Ideen Mao Tse-tungs."
Gegen wen dieser Kampf sich richtet, verrät die „Zeitung der chinesischen Befreiungsarmee" im Mai 1966. Sie wendet sich gegen die „parteifeindlichen und antisozialistischen Elemente" im Lande und wettert: „Sie hissen die rote Fahne, um die rote Fahne anzugreifen. Sie drapieren sich in das Gewand des Marxismus-Leninismus und in die Theorien Mao Tse-tungs, um diese zu bekämpfen. Ihre parteifeindliche und antisozialistische Aktivität ist kein isoliertes und zufälliges Phänomen ... Alle diese Leute stimmen in das Konzert des internationalen antichinesischen

Chores mit ein, das von den Imperialisten, modernen Revisionisten und Reaktionären aller Länder entfesselt wird."

Damit wird deutlich: Das nach außen hin eine so geschlossene kommunistische Haltung vortäuschende China steht in Wahrheit in schweren inneren Kämpfen. Es ist nicht alles rot, was chinesisch glänzt.

Mao Tse-tung, geboren 1893, rückt auf die Mitte seines achten Lebensjahrzehntes vor. Er ist alt geworden und überdies so krank und gebrechlich, daß er sich nur noch selten der Öffentlichkeit zeigt. Die Frage seiner Nachfolge ist unausweichlich geworden, und sie geht nicht allein das chinesische Volk an, sondern mit ihm die ganze Menschheit.

Es sind nicht weniger als 23 höchste Funktionäre, die sich zur Nachfolge berufen fühlen und schon jetzt um den roten Thron kämpfen. „Klopft der Tod ans kaiserliche Tor, dann verläßt die Treue den Palast", schrieb Schi Yü schon vor 600 Jahren. An der Wahrheit dieser Tatsache hat sich nichts geändert. Die Säuberungswelle, die 1966 und 1967 über China hinflutet, wird auch von der Eifersucht des Diadochen gepeitscht.

Anfang Juni 1966 zeichnen sich schwerwiegende Ereignisse ab. Sie kündigen sich im Sturz von Peng Tschen, dem Ersten Sekretär der Pekinger KP und Oberbürgermeister der Hauptstadt an. Wie bei solchen Ereignissen üblich, wird der Name nicht gleich genannt; die Presse bereitet auf das „kommende" Ereignis, das in Wahrheit bereits erfolgt ist, erst einmal schonend vor.

Peng Tschen ist das Opfer eines Stärkeren, eines Mächtigeren, der sich in die vorderste Position der Mao-Nachfolger boxt — rücksichtslos und skrupellos. Denn der siebenundsechzigjährige hochgewachsene und Kraft ausstrahlende Nordchinese, der hier davon gejagt wird, ist in Wahrheit alles andere als ein Feind der Partei. Stets hat er sich als zuverlässiger Gefolgsmann erwiesen: Von Jugend an Revolutionär und „geborener" Organisator, arbeitet er schon sehr früh im kommunistischen Untergrund. Während des berühmten Langen Marsches sitzt er im Gefängnis. Ein Stärkerer hat ihn nun beiseite geschoben.

Auf den Straßen Pekings drängen sich die aufgeputschten Demonstranten. Begeistert singen sie ihre revolutionären Lieder. Sie wirbeln ihre Trommeln. Sie lassen krachend Feuerwerkskörper explodieren. Und über diesen Krach hinweg rufen sie mit letztem Stimmaufwand:

> „Die Idee von Mao Tse-tung hat gesiegt!
> Nieder mit den Parteifeinden!
> Es lebe der neue Parteisekretär unserer Hauptstadt!"

„Das Pekinger Stadtkomitee der Partei ist von parteifeindlichen und antisozialistischen Kräften durchsetzt gewesen", meldet Radio Peking, und die „Pekinger Volkszeitung" wiederholt dies. Den angegriffenen Männern wird vorgeworfen, daß sie an der Universität ideologische Abweichungen geduldet hätten.

Das macht noch einmal deutlich, wie empfindlich die Partei auf die selbständigen Ideen der Professoren und Schriftsteller reagiert. Allen „Re-

„Thron und Zepter" nannten New York Herald Tribune und Washington Post kategorisch diese Mao-Karikatur, die das Dilemma des Reiches der Mitte im Jahre 1967 aufzeigt: Ein greiser Parteiführer, der seine Kräfte schwinden sieht und mit Gewalt die „Verbürgerlichung" auch der chinesischen Kommunisten verhindern will

visionisten" kündigt sie den erbitterten Kampf an. Auf die Stellung, auf die Verdienste oder auf die Länge der Parteizugehörigkeit der Betroffenen soll keine Rücksicht genommen werden. Selbst höchste Funktionäre dürfen nicht auf Milde hoffen.

„Jeder, der sich Mao Tse-tung entgegenstellt oder gegen seine Lehren opponiert, gegen die Diktatur des Proletariats arbeitet oder sich dem richtigen Weg zum Sozialismus verschließt, wird von der gesamten Partei und der gesamten Bevölkerung zerschmettert werden — wer immer es auch sein mag, wie hoch seine Stellung und wie hoch seine Verdienste auch immer sind." So steht es Anfang Juni 1966 in der „Volkszeitung".

Eine Revolution an der ideologischen Front ist ausgebrochen. Kein Geringerer als Mao Tse-tung selbst hat das Wort von der „bürgerlichen Seuche" geprägt. Und deshalb werden mehr als 160 000 „Werktätige für Literatur und Kunst" aufs Land geschickt, um dort das zu lernen, was Tschu En-lai ihnen vergeblich gepredigt hat, nämlich „sozialistische Kulturrevolution". Das bedeutet: „In Wissenschaft, Erziehung, Kunst, Literatur und Publizistik die proletarischen Gedanken konsequent durchzusetzen und jeden Rest kapitalistischer Ideen auszumerzen."

160 000 Kulturschaffende sind eine gewaltige Zahl. Man darf annehmen, daß damit fast die gesamte geistige Welt Chinas aufs Land geschickt worden ist, um bei der Feldarbeit endlich zu begreifen, was Mao meint, wenn er „Freiheit" sagt. In seinem in zahllosen Abdrucken zitierten Gedicht hat er es jedem klar gemacht, der es wissen will oder wissen soll:

> „Die Kaiser der Vergangenheit, die vielgerühmten:
> Arm an Geschmack und Bildung,
> Dschingis Khan, der Stolz eines Zeitalters,
> verschoß nur nach Adlern seine Pfeile.
> Vergangen sind sie alle.
> Willst du Menschen von freier Art,
> blick auf die Tage von heute."

Was Mao damit meint, das können die Intellektuellen erkennen, wenn sie dem „Volk aufs Maul" blicken. Da können sie von einer Freiheit sprechen hören, die ihnen die Herzen umdreht. Der Tischtennismeister Hsu Yiu-sheng spricht für Millionen: „Nicht bloß Geschicklichkeit macht den guten Spieler, sondern die gründliche Kenntnis der Schriften des Vorsitzenden Mao und die Fähigkeit, Maos Gedanken auf das Spiel anzuwenden. Ein guter Spieler denkt schon beim Training an den internationalen Feind."

Wer diese Sätze liest, wundert sich kaum noch, daß junge Mädchen nach dem Studium der Gedanken Maos die Fähigkeit gewonnen haben wollen, das Wetter vorauszusagen und der Leiter eines volkseigenen Gemüseladens ungewöhnlich viele Wassermelonen verkauft, seit er Maos Schriften kennt: „Mao Tse-tungs Gedanken sind die Saat unseres Lebens." — „Nahrung und Waffen sind wichtig — wertvoller sind Maos Schriften."

Mit dem Gedanken an Mao soll der Chinese aufstehen, ob Kind, ob Greis, ob Lagerverwalter, Techniker oder Chemiker — mit dem Gedanken an Mao soll er den Tag beschließen. Der Bauer, der sein Feld mit Dung bestreut, der Soldat in der Putzstunde, der Opernsänger in der Pause, der Kranke im Bett — wenn sie an Mao denken, dann wird alles gelingen. Klassenfeinde und Kapitalisten, amerikanische Imperialisten und Moskauer Verräter am Proletariat werden den Chinesen unterliegen, die den Weg Maos gehen.

Diese Menschen bekennen und beten: „Mao war gestern. Mao ist heute. Mao wird in aller Ewigkeit sein. Denn Mao ist die Wahrheit."

So wirkt die Faszination dieses Mannes. Sie bezwingt die 700 Millionen. Wer sich ihr in den Weg stellt, wird niedergetreten. Kuo Mo-jo hatte einst den Mut dazu. Dann verlor er ihn wieder, als er die Gefahr auf sich zukommen sah, und flüchtete in die Tragik der Ich-Verleugnung: „Ich habe mehr als 70 Jahre umsonst gelebt. Millionen Worte, die ich bisher niedergeschrieben, sind wertlos; sie müssen vernichtet werden, weil ich Maos Gedanken nicht gut gelernt habe. Ich werde mich von Arbeitern und Bauern unterrichten lassen. An der vordersten Front ein paar Handgranaten gegen die imperialistischen Amerikaner zu werfen, ist mein innigster Wunsch."

Um die Alten unter Druck zu halten, werden die Jungen mobilisiert. Mao weiß, daß seine Tage gezählt sind. Der Tod liegt schon auf der Lauer. Das Beispiel Sowjetunion steht dem Führer der KPCh warnend vor Augen. Er will verhindern, daß das von ihm geeinte China nach seinem Tode wieder zerfällt oder ein Opfer des „Sozialdemokratismus", des „Revisionismus" wird, daß es „verbürgerlicht" wie Rußland.

Moskau hat in Maos Augen den Kommunismus verraten. Peking soll ihn retten. Die Jugend Chinas soll ihn retten. Die Revolution soll weitergehen, in eine „Große Proletarische Kulturrevolution" münden, die alles, was von früher überliefert wurde, was aus der vorkommunistischen Zeit stammt, rücksichtslos zertrümmert.

Und die Jugend folgt dem Ruf des Parteiführers. Sie verläßt den Schraubstock, den Pflug, die Schulbank. Tausende, Zehntausende, Hunderttausende, Millionen wälzen sich nach Peking und den anderen Metropolen der Republik. Sie füllen die Straßen und Häuser mit ihrem Geschrei. Sie dringen in die Hotels und Botschaften ein. Alles, was bürgerlich ist, ist Ziel ihrer Verachtung. Stolz nennen sie sich Rote Garde.

Und sie gehen zielbewußt ans Werk. Buddha-Statuen werden die Köpfe abgeschlagen, Moscheen werden entweiht, Christenkreuze von den Wänden gerissen, Ausländerschulen gestürmt. Rauchen wird verpönt, Alkohol verdammt, Schachspielen, Briefmarkensammeln, Blumenzucht sind überflüssige und verderbliche Neigungen. Zoologische Gärten werden geschlossen, weil die „schädlichen" Tiere dem Volk die Nahrung wegfressen. Theater und Ballett dienen verwerflichen Zielen, europäische Kleidung ist verhaßt. Wer sie trägt muß damit rechnen, daß sie ihm vom Leib gerissen wird. Mädchen mit langen Haaren sehen sich Schere und Messer ausgeliefert. Puder, spitze Schuhe, Kosmetika, aller Luxus fällt der Verdammnis anheim. Und dazu gehören auch Bücher und Bilder, alles, was nicht von Mao ist.

Monatelang wüten die Jugendlichen, denen die alte Welt fremd ist, die nie etwas anderes gekannt haben als die Volksrepublik China und die Herrschaft der KP. Und bald suchen die Parteiführer nach Wegen, die von ihnen gerufenen Geister wieder loszuwerden. Sie rekrutieren sie. Sie lassen sie marschieren und exerzieren. Sie lassen sie in Reih und Glied abrücken, um die brachliegenden Felder zu bestellen. Aber immer neue strömen nach. Allein in der Hauptstadt Peking halten sich im Herbst 1966 ständig zwei Millionen Jungen und Mädchen auf, in blauer oder olivfarbener Kluft, die rote Armbinde umgetan.

Sie brüllen ihre Parolen durch die Straßen: „Handarbeit für jedermann! Mao-Zitate statt Neonreklame! Ächtet Schmuck, Parfüm und nichtproletarische Kleidung! Schafft die Erste Klasse in der Eisenbahn ab! Fort mit Luxusautos und Taxis!" Und sie tragen Mao-Bilder vor sich her und schwenken Mao-Schriften, die sie auf gewaltigen Massenkundgebungen im Chor verlesen.

Schließlich richtet sich ihre Wut gegen die ausländischen Missionen. Tagelang belagern sie die sowjetische Botschaft in Peking und zwingen die Sowjets, Frauen und Kinder unter wüsten Beschimpfungen durch den fanatisierten Mob zu evakuieren.

In Tibet, Sinkiang und anderen Landesteilen kommt es zur Empörung gegen die Zentralgewalt. Der Partisanenkampf lebt wieder auf. In Schanghai und in den Industriezentren legen die Arbeiter empört die Maschinen still. Aus dem Generalstreik entwickeln sich vielerorts Straßenkämpfe zwischen der Arbeiterschaft und den Rotgardisten. Der chinesische Gewerkschaftsbund, die Hauptstütze des industriefreundlichen Flügels der chinesischen KP, stellt sich hinter Staatspräsident Liu Schaotschi, den eigentlichen Gegenspieler Mao Tse-tungs. Er wird auf Befehl aus Peking aufgelöst. Anfang Juli 1967 verliert — nach chinesischen Berichten — auch der Präsident selbst Amt und Würden.

China zittert. Mao aber triumphiert — und mit ihm Verteidigungsminister Lin Piao, der von der Roten Garde gestützt wird und immer mehr in die Rolle des Mao-Nachfolgers hineinwächst. Schon seit 1928 dient er dem Vorsitzenden. Gemeinsam mit Tschu Teh kam er, der damals einundzwanzigjährige Kuomintang-Offizier und Zögling Tschiang Kaischeks, auf Maos Bergfeste im Tschingkanschan. Während des Langen Marsches befehligte er die Vorhut. 1945 hat er an der Spitze einer in Gewaltmärschen herbeigeeilten 200 000-Mann-Armee die von den Sowjets geräumte Mandschurei besetzt.

Mao und er versäumen dabei nicht, ihren Blick auch weiter über die Grenzen Chinas hinauszurichten, nach Südostasien, wo der Vietnam-Krieg tobt, nach Afrika, nach Europa. Ständig versuchen sie, mit ihren antisowjetischen Thesen Fuß zu fassen, wobei sie kein Rückschlag schreckt und ihnen jedes Mittel recht ist. In der Bundesrepublik Deutschland unterstützen sie — wenn auch ohne Anklang — eine nach Peking ausgerichtete illegale „Marxistisch-Leninistische Partei". Und im anderen Teil Deutschlands streuen ihre Emissäre das Gerücht aus, Moskau habe das Ulbricht-Regime längst abgeschrieben und an die „westlichen Imperialisten" verkauft. Die Sowjets hätten den deutschen Kommunismus verraten.

VIII

DIE DEUTSCHEN UND DER KOMMUNISMUS

Karl Liebknecht und Rosa Luxemburg

Der deutsche Zweig dessen, was man heute unter Kommunismus versteht, ist wenig mehr als 50 Jahre alt: Am 1. Januar 1916 gründen Karl Liebknecht und Rosa Luxemburg die Gruppe International, für die bald der Name Spartakusbund üblich wird und die sich zur Keimzelle der Kommunistischen Partei Deutschlands entwickelt.

Achtzehn Monate davor, am 28. Juni 1914, ermorden serbische Nationalisten in der Grenzstadt Sarajewo den österreichisch-ungarischen Thronfolger und seine Frau. Teile der Öffentlichkeit und Regierung Serbiens stehen hinter dem Attentat. Die Donaumonarchie fühlt sich provoziert. Gedeckt vom deutschen Bündnispartner, stellt sie dem kleinen Nachbarstaat ein Ultimatum. Die nachgiebige Antwort genügt ihr nicht. Wien bricht die diplomatischen Beziehungen zu Belgrad ab. Am 25. Juli 1914 ruft es die Teilmobilmachung aus. Und trotz deutscher und britischer Vermittlungsversuche erklärt die Großmacht Österreich-Ungarn dem weit unterlegenen, aber von ehrgeizigen Politikern geführten Serbien am 28. Juli 1914 den Krieg.

Nun kommt die Lawine ins Rollen. Rußland — von inneren Gegensätzen durchschüttelt, mit Frankreich freundschaftlich verbunden, auf Prestige bedacht — glaubt dem bedrängten slawischen Brudervolk zur Hilfe eilen zu müssen. Es befiehlt ebenfalls die Teilmobilisierung seiner Streitkräfte und am 29. Juli 1914 sogar die volle Mobilmachung.

Zwei Tage später verkündet das Deutsche Reich — durch einen Bündnisvertrag verpflichtet, Österreich-Ungarn im Falle eines russischen Angriffs militärisch beizustehen — den Zustand drohender Kriegsgefahr. Gleichzeitig richtet es an Rußland und Frankreich Ultimaten. Das Zarenreich wird aufgefordert, die Mobilmachung sofort einzustellen. Die Französische Republik soll erklären, daß sie im Falle eines deutsch-russischen Konflikts neutral bleiben werde. Rußland antwortet nicht, Frankreich verweigert die Zusage. Am 1. August 1914 ruft nun auch Deutschland seine Reservisten zu den Waffen. Und weil die Absichten der Gegner klar zu sein scheinen, erklärt die vom Einkreisungsalbdruck entnervte Reichsregierung Rußland den Krieg. Das hat die französische

Mobilisierung und diese wiederum die deutsche Kriegserklärung an Frankreich zur Folge.

Die Deutschen wollen mit diesem Schritt einem möglichen Angriff der Franzosen zuvorkommen. Sie haben vor, erst den Gegner im Westen niederzuwerfen, um sich dann geschlossen der gewaltigen russischen Dampfwalze entgegenstellen zu können, die im Osten anzurollen beginnt. Wenn aber Frankreich schnell besiegt werden soll, müssen die deutschen Divisionen durch das neutrale Belgien vorstoßen.

Dieses Beginnen ruft Großbritannien auf den Plan. Mit der Begründung, die belgische Neutralität verteidigen zu müssen, stellt es sich an die Seite der Gegner Deutschlands. Aus dem Tauziehen auf dem Balkan ist der erste Weltkrieg entstanden.

Am selben 4. August 1914 steht im Reichstag in Berlin die von der kaiserlichen Reichsregierung eingebrachte Kriegskreditvorlage zur Debatte. Die deutsche Sozialdemokratie — mit einer Million Mitgliedern und 110 Reichstagsmandaten die stärkste Partei Deutschlands — sieht sich vor der folgenreichsten Entscheidung seit ihrer Gründung. Wird sie zustimmen und dem Kaiser die Kriegführung ermöglichen? Sieht sie in diesem Krieg einen imperialistischen Kampf um Vorherrschaft, Absatzmärkte und Kolonien — oder ist er in ihren Augen ein Verteidigungskrieg gegen die Gefahr aus dem Osten?

In der Fraktionssitzung der Sozialdemokratischen Partei kommt es zu heftigen Auseinandersetzungen. Eine Minderheit von 14 Mann will „diesem System" auch weiterhin „keinen Mann und keinen Pfennig" bewilligen. Zu ihnen gehört der Fraktionsvorsitzende Hugo Haase. Seine Freunde hoffen auf den Sturz aller Imperialisten durch die „naturnotwendig" kommende Revolution, die eine Folge dieses Krieges sein müsse. Andere, genannt die Radikale Linke, unter ihnen Karl Liebknecht, sind sogar entschlossen, diese Revolution selbst herbeizuführen, wenn sie zu lange auf sich warten läßt. Sie liebäugeln mit dem russischen Sozialistenführer Lenin. Und noch andere wiederum gehören einfach zu der großen Gruppe jener Pazifisten, die von vornherein gegen jeden Krieg sind, auch wenn er ein Verteidigungskrieg ist.

Die Masse der Sozialdemokraten denkt nicht so. Zu Tausenden melden sie sich freiwillig zu den Waffen, an ihrer Spitze der Reichstagsabgeordnete Ludwig Frank. Er greift das Wort des Kaisers auf, der die Sozialdemokraten einmal „vaterlandslose Gesellen" genannt hat. „Wir vaterlandslosen Gesellen", sagt er, „wissen, daß wir, wenn auch Stiefkinder, doch Kinder Deutschlands sind und daß wir unser Vaterland gegen die Reaktion erkämpfen müssen."

Im gleichen Sinn entscheidet die Mehrheit der SPD-Reichstagsfraktion; die Minderheit fügt sich der Parteidisziplin. So gibt Haase selbst im Namen der Partei vor dem Parlament eine aufsehenerregende Erklärung ab:

„Wir stehen vor einer Schicksalsstunde. Die Folgen der imperialistischen Politik, durch die eine Ära des Wettrüstens herbeigeführt wurde und die Gegensätze unter den Völkern sich verschärften, sind wie eine Sturmflut über Europa hereingebrochen. Die Verantwortung hierfür fällt den Trägern dieser Politik zu; wir lehnen sie ab. Jetzt stehen wir vor der ehernen Tatsache des Krieges. Uns drohen die Schrecken feindlicher Invasionen. Nicht für oder gegen den Krieg haben wir zu entscheiden, sondern über die Frage der für die Verteidigung des Landes erforderlichen Mittel. Für unser Volk und seine freiheitliche Zukunft steht bei einem Sieg des russischen Despotismus, der sich mit dem Blut der Besten des eigenen Volkes befleckt hat, viel, wenn nicht alles auf dem Spiel. Da machen wir wahr, was wir immer betont haben: Wir lassen in der Stunde der Gefahr das eigene Vaterland nicht im Stich. Wir fühlen uns dabei im Einklang mit der Internationale, die das Recht jedes Volkes auf nationale Selbständigkeit und Selbstverteidigung jederzeit anerkannt hat, wie wir auch in Übereinstimmung mit ihr jeden Eroberungskrieg verurteilen.

Wir hoffen, daß die grausame Schule der Kriegsleiden in neuen Millionen den Abscheu vor dem Kriege wecken und sie für das Ideal des Sozialismus und des Völkerfriedens gewinnen wird. Von diesen Grundsätzen geleitet, bewilligen wir die Kriegskredite."

Der Kaiser antwortet jubelnd: „Ich kenne keine Parteien mehr, ich kenne nur noch Deutsche." Der Burgfrieden für die Dauer des Krieges wird proklamiert.

Aber schon im Dezember 1914, als die nächsten Kriegskredite bewilligt werden sollen, weigert Karl Liebknecht sich, Parteidisziplin zu wahren. Er lehnt die Bewilligung ab, da es sich „um einen von der deutschen und österreichischen Kriegspartei gemeinsam im Dunkel des Halbabsolutismus und der Geheimdiplomatie hervorgerufenen Präventivkrieg" handle, „um ein bonapartisches Unternehmen zur Demoralisierung und Zertrümmerung der anschwellenden Arbeiterbewegung".

Im März 1915, bei der dritten Abstimmung dieser Art, schließt sich ein weiterer Abgeordneter Karl Liebknecht an und enthalten sich 30 andere, unter ihnen Haase, der Stimme, indem sie vorher den Saal verlassen. Und im Dezember 1915 stimmen schon 20 Abgeordnete offen gegen die Kriegskredite, während 22 weitere an der Abstimmung nicht teilnehmen.

Nun kommt es in der Wohnung von Karl Liebknecht zu einer „Reichskonferenz" der oppositionellen Linken. Die Gruppe International findet auch organisatorisch zusammen. Die linke Theoretikerin Rosa Luxemburg, seit Monaten in Haft, hat Leitsätze verfaßt — die „Junius-Broschüre" — und Seite für Seite aus dem Gefängnis hinausgeschmuggelt. Sie werden zur Richtschnur der Gruppe. In ihnen heißt es:

„Der Imperialismus ist der gemeinsame Todfeind des Proletariats aller Länder. Der Kampf gegen ihn ist für das internationale Proletariat zugleich der Kampf um die politische Macht im Staate. Das sozialistische Endziel wird von dem internationalen Proletariat nur verwirklicht, indem es gegen den Imperialismus auf der ganzen Linie Front macht und die Losung: ‚Krieg dem Kriege!' unter Aufbietung der vollen Kraft und des äußersten Opfermutes zur Richtschnur seiner praktischen Politik erhebt. Angesichts des Verrats der offiziellen Vertretungen der sozialistischen Parteien der führenden Länder an den Zielen und Interessen der Arbeiterklasse ist es eine Notwendigkeit für den Sozialismus, eine neue Arbeiterinternationale zu schaffen, welche die Leitung und Zusammenfassung des revolutionären Klassenkampfes gegen den Imperialismus aller Länder übernimmt."

Zu dieser Forderung stellt Rosa Luxemburg noch eine zweite: „Das sozialistische Proletariat kann weder im Frieden noch im Kriege auf Klassenkampf und auf internationale Solidarität verzichten, ohne Selbstmord zu begehen."

Rosa Luxemburg ist die am 5. März 1870 geborene Tochter eines polnischen Kaufmanns jüdischer Abstammung. Erst eine Scheinehe macht sie zur deutschen Staatsangehörigen und eröffnet ihr damit die politische Laufbahn in Deutschland. Sie ist revolutionäre Marxistin und erweist sich insoweit als völlig kompromißlos. Den Generalstreik betrachtet sie als „die spontane und angemessene Bewegungsweise der proletarischen Masse" und als „die Erscheinungsform des proletarischen Kampfes in der Revolution". Er ist berechtigt und notwendig.

Trotzdem ist aber in Rosa Luxemburgs Augen „Freiheit nur für die Anhänger einer Partei keine Freiheit". Denn „Freiheit ist immer die Freiheit der Andersdenkenden. Der einzige Weg zur Wiedergeburt ist uneingeschränkte, breiteste Demokratie." Darum lehnt sie jeden Putsch ab. Dieser Standpunkt entspricht der Lebensüberzeugung einer Frau, die aus natürlicher Veranlagung jegliche Gewalt verabscheut. Dies ist auch der Grund, warum sie sich Lenin entgegenstellt, als er im September 1915 im schweizerischen Dorf Zimmerwald und Ostern 1916 im benachbarten Kienthal die Umwandlung des imperialistischen Krieges in den Bürgerkrieg verlangt und damit die blutigen Schlachten des ersten Weltkriegs ebenso blutig fortsetzen will. Die Friedenslosung ist für Rosa Luxemburg Voraussetzung und Zugang zur Revolution, und über die Friedenslosung hinweg hofft sie, die Regierungen stürzen zu können.

Seit Januar 1916 veröffentlicht Karl Liebknecht die Thesen der Gruppe International in illegal vervielfältigten, später auch gedruckten Briefen unter dem Pseudonym Spartakus, einem Namen, mit dem er bewußt an den Führer im dritten Sklavenkrieg gegen Rom anknüpft. Bald spricht die linke Opposition von den „Spartakusbriefen". Stolz nennen sich ihre Anhänger Spartakusleute und bezeichnet sich die Gruppe selbst als Spartakusbund.

Schon am 12. Januar 1916 hat die SPD Karl Liebknecht ausgeschlossen. Bis zum März 1916 verlassen weitere oppositionelle Abgeordnete die Partei, die meisten nach dem Ausschluß. Aus ihnen entsteht ein Jahr später die pazifistisch orientierte USPD, die „Unabhängige Sozialdemokratische Partei Deutschlands", der schließlich rund ein Drittel aller Sozialdemokraten folgen wird. Bemerkenswerterweise stehen an ihrer Spitze zwei Männer, die sich zuvor heftig bekämpft haben: der orthodoxe Marxist Karl Kautsky und der Revisionist Eduard Bernstein.

Auch die Spartakusleute treten der USPD bei, ohne allerdings ihre eigene, immer fester werdende Organisation aufzulösen. Später begründet Liebknecht dies so: „Wir haben der USPD angehört, um sie voranzutreiben, um sie in der Reichweite unserer Peitsche zu haben, um die besten Elemente aus ihr herauszuholen."

Im Mai 1916 gehen die Spartakisten in Berlin auf die Straße. Zum erstenmal seit Kriegsbeginn findet wieder eine Mai-Demonstration statt. 10 000 Mann strömen auf den Potsdamer Platz, um ihre Stimme gegen den Krieg zu erheben. Karl Liebknecht spricht. Er wird verhaftet.

Nun hat die deutsche Linke nach Rosa Luxemburg ihren zweiten Märtyrer. Der Name Liebknecht läßt die Herzen der Gefolgsleute von Spartakus höher schlagen. Und das um so mehr, als es ein berühmter Name in der Geschichte des Sozialismus ist. Karls Vater ist der alte Wilhelm Liebknecht, der langjährige Freund von Karl Marx, mit August Bebel erster Reichstagsabgeordneter der SPD überhaupt.

Karl Liebknecht ist 1871 geboren. Er hat Rechtswissenschaft studiert und sich in Berlin als Rechtsanwalt niedergelassen. Seit 1912 sitzt er im Reichstag. Um ihn politisch zu neutralisieren, hat man ihn als Armierungssoldaten zum Heer eingezogen. Aber das hält ihn nicht davon ab, die Mai-Demonstration zu veranstalten. Und als er dann vor Gericht gestellt wird — der Staatsanwalt hat Zuchthaus beantragt —, ruft er dem Anklagevertreter im Schlußwort zu: „Ich bin hier um anzuklagen, nicht um mich zu verteidigen! Nicht Burgfrieden, sondern Burgkrieg ist für mich die Losung! Nieder mit dem Krieg! Nieder mit der Regierung!" Er wird für vier Jahre ins Zuchthaus geschickt. Außer ihm verlieren auch andere Prominente des Spartakusbundes die Freiheit. Die Regierung verhängt den Belagerungszustand.

9. November 1918: Der Kaiser geht

Ende 1916 sind Deutschland und seine Verbündeten, die Mittelmächte, in einer schwierigen Lage. Der Versuch, die Entscheidung im Westen zu erzwingen, ist gescheitert. In Frankreich wie in Rußland sind die Fronten zum Schützengrabenkrieg erstarrt. Italien hat sich in die Reihen der Feinde gestellt. Die Ernährungslage wird immer kritischer. Hungersnot geht um. Der erste „Kohlrübenwinter" beginnt. Auch die Versorgung mit Kriegsmaterial läßt zu wünschen übrig. Und zu diesem Zeitpunkt nimmt das mächtige und reiche Amerika den von den Deutschen geführten uneingeschränkten U-Bootkrieg, der England in die Knie zwingen sollte, zum Anlaß, dem Deutschen Reich ebenfalls den Krieg zu erklären. Nur ein Wunder kann den Deutschen noch den Sieg bringen, und es muß schnell kommen.

Da bricht, im Februar 1917, in Rußland die Revolution aus. Der Zar wird gestürzt, die Republik ausgerufen. Zwar versuchen Bürgerliche, Sozialrevolutionäre und Menschewisten den Krieg gegen Deutschland fortzusetzen. Die gewaltigen Wogen der Kerenski-Offensiven prallen gegen die deutsche Ostfront und brechen sich am Widerstand der deutschen Soldaten. Das ist jedoch nur das letzte Aufbegehren.

Im November 1917 — nach altem russischen Kalender im Oktober — kommen die Bolschewiki an die Macht. Im Frühjahr 1918 beenden sie die Kampfhandlungen. Die Deutschen besetzen die ukrainische Kornkammer und konzentrieren jetzt alle Kraft auf die Westfront.

Mit heftigen Stößen sollen die deutschen Divisionen die festgefügte Linie der Engländer und Franzosen zerbrechen, bevor die Amerikaner, die erst dabei sind, eine Armee aus dem Boden zu stampfen, den Ausschlag geben können. Fasziniert blickt das deutsche Volk auf seine Feldherren Hindenburg und Ludendorff, die den Kaiser längst in den Hintergrund gedrängt haben und die wahren Machthaber sind. Wird ihnen der große Schlag gelingen?

Die letzte große Kraftanstrengung des Heeres wird vom unterdrückten Gewittergrollen und vom Wetterleuchten in der Heimat begleitet. Wiederholt ist es schon zu Streiks gekommen, so im Sommer 1916 nach der Verhaftung von Liebknecht, im Januar 1917, im April 1917.

Eine erste Marinemeuterei im Sommer 1917 kann niedergeschlagen werden. Die beiden Rädelsführer, die Matrosen Reichpietsch und Köbis — die sowohl zur USPD als auch zum Spartakusbund Kontakt aufgenommen haben — werden an die Wand gestellt.

Ebenfalls 1917 finden sich im Reichstag Sozialdemokraten (nun zum Unterschied zu den Abtrünnigen von der USPD „Mehrheitssozialisten" genannt), Liberale und Zentrumspolitiker zu einer gemeinsamen Entschließung zusammen, in der ein Verständigungsfrieden unter Verzicht auf jede Eroberung und Kriegsentschädigung verlangt wird. Aus diesen Parteien, die im Parlament über die Mehrheit verfügen, soll später die Weimarer Koalition entstehen.

Im Januar 1918 kommt es dann anläßlich der Friedensverhandlungen von Brest-Litowsk mit der jungen russischen Sowjetregierung zum großen Streik der Munitionsarbeiter, an dem mindestens 300 000, vielleicht sogar eine Million Arbeiter beteiligt sind. Erst als die SPD-Führer Ebert, Braun und Scheidemann in die Streikleitung eintreten, kann er beendet werden.

Die Führung des Spartakusbundes hat inzwischen Leo Jogiches übernommen. Als auch dieser verhaftet wird, tritt Paul Levi an seine Stelle. Wie groß die Mitgliederzahl des Bundes ist, läßt sich schwer bestimmen. Vielleicht sind es einige hundert, möglicherweise aber auch einige tausend. Eine weitere Gruppe, die Internationalen Kommunisten, die sich auch Bremer Linke nennen und enge Beziehungen zu Lenin, Bucharin und Radek unterhalten, arbeitet mit ihm zusammen. In Berlin finden unter der Arbeiterschaft die Revolutionären Obleute immer mehr Zulauf.

Unermüdlich wirkt der Spartakusbund weiter. Er verbreitet Flugblätter und revolutionäre Streikaufrufe. Er bekämpft das Zivilzwangsdienstgesetz, er fordert Aufhebung des Belagerungszustandes sowie volle Presse-, Vereins- und Versammlungsfreiheit. Auf ihn zählt Lenin, als er am 16. April 1917 bei seiner Ankunft in Petrograd ausruft: „Der Augenblick ist nicht weit, da unser Genosse Karl Liebknecht das Volk zu den Waffen gegen seine kapitalistischen Ausbeuter rufen wird."

Das erweist sich zwar bald als Illusion, aber USPD, Spartakusbund, Bremer Linke und Revolutionäre Obleute lassen nicht locker. Sie begnügen sich nicht mit der Beeinflussung der Heimat, sondern tragen ihre Ideen auch ins Heer und bis in die vordersten Schützengräben. Die Spartakisten verkünden voll Inbrunst: „Der Kampf um die wirkliche Demokratisierung geht nicht um Parlament, Wahlrecht oder Abgeordnetenminister und anderen Schwindel; er gilt den realen Grundlagen aller Feinde des Volkes: Besitz an Grund und Boden und Kapital, Herrschaft über die bewaffnete Macht und über die Justiz."

Noch aber verfügen die alten Kräfte in Deutschland über die Macht. Ludendorff hat die Zahl der Divisionen an der Westfront von 124 auf 194 erhöhen können. Dagegen ist der französische Oberbefehlshaber Petain gezwungen, Divisionen aufzulösen und die Mannschaften auf andere Divisionen zu verteilen, um diese aufzufüllen. Obendrein sickert es allmählich durch, daß es im Laufe des Jahres 1917 in der französischen Armee eine Meuterei gegeben hat, die nur durch hartes Durchgreifen und rücksichtslose Erschießungen unterdrückt werden konnte. Auch die englischen Reserven sind zusammengeschmolzen. Jetzt muß die Entscheidung fallen!

Am 21. März 1918 beginnt die Große Schlacht in Frankreich. Nach nur kurzem Trommelfeuer springen die deutschen Sturmkompanien aus den Gräben. Ihr Erfolg ist durchschlagend. Was den Westarmeen in jahrelangem Ansturm auf die deutschen Stellungen nicht gelingen wollte, ihnen gelingt es auf Anhieb. Die Front des Gegners wird durchbrochen. 60 Kilometer tief geht der deutsche Stoß. 90 000 Gefangene werden gemacht. Dann kann sich die andere Seite trotz allem wieder verschanzen und ihre Truppen zum Stehen bringen. Noch einmal versucht Ludendorff den Angriff am 9. April, dann ein drittes Mal am 27. Mai. Erstmals seit 1914 überschreiten die Deutschen die Marne. Paris scheint in greifbarer Nähe zu liegen. Wieder wandern 50 000 Engländer und Franzosen in die Gefangenschaft. 600 Geschütze werden erbeutet.

Ludendorff holt noch mehr Divisionen aus dem Osten. Nun hat er 204 zur Verfügung. Am 15. Juli beginnt die vierte Offensive. Aber sie mißlingt. Die deutschen Verbände sind ausgepumpt, erschöpft, am Verbluten. Und am 8. August unternehmen die Engländer bei Cambrai den ersten großen Angriff der Kriegsgeschichte mit Panzerkampfwagen.

Die Katastrophe ist da. Die Deutschen weichen vor den aus dem Morgennebel hervorbrechenden Ungetümen zurück. Keine Waffe hilft gegen sie. Kein Graben hält sie auf. Dazu greifen die frischen, vom Grauen der Materialschlachten unberührten und damit unbekümmerten Amerikaner ein. Monat für Monat landen 250 000 Mann in den französischen Häfen und marschieren auf dem schnellsten Weg an die Front.

Ludendorff gesteht, daß der Krieg mit militärischen Mitteln nicht mehr zu gewinnen ist. Am 20. September verlangt er von der Regierung, ein Waffenstillstandsangebot herauszugeben. Am 26. Oktober nimmt er den Abschied. Der heimliche Diktator ist gestürzt.

Auch der Kaiser verliert jetzt die sowieso nur noch nominell ausgeübte Macht. Der Reichstag übernimmt die Verantwortung. Das Deutsche Reich wird ein parlamentarisch regiertes Staatswesen. Die eigentliche Revolution vollzieht sich fast unbemerkt und ohne großes Aufsehen. Neuer Reichskanzler ist Prinz Max von Baden. Er nimmt den Sozialdemokraten Scheidemann in sein Kabinett auf und versucht mit den Westmächten aufgrund der 14 Punkte des US-Präsidenten Wilson, in denen jedem Volk das volle Selbstbestimmungsrecht zugesprochen worden ist, zum Frieden zu gelangen. Aber diese Versuche kommen zu spät.

Um das schwerbedrängte, Schritt für Schritt zurückweichende Feldheer zu entlasten, erhält die Hochseeflotte den Befehl zum Auslaufen. Die Matrosen weigern sich, die „Todesfahrt" zu unternehmen. Sie meutern. Offiziere, die sich ihnen entgegenstellen, werden erschossen. Auf den stählernen Kolossen, den Linienschiffen und Schlachtkreuzern, dem Stolz des Kaisers, flattert die rote Fahne der Revolution. Am 4. November 1918 setzt sich ein schnell gebildeter Arbeiter- und Soldatenrat in den Besitz von Kiel. Zwar gelingt es dem als Reichskommissar entsandten SPD-Abgeordneten Gustav Noske schnell, wieder Herr der Lage zu werden. Aber am nächsten Tag fällt Lübeck, dann Hamburg, dann fallen Bremen, Hannover, Leipzig, Stuttgart und München. Die deutschen Fürsten danken ab. Am 9. November 1918 geht auch der Kaiser. Er sucht in Holland Asyl.

In Berlin demonstrieren die Massen. Liebknecht — seit einigen Tagen auf freiem Fuß — ruft vor dem Berliner Schloß Zehntausenden zu: „Der Tag der Revolution ist gekommen. Wir haben den Frieden erzwungen ... In dieser Stunde proklamieren wir die freie sozialistische Republik Deutschland ... Wir wollen an der Stelle, wo die Kaiserstandarte wehte, die rote Fahne der freien Republik Deutschland hissen! Wir müssen alle Kräfte anspannen, um die Regierung der Arbeiter und Soldaten aufzubauen und eine neue staatliche Ordnung des Proletariats zu schaffen, eine Ordnung des Friedens, des Glückes und der Freiheit unserer deutschen Brüder und unserer Brüder in der ganzen Welt. Wir reichen ihnen die Hände und rufen sie zur Vollendung der Weltrevolution auf!"

Doch Scheidemann ist ihm zuvorgekommen und hat mittags um zwei Uhr von einem Fenster des Reichstagsgebäudes aus ebenfalls die Republik ausgerufen — aber keine proletarische, sondern eine demokratische. Und Reichskanzler Prinz Max von Baden hat die Vollmachten des Regierungschefs dem Vorsitzenden der SPD, dem Reichstagsabgeordneten Ebert übergeben. Ihn erkennt die Oberste Heeresleitung unter Generalfeldmarschall von Hindenburg im fernen belgischen Badeort Spa als neuen Inhaber der Macht an. Sie stellt sich ihm zur Verfügung und verspricht, das Heer geordnet in die Heimat zurückzuführen.

In den Abendstunden des schicksalschweren 9. November 1918 wird das Bündnis zwischen Sozialdemokratie und Armee begründet, dem in der Folgezeit Weimarer Republik und Deutsches Reich Leben und Fortbestand verdanken sollen.

Überall in den Fabriken und Kasernen bilden sich Arbeiter- und Soldatenräte, die sich als wahre Machthaber betrachten. Spartakisten, Revolutionäre Obleute und USPD-Leute drängen sich in die Gremien. Sie wollen die Revolution nach russischem Muster weitertreiben und eine Räterepublik installieren.

Im Zirkus Busch tagt am 10. November eine Konferenz, die für alle deutschen Arbeiter- und Soldatenräte sprechen soll. Doch ehe die Revolutionäre den Antrag stellen können, die Mehrheitssozialisten, die „Arbeiterverräter", zum Teufel zu jagen, betritt Ebert das Podium und verkündet, daß SPD und USPD sich geeinigt haben, eine gemeinsame Regierung zu bilden, den „Rat der Volksbeauftragten", dem je drei Mehrheitssozialisten und drei Unabhängige Sozialisten angehören. Die Konferenz klatscht stürmisch Beifall. Es zeigt sich, daß die Masse der Räte nicht hinter den Radikalen steht.

Am nächsten Tag, dem 11. November 1918, werden auch die Kampfhandlungen an der Front beendet. Die deutsche Delegation unterzeichnet im Wald von Compiègne den Waffenstillstandsvertrag. Deutschland hat den ersten Weltkrieg verloren.

Die Gründung der KPD

Allmählich stabilisiert der Rat der Volksbeauftragten — den Befugnissen nach ein sechsköpfiger „Kollektivkaiser" und „Kollektivkanzler" in einem — seine Herrschaft. Unter ihm arbeiten die alten Regierungen im Reich und in den Ländern mit ihren Staatssekretären und Landesministern ebenso weiter wie die Verwaltung. Nur das Parlament ist ausgeschaltet. Seine Stelle übernimmt vorerst der aus ganz Deutschland beschickte Kongreß der A.- und S.-Räte, der Arbeiter- und Soldatenräte also. Er tagt vom 16. bis zum 20. Dezember 1918 in Berlin.

Von seinen 489 Delegierten sind 405 von den Betriebsbelegschaften gewählte Arbeiterräte und nur 84 von der Truppe bestellte Soldatenräte. Denn die Verbände der Armee, von Hindenburg und seinem Ersten Generalquartiermeister Gröner planmäßig und ohne Zwischenfälle in die Stammgarnisonen zurückgeführt, lösen sich nach ihrer Ankunft in der Heimat zumeist in Windeseile auf. Besonders die Familienväter hält nach vier Jahren Krieg nichts in den Kasernen. Zurück bleibt neben den Berufssoldaten vor allem die Spreu — Männer, die es bequemer finden, vom Wehrsold zu leben als zu arbeiten (zumal es militärischen Drill kaum noch gibt und die Disziplin sich erheblich gelockert hat). Wieder erleben die Spartakisten mit den Räten eine böse Überraschung: Nicht nur, daß mit 179 Vertretern die Arbeiter und Angestellten als soziale Gruppe weit in der Minderheit sind und mindestens 286 Delegierte entweder als Intellektuelle oder als Berufspolitiker bezeichnet werden müssen — auch die Aufgliederung nach Parteien, Gruppen und Grüppchen kann weder Karl Liebknecht noch Rosa Luxemburg erfreuen. Beiden ist es nicht gelungen, gewählt zu werden. Nur zehn Spartakus-Leute gehören dem Kongreß an. Auch die restliche USPD besitzt lediglich 80 Mandate. Eindeutige Mehrheitspartei: Die mit 288 Delegierten bestückte SPD. Und so ist es nicht verwunderlich, daß der Antrag, die Räteherrschaft fortzusetzen, mit 344 gegen 98 Stimmen abgelehnt wird. 400 Räte gegen 50 sprechen sich für die Einberufung einer vom gesamten Volk gewählten verfassunggebenden Nationalversammlung aus und setzen den Wahltermin bereits kurzfristig auf den 19. Januar 1919 fest.

Auch die USPD-Führung rückt jetzt öffentlich von dem Gedanken einer Räterepublik ab. Von Rosa Luxemburg zur Beantwortung der Frage aufgefordert, ob die Partei „eine Damaszenerklinge, ob sie ein Schwert aus Pappe" sein wolle, distanziert sie sich vom Spartakusbund. Auf der anderen Seite drängt die Gruppe der Internationalen Kommunisten aus Bremen und Umgebung auf die Gründung einer eigenen radikal-marxistischen Partei. Dafür plädieren auch die Sendboten der russischen Bolschewiki, die hoffen, daß die neue Partei sich zu den Grundsätzen Lenins bekennen wird.

Um den „Anschluß an die Massen" nicht zu verlieren, die — so meinen Rosa Luxemburg und Karl Liebknecht — die Trennung von der USPD wollen, stimmen die beiden zu. Und obgleich die USPD nunmehr nach einer Schießerei zwischen der aufsässigen sogenannten Volksmarinedivision und von Ebert herbeigeholten Gardetruppen unter General Lequis um den Marstall des Berliner Schlosses in den Weihnachtstagen am 29. Dezember 1918 ihre drei Mitglieder aus dem Rat der Volksbeauftragten zurückzieht, bleibt Spartakus bei seinem Lösungsbeschluß.

83 Mitglieder aus 46 Ortsgruppen kommen am 30. Dezember 1918 zusammen und gründen die „Kommunistische Partei Deutschlands (Spartakusbund)". Neben Karl Liebknecht und Rosa Luxemburg gehören unter anderem Leo Jogiches, Paul Levi und Wilhelm Pieck dem Zentralkomitee an. Der Name wird nach russischem Vorbild gewählt. Soll auch die Politik der neuen Partei nach russischem Vorbild betrieben werden? Schon Anfang des Jahres hat Rosa Luxemburg sich gegen die Bolschewiki gewandt. In ihrer hinter Zuchthausmauern geschriebenen Broschüre „Die russische Revolution — eine kritische Würdigung" heißt es:

„Maschinengewehre gegen das allgemeine Wahlrecht? — Eine schlechte Methode!" Lenins „Elitentheorie" — nach der eine Minderheit entschlossener Berufsrevolutionäre die Macht an sich reißen muß — stellt sie die „Spontanitätstheorie" gegenüber. Man darf nichts von nur sich selbst verantwortlichen Führern erwarten, postuliert sie, und auch nur Begrenztes von einer revolutionären Partei. Die Partei könne lediglich Sprachrohr der Massen sein, die schließlich — von der Dialektik der Geschichte gezwungen — spontan ein revolutionär-sozialistisches Klassenbewußtsein entwickeln und den Umsturz herbeiführen würden.

Auch jetzt — auf dem Parteitag — ergreift Rosa Luxemburg das Wort: „Der Spartakusbund wird nie anders die Regierungsgewalt übernehmen als durch den klaren, unzweideutigen Willen der großen Mehrheit der proletarischen Masse in ganz Deutschland, nie anders als kraft ihrer bewußten Zustimmung zu den Ansichten, Zielen und Kampfmethoden des Spartakusbundes. Der Sieg des Spartakusbundes steht nicht am Anfang, sondern am Ende der Revolution. Die proletarische Revolution bedarf für ihre Ziele keines Terrors, sie haßt und verabscheut den Menschenmord."

Die Delegierten klatschen Beifall, denken im übrigen aber: Was kümmert uns das Geschwätz?

Es ist eine eigenartige Gesellschaft, die sich zur Gründung der KPD in Berlin zusammengefunden hat: Dogmatische Marxisten, radikale Utopisten, verschrobene Internationalisten, verbitterte Proletarier, lautstarke Anarchisten. Lenins Abgesandter Radek spricht im vertrauten Kreis von dem „wirren Haufen", der zusammengeströmt sei. Selbst der Geschäftsbericht der Parteizentrale scheut sich wenig später nicht, zu erwähnen, daß „zweifelhafte Elemente" in die KPD eingedrungen seien und fällt ein vernichtendes Urteil über sie: „Gesindel". Alle diese wilden Gestalten, die von Marx kaum etwas wissen, aber umso begeisterter rote Fahnen schwingen und proletarische Parolen brüllen, wollen den bewaffneten Aufstand, weiter nichts.

Spartakus-Aufstände in Berlin

Die Führer des Spartakusbundes sind verzweifelt. Aber es gibt für sie kein Zurück mehr. Sie versuchen trotz allem, mit den spießerhaften Revoluzzern in ihrer Partei Politik zu machen. Paul Levi stellt im Namen des Zentralkomitees den Antrag, sich an den bevorstehenden Wahlen zur Nationalversammlung zu beteiligen. Auch Karl Liebknecht und Rosa Luxemburg reden sich für diesen Antrag heiser — vergeblich. Die KPD will gleich an ihrem Gründungstag demonstrieren, daß die parlamentarische Demokratie nicht ihre Sache sei und beschließt mit Zweidrittelmehrheit den Wahlboykott.

Die Hoffnung auf Zulauf von Seiten der USPD ist ohne Erfolg. 95 Prozent aller Unabhängigen Sozialdemokraten bleiben in ihrer Partei. Vor allem in Berlin, Leipzig, Halle und Bremen gelingt es den Kommunisten nicht, größere Ortsgruppen zu bilden. In der Reichshauptstadt treten ganze 50 Mann der neuen Partei bei. Lediglich in Chemnitz und in Hamburg ist der Zulauf stärker. In der Hansestadt aber ist es die unzuverlässige Gefolgschaft des zum Anarchismus tendierenden Karl Laufenberg, die die Parteireihen füllt. Nicht einmal die Revolutionären Obleute, stärkste Potenz des linken Flügels der USPD und besonders in den Berliner Großbetrieben verankert, machen mit. Sie sprechen verächtlich vom „Putschismus" der Kommunisten.

Anfang Januar 1919 treten die USPD-Minister auch aus der preußischen Regierung aus. SPD-Innenminister Hirsch nimmt das zum Anlaß, den Berliner Polizeipräsidenten Emil Eichhorn abzusetzen, einen typischen Vertreter der zahlreichen durch die Revolution hochgespülten Radikalinskis. Der „linke Emil", von Beruf Metallarbeiter, USPD-Mitglied und Vertrauensmann der Sowjet-Botschaft in Berlin, vermutlich sogar von ihr bezahlt, weigert sich aber, den Schreibtisch am Alexanderplatz zu räumen. Und seine Parteifreunde, vor allem die Revolutionären Obleute, aber auch die Kommunisten, sehen in der Absetzung Eichhorns einen „Schlag gegen das kämpfende Proletariat". Sie rufen ihre Anhänger für den 5. Januar zu einer Demonstration auf. Mehr als 100 000 Mann kommen. So etwas hat es in Berlin noch nicht gegeben. Die linken Führer schöpfen Mut und beschließen den gewaltsamen Sturz der Reichsregierung. Sie bilden einen Revolutionsausschuß. Liebknecht gehört dazu.

Ein Revolutionsausschuß genügt den erregten Massen nicht, und Reden des vor Begeisterung glühenden Karl Liebknecht genügen ihnen auch nicht. Sie wollen die Tat. Am Nachmittag besetzen bewaffnete Spartakisten zunächst die Redaktion des sozialdemokratischen Zentralorgans „Vorwärts", dann das ganze Zeitungsviertel, schließlich auch die Reichsdruckerei. Sonst geschieht jedoch nichts.

Am nächsten Tag sind es nicht mehr hunderttausend, sondern Hunderttausende, die die Straßen füllen. Schwarz wogen die Massen die Siegesallee entlang, Unter den Linden — sie nähern sich der Reichskanzlei in der Wilhelmstraße, wo die Sozialdemokraten ein Häuflein Unentwegter zu einer Gegendemonstration zusammengetrommelt haben. Liebknecht erklärt die Reichsregierung für abgesetzt. Waffen werden an die kampfeswilligen Proletarier verteilt. Und wieder geschieht nichts mehr. Gegen Abend — die Dunkelheit bricht früh herein — schicken die Spartakisten ihre Leute nach Hause. Morgen, heißt es, geht es weiter.

Derweil handelt der Rat der Volksbeauftragten. Gustav Noske, in Kiel bewährt, wird zum Oberbefehlshaber in den Marken ernannt. Mit den Worten: „Einer muß der Bluthund sein", nimmt er den Auftrag entgegen. Zu Fuß begibt er sich durch die dichte Menschenmenge auf den Straßen ins Gebäude des Generalstabs. „Bitte, lassen Sie mich durch", sagt er, „ich habe eine dringende Sache zu erledigen." Bereitwillig macht man ihm Platz.

Und er sammelt, was der Regierung zur Verfügung steht: Einige Verbände der SPD-freundlichen Republikanischen Sicherheitswehr, die noch am Abend desselben Tages mit den Spartakisten in das erste Gefecht kommen, bei dem es um die Verteidigung der Reichskanzlei geht, und wobei die Angreifer 25 Tote zurücklassen müssen sowie etwa 50 Verwundete haben, — vor allem aber die Garde-Kavallerie-Schützen-Division, die sich auf einem der Truppenübungsplätze außerhalb Berlins versammelt hat.

Die KPD-Führung sieht, daß die Schlacht verloren ist, bevor sie begonnen hat. Pieck und Liebknecht geben zwar die Losung aus: „Nicht Defensive, sondern Sturz der Regierung durch bewaffneten Aufstand." Aber Radek, Jogiches und Rosa Luxemburg sind anderer Meinung. Sie sagen: „Nichts verbietet einem Schwächeren, sich vor der Übermacht zurückzuziehen." Sie halten einen militärischen Sieg der Revolutionäre über die Regierungstruppen in Berlin selbst für möglich, fürchten jedoch das Schicksal der Pariser Kommune von 1871. Die „Rote Fahne", die Zeitung der KPD, gibt deshalb mehr passive Parolen aus: Entwaffnung der Gegenrevolution — Bewaffnung des Proletariats — Neuwahl der A.- und S.-Räte. Liebknecht muß aus dem Revolutionsausschuß austreten.

Doch die Kämpfe gehen weiter. Die Spartakisten hören nicht auf ihre vorsichtige Führung. Sie wollen zumindest keine der eroberten Positionen aufgeben und verteidigen sich erbittert gegen die allmählich allerorts zum Angriff übergehenden „Noske-Hunde", wie sie die Soldaten der Regierung haßerfüllt nennen.

Am 7. Januar besetzt der Freiwillige Helferdienst der Sozialdemokratischen Partei, später Regiment Reichstag genannt, das Reichstagsgebäude. Die Republikanische Sicherheitswehr erobert den von Aufständischen besetzten Potsdamer Bahnhof. Am 8. Januar erfolgt der Angriff auf das Zeitungsviertel. Ein Freikorps der Garde-Füseliere nimmt zusammen mit Männern von der Republikanischen Sicherheitswehr die Reichsdruckerei.

Mit drei Geschützen und sechs schweren Maschinengewehren beginnt am 11. Januar das Regiment Potsdam den Sturm auf das von 600 Mann verteidigte „Vorwärts"-Gebäude. Gegen Mittag strecken die 350 Überlebenden die Waffen. Abends ist das Zeitungsviertel wieder in den Händen der Regierungstruppen.

Die vom Rückschlag entmutigten Spartakisten verteidigen am 12. Januar nur noch hinhaltend das Polizeipräsidium am Alexanderplatz und die Bötzow-Brauerei im Norden Berlins. Die schnell zusammengerafften Freikorps und Wehren, die in der Stadt selbst greifbar sind, schlagen den versuchten Aufstand nieder. Viele Gefangene werden ohne Urteil erschossen.

Am 15. Januar marschiert dann auch die Garde-Kavallerie-Schützen-Division ein und besetzt den Arbeiterstadtteil Moabit. Zu Kämpfen kommt es aber nicht mehr. Dagegen beginnt eine großangelegte Verhaftungsaktion.

Noch zwei Tage zuvor hatte der wieder sozialdemokratisch redigierte „Vorwärts" geschrieben: „Viel hundert Tote in einer Reih — Proletarier! Karl, Radek, Rosa und Kumpanei — es ist keiner dabei, es ist keiner dabei! Proletarier!"

Jetzt werden Karl Liebknecht und Rosa Luxemburg aufgestöbert und vor Hauptmann Papst gebracht, den Ersten Generalstabsoffizier der Garde-Kavallerie-Schützen-Division. Ein Husar knüppelt die Gefangenen auf der Straße nieder. Dann werden sie erschossen — Karl Liebknecht „auf der Flucht", Rosa Luxemburg in einem Auto. Man wirft ihre Leiche in den Landwehrkanal.

Die KPD ist enthauptet. Die Nachfolger der Ermordeten finden nicht die Kraft, dem russischen Einfluß, der sich zur Vorherrschaft auswächst, zu widerstehen. Aus der KPD wird in der Folgezeit eindeutig eine leninistische Partei.

Der folgende Sonntag, der 19. Januar 1919, ist der Tag der Wahl zur Nationalversammlung. Sie erfolgt unter dem Eindruck der Kämpfe in Berlin. Die USPD, die an deren Auslösung mitschuldig ist, erhält vom Wähler die Quittung. Sie muß sich mit 7,6 Prozent der Stimmen begnügen. Die SPD erringt ihren bis dahin größten Wahltriumph und kommt auf fast 38 Prozent. Aber es reicht nicht für eine Neuauflage der Linkskoalition wie im Rat der Volksbeauftragten. Die Koalition der Friedensresolution von 1917 zwischen Sozialdemokraten, Liberalen und Zentrumspolitikern wird gebildet, mit Scheidemann als Reichskanzler. Ebert ist nun Reichspräsident und hat damit Vollmachten, die denen des Vorkriegskaisers nur wenig nachstehen. Um von der Straße unabhängig zu sein, tagt die Nationalversammlung in der Stadt Goethes, in Weimar.

Die neue Regierung vertraut sich dem Schutz der Freikorps an, jener Freiwilligenverbände, die allerorten aus den Trümmern des auseinandergefallenen alten Heeres entstehen. Sie gruppieren sich um militärische Führer, die den Männern persönlich zusagen und die die Formationen aufstellen. Dabei werden die alten Vorstellungen von Dienstalter, Dienstrang und Hochdienen oft völlig über Bord geworfen. Blutjunge Leutnants, ja Feldwebel und Unteroffiziere kommandieren Bataillone und Regimenter.

Die Mehrzahl der Freikorpsführer ist „national", oft auch monarchistisch orientiert. Kaum jemand stellt sich der Republik aus Begeisterung für die Demokratie zuur Verfügung. Sie wollen über den Tag hinaus „Deutschland dienen". Manche sind auch nichts weiter als Landsknechte, denen das Kriegführen Beruf und Lebensinhalt ist und die für alles kämpfen, was ihren überlieferten Vorstellungen von Staat und Gesellschaft nicht gerade völlig entgegensteht. Die rechtsradikalen Wehrverbände, vor allem Hitlers SA und SS, sollen eines Tages in vielen ehemaligen Freikorpsmännern ihren Rückhalt finden.

Die als militärisch unzuverlässig und weniger stramm geltenden, dafür aber der Demokratie ergebeneren republikanischen Verbände werden dagegen auf Befehl Noskes, der nunmehr Reichswehrminister ist, aufgelöst. Zum Teil verschwinden sie völlig, zum Teil gehen sie mit „richtigen" Freikorps eine Fusion ein, zum Teil aber auch beginnen sie voller Enttäuschung mit den Ultralinken zu sympathisieren, so die Volksmarinedivision in Berlin.

In den ersten Monaten des Jahres 1919 ziehen nun die „Noskerianer" und „Ebertiner" — wie die Kommunisten sie schimpfen — durch die deutschen Lande, den Stahlhelm ins Gesicht gedrückt, den Karabiner geschultert, Handgranaten im Koppel, das Sturmmesser im Stiefelschaft. Überall stellen sie die bürgerliche Ordnung mit Gewalt und Einsatz ihres Lebens wieder her. Und wenn ihr Marschtritt in den Straßen der Industriegebiete widerhallt, wecken sie Haß und Furcht in den Herzen der Arbeiter und ihrer Familien. Denn sie singen:

> „Licht aus!
> Messer raus!
> Haut sie, daß die Lumpen fliegen!
> Fenster zu!
> Straße frei!
> Runter vom Balkon!"

Die Freikorps verjagen die Kommunisten aus Stuttgart und Halle, säubern das Ruhrgebiet und beseitigen die Räteherrschaft in Bremen. Anfang März kämpfen sie wieder in Berlin.

Immer noch gibt es Arbeiter- und Soldatenräte. Zwar hat ihr Kongreß am 4. Februar zugunsten der Nationalversammlung feierlich auf seine in Anspruch genommenen Rechte als oberstes Reichsparlament verzichtet, ganz will er jedoch nicht in den Schatten treten. Am 3. März tagt er wieder und ruft — bei Stimmenthaltung der Sozialdemokraten — die Arbeiterschaft zum Generalstreik auf. Seine Forderung: Berücksichtigung der A.- und S.-Räte bei der staatlichen Neuordnung, Freilassung der Gefangenen des Januaraufstands, Bildung revolutionärer Arbeiterwehren, Auflösung der Freikorps, Aufnahme wirtschaftlicher und diplomatischer Beziehungen zu Sowjet-Rußland.

Der Streik umfaßt Mitteldeutschland und die Reichshauptstadt. Es kommt zu Zusammenstößen mit der Polizei. Der Mob beginnt, Geschäfte zu plündern. Die „Rote Fahne" warnt die Kommunisten, sich nicht provozieren und den Streik nicht zu neuen Straßenschlachten ausweiten zu lassen.

Doch es ist zu spät. Am 6. März 1919 toben wieder blutige Kämpfe. Das Polizeipräsidium muß noch einmal von den Regierungssoldaten erobert werden. 42 000 Mann marschieren auf. Mit Minenwerfern und schweren Feldhaubitzen werden die Widerstandsnester der Aufständischen niedergerungen. Schließlich setzen die Freikorps Panzerwagen und Flammenwerfer ein. Bis tief in die Nacht wird gekämpft.

Nachdem die Spartakisten einzelne gefangengenommene Freikorpsmänner an die Wand stellen, gibt Noske den auch später viel diskutierten Befehl: „Jede Person, die im Kampf gegen die Regierungstruppen mit der Waffe in der Hand getroffen wird, ist sofort zu erschießen!" Die Freikorpsmänner machen von dieser Vollmacht Gebrauch. Tagelang gehen die Kämpfe und die Massenerschießungen weiter. 1 200 Mann verlieren das Leben.

Räterepublik in Bayern

Zu bürgerkriegsähnlichen Zwischenfällen kommt es auch in Bayern. Hier ist am 8. November 1918 die Republik ausgerufen worden — noch einen Tag früher als in Berlin. Zum Ministerpräsidenten hat man den Unabhängigen Sozialdemokraten Eisner gemacht, einen Mann, der heftige Reden führt, aber gemäßigt regiert und von Haus aus eher Revisionist als orthodoxer Marxist ist. Obgleich er persönlich großes Ansehen im Lande genießt, kann er das nicht auf seine Partei übertragen. Bei der ersten Landtagswahl nach dem Krieg erhält sie nur drei der 180 Landtagssitze.

Eisner will die Konsequenzen ziehen und am 21. Februar 1919 auf der konstituierenden Sitzung des Landtages seinen Rücktritt erklären. Doch bevor er das Parlamentsgebäude betreten kann, wird er von dem jungen Grafen Arco ermordet. Der Versuch, nahtlos von der Revolution zur parlamentarischen Republik überzuleiten, ist in Bayern gescheitert.

Die USPD ruft zu einem Generalstreik auf, der drei Tage dauert. Die Arbeiter- und Soldatenräte wählen einen bayerischen Zentralrat, der den Landtag als vorerst vertagt erklärt. Der Anarchist Erich Mühsam verlangt die Proklamation einer Räterepublik. Zwar setzen die Sozialdemokraten durch, daß der Landtag am 17. März doch zusammentreten und ihren Parteigenossen Hoffmann zum Ministerpräsidenten wählen kann. Inzwischen aber ist die Räterepublik in Ungarn ausgerufen worden. Der Gedanke, diesem Beispiel zu folgen, zündet in immer mehr Münchner Köpfen — weniger bei den Anhängern der KPD als bei Anarchisten, Anarchokommunisten und nichtorganisierten Sozialisten der verschiedensten Richtungen, durchweg Wirrköpfe und Schaumschläger, denen das Revolutionspielen Spaß macht.

Am 7. April 1919 sind sie am Ziel. Sie verkünden mit brandroten Plakaten an den Häuserwänden die Diktatur des Proletariats. Allgemeine Verwirrung ist die Folge. Die in der Stadt verbliebenen, noch nicht demobilisierten Truppen erklären sich — so heißt es wenigstens — mit den neuen Machthabern solidarisch. Die Regierung Hoffmann verläßt München, um den Widerstand von außen anzukurbeln, in Wirklichkeit aber ohne Not. Die Phantasten und Caféhausliteraten haben mühelos gesiegt.

Ein bewaffneter Gegenschlag von rechts am 11. April, eine „Konter-

Telegramm

aufgenommen 8. 4., 7 Uhr nachmittags. Budapest, 8. 4., 2 Uhr 30 Min. nachmittags
Räte-Regierung München.

Mit unaussprechlicher Freude haben wir von der Errichtung der Räterepublik Baiern erfahren. Wir senden unsere herzlichsten Grüße der neuen Schwesterrepublik, unserem jüngsten Bundesgenossen auf dem Kampffelde für den Sozialismus. Den Räterepubliken Rußlands, Littlands, Estlands, Littauen und Weiß-Rußland, Ukraine und Ungarn ist die Räterepublik Baiern gefolgt. Sie steht als Vorposten auf der vorgeschobensten Stellung von allen Seiten von Kräften der feindlichen kapitalistischen Herrschaft umgeben, die revolutionären Arbeitermassen und die roten Soldaten Baierns werden aber gewiß auf ihrem gefährlichen Posten treu ihrer revolutionären Pflicht siegreich bis zum endgültigen Triumph kämpfen. Wir können auch sicher sein, daß der Tag nicht ferne ist, wo noch andere revolutionäre Bundesgenossen sich uns anschließen, und der Republik Baiern gleichfalls gegen jeden Angriff Hilfe leisten werden. Jeder gegen euch gerichtete Schlag ist gegen uns gerichtet und jeder auf uns fallende Schlag fällt auf euch. In voller Einigkeit führen wir unseren revolutionären Kampf für das Wohl aller Arbeitenden und Ausgebeuteten. Unaufhaltsam und schnell geht der Siegesmarsch der sozialistischen Revolution vorwärts. Uns gehört die Zukunft. Der Tag des vollen Sieges ist nahe.

Für die Räterepublik Rußland
der Volkskommissar des Auswärtigen
Tschitscherin.

Telegramm

Braunschweig, 9. 4. 19. In Braunschweig ist heute die Räterepublik ausgerufen worden.

An Alle!

Laut Beschluß des Zentralrats sind sämtliche in Baiern befindliche Kriegsgefangene sofort auf freien Fuß zu setzen.

Der Zentralrat entbietet allen bisherigen Gefangenen als freie Menschen brüderlichen Gruß.

Zentralrat: Toller

Münchener Buchgewerbehaus M. Müller & Sohn München.

Ein Telegramm aus Moskau vom 4. April 1919 verspricht der Münchner Räteregierung Hilfe „gegen jeden Angriff"

revolution", ist schlecht vorbereitet. Er mißlingt. Die Kommunisten beginnen sich zu ärgern, daß sie Macht und Ruhm ebenso wie den von ihnen als Monopol beanspruchten Namen „Räterepublik" diesem „Anarchistengesindel" überlassen haben. Sie organisieren eine Versammlung von „Betriebs- und Kasernenräten". Diese setzt die bisherige Räteregierung schlankweg wieder ab und beruft eine neue, in der Bayerns KP-Chef Eugen Leviné die beherrschende Rolle spielt. Sein Freund Rudolf Egelhofer macht sich ans Werk, eine Rote Armee zu organisieren. Leviné begründet das operettenhafte Unternehmen: „Wir haben gewarnt, haben uns beschimpfen lassen, aber in dem Augenblick, wo diese Scheinräterepublik und damit das Proletariat selbst bedroht war, hatten wir die Pflicht, die Arbeiterschaft nicht im Stich zu lassen. Wir wären Verräter gewesen, hätten wir es getan."

Die Roten in München sind tatsächlich bedroht. Von Bamberg aus zieht SPD-Ministerpräsident Hoffmann Truppen zusammen. Der Oberst Ritter von Epp stellt ein Freikorps auf. Auch die Reichsregierung nimmt sich der Vorgänge in Bayern an. Noske ernennt den General von Oven zum Oberbefehlshaber der zum Angriff auf die bayerische Landeshauptstadt bereitgestellten Verbände, die 20 000 Mann umfassen.

Am 26. April verhaften die Roten Geiseln, durchweg Mitglieder der bürgerlichen Gesellschaft, um sie zu erschießen, falls die Freikorps nicht abziehen. Aber das hält die Regierung selbstverständlich nicht ab, die Einkreisung Münchens weiterzutreiben.

Am 29. April haben die Soldaten ihre Angriffspositionen bezogen. Und am Tag darauf machen die Kommunisten wahr, was sie angekündigt haben: Im Hof des Luitpold-Gymnasiums werden zehn Geiseln, unter ihnen eine Gräfin Westarp, der Fürst von Thurn und Taxis, Offiziere, Künstler aus Schwabing, gefangene Soldaten und Mitglieder einer völkisch ausgerichteten „Thule-Gesellschaft" hingerichtet.

Die Nachricht vom Geiselmord verbreitet sich blitzschnell in der Stadt. Bürgerliche und Soldaten raffen sich auf, dem roten Spuk ein Ende zu bereiten. In den Kasernen finden sie Waffen. Am 1. Mai 1919 fällt die Räteherrschaft wie ein Kartenhaus zusammen. Und nun marschieren auch die Regierungstruppen, zwei Tage früher als vorgesehen, in München ein.

Hier und dort kommt es noch zu heftigen Schießereien. Das meiste Blut fließt bei den nachfolgenden „Säuberungen". Das Wort vom „Weißen Schrecken" breitet sich aus. Die Führer der Räterepublik werden standrechtlich erschossen, an ihrer Spitze Leviné. Er spricht den berühmten Satz: „Wir Kommunisten sind Tote auf Urlaub." Insgesamt werden mehr als 200 Mann hingerichtet — unter ihnen viele Unschuldige. Eines der Opfer ist der Philosoph Gustav Landauer.

Ebert und Noske schöpfen Luft. Sie können sich auf die von außen auf sie zustürmenden Probleme konzentrieren. Das wichtigste ist der Friedensvertrag. Die Delegationen tagen in Versailles. Die gestellten Bedingungen sind hart. Die politische Rechte, während des Krieges bis zur letzten Minute Verfechter des „Siegfriedens" und Gegner des „Verständigungsfriedens", fordert, das „Versailler Diktat" abzulehnen. Die Sieger dagegen drohen, Deutschland zu besetzen und zur völligen Kapitulation zu zwingen.

Die Kommunisten schließen sich den Nationalisten an und lehnen Versailles ebenfalls ab. Die Frontstellung der kommenden Jahre zeichnet sich ab, die der Weimarer Republik schließlich den Untergang bringen wird: Ultrarechts und Ultralinks berennen gemeinsam die den Staat tragende demokratische Mitte.

Die Führung der Partei hat — nachdem Leo Jogiches im März 1919 von den „Noske-Garden" in Berlin erschossen worden ist — Paul Levi übernommen. Auf dem 2. Parteitag, der Ende Oktober illegal in Heidelberg tagt, geißelt er den „Putschismus":

„Ein Irrweg war der Glaube, ein paar stürmende Vortruppen des Proletariats könnten das Werk des Proletariats vollenden. Berlin und Leipzig, Halle und Erfurt, Bremen und München haben diesen Putschismus durch die Tat widerlegt und haben gezeigt: Nur die gesamte Klasse der Proletarier in Stadt und Land kann die politische Macht gewinnen."

Mit knapper Mehrheit, nur dank der Stimmen der Zentrale gegen die der meisten Delegierten, dekretiert der Parteitag, daß passive Resistenz, individuelle Sabotage und Generalstreik keine Allheilmittel zur Machtergreifung seien. Künftig soll nicht mehr auf die Beteiligung an Parlamentswahlen verzichtet werden.

Ganze Parteibezirke treten daraufhin aus. Unter Führung von Karl Laufenberg aus Hamburg gründen sie eine neue Partei, die KAPD (Kommunistische Arbeiterpartei Deutschlands). Die „alte" KPD verliert von ihren inzwischen 107 000 Mitgliedern mehr als die Hälfte. In Berlin verbleiben ihr von rund 10 000 nur einige Dutzend.

Doch die KAPD zerfällt bald. Sichtbare Erfolge bleiben nicht zuletzt deshalb aus, weil sie es nach wie vor ablehnt, bei den Wahlen Stimmen zu sammeln. Und für die KPD ist die Selbstreinigung auf lange Sicht von Vorteil. Was ihr an Mitgliedern bleibt, ist überwiegend diszipliniert und marxistisch gut geschult, alles in allem also gefügig und leichter zu lenken.

Kapp-Putsch und Rote Ruhrarmee

Derweil sammeln sich rechts die Reaktionäre. Ihre Führer sind der ehemalige Generallandschaftsdirektor von Ostpreußen Wolfgang Kapp, der General von Lüttwitz und Hauptmann Papst. Sie stützen sich auf die Marinebrigade Ehrhardt, die ein Hakenkreuz am Stahlhelm trägt.

Am 13. März 1920 erfolgt der Putsch. Die Kapp-Leute besetzen das Berliner Regierungsviertel. Ebert und die Reichsregierung begeben sich nach Stuttgart. Hier rufen sie den Generalstreik aus. Die Arbeitsruhe aller Beamten, Angestellten und Arbeiter soll die Volkswirtschaft lähmen und die Kapp-Putsch-Männer zum Abzug zwingen.

Die Kommunisten reiben sich die Hände. Sie fühlen sich als lachende Dritte. Und sie haben nicht die Absicht, den verhaßten Sozialdemokraten aus der Patsche zu helfen. „Das Proletariat wird keinen Finger rühren für die demokratische Republik", verkündet die KPD-Zentrale gleich am 13. März.

Aber als sie dann sehen müssen, daß die Werktätigen dem Streikaufruf der Reichsregierung geschlossen folgen und die Putschisten nach wenigen Tagen untätigen Zögerns Berlin wieder räumen müssen, hängen sich die Kommunisten mit einem verspäteten eigenen Streikaufruf noch schnell an die Bewegung an. Vor allem versuchen sie, die sich zuspitzende Situation an der Ruhr für ihre Zwecke auszunützen.

Hier haben sich die Belegschaften ganzer Betriebe bewaffnet und eine Rote Armee gebildet, die dem Kapp-Putsch entgegentreten soll. Zeitweilig sind 50 000 Mann versammelt. Mit dem kläglichen Scheitern der rechten Putschisten hat die Rote Ruhrarmee zwar ihren Sinn verloren. Die Gemäßigten gehen nach Hause. Aber sie bemerken zu spät, daß sie damit den Kommunisten das Feld überlassen. Diese wehren sich gegen die Auflösung der Armee und versuchen, sie zu einem Schlag gegen die legale Reichsregierung zu benutzen.

Am 17. März 1920 fällt Dortmund in die Hände der Rotarmisten. Zwei Tage später wird um Essen gekämpft. Die Polizei verteidigt sich erbittert. Ihre letzte Bastion ist der Wasserturm. Die Besatzung hißt die weiße Fahne. Freier Abzug wird zugesichert. Aber kaum haben die Beamten — 40 Mann stark — den Turm verlassen, fallen die Belagerer über sie her. Die Polizisten werden erbarmungslos ermordet.

Am 23. März beherrscht die Rote Armee das gesamte Ruhrgebiet zwischen Wesel, Ahlen, Iserlohn, Remscheid und Düsseldorf. Der besetzte Raum ist immer größer geworden, die kämpfende Truppe jedoch — die Niederlage Kapps wirkt sich aus — immer kleiner.

Der von der Reichsregierung zum Reichskommissar für das Industriegebiet ernannte Sozialdemokrat Carl Severing fordert die von der Roten Armee eingesetzten Behörden, Aktionsausschüsse und Kampfleitungen auf, Vertreter zu Verhandlungen nach Bielefeld zu entsenden. Er will „die verfassungstreue Arbeiterschaft" vom kommunistischen Aufstand trennen.

Am 24. März wird ein Abkommen geschlossen. Die Rote Armee soll den Kampf einstellen und die Arbeiterschaft sich selbst entwaffnen. Dafür sollen die in Eile herbeigeführten Formationen der Reichswehr nicht in das Industriegebiet einmarschieren.

Das Gros der Roten Armee folgt dem Abkommen. Selbst die Kommunisten sprechen sich für einen Waffenstillstand aus, wenn sie auch die Waffen behalten wollen. Aber viele örtliche Bandenführer lehnen ab. So kommt es doch zum Einmarsch des Militärs, dem jedoch kein geschlossener Widerstand mehr entgegengesetzt wird. Am 7. April, nach

USPD

Die von der | zum Kongreß

der 3. Internationale entsandten Vertrauensleute, die über die Aufnahme der USPD in die 3. Internationale verhandeln sollten, haben aus

MOSKAU

Bedingungen mitgebracht, die einem

Todesurteil

durchaus gleichkommen. Über sie schreibt die „Leipziger Volkszeitung" (25. August)

„Die Moskauer kommunistische Internationale hat den großen Gedanken des Zusammenschlusses aller revolutionären sozialistischen Parteien der Welt erschlagen. Hier gibt es nur eine Antwort: Ein einmütiges, rundes, unumwundenes **Unannehmbar!"**

In den Bedingungen heißt es u. a.: (Freiheit 352, 354 vom 27. und 28. August 1920)

„In einem jeden Lande soll nur eine einzige kommunistische Partei bestehen."

Demnach ist für die USPD kein Platz in der kommunistischen Internationale.

„Die kommunistische Partei soll auf dem Prinzip der strengsten Zentralisierung aufgebaut sein und militärische Disziplin walten lassen."

Moskau will also kommandieren, die deutschen Arbeiter haben zu parieren.

„Die Aufgabe des Kommunismus besteht nicht in der Anpassung an diese zurückgebliebenen Teile der Arbeiterklasse (darunter sind alle USPD und SPD zu verstehen) sondern darin, die gesamte Arbeiterklasse bis zum Niveau seines kommunistischen Vortrupps zu heben."

Der Wille der Minderheit soll also der Arbeiterschaft einfach aufgezwungen werden. Und zwar mit Gewalt, denn

„Das Proletariat muß zum bewaffneten Aufstand greifen",

und die Gewaltherrschaft der Moskauer Kommunisten wird erst dann aufhören,

„die kommunistische Partei wird sich erst dann vollständig in der Arbeiterklasse auflösen, wenn der Kommunismus aufhören wird, ein Kampfobjekt zu sein und die gesamte Arbeiterklasse kommunistisch geworden ist."

Bis dahin soll sie also von den Kommunisten-Bonzen geknebelt werden. Denn auch

„die kommunistischen Parlamentsfraktionen, die Presse muß unbedingt der Gesamtpartei und ihrem Zentralkomitee unterstellt werden." (So lauten die Bedingungen von Moskau).

Es soll also keine USPD mehr geben, sondern nur noch eine Kommunistische Partei

unter der Knute von Moskau

Was sagt Crispien, der Führer der USPD, dazu? „Die Masse wird als Kanonenfutter bewertet, keine Meinung darf gelten, als die der obersten Bonzen, das ist das neue kommunistische Evangelium. Diese Bedingungen sind eine

Kriegserklärung

nicht an den Kapitalismus, sondern

an das klassenbewußte Proletariat,

das sich nicht als willenlose Masse brauchen lassen will" (Freiheit vom 28. August Nr. 354)

Was aber hat Moskau geleistet?

Zwangsarbeit, Hungersnot, Seuchen und Kriege!

Ein Plakat Unabhängiger Sozialisten, die sich 1920 — vergeblich — gegen den Anschluß der USPD an die Kommunistische Internationale wehrten

fast einem Monat, sind die Kämpfe beendet. Und wieder finden willkürliche Erschießungen durch Regierungstruppen statt.

Die Reichstagswahlen des Jahres 1920 bringen der SPD schwere Verluste. Sie verliert 61 ihrer bis dahin 163 Sitze. Dafür gewinnt die USPD, bisher 22 Mandate, 62 hinzu. Auch die Kommunisten ziehen erstmals — mit vier Abgeordneten — in das Parlament ein. Und auf dem rechten Flügel schwellen die „Schwarzweißroten" (Deutschnationale und Deutsche Volkspartei) zusammen von 63 auf 136 Abgeordnete an. Der Hauptverlierer neben den Sozialdemokraten ist die liberale Deutsche Demokratische Partei. Sie rutscht von 75 Sitzen auf 39 ab. Nur das katholische Zentrum (85 Mandate) hält sich.

Die Weimarer Koalition ist ohne Mehrheit. Die Sozialdemokraten ziehen sich aus der Regierung zurück. Ein Zentrumsmann, Fehrenbach, wird Reichskanzler. Er stützt sich auf die bürgerlichen Parteien, wird aber, um nicht von vornherein zu stürzen, von der SPD „toleriert".

Der USPD bekommt ihr Erfolg allerdings nicht. Zwischen rechtem und linkem Flügel bricht der seit Jahren schlummernde Gegensatz offen aus. Die einen, unter Hugo Haase, plädieren für Rückkehr zur SPD, die anderen wollen sich der in Moskau gegründeten Kommunistischen Internationale anschließen.

Die USPD ist damals eine einflußreiche Partei. Sie hat 800 000 Mitglieder, 84 Reichstagsabgeordnete und 55 Tageszeitungen. In Berlin, Sachsen, Thüringen und Braunschweig ist sie stärker als die SPD; nun zerbricht sie.

In Halle findet im Oktober 1920 ein außerordentlicher Parteitag statt. Die Russen haben Sinowjew geschickt, den Komintern-Vorsitzenden. Er spricht vier Stunden lang. 236 Delegierte stimmen schließlich für den Anschluß an Moskau, 156 dagegen. Die Minderheit verläßt unter Protest den Saal und tagt für sich weiter. Sie beschließt, die USPD fortzuführen. Aber dieser Splitter bröckelt allmählich ab. 1923 werden seine Reste von der Mutterpartei, der SPD, aufgenommen.

Der Parteiapparat dagegen stellt sich nun den Kommunisten zur Verfügung, mit ihm der größte Teil der Mitglieder. Im Dezember 1920 vereinen sich die USPD-Mehrheit und die KPD (Spartakusbund) offiziell. Die neue Partei nennt sich vorübergehend VKPD, Vereinigte Kommunistische Partei Deutschlands. Bald wird wieder die Kurzform KPD üblich.

Die Kommunisten, bislang eine unbedeutende Sekte, werden schlagartig eine Massenpartei mit Hunderttausenden von Mitgliedern, zahlreichen Zeitungen und vielen Positionen in Gewerkschaften und Parlamenten. Sie können zufrieden sein. Levi verliert die Parteiführung dennoch schon im Februar 1921. Moskau wirft ihm „Versöhnlertum" vor. Er geht zur SPD. Neuer Parteichef wird der vom Kreml gestützte Heinz Brandler. Der versucht es wieder mit dem bewaffneten Aufstand.

Held dieses Unternehmens, das als „Märzaktion" bekannt wird, ist Max Hoelz aus Falkenstein in Sachsen, ein Mann von 31 Jahren, der schon im Frühjahr 1919 in seiner Heimat als KP-Funktionär hervorgetreten ist. Während des Kapp-Putsches hat er die ersten Banden gegründet, die sich bei Überfällen auf Gendarmeriestationen mit Waffen versorgen und bald das Vogtland beherrschen. Nach dem Ende der Ruhrkämpfe muß er jedoch vor der nun aufmarschierenden Reichswehrübermacht weichen. Er tritt in die Tschechoslowakei über, wo er kurzfristig interniert wird.

Im März 1921 erschüttern Streikwirren und Schießereien das Industriezentrum Halle-Merseburg, vor allem das Manfelder Bergwerksgebiet. Hoelz wittert Morgenluft. Am 22. März trifft er in Eisleben, dem Mittelpunkt der Unruhen ein. Sofort veranstaltet er eine Kundgebung. Er ruft die Arbeiter auf, sich zu bewaffnen. Seine Worte zünden. Wieder werden Polizeiwachen gestürmt, um Waffen zu erbeuten. Am nächsten Morgen verfügen die Hoelz-Leute bereits über zwölf Maschinengewehre. Zwei Tage genügen dem agilen Bandenführer, eine kleine Rote Armee von rund 2 500 Mann aufzustellen.

Die Preußische Schutzpolizei zieht mehrere Hundertschaften zusammen. In der Nacht vom 23. auf den 24. März kommt es zum ersten Gefecht. Hoelz kann nicht geschlagen werden. Er zieht sich geordnet zurück. So stellt die Regierung schließlich 38 Polizeihundertschaften bereit, die die Aufständischen in Gefechte verwickeln, verfolgen, jagen, zersprengen. Am 1. April gibt Hoelz auf. Wieder ist ein Versuch, die kommunistische Revolution zu entfachen, mißlungen. Doch Moskau gibt Brandler eine neue Chance.

Hoelz verbirgt sich in Berlin, wird dort aufgestöbert, verhaftet und zu lebenslangem Zuchthaus verurteilt. Bereits 1928 wird er entlassen. Er begibt sich nach Moskau und stirbt dort während der Stalinschen Säuberung „durch Ertrinken". Er wird mit großen Ehren bestattet.

Der „deutsche Oktober" findet nicht statt

Nach dem Mißerfolg in Mitteldeutschland besinnen sich die Kommunisten darauf, daß die Stärke der deutschen Arbeiterbewegung seit eh und je nicht der Aufstand, sondern die Organisation gewesen ist. Insbesondere Heinz Brandler ist froh, nicht mehr Waffen lagern und militärische Kader ausbilden lassen zu müssen. Er bringt mit Elan den Parteiapparat in Ordnung, wobei er sich auf einen etwas farblosen, aber emsigen jungen Funktionär stützt, den er in seinem Heimatland Sachsen aufgespürt hat: Walter Ulbricht, 1893 in Leipzig geboren, von Beruf Tischler. Zu anderer Konsequenz sind die Rechtsextremisten gelangt. Auch ihr gewaltsamer Umsturzversuch ist gescheitert. Sie greifen nun nach anarchistischem Vorbild zur Waffe des individuellen Terrors. Die prominentesten Opfer der heimtückischen Meuchelmorde sind am 28. August 1921 Reichsfinanzminister Erzberger und am 24. Juni 1922 Reichsaußenminister Rathenau. Die demokratischen Parteien antworten mit dem Republikschutzgesetz. Selbst die Kommunisten begrüßen es und finden neue

Töne, indem sie feststellen, daß „die Arbeiterschaft das Recht und die Pflicht hat, den Schutz der Republik vor der Reaktion zu übernehmen".
Brandler und sein „rechter Flügel" wollen plötzlich die Annäherung an die SPD. Und auf dem Parteitag von Leipzig, Ende Januar 1923, wird die Frage diskutiert, ob man die SPD „vom linken Flügel der Bourgeoisie auf den rechten Flügel der Arbeiterklasse" herüberziehen könne. Das Schlagwort „Arbeiterpolitik" taucht auf, und man überlegt, ob „Einheitsfront von unten" besser sei als „Einheitsfront von oben". Die Antwort lautet schließlich salomonisch „Einheitsfront von unten und oben", also der Versuch, inoffiziell mit den einzelnen sozialdemokratischen Ortsvereinen ins Gespräch zu kommen und offiziell auch mit der Parteispitze.
Gegen den energischen Widerstand der „Linken" — verkörpert von den wichtigen Bezirken Berlin, Wasserkante und Ruhrgebiet, die davor warnen, den Kommunismus „westlich zu frisieren" — beschließt der Parteitag: „Eine Arbeiterregierung ist weder die Diktatur des Proletariats noch ein friedlicher, parlamentarischer Aufstieg zu ihr. Sie ist ein Versuch der Arbeiterklasse, im Rahmen und vorerst mit den Mitteln der bürgerlichen Demokratie, gestützt auf proletarische Organe und proletarische Massenbewegungen, Arbeiterpolitik zu betreiben."
1923 jagt die Inflation dem Höhepunkt entgegen. Die kaiserliche Regierung hat 1914 den Anfang gemacht und die Notenpresse in Bewegung gesetzt, um den Krieg finanzieren zu können. Auch nach 1918 findet dieses Vorgehen kein Ende. Die Reichsbank läßt immer neue Geldmengen, denen kein entsprechendes Warenangebot auf dem Markt gegenübersteht, in die Wirtschaft fließen.
Die Preise steigen ins Unermeßliche. Der Wert der Währung sinkt. Alle Gläubiger, die Forderungen in Geld besitzen — also die Sparer und die Käufer von Kriegsanleihen vor allem — werden indirekt enteignet. Die Wirtschaft ist gelähmt. Ein Stück Brot kostet heute noch 50 Mark, morgen 500, übermorgen 5 000, bald 50 000, ja 5 Millionen und 5 Milliarden Mark — unvorstellbare Ziffern. Und ebenso steigen die Löhne und Gehälter. Wer seinen am Morgen empfangenen Lohn nicht sofort ausgibt, hat am Abend nur noch wertlose Geldbündel in der Hand. Denn die Preise schrauben sich schließlich von Stunde zu Stunde höher und höher.
In dieser Situation treibt Weltkriegssieger Frankreich die Pressionen gegen den geschlagenen und gedemütigten deutschen Gegner weiter. Es nimmt einen geringfügigen Rückstand der Reparationsleistungen — einige Posten Holz für Telegraphenstangen und mehrere Waggon Kohle — zum Anlaß, das Ruhrgebiet zu besetzen. Die inzwischen wieder rein bürgerliche Reichsregierung unter dem Kanzler Cuno verkündet den passiven Widerstand.
Eine Welle der nationalen Erregung schlägt empor. In München bekommen die verlachten Nationalsozialisten, eine kleine, sektiererhafte Gruppe um einen gewissen Adolf Hitler, spürbar Auftrieb, und selbst die

Stinnes-Diktatur oder Diktatur des Proletariats?

In Deutschland

verschlechtert sich die Lage des Proletariats unaufhaltsam unter der **kapitalistischen Wirtschaft.**

Die Lebenshaltung der Arbeiter, Angestellten und Beamten hat sich bereits um das 6 bis 8fache verschlechtert. Immer weniger Lebensmittel und Bedarfsartikel können für den verdienten Lohn gekauft werden.

Es mußten die Arbeiter arbeiten:

	1914	jetzt
für 1 Brot	1/2 Stunde	3 Stunden
für 1 Pfd. Fleisch	1 Stunde	8 Stunden
für 1 Anzug	70 Stunden	530 Stunden
für 1 Paar Stiefel	15 Stunden	125 Stunden

Die Preise sind gestiegen um das 116 millionenfache,
Die Löhne nur um das 14 millionenfache.

Der Reallohn ist seit 1914 um das 6 bis 8fache gefallen!

Die systematische Berechnung geht aber noch weiter. Jetzt ist die Bourgeoisie daran, dem deutschen Proletariat endgültig

den Achtstundentag zu rauben,

die Erwerbslosenunterstützung zu entziehen, die Alters- und Invalidenrenten zu kürzen.

Das ist die Folge der Arbeitsgemeinschaftspolitik und der Stinnes-Diktatur!

In Rußland

bessert sich die Lage der Arbeiterklasse ständig unter der **proletarischen Diktatur**

Die Lebenshaltung der Arbeiter, Angestellten und Beamten, die infolge der Konterrevolution und Blokade stark zurückging, nähert sich jetzt der Lebenshaltung der Vorkriegszeit.

Es beträgt der Lohn eines russischen Industriearbeiters im Reichsdurchschnitt pro Monat:

1913	23,4 Rubel	—	100 Prozent.
Von März 1922 Aufstieg.		Es betrag der Lohn	
	in Warenrubel:		in Proz. zur Vorkriegszeit:
1922 März	6,14	—	27,9 Prozent
Dezember	10,60	—	48,2 Prozent
1923 März	12,90	—	59,0 Prozent

Es betrag der Durchschnittslohn im März 1923 gegenüber dem Vorkriegslohn in Moskau 90 Prozent, in Petrograd 79 Prozent.

Also: In Rußland hat sich der Reallohn im letzten Jahre mehr als verdoppelt und nähert sich dem Vorkriegslohn.

Ebenso besteht dort: Der Achtstundentag für Erwachsene
der Siebenstundentag für gesundheitsschädliche Arbeiten
der Sechsstundentag für Jugendliche unter 18 Jahren, für Angestellte und Unterangestellte.

Das ist das Ergebnis einer Revolution und der Diktatur des Proletariats!

Propagandistische Vergleiche zwischen dem westlichen und dem sowjetischen Lebensstandard – hier ein KPD-Plakat aus dem Inflationsjahr 1923 – schlugen noch stets zum Nachteil der Kommunisten aus und wurden in der Folgezeit lediglich innerhalb des Ostblocks angestellt, wo der Bevölkerung die Möglichkeit zur objektiven Information fehlt

Kommunisten entdecken ihr nationales Herz. Deutschland sei schließlich kein imperialistisches Land mehr, stellen sie fest, sondern ein unterdrücktes Kolonialgebiet. Die Kommunisten müßten sich an die Spitze des „nationalen Freiheitskampfes" stellen.

Radek hält am 20. Juni 1923 eine Rede, in der er den von den Franzosen erschossenen Widerständler und Nationalsozialisten Albert Leo Schlageter feiert: „Die Geschicke dieses Märtyrers des deutschen Nationalismus sollen nicht verschwiegen, nicht mit einer abwertenden Phrase erledigt werden." Und er versichert: „Schlageter, der mutige Soldat der Konterrevolution, verdient es, von uns Soldaten der Revolution männlich-ehrlich gewürdigt zu werden."

Noch weiter geht die erst sechsundzwanzigjährige, temperamentvolle Ruth Fischer, die mit ihren beiden Brüdern Gerhart und Hanns Eisler die Reihen der Partei verstärkt hat und schnell nach oben gekommen ist. Sie steht in Opposition zu Brandler, führt mit Arkadij Maslow und Ernst Thälmann den „linken Flügel" und übertrumpft selbst Radek, indem sie vor nationalistischen, antisemitischen Studenten ausruft:

„Das deutsche Reich ... kann nur gerettet werden, wenn Sie, meine Herren von der deutschvölkischen Seite, erkennen, daß Sie gemeinsam mit der Masse kämpfen müssen, die in der KPD organisiert ist!"

Die nächsten Sätze zeugen bereits von Hysterie: „Wer gegen das Juden-Kapital aufruft ... ist schon Klassenkämpfer, auch wenn er es nicht weiß ... Tretet die Juden-Kapitalisten nieder, hängt sie an die Laterne, zertrampelt sie! ... Der französische Imperialismus ist jetzt die größte Gefahr der Welt. Frankreich ist das Land der Reaktion ... Nur im Bunde mit Rußland ... kann das deutsche Volk den französischen Kapitalismus hinausjagen!"

Sie findet Nachahmer in den verschiedensten Parteibezirken, die völkische Redner zu Zwiegesprächen einladen und sich nicht scheuen, auf den Einladungsplakaten neben dem KP-Emblem Hammer und Sichel das Hakenkreuz zu zeigen.

Zur gleichen Zeit setzt sich in Moskau die Überzeugung durch, daß Deutschland allen bisherigen Erfahrungen zum Trotz jetzt doch für die proletarische Revolution reif sei. Der „deutsche Oktober" wird befohlen. Brandler erschrickt, führt aber die Anweisungen der Komintern-Zentrale aus.

Mit gewohnter Organisationstüchtigkeit stellt er Proletarische Hundertschaften auf, die Kern einer künftigen Roten Armee werden sollen. Unter Leitung sowjetischer Offiziere, die illegal eingeschleust worden sind, wird das „Revko" gebildet, das Revolutionskomitee, das die militärische Leitung der Revolution übernehmen soll. „Wumbas" reisen durch die Provinzen, Waffen- und Munitionsbeschaffungskommissare, die Vorräte an Waffen und Munition anlegen müssen. Man rechnet, auf Anhieb eine halbe Million Gewehre organisieren zu können, erreicht aber lediglich die Zahl 50 000.

Ein strategischer Plan wird ausgearbeitet, der davon ausgeht, daß man zuerst in Sachsen und Mitteldeutschland an die 60 000 Mann mobilisieren kann, die den erwarteten Gegenstoß der Reichswehr und der Nationalisten — Hitler, so munkelt man, plane einen Putsch — auffangen werden. Bei Kassel soll die Reaktion in die Falle gehen. Gleichzeitig sollen die Arbeiter im Ruhrgebiet die Macht an sich reißen.

In Sachsen ist der linke Sozialdemokrat Dr. Zeigner Ministerpräsident. Er sieht parlamentarische Stürme auf seine Regierung zukommen und möchte die knappe Parlamentsmehrheit erweitern. So macht er den Kommunisten das Angebot, in die Regierung einzutreten. Die greifen zu. Jetzt wird Brandler erst einmal Ministerialdirektor und Leiter der sächsischen Regierungskanzlei. Sechs Tage später, am 16. Oktober 1923, nimmt man die Kommunisten auch in die thüringische Landesregierung auf.

Brandler ist zufrieden. Er möchte, wo nur irgendwie möglich, auf Landesebene zu Koalitionen mit den Sozialdemokraten kommen. Weil die Komintern dem aber nur zustimmen will, um Ausgangsbasen für die geplante Revolution zu schaffen, muß auch Brandler — auf gut Wetter bedacht — die Revolutionsvorbereitungen wider Willen weiter betreiben. Wieder einmal handelt jedoch die Gegenseite. Die Reichswehr — ihrem Chef, Generaloberst von Seeckt, hat die Reichsregierung inzwischen angesichts der akuten kommunistischen Bedrohung die vollziehende Gewalt übertragen — unterstellt sich die sächsische Schutzpolizei. Gleichzeitig wird der Einmarsch von Reichswehrverbänden aus dem übrigen Reichsgebiet in Sachsen angeordnet.

Die Kommunisten beschließen, sich auf einer für den 21. Oktober nach Chemnitz einberufenen Betriebsrätekonferenz die scheinbare Legitimation für den Aufstand im ganzen Land geben zu lassen. Brandler selbst fährt in die Strumpfwirkerstadt am Fuße des Erzgebirges, wenn auch mit zwiespältigen Gefühlen. Er weiß, daß sich die Betriebsräte, überwiegend Sozialdemokraten, nicht zu einem Aufstandsbeschluß hinreißen lassen werden — und er weiß ferner, daß ein Aufstand, selbst wenn er ausgelöst werden sollte, zum Scheitern verurteilt ist. Niemand ist sich klarer darüber als der KPD-Chef, daß der „deutsche Oktober" nichts weiter ist als die Ausgeburt überspannter Phantasie.

Es kommt, wie es kommen muß. Brandler plädiert unter den wachsamen Augen der anwesenden Kominternagenten für den Generalstreik. Jeder Zuhörer spürt, wie unglaubwürdig sich der Redner selbst vorkommt. Die Sozialdemokraten erheben sich und drohen, den Kongreß zu verlassen, falls die Kommunisten auf ihr Vorhaben nicht verzichten. Die KP-Leute versammeln sich zu einer internen Sitzung und beschließen, den Aufstand abzublasen. Sie reisen ab.

Aber die Hamburger sind nicht bereit, Parteidisziplin zu üben. Ernst Thälmann ist enttäuscht. Und er versteht es, seine Genossen zu überzeugen, man müsse nur den Anfang machen, um das gesamte deutsche Proletariat mitzureißen.

Der Hamburger Aufstand beginnt am 23. Oktober 1923, Schlag fünf

Uhr. Die Kommunisten stürmen eine Reihe von Polizeiwachen, um sich Schußwaffen zu verschaffen. Die Schutzleute werden zusammengeschlagen, mit ihren eigenen Handschellen gefesselt, getötet.

Im Arbeiterstadtteil Barmbek werden Barrikaden errichtet. Die Aufständischen besetzen die Hochbahnstation Dehnhaide, die sie zu einem Widerstandsnest ausbauen. Überall auf den Dächern der vier- bis fünfstöckigen Mietskasernen des dichtbesiedelten Wohngebietes hocken die Scharfschützen.

Am Morgen des 24. Oktober geht die Polizei zum Gegenangriff über. Schon gegen Mittag sind die Kommunisten geschlagen. Sie versuchen, das freie Land zu gewinnen. Am Stadtrand kommt es noch zu vereinzelten Gefechten. Dann ist alles vorbei. Eine im Grunde unbedeutende Aktion, an der insgesamt höchstens 300 bewaffnete Kommunisten beteiligt gewesen sind — die Kernmannschaft in Barmbek betrug vermutlich ganze 80 Mann — findet ihr Ende. Erst die kommunistische Propaganda macht später aus diesem Fehlschlag ein Ereignis von geschichtlichem Rang.

Die Ära Thälmann

Die Massen der KP-Mitglieder sind enttäuscht. Sie können die Niederlage nicht fassen und suchen einen Sündenbock. Er wird in Brandler gefunden. Seine halbherzigen Aufstandsvorbereitungen und seine Sympathie für Anbiederungsversuche bei der SPD werden ihm als Verrat angekreidet. Die Linken gewinnen an Boden, Arkadij Maslow und Ruth Fischer, und das vor allem deshalb, weil sie einen „echten Proleten" als Aushängeschild vorweisen können, den vierschrötigen Hamburger Ernst Thälmann, genannt „Teddy". Dabei werden sie von Sinowjew, Kamenjew und Stalin gestützt, die in Moskau mit Trotzki um die Lenin-Nachfolge ringen. Und Brandler war schließlich zu eng mit einem guten Freund Trotzkis verbunden, mit Radek.

Thälmann ist jetzt, Anfang 1924, 38 Jahre alt. Seine Karriere ist recht langsam verlaufen, innerhalb der Gewerkschaften, der USPD, der KPD. 1920 ist er auf dem Vereinigungsparteitag mit der linken USPD in den Zentralausschuß gewählt worden. 1921 hat man ihn zum 3. Weltkongreß der Komintern nach Moskau mitgenommen, um einen proletarischen Haudegen vorweisen zu können. Privat hat er sich ebenfalls herausgemacht. Aus dem Gelegenheitsarbeiter und Rollkutscher ist ein Angestellter des Hamburger Arbeitsamtes geworden. Nun ist er Bezirksvorsitzender der KPD an der Wasserkante und frischgebackener Führer des Roten Frontkämpfer-Bundes.

Einblicke in die Geisteshaltung des Mannes, der Schritt für Schritt in die Rolle eines Heros der deutschen Kommunisten hineinwachsen soll, gewährt eine Postkarte von ihm mit dem Datum vom 24. Juli 1925: „Mein lieber Vater! Hast du schon gehört, daß die gemeine SPD beabsichtigt, mich des Streikbruches zu bezichtigen? So ein Schwindel. Sie fürchten die

Stimmen, deswegen werden sie so infame Lügner. Korrumpiert sind sie von oben bis unten. Mit kommunistischem Gruß Dein Sohn Ernst."

Sein Haß auf die „gemeine SPD" bringt Thälmann nach oben. Das Dilemma des Hamburger Aufstandes schadet ihm nichts, im Gegenteil, es hat ihm lediglich Nimbus verschafft.

Der Hamburger Aufstand ist der letzte Versuch der Kommunisten in Deutschland, mit Hilfe eines Volksaufstandes die Macht an sich zu reißen. Seit dem 23. November 1923 ist die Partei verboten. Gegen ihre Führer bestehen Haftbefehle. Erst am 1. März 1924 wird das Verbot wieder aufgehoben.

Auch die Rechtsextremisten unternehmen Ende 1923 ihre letzten Putschexperimente, ein Major Buchrucker in Küstrin, Adolf Hitler und General a. D. Ludendorff in München. Beide Vorhaben schlagen fehl. Reichskanzler Cuno tritt zurück. Die Sozialdemokraten gehen für eine kürzere Zeit wieder in die Regierung. Der fehlgeschlagene Ruhrkampf gegen die Franzosen wird abgebrochen. Eine Währungsreform beendet die Inflation mit einem Schlag. Ein wirtschaftlicher Aufschwung setzt ein, den niemand erwartet hat. Und auch die Kommunisten geben zu, „daß sich der Kapitalismus zeitweilig stabilisiert" habe. „Hauptsäule der deutschen Stabilisierung" sei die SPD, die es deshalb vor allem zu bekämpfen gelte. Das Exekutivkomitee der Kommunistischen Internationale stellt im Januar 1924 in verblüffender Weise fest, daß „die leitenden Schichten der deutschen Sozialdemokratie im gegenwärtigen Moment nichts anderes als eine Fraktion des deutschen Faschismus unter sozialistischer Maske" sind.

Bei solchen Vorstellungen muß ein Mann wie „Teddy" Thälmann der richtige Führer der KPD sein. Und diese Rolle übernimmt er dann auch auf dem illegal in Frankfurt am Main tagenden 9. Parteitag im April 1924, auf dem die Linken eine Dreiviertelmehrheit vorweisen und Brandler offiziell davonjagen. Zentrale Aufgabe, beschließen die Delegierten, sei die völlige Liquidation der SPD und die Zerschlagung des Staatsapparates der Bourgeoisie. Die KPD sei nicht eine Partei neben anderen, sondern die Partei des Proletariats schlechthin. Sie müsse „bolschewisiert" werden und blindlings Lenins Thesen folgen. Rosa Luxemburgs Spontanitätstheorie erhält eine endgültige Abfuhr. Thälmann wird für die nächsten Reichstagswahlen Spitzenkandidat.

Besonderen Geschmack findet Thälmann an seinem Amt als Boß des Roten Frontkämpfer-Bundes. Ruth Fischer und ihr Intimus Maslow lassen ihm die Freude, in Uniform an der Spitze der grauen Kolonnen zu marschieren, die Faust zum Kommunistengruß erhoben. Um so mehr haben sie selbst Gelegenheit, die Politik zu machen.

Der Rote Frontkämpfer-Bund (RFB) ist — der Mode der Zeit folgend — als uniformierte Parteiarmee entstanden. Er soll ein Gegengewicht zum „Stahlhelm — Bund der Frontsoldaten" der Deutschnationalen und zum „Reichsbanner Schwarz-Rot-Gold" der Sozialdemokraten und Liberalen sein. Weitere Organisationen dieser Art sind der „Jungdeutsche Orden" (Jungdo) und die beiden Formationen der NSDAP — SA und SS.

Die erste Gruppe des Roten Frontkämpfer-Bundes hat sich in Halle gebildet. Äußerlich unterscheidet sich der RFB nicht von den anderen Kampfverbänden: Uniformen, Drill, Paraden mit Trommlern, Pfeifern und wehenden Fahnen. Das einzige Originelle sind die Schalmeienkapellen. Der Gruß lautet „Rot Front".

Zusammen mit der ihm angeschlossenen „Roten Jungfront" hat der RFB 1926 118 000, später 130 000 Mitglieder. Sie werden zunächst gegen das Reichsbanner angesetzt. Das entspricht dem von der Partei propagierten linken Kurs. Schlägereien zwischen Roten Frontkämpfern und Reichsbannerleuten sind an der Tagesordnung. Erst an zweiter Stelle steht — und zwar zumeist von diesen selbst provoziert — die Saal- oder Straßenschlacht mit den Stahlhelmern oder den SA-Männern.

Seine Bewährungsprobe legt der RFB als Propagandamaschine bei den häufigen Wahlkämpfen in der Weimarer Republik ab. Zu einer der entscheidenden Wahlschlachten rüsten die Parteien im Frühjahr 1925. Reichspräsident Ebert ist gestorben. Eine direkte Wahl des Nachfolgers durch das Volk muß stattfinden. Partei- und RFB-Chef „Teddy" Thälmann wird Kandidat der KPD.

Am Abend des 29. März werden die Stimmzettel ausgezählt. Der von den Rechten aufgestellte Sammelkandidat Jarres, Duisburger Oberbürgermeister, erringt 10,4 Millionen, der SPD-Kandidat Braun, preußischer Ministerpräsident, 8 Millionen, der Zentrumsmann Marx 3,9 Millionen, Thälmann 1,8 Millionen, der nationalsozialistische Bewerber Ludendorff 286 000. Niemand hat die absolute Mehrheit bekommen.

Ein zweiter Wahlgang wird fällig. Die Kommunisten lehnen es ab, die Sozialdemokraten zu unterstützen oder den ehemaligen Zentrum-Reichskanzler Marx, auf den die SPD sich schließlich einigt. Wieder stellen sie Thälmann auf und nehmen es in Kauf, daß somit im zweiten Wahlgang der neue Kandidat der vereinten Rechten zum Zuge kommt. Am 26. April 1925 wird Generalfeldmarschall Paul von Hindenburg, im Herzen ein Monarchist und die Hoffnung vieler Feinde der Republik, ein Mann von 77 Jahren, neues deutsches Staatsoberhaupt.

Wieder kommt es in der KP zur heftigen Kritik an der betriebenen Politik. Und wieder ist es nicht Thälmann, der die Schuld an dem Debakel erhält, diesmal sind es Ruth Fischer und Arkadij Maslow. Sie sind keine „Linken", erkennt man plötzlich, sondern „Ultralinke". Und sie werden mit Moskaus Hilfe entmachtet.

Der Kominternführung fällt das Vorgehen gegen ihre Schützlinge von gestern besonders leicht, weil diese „ganz bewußt den Versuch" gemacht hätten, „eine Selbständigkeit der deutschen Partei gegenüber der Komintern zu erreichen". Dabei hätte Ruth Fischer, politisch gesehen, „doppelte Buchführung" betrieben und Maslow gar behauptet, Stalin lasse Rußland unter dem Druck der Kulaken degenerieren. Diese Kritik sei „Verrat am Vaterland aller Werktätigen"; dabei, so deklariert die KPD,

„wissen wir, daß das Höchste, was auf der Welt existiert, was wir zu verteidigen haben, die Sowjet-Union ist".

Seiner glanzvollen Stützen beraubt, muß „Teddy" Thälmann sich nach weniger originellen, aber fleißigen, unermüdlichen und zudem bescheiden im Hintergrund wirkenden Helfern umsehen. Brandlers junger Mann, Walter Ulbricht, den die Maslow und Fischer zurückgedrängt haben, bietet sich ihm in dieser Situation wie von selbst an.

Ulbricht — der in Moskau die Lenin-Schule besucht hat — begreift nicht, daß die KPD noch nach dem alten Muster der SPD organisiert ist und die Mitglieder nach ihren Wohngebieten zu lokalen Parteiorganisationen, zu Ortsvereinen, zusammengefaßt werden. Dagegen hat Lenin gelehrt, Arbeiter müßten dort organisiert werden, wo sie täglich zu erreichen sind und wo sie arbeiten, nämlich im Betrieb. Und bienenfleißig geht Ulbricht daran, Betriebszellen zu gründen, wo es nur irgendwie möglich ist.

Rasch erwirbt er sich den halb spöttisch, halb anerkennend gemeinten Spitznamen „Genosse Zelle". Er verfaßt Artikel, die Überschriften tragen wie „Verwurzelt die Partei in den Betrieben" und „Jede Fabrik soll unsere Burg sein". Seine Losung lautet: „Schärfste Kontrolle — strengste Arbeitsdisziplin."

Einen Helfer ganz anderer Qualität, einen etwas schillernden, zwielichtigen Mitarbeiter findet Thälmann in Willi Münzenberg, der sich unbekümmert daran macht, ein kommunistisches Verlags- und Zeitungsimperium aufzubauen. Er leitet die „Welt am Abend", das verbreitetste sozialistische Blatt in Berlin, und die „Arbeiter-Illustrierte Zeitung", die eine Auflage von 400 000 Exemplaren erreicht. Alle Münzenberg-Blätter tragen dem Interesse der Massen für Sensationen Rechnung. Der Sport kommt nicht zu kurz. Langatmige dogmatische Artikel kennen sie nicht. Dennoch verstehen es die Redakteure, bei allem Boulevardcharakter, den sie den Zeitungen geben, Sozialkritik zu betreiben und kommunistische Propaganda zu machen.

Dann geht Münzenberg ins Filmgeschäft, wobei er Filme wie „Die Mutter" und „Sturm über Asien" gemeinsam mit den Russen produziert. Schließlich gründet er eine Massenorganisation wie die Rote Hilfe, die karitative Aufgaben übernimmt und vor allem die Familien politischer Häftlinge, Ausgesperrte und sonstige Opfer politischer Betätigung betreut.

Diese Arbeit zahlt sich aus. Trotz der Stabilisierung der Republik gehen bei der Reichstagswahl des Jahres 1928 die kommunistischen Stimmen — im Gegensatz zu den rechtsextremen — nicht zurück. Mit 3,3 Millionen Stimmen erreicht die KPD 10,6 Prozent und 54 Mandate. Großer Gewinner der Wahl aber ist die SPD, die sich mit 9,1 Millionen Stimmen erstmals wieder der 30-Prozent-Grenze nähert und mit 152 Sitzen in den Reichstag einzieht. Der Sozialdemokrat Hermann Müller stellt sich an die Spitze einer Großen Koalition.

In der zweiten Hälfte der zwanziger Jahre erlebt die Weimarer Republik ihre Blütezeit. Die Demokratie, so scheint es, ist gefestigt. In der Wirtschaft herrscht Hochkonjunktur. Das Deutsche Reich ist dem Völkerbund beigetreten und als Großmacht anerkannt. Mit den Siegermächten des ersten Weltkrieges wird eine Einigung über die Reparationszahlungen erzielt. Die Räumung des Rheinlandes von den fremden Besatzungstruppen beginnt. Die Regierungen in Preußen, dem größten Land, und im Reich selbst verfügen über feste Mehrheiten. An ihrer Spitze stehen Sozialdemokraten. Und die republikanische Staatsgewalt tritt selbstbewußt gegen Rechtsradikale und Linksradikale auf.

Zum 1. Mai 1929 wollen die Kommunisten in Berlin eine gesonderte Kundgebung. Sie weigern sich, an der allgemeinen Demonstration teilzunehmen, die von den SPD- und Gewerkschaftsfunktionären geleitet wird. Die Polizei befürchtet blutige Zusammenstöße zwischen den getrennt marschierenden Arbeiterkolonnen. Sämtliche Maifeiern werden verboten.

Aber die Kommunisten kümmern sich nicht darum. Sie gehen dennoch auf die Straße. Der Rote Frontkämpfer-Bund eröffnet den Kampf gegen die Schutzpolizei. Im Berliner Stadtteil Wedding werden Barrikaden errichtet. Es wird geschossen. Panzerwagen rollen. Der Ausnahmezustand wird verhängt. 19 Menschen lassen ihr Leben, 36 werden schwer verwundet. Die preußische Regierung verbietet kurz entschlossen den RFB.

Die Kommunisten nehmen diese Vorgänge zum Anlaß, die ganze Stoßkraft ihrer Propaganda erneut gegen die SPD zu lenken. Sie stellen die Behauptung auf, daß die Sozialdemokratie die Vorhut des Faschismus sei, „der aktivste Vorkämpfer des deutschen Imperialismus", wie Thälmann beteuert. Wenn die Kommunisten jetzt das Schlagwort verkünden: „Schlagt die Faschisten, wo ihr sie trefft!", sind nicht zuletzt die Sozialdemokraten gemeint, die „Sozialfaschisten". Und — sagt wiederum Ernst Thälmann — der „Sozialfaschismus ist eine besonders gefährliche Form der faschistischen Entwicklung".

Selbstverständlich wird die Haßvorstellung „Sozialfaschismus" marxistisch-theoretisch untermauert. Auf der Grundlage der „Monopolprofite" und der auf die Spitze getriebenen Arbeitsteilung, lehren die kommunistischen Dogmatiker, habe sich in den durchrationalisierten Betrieben eine „Arbeiteraristokratie" herausgebildet. Diese „Arbeiteraristokratie" werde zur „Arbeiterbürokratie", die die Sozialdemokratische Partei, die Gewerkschaften und zunehmend auch den Staatsapparat beherrsche. Der „Sozialfaschismus" ist — jedenfalls auf dem Papier — perfekt.

Dabei erzielen die wirklichen Faschisten in Deutschland, die Nationalsozialisten, in dieser Zeit ihre ersten Erfolge seit Jahren. Sie verfügen über eine gut ausgebaute Organisation, haben 176 000 Mitglieder und erobern bei den preußischen Kommunalwahlen im Herbst 1929 überraschend viele Mandate.

Die Ursache für diesen Ruck nach rechts ist die umsichgreifende Weltwirtschaftskrise, die jetzt auch Deutschland erfaßt. Ihren Anfang hat sie im Oktober 1929 in Amerika genommen, am Schwarzen Freitag, dem Tag des Zusammenbruchs der New Yorker Börse. Schockartig kommt es zu einem Vertrauensschwund in den Fortbestand der Wirtschaftsblüte. Der Absatz stagniert, die Investitionen verkümmern, die Steuereinnahmen gehen zurück. Statt die Haushalte auszuweiten und die Konjunktur wieder anzuheizen, drosseln die Regierungen der Industrienationen ihre Ausgabenwirtschaft. Die Notenbanken unterstützen sie dabei und betreiben Deflationspolitik. Sie vermindern die umlaufenden Geldmengen und schränken den Kredit ein. Bald häufen sich die Konkurse, erklären Geldinstitute ihre Zahlungsunfähigkeit und schwillt das Heer der Arbeitslosen in unvorstellbarer Weise an. Mehr als sechs Millionen sind es schließlich allein in Deutschland. Noch nie zuvor hat der Kapitalismus eine Wirtschaftskrise von diesem Ausmaß erfahren.

Die Nationalsozialistische Deutsche Arbeiterpartei unter Adolf Hitler erlebt immer mehr Zulauf, vor allem aus den Kreisen des in der Inflation enteigneten Kleinbürgertums. Es läuft den bürgerlichen Parteien davon, den Liberalen, den Nationalliberalen, auch den Deutschnationalen. Nur das katholische Zentrum und die Sozialdemokraten halten stand. Die Nationalsozialisten setzen Parolen in die Welt, die beim mündigen Staatsbürger Kopfschütteln hervorrufen müßten — „Die Juden sind unser Unglück!" — aber sie haben damit Erfolg. Ihre SA-Leute lassen das „Deutschland erwache!" von den Häuserwänden der Großstädte widerhallen, sie bauen Adolf Hitler zum charismatischen Führer, zum Retter aus Not und Gefahr auf, der das deutsche Volk aus dem „Sumpf des Systems" herausziehen und zu neuer glanzvoller Weltgeltung führen werde. Ihr Ruf lautet: „Heil Hitler!"

Nichts ist so billig, daß es die Kommunisten nicht für ihre Zwecke nachzuahmen versuchen. Auch sie stellen „Teddy" Thälmann als Führer heraus. Im Protokoll des 12. Parteitages aus dem Jahre 1929 heißt es: „Bravorufe, langanhaltender Beifall. Der Parteitag bereitet dem Genossen Thälmann eine stürmische Ovation. Die Delegierten erheben sich und singen die ‚Internationale'. Die Jugenddelegation begrüßt den Ersten Vorsitzenden der Partei mit einem dreifach ‚Heil Moskau!'"

Künftig wird Ernst Thälmann, der „Transportarbeiter aus Hamburg", auf keinem Plakat mehr fehlen. Die Partei vertreibt Ansichtskarten mit seinem Porträt, schmückt mit seinem Kopf die Wände auf den Kundgebungen und Kongressen, feiert ihn als „Führer des deutschen Proletariats" und als großen Kämpfer, Politiker und Theoretiker.

Dabei ist Thälmann nur eben und eben vor dem Sturz bewahrt worden. Sein Schwager Wittorf, Bezirkssekretär an der Wasserkante, hat Parteigelder unterschlagen. Thälmann scheut sich nicht, den Skandal zu vertuschen. Aber Kassenprüfer entdecken das Defizit. Thälmanns Gegner wittern ihre Chance. Sie werfen ihm parteischädigendes Verhalten vor und zwingen ihn vor dem Zentralkomitee zur Selbstkritik. Er wird von seinen Ämtern suspendiert.

Da kommt der „reitende Bote der Königin". Es ist der Funktionär Hermann Remmele. Er reist aus Moskau mit dem Flugzeug an. Stalin schickt ihn. Sein Auftrag lautet, Thälmann zu retten. Die Entscheidung über die Affäre wird der Kominternzentrale überlassen. Und diese rehabilitiert den KP-Chef, dessen Stellung von nun an als unerschütterlich gilt. Seine Gegenspieler müssen die Partei verlassen.

Im März 1930 geht in Berlin die Große Koalition auseinander. Hindenburg ernennt den Zentrumspolitiker Brüning zum Reichskanzler. Aber der verfügt über keine Mehrheit im Reichstag. Das Parlament wird aufgelöst. Neuwahlen finden statt. Sie machen die NSDAP schlagartig zur zweitstärksten Partei Deutschlands. Sie steigt von 800 000 Stimmen auf sechseinhalb Millionen an. Die SPD, nach wie vor die stärkste der politischen Gruppierungen, verliert eine halbe Million Stimmen und verfügt nur noch über achteinhalb Millionen Wähler. Aber die KPD sieht die drohenden Gewitterwolken nicht. Sie freut sich der Tatsache, selbst von dreieinviertel auf dreieinhalb Millionen Stimmen geklettert zu sein. Und sie scheut sich nicht, offen mit den Nationalsozialisten zusammenzuarbeiten, wo es ihr dienlich erscheint.

Die KPD verkündet in Selbstverblendung: „Eine sozialdemokratische Koalitionsregierung, der ein kampfunfähiges, zersplittertes, verwirrtes Proletariat gegenüberstände, wäre ein tausendmal größeres Übel als eine offene faschistische Diktatur, der ein klassenbewußtes, kampfentschlossenes, in seiner Masse geeintes Proletariat gegenübertritt." Remmele erklärt vor dem Reichstag sogar: „Unter Brüning hungern ist nicht besser als unter Hitler. Wir fürchten die Faschisten nicht. Sie werden rascher abwirtschaften als irgendeine andere Regierung."

Hitler kommt an die Macht

Der Wahlerfolg auf Reichsebene hat die Nationalsozialisten siegesgewiß gemacht. Gemeinsam mit den Deutschnationalen und dem Stahlhelm beantragen sie 1931 einen Volksentscheid zur Auflösung des preußischen Landtages. Ziel ist, die preußische Landesregierung zu stürzen, diese feste Bastion der Demokratie zu erobern, die nach wie vor von der SPD besetzt und verteidigt wird.

Zunächst sprechen die Kommunisten noch von einem „faschistischen Volksbetrug", dann aber folgen sie einem Wink aus Moskau, von dem sie finanziell immer abhängiger werden, und stellen sich an die Seite Adolf Hitlers. Sie nennen ihre Teilnahme am Volksentscheid die „radikalste Kampfansage und Kriegserklärung an die Sozialdemokratie". Berlins NSDAP-Gauleiter Dr. Goebbels allerdings höhnt im Sportpalast:

Wenn die Kommunisten dumm genug sind, den Nationalsozialisten zu helfen, mögen sie es tun; man habe keinen Grund, sie daran zu hindern, sich selbst aufzuhängen. Die Arbeiterwähler folgen der KPD-Führung jedoch nicht. Der Volksentscheid fällt durch.

Nun steigert die KPD ihre Kampagne gegen die Sozialdemokraten in blindem Haß bis zur Mordhetze. Am 29. Mai 1931 wird der SPD-Reichstagsabgeordnete und Gewerkschaftssekretär Reißner in Berlin von Kommunisten überfallen und schwer verletzt. Anfang Juli 1931 verbreitet die KPD in Köln unter den Arbeitslosen Aufrufe, den sozialdemokratischen Polizeipräsidenten aus dem Hinterhalt zu erschießen. Ende Juli 1931 greifen kommunistische Kolonnen Reichsbannerleute in einer öffentlichen Versammlung in der Berliner Wohnstadt Karl Legien an. Am 14. September 1931 kommt es im Sportpalast in Berlin zu einer schweren Auseinandersetzung. Die Kommunisten werden tätlich, schlagen sozialdemokratische Arbeiter zu Boden und sprengen die Versammlung.

Um den großen Allgemeinen Deutschen Gewerkschaftsbund zu schwächen, gründet die KPD die „Revolutionäre Gewerkschaftsopposition", RGO. Doch sie findet wenig Anklang bei den Arbeitern. Wenn auch die Kommunisten aus dem Industrieproletariat Zulauf erhalten, so sind es vorwiegend die politisch und gewerkschaftlich weniger geschulten Schichten, die Gelegenheitsarbeiter, die ungelernten Arbeiter. Besonders trifft das im Bergbau und in der chemischen Industrie zu. Eine Ausnahme bildet die proletarische Jugend. Sie folgt jugendlicher Neigung zu radikalen Lösungen und stößt in größerem Umfang zur KPD. Vor allem aber gewinnen die Kommunisten in dem jäh anschwellenden Arbeitslosenheer ihre Stütze.

Man kann die KPD der letzten Jahre von Weimar geradezu als Partei der Arbeitslosen bezeichnen. Schon 1925 haben viele Ortsgruppen bis zu 70 Prozent Arbeitslose unter ihren Mitgliedern. 1931 stellen die Arbeiter in großen Betrieben nur noch 22 Prozent der Parteiangehörigen. 1932 sind 44,4 Prozent aller in der Partei organisierten Kommunisten arbeitslos. Die KPD fördert diese Tendenz zur Arbeitslosenpartei, in dem sie „Arbeitslosenkomitees" als Interessenvertretungen der auf der Straße Liegenden organisiert. Eigentlicher Sinn ist, die letzte Bindung der Arbeitslosen zu den Gewerkschaften zu zerstören.

Die Radikalisierung der Partei greift auch auf die Parlamentsarbeit über. Die kommunistischen Abgeordneten sehen ihre Aufgabe überhaupt nicht mehr darin, sachliche Debatten zu führen und sinnvolle Gesetzentwürfe vorzulegen. Sie inszenieren Tumulte, bewerfen gegnerische Abgeordnete mit Wassergläsern und Tintenfässern. Es kommt zu Handgemengen und Schlägereien. Und in den Nationalsozialisten, die in den Parlamenten mit Vorliebe im Braunhemd ihrer Partei erscheinen, finden sie willfährige Kontrahenten bei diesem Spiel, dessen Sinn darin liegt, den Parlamentarismus zu diskreditieren.

Die Bevölkerung, insbesondere die im Herzensgrund noch immer dem Kaiser nachtrauernden und an einem „starken Staat" hängenden kleinbürgerlichen Schichten auf dem flachen Land und in den industriell schwach entwickelten Kreis- und Provinzstädten, verfolgt diese Vorgänge mit Abscheu. Die Erinnerung an die blutigen Aufstände bis 1923 sitzt ihr noch in den Gliedern. Die ständige Drohung mit neuen Aufstandsversuchen dröhnt in ihren Ohren. Angsterfüllt hat sie den sogenannten Tscheka-Prozeß des Jahres 1925 vor dem Reichsgericht in Leipzig verfolgt, in dessen Verlauf sich herausstellen soll, daß die KPD über eine geheime Terrororganisation verfügt, die nicht nur die Ermordung des Generals von Seeckt sowie der Großindustriellen Stinnes und Borsig geplant hat, sondern auch erkannte Spitzel töten ließ.

Begierig nehmen die unsicher und ängstlich gewordenen Wähler, die bei den demokratischen Parteien eine klare Linie vermissen und Führungslosigkeit vermuten, die von den Kommunisten herausgegebene Losung auf, daß „dem deutschen Volk nur die Wahl zwischen Kommunismus und Nationalsozialismus" geblieben sei. Im Jahr 1932 entscheiden sich bei den Reichspräsidenten- und den Reichstagswahlen schließlich mehr als 13 Millionen Wähler für Hitler und seine Partei, die stärkste im Reichstag wird. Zusammen mit der KPD verfügt sie über die Mehrheit. Hitlers Wahl zum Reichspräsidenten kann nur verhindert werden, weil sich die SPD durchringt, den nationalkonservativen Generalfeldmarschall von Hindenburg zu unterstützen. Die Kommunisten, die wieder Thälmann kandidieren lassen (der auf fast fünf Millionen Stimmen kommt), erfinden das neue Schimpfwort von den „Hindenburg-Sozialisten".

Hindenburg entläßt zunächst den seit zwei Jahren ohne Parlamentsmehrheit amtierenden Reichskanzler Brüning, der sich unermüdlich für die Wiederwahl des Marschalls eingesetzt hat. Weil er mit seinen Siedlungsplänen die dem Reichsoberhaupt verbundenen ostelbischen Großgrundbesitzer vor den Kopf stößt, muß er gehen. Nachfolger wird der ehemalige Gardeoffizier Franz von Papen. Und der wiederum macht sich mit des Präsidenten Hilfe daran, auch der SPD den „Dank" abzustatten.

In Preußen, dem größten Land im Reich, haben NSDAP und KPD inzwischen ebenfalls zusammen die Landtagsmehrheit errungen. Sie verhindern, daß eine neue Regierung gebildet wird, die das Vertrauen der Mehrzahl der Abgeordneten besitzt. Der sozialdemokratische Ministerpräsident Braun regiert mit einem Minderheitenkabinett weiter. Nun aber setzen Hindenburg und Papen die Regierung Braun am 20. Juli 1932 unter Bruch der Reichsverfassung ab und übertragen alle Befugnisse des preußischen Regierungschefs auf den Reichskanzler. Reichswehrverbände unter Generalleutnant von Rundstedt besetzen die preußischen Ministerien in Berlin, um die Aktion zu stützen, deren Bekanntgabe in KPD-Versammlungen stürmischen Beifall auslöst.

Im November 1932 bricht bei den Berliner Verkehrsbetrieben wegen vorgesehener Lohnkürzungen ein wilder Streik aus. NSDAP und KPD fechten ihn gemeinsam aus. SA-Leute und Kommunisten errichten Seite an

Seite Barrikaden und zwingen Straßenbahnen und Busse zum Stoppen. Arm in Arm sammeln sie Geldbeträge für die Streikfonds. Zusammen verüben sie Sabotageakte.

Für die Radikalsten der Radikalen verwischen sich die Unterschiede zwischen KPD und NSDAP mehr und mehr. Nur — die Nazis sind die Erfolgreicheren. Und ihre SA darf noch geschlossen aufmarschieren, in voller Uniform, mit Fahnen und Musik. Der Rote Frontkämpfer-Bund dagegen ist und bleibt verboten. Vor allem in Berlin, in Hamburg, im Ruhrgebiet und in Sachsen fallen jugendliche Rabauken scharenweise von der KPD ab. Sie treten geschlossen in die SA und die SS ein. Die Stürme der Marine-SA an der Wasserkante bestehen jetzt vielfach Mann für Mann aus ehemaligen Kommunisten.

Aber die Führung der KPD sieht die Gefahr noch immer nicht. Ihr Hauptfeind heißt weiterhin SPD. Einer der größten Scharfmacher ist Walter Ulbricht, seit 1929 politischer Sekretär des Bezirks Berlin-Brandenburg und damit höchster politischer KP-Funktionär in der Reichshauptstadt. Noch am 18. Januar 1933 sagt er: „Nach wie vor müssen wir den Hauptstoß gegen die SPD führen." Und vor den Mitarbeitern der Bezirksleitung hält er in diesen Tagen ein Referat, in dem es heißt, daß die wichtigste Aufgabe der Kommunisten darin bestehe, den „Sozialfaschismus" in den Reihen der Arbeiter zu liquidieren — wenn nötig auch mit Hilfe der Nazis. Erst dann sei die KPD in der Lage, den siegreichen Endkampf gegen diese zu führen.

Zwölf Tage danach ernennt Hindenburg Adolf Hitler zum Reichskanzler. Dieser löst am 1. Februar 1933 den Reichstag auf. Einen Tag später erläßt er ein Demonstrationsverbot gegen die KPD. Die Polizei besetzt die KP-Zentrale in Berlin, das Karl-Liebknecht-Haus. Hitlers engster Mitarbeiter, Hermann Göring, neuer Herr in Preußen, weist die Polizeibeamten am 17. Februar an, gegen Kommunisten rücksichtslos von der Waffe Gebrauch zu machen. Jetzt plötzlich — am 25. Februar, bei der letzten legalen Kundgebung der KPD im Sportpalast — rufen Ernst Thälmann und Wilhelm Pieck nach der „Einheit aller Antifaschisten". Es ist zu spät. Am 27. Februar geht der Reichstag in Flammen auf. Entschlossen nützen Hitler und Göring diese Tat eines minderbegabten holländischen Kommunisten zum entscheidenden Schlag gegen die KPD, der die Brandstiftung angelastet wird. Noch in der gleichen Nacht werden 4 000 kommunistische Funktionäre verhaftet, wird die kommunistische Presse verboten, werden die letzten kommunistischen Organisationen zerschlagen. Zwar stimmen trotz allem bei der Reichstagswahl vom 5. März noch 4,8 Millionen Deutsche für die Liste der KPD. Doch den 81 gewählten Reichstagsabgeordneten ist es nicht möglich, ihre Sitze einzunehmen. Sie werden festgenommen, verfolgt, umgebracht. Hitler läßt ihre Mandate für ungültig erklären.

Wenige Wochen später wird auch die SPD verboten. Die bürgerlichen Parteien lösen sich selbst auf. Die Weimarer Republik hat zu existieren aufgehört — und mit ihr die KPD.

Die Kommunisten können nicht fassen, was ihnen geschieht. Sie sind betäubt und wie gelähmt. Jahrelang haben sie die Demokraten als Faschisten gebrandmarkt. Jetzt spüren sie, was Faschismus wirklich heißt. Manche finden erst in den Zuchthäusern und in den schnell errichteten Konzentrationslagern zu sich. Bei vielen schwindet der Glaube. Sie werden zu Spitzeln der Geheimen Staatspolizei Görings, der Gestapo. Oder sie versuchen, spät noch bei der NSDAP und ihren Gliederungen Unterschlupf zu finden. Noch andere lassen die Politik Politik sein und bemühen sich um ein bürgerliches Leben ohne Konflikte. Aber einer erstaunlich großen Zahl sind die Disziplin und der Glaube an die Richtigkeit des Kommunismus so sehr in Fleisch und Blut übergegangen, daß sie unbekümmert zu Farbtopf und Pinsel greifen und in der Nacht heimlich Bürgersteige und Häuserwände mit Anti-Hitler-Parolen versehen. Kaum einer von ihnen entgeht mit der Zeit dem Zugriff von Gestapo und SS, nur wenige von ihnen durchstehen die zwölf Jahre des Dritten Reiches lebend.

Schon im Spätsommer 1932 hat die Parteileitung sich auf die Illegalität vorbereitet. Sie bedient sich nun des von Hans Kippenberg aufgebauten geheimen M(ilitär)-Apparates. Aber er funktioniert nur schlecht. Ernst Thälmann fällt den Häschern schon am 3. März 1933 in die Hände. Ulbricht kann der Verhaftung entgehen. Er wird in der kommenden Zeit zur Schlüsselfigur der illegalen KP. Seine erste Forderung: Aus dem Apparat sind alle Leute zu entfernen, die mit „Teddy herumgesoffen" haben.

Von Juli bis Oktober 1933 bewohnt Ulbricht unerkannt ein Zimmer in einem Berliner Vorort. Dann begibt er sich nach Paris, dem Sitz der Auslandsleitung. Dort wartet schon Wilhelm Pieck, mit dem er sich eng verbündet.

Der wendige Ulbricht ist es dann auch, der als einer der ersten deutschen Kommunisten die Parole von der Volksfront aufgreift. Gegen den engstirnigen Widerstand der meisten überlebenden KPD-Funktionäre, die noch immer Kampf der SPD (die genauso illegal in der Emigration sitzt) predigen, setzt der Schneidermeistersohn und ehemalige Tischlergeselle aus Leipzig sich durch. Pieck unterstützt ihn und — Stalin. Zwar kommt es im Januar 1935 auf einer Sitzung unfern Moskaus fast zu Tätlichkeiten, aber dann findet der sogenannte „Brüsseler", in Wirklichkeit aber wieder in der Nähe Moskaus tagende Parteitag statt. Ulbricht siegt auf der ganzen Linie. Und unvermittelt begibt er sich nach Prag, um mit dem SPD-Vorstand über eine deutsche „Volksfront" zu verhandeln.

Wie zu erwarten, geben die Sozialdemokraten ihm einen Korb. Erst einmal sollen die Kommunisten den Beweis erbringen, daß es ihnen mit Einheitsfront und Demokratie wirklich ernst ist.

In Paris haben die KP-Funktionäre dann mehr Glück. Ein Volksfront-

Ausschuß deutscher Emigranten bildet sich, dem auch einzelne, von ihrer Partei nicht beauftragte Sozialdemokraten angehören. Vertreter der Kommunisten sind Willi Münzenberg, der vier Jahre später unter ungeklärten Umständen in Frankreich umkommen soll, und Herbert Wehner.

Herbert Wehner ist der KPD 1927 im Alter von 21 Jahren beigetreten. Vorher hat er vier Jahre lang einer anarcho-syndikalistischen Jugendgruppe angehört. Marx lernt er erst nach dem Studium der Schriften von Landauer, Proudhon und Kropotkin richtig kennen. Sein Streben gilt einer Ordnung, in der die Freiheit der Person das entscheidende ist. Ökonomische Veränderungen erscheinen ihm nur als Mittel zum Zweck. Er leistet für die Rote Hilfe Sozialarbeit und glaubt, seinen Idealen innerhalb der KP am besten dienen zu können. 1930 wird er in den Landtag seines Heimatlandes Sachsen gewählt, aber schon bald von der Partei wegen zu großer Selbständigkeit gemaßregelt und zur Mandatsniederlegung gezwungen. Er läßt sich bestimmen, als Angestellter der Parteizentrale nach Berlin zu gehen. Unter der nationalsozialistischen Herrschaft steuert er technisch die illegale Arbeit in Deutschland. Schließlich wird er bei einem Besuch in Prag verhaftet und in die Sowjetunion abgeschoben.

Ulbricht kann nun nicht der Versuchung widerstehen, im Pariser Ausschuß die erste Geige zu spielen. Mit gewohnter Geschäftigkeit macht er sich ans Werk, eine „Volksfront" zu leiten, die in Wirklichkeit nur auf dem Papier steht; denn in Deutschland selbst herrschen ja die Nationalsozialisten. Die illegale Arbeit dort ist schwer und ohne großen Effekt. Die Massenbasis fehlt völlig.

Präsident des Volksfrontausschusses ist der Schriftsteller Heinrich Mann, der Bruder von Thomas Mann. Er muß bald die fehlende Loyalität der Kommunisten kritisieren und beklagt sich über Ulbricht: „Ich kann mich nicht mit einem Mann an einen Tisch setzen, der plötzlich behauptet, der Tisch, an dem wir sitzen, sei kein Tisch, sondern ein Ententeich, und der mich zwingen will, dem zuzustimmen."

In den Säuberungen, die jetzt in der Sowjetunion einsetzen, sehen die deutschen Kommunisten „ein glänzendes Beispiel für die Schonungslosigkeit, mit der vom sozialistischen Staat — ohne Ansehen der Person und früherer Verdienste — die Agenten ausgerottet werden, ehe sie in Aktion treten können". Angesichts der vorgeblichen Verbundenheit der „Trotzkisten" mit „dem deutschen Faschismus als dem Hauptkriegstreiber", müßten auch die Trotzkisten in Deutschlands Widerstandsbewegung vernichtet werden. „Warnlisten" mit den Namen deutscher Stalingegner kursieren in den illegalen KP-Zellen im Reich und fallen so natürlich auch der Gestapo in die Hände, die dann zupacken und verhaften kann. Vielleicht ist das der eigentliche Zweck der Listen.

Die in die UdSSR geflüchteten Emigranten wohnen mit ihren Familien überwiegend in dem schäbigen, nur von früherem Glanz zeugenden Moskauer Hotel „Lux". Nacht für Nacht erscheinen hier die Männer des

NKWD, um die Zimmer zu durchsuchen und Verdächtige zu verhaften. Nur wenige deutsche Exil-Kommunisten entgehen den Säuberungen. Zu ihnen gehört Walter Ulbricht. Er hat Glück. Er ist geschickt. Und während die Nazis nur zwei frühere Politbüro-Mitglieder der zerschlagenen deutschen KP umbringen, unter ihnen Ernst Thälmann, sterben in den NKWD-Gefängnissen vier. Die Prominentesten sind Hermann Remmele und Heinz Neumann. Neun ZK-Mitglieder lassen ihr Leben in Deutschland, zehn in der Sowjet-Union. (Einer von ihnen ist Hans Kippenberg.) Auch Pieck kann überleben. Gemeinsam mit Ulbricht setzt er sich vorsichtig für den einen oder anderen Verhafteten ein.

In den Sog der Säuberung gerät dagegen Herbert Wehner. Das NKWD wirft ihn ins Gefängnis. Wieder freigelassen, erhält er den Auftrag, die kommunistische Lehre vom Staat zu interpretieren. Das führt ihn endgültig zur bereits lange herangereiften inneren Lösung vom Kommunismus. Der Kandidat des Politbüros der KPD gelangt bei seinen Studien zu der Erkenntnis, man müsse zum Ausgangspunkt Lasalles zurückkehren und den Arbeiter im Staat mit dem Staat versöhnen. (Nach viereinhalb Jahren Ausreiseverbot kann er 1941 mit falschen Papieren Schweden erreichen, wo er nach den während des Krieges verschärften Gesetzen für ein Jahr inhaftiert wird. Er verläßt nun auch offiziell die KPD und schließt sich nach Kriegsende der SPD an.)

Am 23. August 1939 schließen Hitler und Stalin ihren Pakt. Die deutschen Kommunisten sind gezwungen, einen anderen Hauptkriegstreiber zu suchen. Die meisten von ihnen sind verwirrt, bestürzt, verzweifelt. Nicht so Ulbricht. Er findet seine Sprache schnell wieder. Den Genossen bringt er bei, nun würden sich reale Chancen für die legale Arbeit in Deutschland bieten. Und Arbeit gäbe es genug: „Die Entlarvung der Kriegspläne des englischen und französischen Imperialismus." Er verurteilt den „primitiven Antifaschismus". Der Kommunist Philipp Dengler wagt sogar die kühne Voraussage, nun könnten die illegal in Deutschland tätigen Parteifreunde sicher sein, nicht mehr geköpft zu werden...

Nach Kriegsbeginn veröffentlicht Ulbricht in der in Stockholm erscheinenden Komintern-Zeitung „Die Welt" einen Aufsatz, in dem er die Unterdrückung der Polen und Tschechen durch die Deutschen verteidigt: „Wer gegen die Freundschaft des deutschen und des Sowjetvolkes intrigiert, ist ein Feind des deutschen Volkes und wird als Helfershelfer des englischen Imperialismus gebrandmarkt... Vor dem deutschen Volk wie vor den im deutschen Nationalitätenstaat eingegliederten Völkern steht die Frage: Nicht mit dem englischen Großkapital für die Ausdehnung des Krieges und ein neues Versailles, sondern mit der Sowjetunion für den Frieden, für die nationale Unabhängigkeit und die Freundschaft der Völker. Die Arbeiterklasse, die Bauern und die werktätige Intelligenz Deutschlands, Österreichs, der Tschechoslowakei und Polens werden der stärkste Garant des sowjetisch-deutschen Paktes und der Verhinderung des englischen Planes werden."

Am Tag, an dem dieser Artikel erscheint, am 9. Februar 1940, liefert die SS 28 Männer und zwei Frauen in das Gefängnis zu Biala pod Laska im besetzten Polen ein. Es sind vor Hitler in die Sowjetunion Geflüchtete, die während der Stalinschen Säuberungen in NKWD-Haft geraten sind. Nun hat man sie mit 470 anderen im Zuge des Freundschaftsvertrags zwischen Moskau und Berlin an das Deutsche Reich ausgeliefert. Eine von ihnen ist die Witwe des in Rußland getöteten ehemaligen Politbüro-Mitglieds Heinz Neumann.

Hinter der Front

Der Überfall auf die Sowjetunion am 21. Juni 1941 erlöst die deutschen Kommunisten von ihrer Propaganda-Artistik. Sie sind nicht mehr gezwungen, aus ihrem Herzen Mördergruben zu machen und dürfen wieder aus voller Brust den „faschistischen Erzfeind" angreifen und zur Verteidigung der Sowjetunion, die sie längst als ihr wahres Vaterland ansehen, aufrufen.

Während fast alle deutschen Emigranten Moskau sofort verlassen müssen und ins ferne Kasachstan deportiert werden, erhalten Ulbricht und Pieck noch am Tage des Kriegsausbruchs von der Komintern einen Sonderauftrag. Sie sollen die Politische Verwaltung der Roten Armee bei der propagandistischen Bearbeitung der deutschen Soldaten beraten.

Die ersten Gespräche der Emigranten mit deutschen Kriegsgefangenen zeigen die Kluft, die sich aufgetan hat. In den Kommunisten werden lediglich Landesverräter gesehen. Die jungen Soldaten glauben an den Sieg Deutschlands, an den „Führer", an ihre gerechte Sache. Ulbricht wird frank und frei das Wort „Russenknecht" ins Gesicht geschleudert. Dann wendet sich das Kriegsglück. Im Gefolge der Schlacht von Stalingrad kehrt das Nachdenken in die sich allmählich füllenden Kriegsgefangenenlager ein. Die Sowjets stoßen nach. Ende Juli 1943 veröffentlicht die Kriegsgefangenenzeitung „Das freie Wort" den Aufruf zur Gründung des Nationalkomitees „Freies Deutschland". Ulbricht und seine Freunde schlagen vor, die Farben Schwarz-Rot-Gold für die Nationalkomitee-Agitation zu wählen. Der Kreml selbst schaltet sich ein und lehnt ab. Er befiehlt: Schwarz-Weiß-Rot. Die deutschen Kommunisten fügen sich, wie immer.

Eine erste Gruppe deutscher Offiziere hat sich zur Mitarbeit bereit erklärt. Unter ihnen ist Heinrich Graf von Einsiedel, ein Urenkel Bismarcks. Er lehnt den von Ulbricht und anderen ausgearbeiteten Entwurf des Manifestes ab. Der passe, sagt Einsiedel, allenfalls in eine Soldatenratssitzung nach dem ersten Weltkrieg. Ein Gegenentwurf entsteht, der den Wünschen der Offiziere weitgehend entgegenkommt. Die Sowjets helfen nach, wenn sich die Emigranten als zu schwerfällig erweisen — und Ulbricht ebenfalls.

Die Gründungsversammlung des Nationalkomitees kommt am 12. und 13. Juli 1943 im Haus des Ortssowjets von Krasnogorsk zusammen. Sie steht unter dem Motto: „Für Volk und Vaterland! Gegen Hitler und seinen Krieg! Für sofortigen Frieden! Für die Rettung des deutschen Volkes! Für ein freies, unabhängiges Deutschland!" Das Gründungsmanifest wendet sich an die deutsche Wehrmacht — nicht nur an die Kriegsgefangenen — und zugleich an das ganze deutsche Volk.

„... Aber Deutschland darf nicht sterben! Es geht jetzt um Sein oder Nichtsein unseres Vaterlandes! Wenn das deutsche Volk sich weiter willenlos und widerstandslos ins Verderben führen läßt, dann wird es mit jedem Tag des Krieges nicht nur schwächer, ohnmächtiger, sondern auch schuldiger. Wenn das deutsche Volk sich jedoch rechtzeitig ermannt und durch seine Taten beweist, daß es ein freies Volk sein will, und entschlossen ist, Deutschland von Hitler zu befreien, erobert es sich das Recht, über sein künftiges Geschick selbst zu bestimmen und in der Welt gehört zu werden. Das ist der einzige Weg zur Rettung des Bestandes, der Freiheit und der Ehre der deutschen Nation ... Das Ziel heißt: Freies Deutschland. Das bedeutet: Eine starke demokratische Staatsmacht, die nichts gemein hat mit der Ohnmacht des Weimarer Regimes, eine Demokratie, die jeden Versuch des Wiederauflebens von Verschwörungen gegen die Freiheitsrechte des Volkes oder gegen den Frieden Europas rücksichtslos schon im Keim erstickt ..."

Hohe Offiziere machen mit. Präsident wird der Schriftsteller Erich Weinert, Vizepräsidenten werden General der Artillerie von Seydlitz, Generalleutnant Edler von Daniels, Major Karl Hetz, Leutnant Heinrich Graf von Einsiedel und Soldat Emendörfer. Auch Walter Ulbricht steht auf der langen Liste. Neben ihm stehen die Namen anderer führender deutscher Kommunisten.

Man schickt die Nationalkomitee-Männer an die deutschen Stellungen, damit sie versuchen, ganze deutsche Verbände zur Waffenstreckung zu bewegen. Flugblätter und Lautsprecher unterstützen sie, und jeder dieser „Antifaschisten" leistet einen Eid:

„Ich, Sohn des deutschen Volkes, schwöre in glühender Liebe zu meinem Volk und meiner Heimat, mit dem Nationalkomitee ‚Freies Deutschland' gegen Hitler, seine Clique und alle seine Helfershelfer so lange zu kämpfen, bis der Hitlerfaschismus vernichtet, mein Volk wieder frei und glücklich und die Schande, in die Hitler es gestürzt hat, ausgelöscht ist, so daß es dadurch die Möglichkeit hat, die Achtung aller Völker zurückzugewinnen.

Ich schwöre, erbarmungslos vorzugehen gegen jeden, der diesen Schwur bricht. Sollte ich selbst diesen Schwur brechen und damit zum Verräter werden an dem heiligen und gerechten Kampf ... zur Rettung meines Volkes und meiner Heimat, so sei mein Leben verwirkt. Meine Kampfgenossen mögen mich dann als Volksfeind und Verräter vernichten."

Schnell merken die Offiziere, wer der wahre Chef ist — nicht Weinert, sondern der Mann im Hintergrund, Walter Ulbricht. Einsiedel berichtet später: „Es gibt Kommunisten, die ganz gut mit den Offizieren zu verhandeln verstehen. Aber die ‚Apparatschiks' aus der Partei wie Ulbricht

mit ihren hölzernen ‚dialektischen' Monologen sind einfach unerträglich."
Der Graf macht die gleiche Erfahrung wie vor ihm Heinrich Mann ...
1944, mit dem stürmischen Vormarsch der Sowjets gegen Westen, ändert
sich die Propaganda des Nationalkomitees gründlich. Bisher war mit
Rücksicht auf die beteiligten Generale von einer regelrechten Zerset-
zungsarbeit abgesehen worden. Rückmarsch der deutschen Truppen an
die Reichsgrenzen, hatte die Parole geheißen. Nun wird umgeschaltet.
Nun wird nur noch zum Überlaufen, zum Retten des nackten Lebens
aufgefordert.
Hinter der Front entstehen Schulen, die Gefangene in Schnellkursen
umpolen sollen. Zeitweilig werden die Kursanten auch zu Diversions-
trupps zusammengefaßt, die hinter den deutschen Linien tätig sind. Allmählich wird in all diesen Frontschulen und in allen den Gefangenen-
lagern angeschlossenen Antifaschulen weniger und weniger von Arndt,
York, Clausewitz und der deutschen Nation gesprochen als von Marx,
Engels, Lenin, Stalin und vom internationalen Kommunismus. Vor allem
die Jüngeren werden bearbeitet, die Hitlerjungen. Sie sind am wand-
lungsfähigsten. Aus ihnen sollen Kader für die künftige Partei- und Ver-
waltungsarbeit in Deutschland gebildet werden.
In den letzten Kriegsmonaten geht es konkret darum, die Richtlinien für
die Nachkriegs- und Besatzungspolitik auszuarbeiten. Im Februar 1945
nimmt eine Kommission des KPD-Politbüros ihre Arbeit auf, etwa 150
nach Moskau geholte deutsche Emigranten für ihren unmittelbar bevorstehenden Einsatz im besiegten Deutschland auszubilden. Ulbricht —
und kein anderer — steht dieser Kommission vor. Pieck, Matern und
Ackermann unterstützen ihn.
Den Versammelten wird nahegebracht, daß es nicht darum gehe, in der
Heimat im Schnellgang den Sozialismus zu verwirklichen. Das sei falsch,
„linkssektiererisch" und müsse ausgemerzt werden. Nicht die Diktatur des
Proletariats gelte es auszurufen, sondern die steckengebliebene bürger-
lich-demokratische Revolution von 1848 nachzuvollziehen. Auch mit der
Zulassung politischer Parteien sei vorerst nicht zu rechnen. Dafür müsse
eine Massenorganisation aller Antifaschisten entstehen. Ulbricht weiß
auch bereits den Namen: „Block der kämpferischen Demokratie". Sie
habe den deutschen Imperialismus und Militarismus radikal auszurotten.
Am 1. April 1945 ist es soweit. Pieck, Ulbricht und Ackermann stellen
den Rückreiseplan auf. Als erster soll Ulbricht nach Berlin zurückkehren,
von einigen ausgesuchten Funktionären begleitet. Am frühen Nachmittag des 30. April landet die „Gruppe Ulbricht" mit einer aus Moskau
kommenden Transportmaschine auf einem Feldflugplatz östlich der Oder
bei Küstrin. Am Morgen des nächsten Tages trifft sie in der zerstörten
deutschen Hauptstadt ein.

IX

ERFOLG UND MISSERFOLG IM NACHKRIEGSDEUTSCHLAND

Die SED entsteht

Das Deutsche Reich ist geschlagen, die Herrschaft des Nationalsozialismus zusammengebrochen. Hitler hat Selbstmord verübt. Am 8. Mai 1945 unterzeichnen die Abgesandten des deutschen Oberkommandos die bedingungslose Kapitulation. Die Alliierten übernehmen die alleinige Befehlsgewalt und damit auch die Verantwortung. In Mitteldeutschland — dazu zählen Mecklenburg, Vorpommern, Brandenburg, Anhalt und Thüringen sowie Provinz und Land Sachsen — richtet sich die sowjetische Militärverwaltung ein, ebenso im Ostsektor von Berlin.

Die deutsche Bevölkerung in der Sowjetzone verhält sich überwiegend passiv. Sie ist erschöpft, ausgesogen, voller Resignation. Die Antisowjetpropaganda eines Dr. Goebbels wirkt nach. Und auch das Verhalten der sowjetischen Soldaten trägt nicht dazu bei, Sympathien für die Sieger und die von ihnen verkündete Soziallehre zu schaffen. Massenvergewaltigungen in den Tagen der Eroberung versetzen Frauen und Mädchen in Angst und Schrecken.

In Berlin bemüht sich die Gruppe Ulbricht, Gegner des Nationalsozialismus aller Richtungen zu bewegen, an einer politischen Neuordnung unter der Aufsicht der Besatzungsmacht mitzuwirken. Dabei besteht von vornherein die strikte Anweisung, die Ressorts Polizei, Personalpolitik und Volksbildung in den zu errichtenden zivilen Verwaltungen nur mit zuverlässigen Kommunisten zu besetzen.

In Dresden landet die Gruppe Ackermann-Matern, die dasselbe Ziel verfolgt. Außerdem kehrt eine Reihe ausgesuchter und gut geschulter ehemaliger Kriegsgefangener zurück. Sie alle gehen von der Vorstellung aus, daß es noch lange keine politischen Parteien in Deutschland geben wird. In Moskau scheint man zu befürchten, Nationalsozialisten könnten eine Widerstandsbewegung bilden und die Parteien zielstrebig unterwandern.

So bringt dann die in der ersten Juniwoche in Berlin eintreffende Gruppe Pieck eine Überraschung mit: den fertig formulierten Gründungsaufruf der KPD. Ein achtzigköpfiges Parteiaktiv tritt zusammen, dessen Mitglieder überlebende Kommunisten aus der Zeit von vor 1933 sind, zu denen Ulbrichts Leute inzwischen Kontakt gefunden haben. Und als die Militärregierung am 10. Juni doch die Bildung von Parteien und Gewerkschaften in der Sowjetzone erlaubt, dauert es keine 24 Stunden, bis die KPD neu gegründet ist.

Außer der KPD werden die SPD zugelassen, die Christlich-Demokratische Union (CDU), die Liberal-Demokratische Partei (LDP), später noch die Demokratische Bauern-Partei (DBP) und — um ehemalige Nationalsozialisten und Deutschnationale an das neue System heranzuführen — die National-Demokratische Partei Deutschlands (NDPD).

Sowohl bei Kommunisten als auch bei Sozialdemokraten, die sich nach zwölf Jahren Verfolgung und Unterdrückung überall wieder zu regen und zu sammeln beginnen, gewinnt der Wunsch Raum, die Spaltung der Arbeiterschaft zu überwinden, der die Hauptschuld am Zusammenbruch der Weimarer Republik beigemessen wird. Sozialdemokraten und Kommunisten waren ja dem nationalsozialistischen Terror gemeinsam ausgesetzt gewesen, haben zusammen mit den anderen Hitlergegnern Seite an Seite in den Zuchthäusern und Konzentrationslagern gesessen und oft gemeinschaftlich Widerstand zu leisten versucht.

So kommt es vielerorts spontan zur Bildung von — allerdings schnell wieder unterdrückten — Arbeiterkomitees, in denen Kommunisten und Sozialdemokraten gleichermaßen vertreten sind. Und so erhebt die SPD der Sowjetzone bereits am Tag ihrer Gründung in Berlin, am 15. Juni 1945, den Ruf nach einer „einheitlichen politischen Kampforganisation der Arbeiterklasse".

Doch die Kommunisten lehnen ab. Sie wollen keine demokratische Arbeiterpartei, sondern eine leninistische Kampf- und Kaderpartei, die schon in naher Zukunft alle anderen zugelassenen Parteien an die Wand drücken und als ausgehöhlte Scheingebilde für ihre eigenen Zwecke mißbrauchen soll. Überdies glauben Pieck, Ulbricht und ihre Moskauer Hintermänner zu diesem Zeitpunkt noch, die KPD werde sich als so attraktiv erweisen, daß Mitglieder und Wähler in Scharen kommen. Denn den Kommunisten hilft die Besatzungsmacht in bevorzugter Weise. Sie allein erhalten Parteihäuser, Lebensmittel, Geld, Druckereien, Papiervorräte, Autos und Benzin in nennenswertem Umfang. Täglich gelangen kommunistische Zeitungen, Zeitschriften und Flugblätter in einer Auflage von vier Millionen an die Öffentlichkeit.

Um möglichst niemanden abzuschrecken, gibt die KPD schließlich noch ein Programm heraus, in dem die Begriffe Revolution, Klassenkampf und Diktatur des Proletariats völlig fehlen. Nicht einmal vom Sozialismus ist die Rede. Fast selbstverständlich erscheint es, daß Namen wie Marx, Engels, Lenin und Stalin glattweg verschwiegen werden. Angesprochen werden soll das gesamte „schaffende Volk in Stadt und Land". Wörtlich heißt es:

„Wir sind der Auffassung, daß der Weg, Deutschland das Sowjetsystem aufzuzwingen, falsch wäre, denn dieser Weg entspricht nicht den gegenwärtigen Entwicklungsbedingungen in Deutschland. Wir sind vielmehr der Auffassung, daß die entscheidenden Interessen des deutschen Volkes in der gegenwärtigen Lage für Deutschland einen anderen Weg vorschreiben, und zwar den Weg der Aufrichtung eines antifaschistischen, demokratischen Regimes, einer parlamentarisch-demokratischen Republik mit allen demokratischen Rechten und Freiheiten für das Volk."

Dennoch erweisen sich die Hoffnungen der Kommunisten als trügerisch. Es gelingt ihnen nicht, die Bevölkerung der sowjetischen Besatzungszone zu überzeugen. Ein Durchbruch auf friedlichem und demokratischem Weg, ohne Zwang und Pression, bleibt der KPD versagt. Die sozialdemokratischen Parteibüros werden dagegen vom Publikum geradezu überlaufen. Binnen kurzem erreicht die SPD in der Sowjetzone und Berlin 700 000 Mitglieder. Die KPD kommt nicht einmal auf ein Drittel dieser Zahl.

Und nach der katastrophalen Wahlniederlage der Kommunisten in Österreich im November 1945 entschließt man sich Hals über Kopf zum Kurswechsel. Man will die sozialdemokratische Konkurrenz, die sich wider Erwarten als gefährlich entpuppt, zerschlagen, indem man ihr scheinbar zu Willen ist.

Aber die SPD will jetzt keine Vereinigung mehr. Sie hat gleich in den ersten Monaten nach dem Krieg erkennen müssen, daß die Kommunisten selbst im Inferno nationalsozialistischer Unterdrückung nicht geläutert worden, sondern die alten Machiavellisten geblieben sind, denen im Grunde jedes Mittel recht ist, das ihren Zwecken dient.

Die Sozialdemokratie weiß, daß sie die einzige Massenpartei in der Sowjetzone ist. Sie will nicht zum Blutspender des Kommunismus werden. Sie fühlt sich als Mittler zwischen Kommunisten und Bürgerlichen. Und sie ist auf dem Weg, unter dem Druck der ihr zuströmenden Mitglieder aus allen sozialen Schichten zu einer Partei der Mitte zu werden. Ihr Selbstbewußtsein wächst. Schließlich müssen die Positionen in den Verwaltungen und Behörden mehr und mehr mit Sozialdemokraten besetzt werden. Qualifizierte Kommunisten und politisch unbelastete Bürgerliche gibt es nicht genug.

Auch in den drei westlichen Besatzungszonen Deutschlands, wo die Parteien sich allmählich ebenfalls formieren können, wird die Verschmelzung mit den Kommunisten von den Sozialdemokraten mit großer Entschiedenheit abgelehnt. Einer der energischsten Gegner dieser Bestrebungen ist außer Kurt Schumacher in Hannover der Schweden-Heimkehrer Herbert Wehner in Hamburg.

Trotz massiven Drucks von Seiten der Sowjets erklärt der Zentralausschuß der SPD in der Sowjetzone am 21. Dezember 1945 zur Frage einer Vereinigung mit den Kommunisten: „Die SPD wird vor der Bildung im ganzen Reich und vor der Wahl ihrer gesamten Instanzen durch einen Reichsparteitag keine verbindlichen Erklärungen abgeben." Sie verlangt überdies eine Urabstimmung aller Mitglieder.

Die sowjetische Militäradministration antwortet mit einem Geheimbefehl: „Urabstimmungen sozialdemokratischer Grundorganisationen über die Frage der Vereinigung der Arbeiterparteien sind verboten. Man kann die Entscheidung über die Vereinigung der Arbeiterparteien nicht größtenteils neuen Mitgliedern überlassen, sondern allein den erfahrenen Funktionären der deutschen Arbeiterbewegung."

Die örtlichen Vorsitzenden und Sekretäre der SPD werden auf die Kommandanturen zitiert. Dort verliest man ihnen ohne Umschweife den Wortlaut des Befehls. Und während das Ergebnis der ersten Nachkriegswahl auf deutschem Boden, die am 20. Januar 1946 in 17 hessischen Landkreisen stattfindet, für die Zukunft der KPD nur düsteren Prognosen Raum gibt, — die Kommunisten erhalten ganze 4,6 Prozent, die Sozialdemokraten 41,4 Prozent, CDU und Liberale zusammen 44 Prozent — beginnt in der Sowjetzone unter tatkräftiger Mithilfe der sowjetischen Ortskommandanten eine „Wiedervereinigungskampagne von unten".

Diesmal werden SPD- und KPD-Funktionäre gemeinsam zu den Sowjetkommandanten bestellt. Wenn sie wieder auf der Straße stehen, haben sie im Regelfall die Vereinigung beider Parteien auf örtlicher Basis und unter paritätischer Besetzung des Vorstandes beschlossen. Hier und da schenkt man den bestürzten Sozialdemokraten solange Wodka ein, bis sie unterschreiben. Häufiger jedoch geht es weniger „friedlich" zu. Offene Drohungen und physische Gewalt gehören ebenso zu den „Überredungskünsten" der Sowjets wie willkürliche Verhaftungen. Die Zuchthäuser von Bautzen und Brandenburg sowie das Straflager Workuta in der Sowjetunion füllen sich mit verschleppten Sozialdemokraten.

Wo das nicht ausreicht, scheuen die Sowjets auch nicht vor noch brutaleren Methoden zurück: So wird auf den widerstrebenden SPD-Sekretär von Haldensleben ein Revolverattentat verübt und der Sekretär von Schwerin in seinem Büro niedergeschossen.

Von Panik gepackt, an Leib und Leben bedroht, setzen sich Tausende von Sozialdemokraten als erste große Fluchtwelle in Richtung Bundesrepublik in Bewegung. Auch das dient den Kommunisten. Denn so werden die Gegner der neuen Einheitspartei am spürbarsten dezimiert.

Selbstverständlich muß nicht überall zum Terror und zur Einschüchterung gegriffen werden. Vor allem dort, wo die Sozialdemokraten örtlich das eindeutige Übergewicht haben, neigen sie der Verschmelzung vielfach aus einem Gefühl der Stärke heraus freiwillig zu.

Ähnlich beginnt nun auch Otto Grotewohl, der Vorsitzende der SPD in der Sowjetzone, zu argumentieren, der bis dahin den Sowjets und den Kommunisten entschlossen entgegengetreten ist. Von vielen Unterorganisationen im Stich gelassen, von den Besatzungsmächten täglich bedrängt, im Grunde schon ohne Einfluß auf die Entwicklung, ein neues Verbot der gerade wieder gegründeten Partei vor Augen, möchte er soviel an sozialdemokratischem Einfluß retten, wie zu retten ist. Und wenn er sich dabei Illusionen hingibt, sind sie möglicherweise nicht allzu groß.

Schließlich — Grotewohl ist nicht frei von politischem Ehrgeiz und persönlicher Eitelkeit. Nachdem ihm in Kurt Schumacher ein schwerer Rivale im Ringen um die Führung einer gesamtdeutschen SPD erwachsen ist, mag er glauben, dafür die Führung der neuen Einheitspartei um so sicherer in der Tasche zu haben. Und die Sowjets bestärken ihn dabei. Grotewohl lehnt also die Aufforderung Schumachers ab, die Sowjetzonen-SPD unter Protest gegen die kommunistische Erpressung aufzulösen. Die Würfel sind gefallen.

Für den 20. und 21. April 1946 wird der Vereinigungsparteitag nach Berlin einberufen. Ein direkt von Moskau inspirierter Artikel des kommunistischen ZK-Mitglieds Anton Ackermann mit dem Titel: „Gibt es einen besonderen deutschen Weg zum Sozialismus?" trägt das Seine bei, den Widerstand bei der SPD erlahmen zu lassen. Denn Ackermann verkündet die These, daß unter bestimmten Voraussetzungen ein friedliches Hineinwachsen in den Sozialismus in Deutschland durchaus möglich sei. Nur in Berlin wollen die Sozialdemokraten nicht auf die Forderung nach der Urabstimmung verzichten. Zwar wird sie im Sowjetsektor der Stadt in letzter Minute verboten, aber in den westlichen Bezirken können die SPD-Mitglieder an die Abstimmungsurne treten. Von insgesamt 33 247 stimmberechtigten Sozialdemokraten nehmen 23 755 oder 71,3 Prozent an der Abstimmung teil. Von diesen verwerfen 82 Prozent Grotewohls Verschmelzungsantrag, während 12,4 Prozent ihn bejahen; 5,6 Prozent der Stimmen sind ungültig. Einer zweiten Frage dagegen — „Bist du für ein Bündnis beider Parteien, welches gemeinsame Arbeit sichert und Bruderkampf ausschließt?" — wird mit Zweidrittelmehrheit zugestimmt. Die Berliner SPD trennt sich von der Sowjetzonen-SPD und schließt sich der westdeutschen Parteiorganisation an.

Dann ist es soweit: Auf der Operettenbühne des Berliner Admiralspalastes geben sich Wilhelm Pieck und Otto Grotewohl den symbolischen Händedruck. Sie sind jetzt die gleichberechtigten Vorsitzenden der Sozialistischen Einheitspartei Deutschlands, der SED.

Bald zeigt es sich, wer der wahre starke Mann der neuen Partei ist: der wieder einmal unauffällig im Hintergrund stehende Walter Ulbricht. Schon 1950 werden die Ämter der Vorsitzenden auch offiziell abgeschafft und tritt Ulbricht sichtbar an die Spitze — wie Stalin als Generalsekretär.

In den drei Westzonen bemalen die Kommunisten zwar emsig die Ruinenmauern der Großstädte und des Industrierereviers mit der Parole „SPD/KPD = SED", ein Erfolg ist ihnen jedoch nicht beschieden. Selbst der Versuch einer Anpassung an die Ereignisse in der Sowjetzone wenigstens dem Namen nach mißlingt. Die West-KPD beschließt, sich in „Sozialistische Volkspartei Deutschlands" umzutaufen. Doch die Besatzungsmächte erheben „im Interesse der politischen Ehrlichkeit" Einspruch. Die überlieferten, aber — wie sich zeigt — im Bewußtsein des deutschen Volkes schwer belasteten drei Buchstaben „KPD" bleiben der Partei erhalten.

Den Sowjets gilt es als Dogma: Zunächst muß eine Bodenreform dafür sorgen, daß die breite Masse der Bauern an der neuen Ordnung Geschmack findet. Schon im August 1945 wird allenorts die Einwohnerschaft zusammengetrommelt, um in vorbereiteten Resolutionen die „Aufteilung des Großgrundbesitzes" zu verlangen. Und die Sowjets wundern sich, wie wenig interessiert die Deutschen an dieser Forderung sind. Sie haben nicht bedacht, daß 80 Prozent der Bevölkerung den Lebensunterhalt in Handwerk, Industrie, Handel und Dienstleistungsgewerbe finden und nur 20 Prozent in der Landwirtschaft. Im Rußland des Jahres 1917 war es genau umgekehrt.

Dennoch kommt es zur rücksichtslosen Zerschlagung der etwa 11 000 landwirtschaftlichen Großbetriebe Mitteldeutschlands. Den Landbesitz des Staates, der Länder und Gemeinden trifft das gleiche Schicksal. Der gesamte so entstandene „Bodenfonds" wird in rund 540 000 lebensunfähige Zwerghöfe aufgesplittert. Lediglich 550 Spezialbetriebe für Tierzucht, Saatzucht und Forschungszwecke bleiben als „Volkseigene Güter" erhalten.

Die Folgen sind katastrophal. Die durch sechs Jahre Krieg und den Zusammenbruch angeschlagene Ernährungsgrundlage fällt völlig auseinander. Die Neubauern haben weder Werkzeug noch Saatgut. Ihnen fehlen Düngemittel und Stallungen für das Vieh. Auch Futter ist nicht vorhanden. Das mit dem Grundbesitz aufgeteilte Vieh wird vielfach geschlachtet. Der Hunger macht sich breit.

Die Vorsitzenden der Sowjetzonen-CDU, Hermes und Schreiber, protestieren gegen die entschädigungslose Enteignung und die volkswirtschaftliche Gefahr der Aufteilung. Damit richten sie den Zorn der Besatzungsmächte gegen sich. Die Kommunisten rufen zu Kundgebungen auf, in denen beiden Politikern „Provokation der Arbeiter" vorgeworfen wird. Sie müssen in den Westen fliehen.

Der nächste Schritt erfolgt in Sachsen, wo 40 Prozent der gesamten Industriekapazität Mitteldeutschlands konzentriert sind. Die SED beantragt einen Volksentscheid über die Enteignung der „Kriegsverbrecher und Naziaktivisten". In Wirklichkeit geht es um die Verstaatlichung aller großen Betriebe. Eine Welle der Agitation überflutet das Land. Wieder werden hartnäckige Gegner von den Sowjets verhaftet und verschleppt. Im Juni 1946 kann die SED verkünden, daß 77,7 Prozent der Wahlberechtigten für die Enteignung gestimmt haben. Im übrigen Gebiet der Sowjetzone erfolgt daraufhin die Enteignung ebenfalls. „Volkseigene Betriebe" entstehen, abgekürzt VEB.

Ein großer Teil der Industrieanlagen fällt allerdings den Demontagen der Sowjets zum Opfer, die noch lange nicht abgeschlossen sind. Schon bis zum Juni 1945 haben die Besatzer 460 Berliner Betriebe bis zur letzten Schraube demontiert und die Beute nach Rußland abtransportiert. Auf sämtlichen Eisenbahnstrecken der Sowjetzone werden die zweiten

Gleise abgebaut. Braunkohlenwerke, Brikettfabriken, Kraftwerke, Ziegeleien, Textil- und Papierfabriken, Druckereien, Schuhfabriken und chemische Betriebe — sie wandern als Reparationen für die Kriegsschäden der Sowjetunion in Richtung Osten ab, wo die Anlagen vielfach als Bruch ankommen, nicht wieder aufgebaut werden und auf den Güterbahnhöfen im Freien verrosten.

Im Vergleich zum Bestand von 1936 beträgt der Demontageverlust bei den Walzwerken 82 Prozent, in der Hohlziegelerzeugung 75 Prozent, in der Zementindustrie 45 Prozent, in der Zuckererzeugung etwa 50 Prozent. Durchschnittlich fallen in allen Industriezweigen etwa 50 Prozent der Maschinen und Werkseinrichtungen der Demontage zum Opfer.

231 nichtdemontierte Betriebe werden im Jahr 1946 in das Eigentum der Sowjetunion übergeführt und zu „Sowjetischen Aktiengesellschaften" (SAG) deklariert, deren Gewinne die Sowjets einstecken. Dazu kommen noch Reparationslieferungen aus der laufenden Produktion der Volkswirtschaft, die von „Sowjetischen Handelsgesellschaften" übernommen werden.

Die vom Krieg zertrümmerte mitteldeutsche Wirtschaft blutet jetzt nahezu völlig aus. Die Bevölkerung leidet unvorstellbare Not. An allem herrscht Mangel. Der Kommunismus führt sich im Nachkriegsdeutschland auf eine Weise ein, wie sie schlechter kaum zu denken ist. Und so kann es nicht ausbleiben, daß die SED bei den ersten und einzigen freien Wahlen, die in der Sowjetzone nach dem Krieg zugelassen werden, die Quittung erhält.

Dabei bereitet sich die Führung der Einheitspartei auf diese Wahlen zu den Landtagen der fünf Länder, in die Mitteldeutschland inzwischen aufgeteilt worden ist, gründlich vor. Sie spricht sich in einem formellen Beschluß für die Eingliederung der „kleinen Nazis", der Mitläufer der NSDAP, als gleichberechtigte Staatsbürger in den „demokratischen Aufbau" aus. Sie betont, daß christlicher Glaube oder sonstige Religionszugehörigkeit kein „Hindernisgrund für das Bekenntnis zum Sozialismus und zu einer marxistischen Partei" sei. Sie setzt sich sogar mit Lippenbekenntnissen für eine Revision der Oder-Neiße-Linie ein (die wenig später als „Friedensgrenze" anerkannt werden soll).

All das dient dem Ziel, die bürgerlichen Wähler zu gewinnen und von der CDU und der LDP fernzuhalten.

Doch obgleich die Besatzungsmacht der SED wieder einmal mit sämtlichen ihr zur Verfügung stehenden Mitteln hilft — vielfach werden CDU- oder LDP-Kandidaten überhaupt nicht zugelassen —, fallen bei den am 20. Oktober 1946 stattfindenden Wahlen auf die SED nur 47,5 Prozent der Stimmen. CDU und LDP verfügen zusammen über die Mehrheit.

Dieses Ergebnis veranlaßt die Sowjets und die Kommunisten, die bisherige Parole „Gegen alle Überreste des Faschismus, für die Vollendung der bürgerlich-demokratischen Revolution" aufzugeben und durch eine neue zu ersetzen: Jetzt wird offen der „Aufbau des Sozialismus" proklamiert und gleichzeitig die SED von der „Massenpartei" zur „Kaderpartei" umgeformt, zur „Partei neuen Typus".

Was eine „Partei neuen Typus" ist, hat Stalin 1925 formuliert, als er die „Zwölf Thesen über die Bolschewisierung der kommunistischen Parteien" formulierte. Danach orientiert sich eine solche Partei an den Lehren des Marxismus-Leninismus. Ihre Mitglieder stellen sich bewußt in den Dienst der proletarischen Revolution. Sie betrachtet sich als Vorhut der Arbeiterklasse, die den Einfluß antirevolutionärer, reformistisch-sozialdemokratischer Konzeptionen zu beseitigen hat. Ständige Auseinandersetzungen mit „opportunistischen" Tendenzen in der Partei sind nötig.

Das Organisationsleben wird vom „demokratischen Zentralismus" und der proletarischen Parteidisziplin bestimmt, d. h. alle Anweisungen von oben sind strikt zu befolgen, Fraktionsbildung ist verboten. Der KPdSU und der Sowjetunion fällt die führende Rolle im Kampf um den Sieg des Sozialismus zu. Eine „Partei neuen Typus" außerhalb der UdSSR empfängt alle entscheidenden Weisungen von der Führung in Moskau.

Es nimmt nicht wunder, daß Anton Ackermann, der Mann des „deutschen Weges zum Sozialismus", nun gezwungen wird, seine eigene These am 24. September 1948 zu widerrufen und als „antibolschewistisch" zu verwerfen. Der KPD der Weimarer Zeit wird nachträglich attestiert, sie habe stets „an der Spitze der revolutionären Arbeiterklasse gestanden", während die SPD „Verrat an der Novemberrevolution" von 1918 begangen und die Herrschaft des Kapitalismus gerettet habe, also auch an Hitler schuld sei. Hans Teubner, Leiter der Lehrabteilung an der Parteihochschule „Karl Marx", stellt fest: „Der Weg des Rechtsopportunismus, des Reform-Revisionismus, mit einem Wort des Sozialdemokratismus, führte zum kriminellen Verbrechertum im Dienste des Imperialismus." Deshalb sei in der SED für „Sozialdemokratismus" kein Platz.

Die SED-Mitglieder, die aus der SPD gekommen sind, werden gezwungen, die Politik ihrer alten Partei zu verdammen. Wo sie dazu nicht bereit sind, müssen sie ihre Ämter niederlegen oder werden sie ausgeschlossen. Die erste Säuberung setzt ein. Viele entziehen sich ihr durch Flucht in die Westzonen.

Weitere Säuberungen treffen die wenigen mittleren Unternehmer, selbständigen Kaufleute und Großbauern, die in die SED eingetreten sind. Sie werden ihrer sozialen Position wegen ausgeschlossen, auch wenn sie sich als noch so gute Parteigenossen gezeigt haben.

Hart treffen die Parteimaßnahmen Parteimitglieder und Funktionäre, die mit Tito sympathisieren.

Die Sowjetische Militäradministration verfügt ihrerseits 1949 den Befehl, daß sämtliche Personen nicht mehr in maßgebenden Funktionen der Partei oder des öffentlichen Lebens verwandt werden dürfen, die entweder längere Zeit in westlicher oder jugoslawischer Kriegsgefangenschaft waren bzw. enge Verwandte in den Westzonen wohnen haben.

Schließlich werden auch die ersten Spitzenfunktionäre von Säuberungen betroffen und entmachtet, so das Politbüromitglied Paul Merker, dem vorgeworfen wird, daß er die gleiche ideologische Plattform wie Tito, der „faschistische Henker des jugoslawischen Volkes", bezogen habe. Wenig später stürzt mit ähnlichen Anschuldigungen Ulbrichts alter Rivale aus der Emigrationszeit, der einflußreiche Franz Dahlem.

Die „Deutsche Demokratische Republik" wird proklamiert

Selbstverständlich sind die deutschen Kommunisten nicht bereit, ihre Herrschaft aufs Spiel zu setzen. Deshalb sind sie natürliche Gegner einer Wiedervereinigung Deutschlands, es sei denn, diese bezieht die drei westlichen Besatzungszonen in den kommunistischen Machtbereich ein. Der aufbrechende Konflikt zwischen der Sowjetunion und den Westmächten nimmt den Kommunisten so ziemlich jede Sorge. Er zementiert die deutsche Spaltung und gibt der SED-Führung gleichzeitig die Möglichkeit, sich in ein nationales Gewand zu kleiden, ohne ernsthafte Folgen befürchten zu müssen.

Im Dezember 1947 läßt sie einen „Volkskongreß" zusammentreten, dessen „Abgeordnete" in Mitteldeutschland von der SED und im Westen von der KPD ausgesucht werden. Einige Parlamentarier der Sowjetzonen-CDU und -LDP machen mit. Dazu kommt der eine oder andere Leichtgläubige aus allen politischen Lagern Westdeutschlands.

Dieser „Kongreß" erhebt den Anspruch, für das ganze deutsche Volk zu sprechen. Seine wahre Bedeutung liegt darin, die sowjetische Haltung zur Deutschlandfrage auf der in diesen Tagen nach London einberufenen Außenministerkonferenz zu kaschieren. Unter Berufung auf die dem „Volkskongreß" eingeblasene Forderung nach sofortiger Bildung einer gesamtdeutschen Regierung ohne die von den Westmächten als unabdingbar angesehenen vorherigen freien Wahlen läßt Moskau die Konferenz scheitern.

Die Westmächte fügen daraufhin ihre drei Besatzungszonen zu einem Vereinigten Wirtschaftsgebiet zusammen. Die in der Sowjetzone bestehenden zentralen Verwaltungsinstanzen — die „Deutsche Wirtschaftskommission" und die „Deutschen Verwaltungen" — erhalten immer mehr den Charakter einer Regierung. Von einem auf ebenso zweifelhaftem Wege wie der erste zustandegekommenen „2. Volkskongreß" läßt die SED im März 1948 einen 400köpfigen „Deutschen Volksrat" wählen und besitzt damit ein scheindemokratisches Vorparlament. Die neuen Vorsitzenden der Sowjetzonen-CDU, Kaiser und Lemmer, protestieren. Sie werden auf Druck der Sowjets von den Landesverbänden abgesetzt und müssen fliehen.

Am 20. Juni 1948 findet im Vereinigten Wirtschaftsgebiet, der „Trizone", die Währungsreform statt. Gleichzeitig wird die Zwangswirtschaft aufgehoben und die Soziale Marktwirtschaft eingeleitet. Kreditspritzen aus dem amerikanischen Marshallplanfonds tun das ihre. In überraschend kurzer Zeit kommt es zu einem Wirtschaftsaufschwung, der schließlich zu einem Sozialprodukt führt, das sogar den Vorkriegsstand Deutschlands überschreitet. Alle Welt spricht vom „Wirtschaftswunder". Der Kommunismus verliert für die Deutschen noch mehr an Anziehungskraft. Denn in der Sowjetzone bestimmen Hunger, Not und Mangel an allen Gütern des täglichen Bedarfs noch für Jahre das tägliche Bild.

Die Westmächte führen die neue Währung, die bald so begehrte DM-West, auch in den drei westlichen Sektoren Berlins ein, die völlig vom sowjetisch besetzten Gebiet umgeben sind. Stalin will die Einverleibung dieser „Enklave des Kapitalismus" in den Ostblock erzwingen und verfügt die Blockade der westlichen Stadthälfte.

Fast elf Monate lang sind die 2,5 Millionen West-Berliner auf dem Landweg abgeschnitten, die Eisenbahnen verkehren nicht, die Autobahnen und Landstraßen sind gesperrt, die Wasserstraßen ebenfalls. West-Berlin soll ausgehungert werden. Aber die Sowjets haben nicht mit der Unbeugsamkeit der Bevölkerung gerechnet und nicht mit der Entschlossenheit der drei Westmächte, diesen Außenposten der Freiheit zu halten.

Berlin wird in der ganzen Welt zum Symbol trotzigen Ausharrens gegen kommunistische Unterdrückung. Eine schnell organisierte Versorgung auf dem Luftweg — die Luftbrücke — schafft das Nötigste herbei. Amerikaner und Engländer lassen ihre Maschinen nach Berlin starten. Täglich werden 4 500 Tonnen Lebensmittel, Kohle, Rohmaterial und Maschinenteile eingeflogen. Bald steigt die Leistung auf 10 000 Tonnen täglich. Selbst bei schlechtem Wetter landet alle zwei bis drei Minuten eine Maschine in West-Berlin. Insgesamt werden 230 amerikanische und 150 britische Flugzeuge eingesetzt.

Diese bisher größte Transportaktion in der Geschichte der Luftfahrt beweist den freien Völkern, daß sie auf die Westmächte rechnen können. Und gleichzeitig zwingt Stalin auf diese Art die Deutschen und die westlichen Völker in eine Schicksalsgemeinschaft hinein, die den späteren Eintritt Westdeutschlands in die NATO erst denkbar macht. Die Blockade endet mit einem völligen Mißerfolg der Kommunisten. Im Mai 1949 ziehen sie die Konsequenzen und heben sie auf.

Die Parlamente der westdeutschen Länder beschicken einen Parlamentarischen Rat, der in Bonn tagt und ein Grundgesetz für einen provisorischen westdeutschen Bundesstaat entwirft, die Bundesrepublik Deutschland. Am 14. August 1949 wählt die westdeutsche Bevölkerung den Ersten Deutschen Bundestag. In der vorläufigen Bundeshauptstadt Bonn übernimmt die erste deutsche Bundesregierung unter Konrad Adenauer die Amtsgeschäfte.

Die westdeutsche KPD hat gegen das Grundgesetz gestimmt. Aber sie stellt sich auf die neue Wirklichkeit ein. Die im Jahre 1947 gegründete „Arbeitsgemeinschaft SED/KPD", die die KPD in völlige Abhängigkeit, vor allem finanziell, vom großen Bruder gebracht hat, wird offiziell aufgehoben. Tatsächlich jedoch steuert das Westbüro der SED die KPD-Arbeit nach wie vor weiter.

Ebenfalls in einer Art Arbeitsgemeinschaft sind die sowjetzonalen Parteien mit der SED zusammengefaßt, im „Antifaschistischen Block", der dazu dient, alle politischen Kräfte in Mitteldeutschland unter Kontrolle der SED zu halten. Nun wird der „Block" am 7. Oktober 1949 durch die „Nationale Front" ersetzt, die aus der „Volkskongreß-Bewegung" hervorgeht und in der die SED die unbedingte Führung hat. Alle angeschlossenen Parteien müssen sich fügen.

Am selben Tag läßt die SED den „Volksrat" zusammentreten und zum Parlament der „Deutschen Demokratischen Republik" erheben, die den Anspruch stellt, der einzige und wahre deutsche Staat zu sein. Wilhelm Pieck wird Staatspräsident, Otto Grotewohl Vorsitzender des Ministerrats.

Der Statthalter Stalins

Das Jahr 1949 bringt nicht nur die Gründung der DDR, sondern auch die völlige Anpassung der regierenden Partei an die KPdSU.

Generalsekretär Ulbricht gibt die Parole aus: „Von der Sowjetunion lernen, heißt siegen lernen." Die letzten „Schumacher-Agenten", nicht zur Unterordnung bereite ehemalige Sozialdemokraten, werden verdrängt, verfolgt, verhaftet, zur Flucht getrieben. Eine neue Funktionärsschicht schart sich um Ulbricht. Es sind lauter Organisationsspezialisten, die keine eigenen Ideen haben, sondern fleißig, willig und freudig Befehle empfangen und ausführen, auch wenn diese mit überlieferten Moralvorstellungen kollidieren. Recht ist zum Unterschied zu früheren Zeiten nicht, was der „Führer" will, sondern was Stalin befiehlt. Und als Stalins Statthalter fungiert — darüber gibt es von Tag zu Tag weniger Zweifel — Walter Ulbricht. Über ihn allein gehen die Verbindungen zur sowjetischen Militäradministration in Karlshorst.

Unverblümter als vorher wird die „führende Rolle" der SED im neugeschaffenen Staatswesen herausgestellt. Die bürgerlichen Schattenparteien verlieren endgültig ihr eigenes Gesicht. „Verschärfung des Klassenkampfes" nennt man das. Die maßgebenden Leute der CDU und der LDP, soweit sie sich nicht kommunistischer gebärden als die Kommunisten selbst, müssen ihre Stellungen in Regierung und Verwaltung räumen. Auch sie spült eine Verhaftungswelle in die Gefängnisse oder zwingt sie zur Flucht in die Bundesrepublik. Von 1950 bis 1952 werden allein 899 CDU-Mitglieder zu teilweise hohen Zuchthausstrafen verurteilt.

Nun kommen auch Kunst und Wissenschaft nicht mehr ungeschoren davon. Beginnend mit dem Studienjahr 1951/52 geht für alle Studenten ihrem Fachstudium ein obligatorisches Studium des Marxismus-Leninismus voraus. Die bolschewistische Theorie, wird deklariert, müsse Grundlage jeder wissenschaftlichen Forschung und Lehre sein. An den Oberschulen wird der „Marxismus-Leninismus und seine Weiterentwicklung durch Stalin" zum Pflichtfach. Lehrer, die „indifferent" sind, werden durch geschulte SED-Mitglieder ersetzt.

Um die Kunst kümmert sich eine Staatliche Kommission für Kunstangelegenheiten. Sie legt fest, daß Kunst nicht Selbstzweck sei, sondern wesentliche gesellschaftspolitische Funktionen zu erfüllen habe. Der Künstler soll die Massen durch sein Werk zur Planerfüllung anfeuern, Begeisterung, Optimismus, Zustimmung erzeugen. Das kann er nur, wenn er sich in seinem Werk zu „klassenkämpferischer Parteilichkeit" bekennt und den „imperialistischen Kulturverfall", die „amerikanische Kulturbarbarei" bekämpft.

Selbstverständlich darf auch die Form nicht frei sein, sie muß der klassenkämpferischen Funktionsbestimmung entsprechen. „Formalismus" ist verwerflich. Fortschrittliche Kunst kann nur „sozialistisch" im Inhalt und realistisch in der Form sein, also „sozialistischer Realismus".

Wer sich nicht fügt, hat keine Chancen, denn die Partei sitzt in allen Verlagen, in allen Bühnenintendanturen, in allen Filmproduktionen. Durchschnittliche Künstler, die willig mitmachen, werden mit Ehrungen und Auszeichnungen geradezu überschüttet — ob sie nun Schriftsteller, Maler, Bildhauer oder Musiker sind. „Formalisten" dagegen müssen verhungern oder „in der Produktion" an der Drehbank oder auf dem Bau geistig verkümmern.

Bald fühlt die SED sich stark genug, den Kirchen den Kampf anzusagen. Den Kirchenleitungen wird vorgeworfen, „monopolistischen Glaubenszwang verwirklichen zu wollen" und „fortschrittliche" Pfarrer in ihrer gesellschaftlichen Tätigkeit zu behindern. Die SED ruft zu „einer breiten Protestbewegung" innerhalb der Kirchen gegen die „Feinde der Deutschen Demokratischen Republik" auf und legt allen ihren Mitgliedern, die noch einer Glaubensgemeinschaft angehören, den Kirchenaustritt nahe. Dazu kommt gezielte Schikane: Der Religionsunterricht in den Schulen wird immer mehr beschränkt. Den Kirchen werden Spendenverteilungen untersagt. Für den Druck von Gesangbüchern und Kirchenzeitungen gibt es kein Papier.

1952 und Anfang 1953 konzentriert sich das ganze Gewicht von Staat und Partei gegen die „Junge Gemeinde", eine evangelische Jugendorganisation, die starken Zulauf hat, besonders unter Oberschülern und Studenten. Der von den Kommunisten nach Kriegsende gegründeten und zunächst unter dem Tarnmantel „überparteilich" fungierenden Staatsjugendorganisation „Freie Deutsche Jugend" (FDJ) gelingt es nicht, diese unerwünschte Entwicklung zu bremsen. Deshalb wird gegen die „Junge Gemeinde" massiv vorgegangen: Ihre Mitglieder werden von den Oberschulen und Universitäten verwiesen, Studenten und Jugendpfarrer verhaftet, kirchliche Waisenhäuser und Jugendheime aufgelöst.

Eine Parteikonferenz, die im Juli 1952 einberufen wird, stellt fest, daß das „Hauptinstrument bei der Schaffung der Grundlagen des Sozialismus" die Staatsmacht sei und kündigt eine umfassende Verwaltungsreform an. Die fünf Länder Mitteldeutschlands werden zerschlagen. An ihre Stelle treten 14 Bezirke. Aus den Gemeinden werden „örtliche Organe der Staatsgewalt". Kommunale Selbstverwaltung gibt es nicht mehr. Die seit Kriegsende so beliebte Bezeichnung „Volksdemokratie" verschwindet jetzt aus der Agitation, genauso wie damals schon das alte Wort von der „Diktatur des Proletariats" nicht wieder verwandt worden ist. (Ulbricht meint im engsten Zirkel: „Wir brauchen nicht alles zu sagen, was wir machen.") Dafür wird mehr und mehr der Begriff „Arbeiter-und-Bauern-Macht" verwandt.

Diese selbstverständlich dem sowjetischen Sprachschatz entnommene Floskel beschönigt dann nicht nur den Würgegriff, der den Arbeitern die Luft abschnürt, die in den großen Werken unter der Aufsicht einer fälschlich „Gewerkschaft" genannten Antreiberorganisation stehen und deren „Arbeitsnormen" nach sowjetischem Vorbild höher und höher geschraubt werden — unter ihrem Mantel setzt auch das große Bauernlegen ein. Zwar sagt die SED, die betriebenen Zusammenschlüsse der selbständigen Handwerker zu Handwerkergenossenschaften und der Bauern zu „Landwirtschaftlichen Produktionsgenossenschaften" (LPG) sollen auf „völlig freiwilliger Grundlage" vor sich gehen, dennoch setzt die Partei überall Zwang und Gewalt ein, um die letzten Reste des Bürgertums in Mitteldeutschland zu enteignen.

Den Handwerkern, Bauern und kleineren Unternehmern werden zu Tausenden Steuerhinterziehungen vorgeworfen, der Besitz unerlaubter Schriften aus der NS-Zeit oder der Bundesrepublik — oder gar politische Widerstandstätigkeit. Wieder wandern unzählige in die Gefängnisse, um gleichzeitig enteignet zu werden. Schließlich kommt im April 1953 die Anordnung, den „bürgerlichen Restschichten" keine Lebensmittelkarten mehr auszuhändigen.

Nicht nur in der Innenpolitik werden die Gegensätze bewußt verschärft, sondern auch in der gesamtdeutschen Politik. Nur vorübergehend muß die SED auf diesem Gebiet kurztreten, als Stalin im März 1952 seine Wiedervereinigungsofferte macht, um die Angliederung der wirtschaftlich und politisch erstarkenden Bundesrepublik Deutschland an das westliche Verteidigungsbündnis zu verhindern. Er unterbreitet das Angebot, einem zwischen Ost und West neutralen, aber nach wie vor zumindest locker von den vier Besatzungsmächten kontrollierten Gesamtdeutschland eine 300 000 Mann starke „Nationalarmee" zuzubilligen und will sogar freie Wahlen gestatten. Nach einem Jahr sollen die Besatzungstruppen in Ost und West das Land verlassen. Westmächte und Bundesregierung lehnen ab, weil sie ihre Sicherheit nur dann garantiert sehen, wenn auch ein wiedervereinigtes Deutschland die Freiheit hat, sich dem Westen anzuschließen.

Ulbricht und die SED atmen auf. Und sie rufen nun der westdeutschen Bevölkerung in sich selbst überschlagender Weise zu, den „nationalen Befreiungskampf gegen die amerikanischen, englischen und französischen

Okkupanten" zu führen sowie die „Vasallenregierung in Bonn" zu stürzen.

Gleichzeitig wird die „Aufstellung bewaffneter Streitkräfte" beschlossen, die in Wahrheit längst stehen und jetzt lediglich offiziellen Charakter bekommen. „Die Sicherung des Friedens, des demokratischen Fortschrittes und des sozialistischen Aufbaus", so sagt die SED, erfordere es. „Gegenüber Aggressionsakten vom Westen" bedürfe man des Schutzes. Bereits Ende 1946 ist mit der Aufstellung einer zunächst 3 000 Mann starken kasernierten „Deutschen Grenzpolizei" begonnen worden. Ein Befehl der Sowjetischen Militäradministration vom 3. Juni 1948 gibt den Anstoß, regelrechte militärische Verbände aufzustellen, für die bald — wenn auch amtlich erst ab 1952 — die Bezeichnung „Kasernierte Volkspolizei" (KVP) üblich wird. Ihre Kader sind ehemalige Offiziere und Unteroffiziere der deutschen Wehrmacht. Ende 1949 stehen 50 000 Mann unter Waffen, die über Artillerie und Panzer verfügen. Divisionen werden gebildet und Armeegruppen. Unter den Tarnbezeichnungen „Luftpolizei" und „Seepolizei" kommen Luftwaffe und Marine dazu.

Im Eiltempo wird nun die offene Remilitarisierung, in der Bundesrepublik bekämpft, im kommunistisch beherrschten Teil Deutschlands vorangetrieben. Auf die Verkündung einer allgemeinen Wehrpflicht wird vorerst verzichtet. Dafür werden die Jugendlichen in den Betrieben und Schulen unter Druck gesetzt. Wer sich nicht „freiwillig" zur KVP meldet, wird nicht zum Studium zugelassen oder nicht beruflich gefördert. Alle Mitglieder der SED unter 30 Jahren werden auf Beschluß des Politbüros zu einer militärischen Grundausbildung in Militärlagern der KVP verpflichtet. Um die Rüstung wirtschaftlich verkraften zu können, wird von der mitteldeutschen Bevölkerung „noch mehr Arbeitsenthusiasmus" erwartet.

Die Benachteiligung der trotzig auf ihren Höfen verbleibenden Einzelbauern, die brutalen Enteignungsaktionen gegenüber Unternehmern, Geschäftsleuten und Handwerkern, die allgemeine Willkür und Rechtsunsicherheit lassen die Flüchtlingszahlen anschwellen. Sind seit 1950 von Jahresmitte zu Jahresmitte jeweils etwa 180 000 Menschen unter Zurücklassung all ihrer Habe aus Mitteldeutschland in die Bundesrepublik geflohen, fliehen vom Juli 1952 bis zum Juli 1953 insgesamt 338 896 Personen.

Der 17. Juni 1953

Spätestens zu Anfang des Jahres 1953 steht der Bankrott des Systems so massiv vor der Tür, daß selbst den SED-Politikern die Augen aufgehen. Im Februar 1953 hält die Parteispitze „schnelle Veränderungen" für erforderlich. Einen Monat nach Stalins Tod — im April 1953 — wendet sie sich nach Moskau und bittet, „die entstandene Lage zu überprüfen und die SED durch Rat und Tat zu unterstützen". Malenkow rät dazu, den Kurs zu mildern. Finanzielle oder materielle Hilfe zu leisten aber ist der Kreml nicht bereit. Man muß also sehen, wie man allein zurechtkommt.

Ulbricht und seine Freunde drängen deshalb, entgegen Malenkow, zur Verschärfung des Kurses. Sie wollen durch verschärfte Ausbeutung der Arbeiter, durch „sozialistische Einstellung zur Arbeit" aus dem Dilemma herauskommen. Das heißt neue Heraufsetzung der Arbeitsnormen und gesteigerte Anforderungen an die Arbeitskraft.

Ende Mai 1953 bildet sich in der Parteispitze eine Oppositionsgruppe. Sie wird geführt von Wilhelm Zaisser. Im ersten Weltkrieg Reserveoffizier, hat er schon 1920 bei der Roten Armee an der Ruhr seine kommunistische Gesinnung unter Beweis gestellt, später die Militärschule in Moskau besucht, dann Dienst im Stab der Sowjetarmee geleistet, als Agent in China gearbeitet und als „General Gomez" die XIII. Internationale Brigade im Spanischen Bürgerkrieg geführt. Seit 1950 ist er Minister für Staatssicherheit. Ihm zur Seite steht Rudolf Hernstadt, der Chefredakteur des SED-Zentralorgans „Neues Deutschland", Mitglied der KPD seit 1924, nach 1933 in Moskau Referent im Geheimen Nachrichtendienst der Roten Armee.

Diese beiden Männer und ihre Freunde tadeln Ulbrichts Politik als „falsch in ihrer grundlegenden Ausrichtung". Nach ihrer Überzeugung trägt Ulbricht die Schuld daran, daß SED und Bevölkerung in immer tiefere Gegensätze geraten sind. Sie halten eine grundlegende Kursänderung und weitgreifende Reformen für erforderlich. Im Augenblick verlangen sie beachtliche Zugeständnisse für den Mittelstand. Es hat sogar den Anschein, als ob sie sich gegen die Kollektivierung der Landwirtschaft stellen wollen.

Mit einer Zustimmung Ulbrichts dürfen sie nicht rechnen. Also sind sie entschlossen, diesen kurzerhand abzusetzen. Doch dieser Plan wird vorzeitig ruchbar. Die Rebellion gelangt vor das Politbüro. Hier zeigt sich, daß von den 14 Mitgliedern mindestens sechs genauso denken. Elli Schmidt, Anton Ackermanns geschiedene Ehefrau und Vorsitzende des „Demokratischen Frauenbundes Deutschlands", darf den Ruhm in Anspruch nehmen, bei diesen Verhandlungen „eine der gröbsten Formulierungen gegen Ulbricht" geprägt zu haben.

Im Endergebnis setzt sich Ulbricht durch. Seine Gegner werden zurückgedrängt. Am 28. Mai 1953 erhöht die Regierung die Arbeitsnorm um mindestens zehn Prozent — und das in einer Zeit, in der durch Absinken der Lebensmittelversorgung auf einen Tiefstand sich die Stimmung unter der Bevölkerung der Explosion nähert.

Diese politische Blindheit geht nun selbst dem Politbüro der KPdSU über das erträgliche Maß. Es warnt vor der Fortsetzung solcher Mißgriffe und fordert die Überprüfung der getroffenen Anordnungen. Die SED-Führung lenkt ein. Das Tempo der Sowjetisierung soll verlangsamt werden. Das Maßregeln von Studenten und Oberschülern, die der „Jungen Gemeinde" angehören, wird abgeblasen. Grotewohl verhandelt mit

Bischof Dibelius und Propst Grüber mit dem Ziel, ein besseres Verhältnis zwischen Staat und Evangelischer Kirche zu schaffen. Weiter verspricht man Erleichterungen in der Frage der Besuchsreisen in die Bundesrepublik.

Ein Kommuniqué des Ministerrates vom 11. Juni 1953 verkündet folgerichtig einen „Neuen Kurs". Doch die erfolgte Normenerhöhung wird in ihm überhaupt nicht angesprochen. Das ist eine fatale Lücke. Der FDGB, der „Freie Deutsche Gewerkschaftsbund", springt schließlich ein. In der Gewerkschaftszeitung „Tribüne" vom 16. Juni 1963 stellt er fest: „Die Beschlüsse über die Erhöhung der Normen sind im vollen Umfange richtig."

Die Leser empfinden das als Schlag ins Gesicht. Schon am frühen Morgen lesen die Arbeiter des VEB Bau-Union in der Stalin-Allee von Ost-Berlin diese Worte. Sie sind empört. Sie fühlen sich entrechtet, mißbraucht und beleidigt. Spontan beschließen 80 Mann den Streik und legen die Arbeit nieder. Im Demonstrationszug rücken sie auf die Straße. Die Arbeiter benachbarter und anderer Baustellen schließen sich an. Sie marschieren durch Berlin. Sie rücken vor das Haus der Ministerien in der Leipziger Straße. In Sprechchören tragen sie ihre Forderungen vor. Dabei werden ihre tiefe Enttäuschung über das System, ihre Erbitterung über seit Jahren erlittene Ungerechtigkeit und Ausbeutung, ihre Verzweiflung über die nun schon so lange Zeit erduldete Hoffnungslosigkeit laut. Was sie in all der Vergangenheit niemals zu tun wagten, geschieht jetzt: Diese Männer fordern!

Sie fordern ihr Recht als Arbeiter, als Staatsbürger, als Mensch.
Sie fordern die Senkung der ausbeuterischen Arbeitsnormen.
Sie fordern den Rücktritt der Regierung.
Sie fordern die Absetzung Ulbrichts.
Sie fordern die Freilassung aller politischen Gefangenen.
Sie fordern freie und geheime Wahlen.
Sie fordern erträgliche Lebensverhältnisse.

Die SED ist überrumpelt. Ihre Spitzenfunktionäre stürzen aus allen Wolken und aus dem Dunst selbstgeblasener Illusionen. Zunächst machen sie Versuche, die wütenden Demonstranten zu beruhigen. Sie geben Versprechungen. Sie schlagen sich an die Brust und beteuern selbstkritisch ihre Fehler. Indes hat die Menge in den Jahren der Qual und Entwürdigung längst begriffen, wie wenig Verlaß auf solche Beteuerungen ist. Vor dem Ministeriengebäude in der Leipziger Straße kommt es zu einem Redegefecht. Die Demonstranten verlangen unentwegt weiter freie Wahlen, bessere materielle Lebensbedingungen und Rücktritt der SED-Regierung.

Die Männer des Politbüros fühlen sich in die Enge getrieben. Sie geben zu, daß es falsch war, die Arbeitsnormen vom grünen Tisch her und auf dem Regierungswege hinaufzusetzen. Sie versprechen, daß eine Überprüfung in Zusammenarbeit mit dem FDGB stattfinden werde.

Aus der Erfurter SED-Zeitung „Das Volk" vom 8. Juni 1962, die dazu eindeutig feststellte: „Hier ist kein Hort für Pazifisten" — und: „Der Friede muß bewaffnet sein!"

In den nächsten Stunden breitet sich die Bewegung auf die Randgebiete Berlins aus. Die Volkspolizei rückt an. Aber sie greift nicht ein. Ist das ein Zeichen der inneren Unsicherheit oder des Einvernehmens? Die Abendblätter bringen Berichte. Aus verschiedenen SED-Quellen gespeist, widersprechen sie einander in wichtigen Punkten. Insbesondere gilt dies für die Frage der Normenerhöhung, die ja das Faß zum Überlaufen gebracht hat. So steigt die Empörung weiter.

Am folgenden Tag, am 17. Juni 1953, springt der Aufruhr auf ganz Mitteldeutschland über. Er wächst empor zum Generalstreik. Er gipfelt schließlich in einem Volksaufstand.

Den Anfang machen 12 000 Arbeiter des Stahl- und Walzwerkes Hennigsdorf, einer Industriegemeinde im Kreis Oranienburg. Belegschaften in mehreren Städten folgen dem Beispiel. Sie stürmen die Dienststellen des Staatssicherheitsdienstes, der SED, der kommunistisch gelenkten Massenorganisationen und der Verwaltungsbehörden. In Berlin kommt es nun doch zu Zusammenstößen mit der Volkspolizei. Schauplätze sind die Leipziger Straße, der Potsdamer Platz, der Lustgarten und das Brandenburger Tor.

Auch in vielen anderen Städten brandet der Volksaufstand empor. In Eisennach beschließt die Belegschaft der Motorenwerke, nach Herleshausen und über die Grenze nach Hessen zu marschieren. Aber der Plan wird verraten und durch die Volkspolizei, welche die Übergänge zur Bundesrepublik besetzt, verhindert. Als die Belegschaft der Zeißwerke in Jena auf die Straße tritt, schließen sich ihr die Wissenschaftler an, unter ihnen Männer von hohem internationalen Ansehen.

Die Haltung der Volkspolizei ist im allgemeinen zweideutig. In vielen Fällen wird beobachtet, daß Volkspolizisten zu den Demonstranten übertreten. Als die SED erkennt, wie wenig sie sich auf die Polizei verlassen kann, entschließt sie sich, diese nur gemeinsam mit sowjetischen Soldaten einzusetzen. Überraschenderweise beteiligen sich in einzelnen Fällen sogar Angehörige der Besatzungsarmee an den Ereignissen.

Wo immer die Aufständischen den Funktionären des SED-Regimes gegenüberstehen, zeigen diese sich hilflos. Sie sind erschrocken und verstört. Zu Entschlüssen können sie sich nicht aufraffen. Sie zeigen sich bereit zum Nachgeben und zu Zugeständnissen. Viele von ihnen treten auf die Seite der Empörer.

In Berlin spitzen sich die Gegensätze am stärksten zu. Um 11.10 Uhr haben die Aufständischen die auf dem Brandenburger Tor gehißte rote Fahne heruntergeholt. Die SED-Herrschaft ist völlig zusammengebrochen. Da ereignet sich das Unvermeidliche: Die Sowjets greifen ein. Auf Befehl des sowjetischen Stadtkommandanten Generalmajor Dibrowa werfen sie Truppenverstärkungen in die Stadt. Mindestens zwei Divisionen mit zahlreichen Panzerwagen und Panzerspähwagen rücken ein.

Gegen 12 Uhr fallen die ersten Schüsse. Panzer fahren gegen die unbewaffneten deutschen Arbeiter auf und rollen auf sie zu. Eine Stunde später verhängt Dibrowa den Ausnahmezustand im Ostsektor von Berlin. Die Arbeiter antworten, indem sie Gebäude in Brand setzen, das Columbus-Haus und das Haus Vaterland. Hinzu kommen Agitationslokale, Parteibüros und Zeitungskioske. Mittlerweile hat der Sturm der Demonstranten auf das Haus der Ministerien eingesetzt. Er wird von sowjetischen Truppen verhindert. Wieder rollen sowjetische Panzer.

Und wieder richtet sich die Wut des verzweifelten Volkes gegen die verhaßten Einrichtungen und Bauten der SED. Sie werden erstürmt. Akten und Propagandaschriften werden zu den Fenstern hinausgeworfen und auf der Straße verbrannt. In die Flammen wandern auch die roten Fahnen und Symbole der Kommunisten. Die Aufständischen besetzen die Zuchthäuser und Gefängnisse und befreien die politischen Gefangenen. Sie übernehmen Industriewerke und Verwaltungsgebäude.

Später wird über fast alle Kreise der sowjetischen Besatzungszone der Ausnahmezustand verhängt. Nicht weniger als 167 der im ganzen 214 Kreise werden von der Anordnung betroffen. Und nun erst gelingt es den sowjetischen Soldaten, den Aufstand niederzuschlagen. In 121 Städten greift sowjetisches Militär ein. Man spricht von Hunderten von Toten und von mehr als tausend Verwundeten. Zur Zahl der standrechtlich Erschossenen kommt die der später von den Gerichten zum Tode Verurteilten. Auch sie liegt bei 100. Die gleichen Strafgerichte verhängen über 1 200 angebliche oder wirkliche Aufständische Freiheitsstrafen von insgesamt 6 000 Jahren. Sie werden in Zuchthäusern, in Arbeitslagern oder in Gefängnissen verbüßt.

Kein Zweifel ist möglich: Allein dem Eingreifen der Besatzungsmacht dankt das SED-Regime seinen Weiterbestand. Es hat sich als unfähig erwiesen, planvoll und bewußt eine Gegenaktion zu unternehmen. Das ist um so überraschender, als der Aufstand ja nicht von langer Hand vorbereitet, sondern spontan von einer Stunde zur nächsten ausgebrochen ist, also genug Schwächen und Angriffspunkte geboten hat.

Die SED, kaum wieder am Ruder, schiebt die Schuld am Volksaufstand selbstverständlich mit geübtem Zungenschlag „westlichen Provokateuren und Agenten" in die Schuhe — und Zaisser und Herrnstadt. Die Hauptvorwürfe treffen den ersteren: Er habe versagt, als es darum ging, die Vorbereitung des Aufstandes durch „faschistische Kräfte" zu verhindern. Herrnstadt wird etwas glimpflicher angefaßt: Ihm legt man zur Last, im „Neuen Deutschland" die Unzufriedenheit geschürt und die Streikenden ermuntert und gefördert zu haben. Beide Männer werden wegen „parteifeindlicher Fraktionsbildung" aus dem ZK und dem Politbüro ausgeschlossen und ihrer sämtlichen Funktionen enthoben. Auch Elli Schmidt muß jetzt büßen: Wegen „nicht konsequenten Verhaltens" während des Juni-Aufstandes muß sie den Vorsitz des „Demokratischen Frauenbundes" abgeben.

Das Reformprogramm der Gruppe Zaisser-Herrnstadt ist verurteilt. Ulbricht sitzt wieder fest im Sattel. (Aus optischen Gründen verzichtet er allerdings auf den Titel „Generalsekretär" und läßt sich — wie Chruschtschow — stattdessen künftig schlicht „Erster Sekretär" nennen.) Dennoch kehrt die Partei nicht zur Politik des „verschärften Klassenkampfes" zurück. Die bereits am 11. Juni 1953 verkündeten Konzessionen werden nun ergänzt und erweitert. „Das Wesen des Neuen Kurses", beschließt das Zentralkomitee der SED, „besteht darin, in der nächsten Zeit eine ernsthafte Verbesserung der wirtschaftlichen Lage und der politischen Verhältnisse in der Deutschen Demokratischen Republik zu erreichen und auf dieser Grundlage die Lebenshaltung der Arbeiterklasse und aller Werktätigen bedeutend zu heben."

Die Schwerindustrie muß Beschränkungen der Investitionen hinnehmen. Die Leichtindustrie wird stärker ausgebaut. Die Sowjets verzichten auf weitere Reparationen und geben die „Sowjetischen Aktiengesellschaften" in deutsches Eigentum zurück; auch sie werden „Volkseigene Betriebe". Der private Handel darf sich freier entfalten, die privaten Bauernwirtschaften werden von dem auf ihnen lastenden Druck befreit. Mit der Abschaffung der Interzonenpässe, die bis dahin bei Reisen aus der Bundesrepublik in die Sowjetzone benutzt werden müssen, wird auch der innerdeutsche Reiseverkehr vorübergehend erleichtert. Eine Teilamnestie für politische Häftlinge gibt den Anschein einer Lockerung des Terrors.

Den Kirchen wird eine „Normalisierung des Verhältnisses zum Staat" versprochen. Wissenschaftler und Künstler vernehmen, ihnen müsse die „Möglichkeit einer freien schöpferischen Tätigkeit gesichert werden". Das Unterhaltungsbedürfnis der Menschen soll befriedigt werden, künftig auch der „Liebesfilm" zu seinem Recht kommen. Das Kabarett erhält größere Bewegungsfreiheit.

Zwei Jahre später, im Sommer 1955, ist schon alles wieder aus. Mit gespielter Entrüstung kritisiert Ulbricht, daß „falsche Theorien über die Vorrangigkeit der Konsumgüterindustrie verbreitet" worden seien und behauptet ungeniert: „Wir hatten niemals die Absicht, einen solchen falschen Kurs einzuschlagen." Er bekräftigt: „Manche von euch werden sich wundern, daß ich die Bezeichnung ‚Neuer Kurs' nicht gebraucht habe. Das Bemerkenswerte eines solchen Kurses wäre nicht, daß er neu ist, sondern daß er falsch ist." Und er triumphiert: „Ich kann nicht umhin, den Leuten, die solchen Vorstellungen nachhängen, einen Zahn zu ziehen."

Des Rätsels Lösung: Malenkow hat inzwischen in der Sowjetunion nach der Parteiführung auch noch die Staatsführung abgeben müssen. Chruschtschow und Bulganin drehen das Rad der Entwicklung zur sowjetischen Konsumgesellschaft im Verein mit der Armeeführung zurück. Seit Ende 1954 bereits ist die SED-Führung dabei, den Kulturkampf aufs neue zu entfachen und die Kirchen zu brüskieren. Sie ordnet Jugendweihen von Staats wegen an, die Konfirmation und Kommunion ersetzen sollen. Gleichzeitig verstärkt sich der Druck auf die Jugendlichen, in die Kasernierte Volkspolizei (KVP) einzutreten und sich im Rahmen der von Partei und KVP betreuten „Gesellschaft für Sport und Technik" (GST) ausbilden zu lassen.

Vorsitzender der GST ist der Altkommunist und jetzige Generalmajor Richard Staimer, ein ehemaliger Spanienkämpfer. Er sagt: „Es darf in der DDR keinen einzigen Jugendlichen mehr geben, der nicht mit dem Gewehr umgehen kann und der nicht ins Schwarze trifft." Die jungen GST-Angehörigen müssen schwören:

„Ich gelobe, die Sache der Arbeiter-und-Bauern-Macht immer und überall unter Einsatz all meiner Kräfte zu verteidigen,
die Feinde unserer sozialistischen Republik und ihre Handlanger zu schlagen,
die Ehre der Partei der Arbeiterklasse und der FDJ zu verteidigen,
in treuer Pflichterfüllung für mein Vaterland
und den Frieden jeden Auftrag zu erfüllen.
Das gelobe ich im Geiste Karl Liebknechts und Ernst Thälmanns dem Genossen Ersten Sekretär des Zentralkomitees der SED, Walter Ulbricht."

Um die jungen Menschen zu fangen und den im Aufbau befindlichen Streitkräften, ja dem ganzen Staatsgebilde den Anschein alter Tradition zu geben, besinnen die Kommunisten sich auf die nationale Vergangenheit. Nicht nur der Bauernkrieg von 1525 wird den jungen Waffenträgern der DDR marxistisch verklärt nahegebracht — Männer wie Schill, Lützow, York, Blücher, Scharnhorst und Gneisenau, aber auch Turnvater Jahn und Ernst Moritz Arndt („Der Gott, der Eisen wachsen ließ") gelten plötzlich nicht mehr als „Junker" oder „Reaktionäre", sondern als Vorbilder und Freiheitskämpfer. Schließlich haben sie 1813 bis 1815 Seite an Seite mit den Russen gegen Napoleon, der aus dem Westen kam, gekämpft.

Am 25. März 1954 erkennt die Sowjetunion die DDR als souveränen Staat an, um sie gegenüber der Bundesrepublik aufzuwerten. Grotewohl, obwohl schwer krank, dem Namen nach noch immer Ministerpräsident, verkündet in einer Regierungserklärung am 19. November 1954: „Die DDR hat die historische Aufgabe, dem deutschen Volk den Weg zum Aufstieg als einheitliche, demokratische und große Nation zu bahnen." Doch wenige Sätze vorher beteuert er, daß die SED nicht die Absicht habe, „die gegenwärtig in der DDR bestehende Gesellschafts- und Staatsordnung auf das vereinte Deutschland zu übertragen".

Damit ist der Weg zur Zwei-Staaten-Theorie geebnet, die seitdem das Denken in Moskau und in Ost-Berlin beherrscht. Am 23. Juli 1955 stellt sich Sowjet-Ministerpräsident Bulganin während der Genfer Gipfelkonferenz auf den Standpunkt, es hätten sich „zwei Deutschland" gebildet.

Die Sowjets lehnen die von ihnen bisher stets mit Ausflüchten abgetane Forderung nach freien gesamtdeutschen Wahlen jetzt in aller Öffentlichlichkeit und ohne Umschweife ab. Und sie laden Bundeskanzler Adenauer nach Moskau ein, um mit „beiden deutschen Staaten" diplomatische Beziehungen aufzunehmen. Damit wollen sie ihre These von der Existenz „zweier deutscher Staaten" aller Welt sichtbar machen.

Trotz Bedenken reist Konrad Adenauer und stimmt er der Aufnahme diplomatischer Beziehungen zu. Man weiß — auch in der Begleitung des Kanzlers, zu der Kurt-Georg Kiesinger, Vorsitzender des Außenpolitischen Ausschusses des Bundestags, und sein Stellvertreter Carlo Schmid gehören — wenn noch eine Chance der Wiedervereinigung besteht, dann nicht gegen die Sowjets, sondern zumindest unter ihrer Duldung.

Zur gleichen Zeit ist der Aufbau der bewaffneten Streitkräfte in Mitteldeutschland abgeschlossen. Während die Bundesrepublik Deutschland erst über eine nicht einmal 20 000 Mann starke Bundespolizei, den Bundesgrenzschutz, verfügt und gerade die ersten 1 000 Freiwilligen die Uniform der Bundeswehr anziehen, stehen in der Sowjetzone 120 000 Mann mit einer noch höheren Zahl ausgebildeter Reservisten bereit.

Am 18. Januar 1956 bekommen die Streitkräfte dann den offiziellen Namen „Nationale Volksarmee". Verteidigungsminister Willi Stoph vereidigt die ersten KVP-Männer in ihrer neuen Eigenschaft als Soldaten. Die vor ihm angetretenen Verbände tragen die traditionelle deutsche Uniform. Die SED hofft, so die Zustimmung der Bevölkerung für ihr Militär zu erhalten. Nur der Stahlhelm ähnelt dem sowjetischen.

Der Schock der Entstalinisierung

Im Jahr 1956 hat Ulbricht es auch nötig, seine militärische Stärke zu demonstrieren — nicht nach außen, aber nach innen. Der Schock der Entstalinisierung packt das Land. Bevölkerung und Parteimitgliedschaft sind gleichermaßen betroffen.

Stalins Verdammung kommt für die SED überraschend. Noch ihre Grußbotschaft zum XX. Parteitag der KPdSU endet mit den Worten: „Es lebe die unbesiegbare Lehre von Marx, Engels, Lenin und Stalin!" Und der Parteitag hat bereits begonnen, Chruschtschow seinen Rechenschaftsbericht gegeben, da schreibt Mitte Februar 1956 die Erfurter SED-Zeitung „Das Volk": „Die weisen Worte Stalins sind heute noch wie vor fünf Jahren für alle friedliebenden Menschen der Welt richtungweisend."

Erst am 4. März veröffentlicht Ulbricht, der am Parteitag in Moskau teilgenommen hat, vorsichtig eine erste Erläuterung der dortigen Vorgänge. Er deutet an, daß Stalin den Personenkult eingeführt, die Parteigeschichte entstellt und die „Leninschen Normen des Parteilebens" sträflich vernachlässigt habe.

Derweil durchjagen Gerüchte und Vermutungen die DDR. Auf den

Sitzungen und Tagungen zur Vorbereitung der 3. Parteikonferenz schweigen sich Referenten und Diskussionsteilnehmer allerorten sorgsam über Stalin aus. Dann entschließt Ulbricht sich, etwas mehr zu sagen: Am 17. März findet in Ost-Berlin eine Bezirksdelegierten-Konferenz statt. Auf ihr trägt er den Inhalt des Chruschtschowschen Geheimreferats vor, verschweigt allerdings, daß ein solches gehalten worden ist.

Nun macht sich auch Ulbricht die bekannten Vorwürfe gegen den toten Diktator zu eigen, der Fehler über Fehler begangen habe, keinesfalls als „Klassiker des Marxismus-Leninismus" gelten könne, höchstens ein „gebildeter Marxist" gewesen sei. Vor allem wird Stalin die Schuld an den verheerenden Säuberungen im Rußland der dreißiger Jahre gegeben.

Ulbrichts Rede stürzt die Partei in eine tiefe Vertrauenskrise. Denn die meisten Parteigenossen hatten sich das Gegenteil erhofft — eine Rechtfertigung des Toten. Sie weigern sich, die Drehung um 180 Grad auf Befehl mitzumachen. Es sind gerade die jungen Funktionäre, die empört aufbegehren. Ihnen ist der Führerkult in Fleisch und Blut übergegangen. Erst hatte man sie gelehrt, Hitler anzubeten, dann das „Väterchen" aus Moskau. Nun wollen sie nicht ein zweitesmal umlernen müssen. Und sie fragen sich: Wenn Stalin all diese Fehler und Irrtümer begangen haben soll, wer garantiert uns, daß es nicht die neuen Führer im Kreml sind, die den falschen Pfad betreten?

Voll Wut und Scham legen sie auf den Funktionärsversammlungen los. Sie nehmen kein Blatt vor den Mund — sie, die jungen Stalinisten, die stolze Garde der Partei, der treueste Kaderstamm, bisher von keiner Abweichung und keinem Zweifel berührt. Nur in den öffentlichen Veranstaltungen beißen sie die Zähne zusammen, beherrschen sie sich. Die Bevölkerung soll nicht noch irrer gemacht werden an den Lehren der Partei.

An die Seite der jungen Fanatiker stellen sich die gewiegten Taktiker. Sie haben nichts dagegen, daß Stalin entthront wird. Aber sie halten die Methode für falsch. Chruschtschow geht ihnen zu überstürzt vor. Langsam, ganz bedächtig muß man den kleinen Genossen und den Mann auf der Straße mit den neuen Fakten vertraut machen, ist ihre Meinung. Und so bleibt es unter ihrem Einfluß in der DDR zunächst bei einem Lippenbekenntnis gegen Stalin, obgleich es in den anderen Ostblock-Staaten zu gären beginnt, Stalingegner aus den Gefängnissen entlassen und Hingerichtete rehabilitiert werden. So kann auch Ulbricht die persönliche Krise, in die er hineinzurutschen drohte, in bewährter Wendigkeit überstehen.

Dann stören die Nachrichten aus Polen das künstliche Gleichgewicht: Die Demonstrationen in Posen, die Rückkehr Gomulkas an die Macht, die Kapitulation des Kreml vor dem polnischen Nationalkommunismus. Ulbricht und seine Getreuen sind ratlos — erst recht natürlich, als der Volksaufstand in Ungarn beginnt, an dessen Spitze zunächst eindeutig Nationalkommunisten stehen.

Die SED-Größen — Ulbricht, Schirdewan, Matern — eilen in die Betriebe, um zu den Arbeitern zu sprechen. Bei ihnen — so beschwören sie die schweigsam zuhörenden Männer in den blauen Arbeitsanzügen — sei ein neuer Volksaufstand nicht nötig. Hier hätte man bereits 1953 die Konsequenzen gezogen. Und in den anderen Ländern wäre eben die Entstalinisierung nicht im gehörigen Ausmaß erfolgt.

Tatsächlich bleibt in Mitteldeutschland alles ruhig. Im Politbüro der SED und im Sekretariat beglückwünscht man sich. Denn in Wirklichkeit ist die Entstalinisierung hier ja viel weniger vorangetrieben worden als in den Nachbarstaaten. In der DDR wird niemand rehabilitiert, keine führende Persönlichkeit ausgewechselt, hier können die Zügel den Herrschenden nicht aus den Händen gleiten.

Sicherheitshalber werden die Betriebskampfgruppen in Alarmzustand versetzt, dieses Kind der Lehren aus dem Aufstand vom 17. Juni 1953. Sie sind eine Miliz, die sich aus im Sinne der SED zuverlässigen Arbeitern zusammensetzt und nach Betrieben oder Wohnbezirken organisiert ist. Sie stellt eine potentielle Bürgerkriegsarmee dar und kann im Falle einer Invasion als territoriale Verteidigungsorganisation dienen. Durch ständige Feierabendausbildung werden die „Kämpfer" in Form gehalten. Die offizielle Bezeichnung lautet „Kampfgruppen der Arbeiterklasse". Rund 400 000 Mann gehören ihnen an. Der Wortlaut des Gelöbnisses, das sie ablegen müssen, kennzeichnet den ungewöhnlichen Charakter dieser Truppe:

„Ich bin bereit,
als Kämpfer der Arbeiterklasse
die Weisungen der Partei zu erfüllen,
die Deutsche Demokratische Republik,
ihre sozialen Errungenschaften
jederzeit mit der Waffe in der Hand zu schützen
und mein Leben für sie einzusetzen."

Die Polizei verlagert jetzt Waffen in die Betriebe. Übungseinsätze werden befohlen, Einsatzpläne der Kampfgruppen aufgestellt. Auch die Bereitschaftspolizei erhält Alarmbefehl. Wachen, Ausweiskontrollen und Militärstreifen nehmen an Umfang zu.

Die Pressezensur ist streng. Rundfunk und Fernsehen bringen nur das über die erregenden Warschauer und Budapester Geschehnisse, was der SED-Führung genehm ist. Aber niemand kann verhindern, daß die westdeutschen und West-Berliner Sender abgehört und gesehen werden. Selbst linientreue Funktionäre geben im engen Zirkel zu, sich aus westlichen Quellen zu unterrichten und es auch nötig zu haben, weil sie nur dann in der Lage seien, die Diskussionen mit der Bevölkerung zu überstehen.

Es bleibt nicht aus, daß eine Sympathiewelle für die Nationalkommunisten Polens und Ungarns die SED-Funktionärsschicht ergreift. Doch dann sorgt gerade die unzensierte Berichterstattung der westlichen Rundfunk-

und Fernsehstationen für einen jähen Umschwung. Die Funktionäre hören von den Racheakten der ungarischen Bevölkerung. Sie erleben am Bildschirm die brutale Jagd auf die ungarischen Geheimpolizisten. Und sie packt die Angst vor einer Entwicklung, die nicht nur die „Arbeiter-und-Bauernmacht" hinwegschwemmen, sondern jedem einzelnen von ihnen das Genick brechen könnte.

Nur unter der Studentenschaft kommt es zu ins Gewicht fallenden Unruhen. Ob an der Humboldt-Universität in Ost-Berlin, ob an der Karl-Marx-Universität in Leipzig, die Studenten murren und wollen eine Hochschulreform.

Jetzt eilt die Funktionärselite in die Hörsäle. Hier gelingt ihnen die Beschwichtigung nicht so leicht wie in den Betrieben. Auch der Hinweis auf die bessere materielle Förderung im Vergleich zu den Studenten in der Bundesrepublik zieht nicht. So sind Zugeständnisse erforderlich: Das umfangreiche System der Zwischenprüfungen wird abgebaut, ebenso der bisher obligatorische Russisch-Unterricht. Zu keiner Konzession zeigt die SED sich dagegen in der Frage des marxistisch-leninistischen Grundstudiums bereit. Auch ist sie nicht gewillt, von der FDJ unabhängige studentische Organisationen zuzulassen.

In der Studentenschaft und unter den jungen Wissenschaftlern, Schriftstellern, Journalisten und Künstlern findet ein Oppositioneller Anhang und Gehör, der Ulbricht und seinen Leuten gefährlich werden könnte: Wolfgang Harich. Der junge Professor ist gleich 1945 von der Gruppe Ulbricht aufgestöbert und in die aktive Politik gebracht worden. Schnell gilt er als Wunderknabe des Kommunismus. Er macht sich als Literaturkritiker einen Namen, wird Chefredakteur der in Ost-Berlin erscheinenden „Deutschen Zeitschrift für Philosophie" und Dozent an der Humboldt-Universität. Bereits 1953 hat er die Kulturpolitik der SED, insbesondere die Arbeit der „Staatlichen Kunstkommission" öffentlich kritisiert.

Nun sieht der gerade 36jährige die Stunde zu einer Umwälzung gekommen. Er arbeitet eine politische Plattform aus, sammelt Gesinnungsfreunde, reist nach West-Berlin, wo er mit SPD-Politikern spricht, und nach Westdeutschland. Hier sitzt er im Hamburger Pressehaus dem „Spiegel"-Herausgeber Rudolf Augstein gegenüber.

Seine These lautet: Die SED muß gründlich entstalinisiert und reformiert werden. Sie muß Rosa Luxemburgs Theorien aufgreifen, aber auch einige Lehren Trotzkis und Bucharins und Kautskys. Die Herrschaft des Apparats über die Mitglieder muß gebrochen und wirkliche Parteidemokratie geschaffen werden. Die Auflösung des Staatssicherheitsdienstes und die Garantie der Rechtssicherheit stehen auf Harichs Programm. Die LPG sollen aufgelöst und Klein- und Mittelbauern ungestört wirtschaften können. Die Normentreiberei will er abschaffen, in den „Volkseigenen Betrieben" Gewinnbeteiligung einführen und Arbeiterräten nach jugoslawischem Beispiel breiten Spielraum gewähren.

Harich meint, der Sozialismus könne in Deutschland nur von der westdeutschen SPD durchgesetzt werden, der einzigen Arbeiterpartei, die ohne Zwang und Terror, auf der Basis völliger Freiwilligkeit groß geworden sei und existiere. Sie benötige auch keine Revolution, um ans Ziel zu kommen. Eine reformierte SED müsse der SPD die Möglichkeit geben, durch freie Wahlen in ganz Deutschland die Mehrheitspartei zu werden und so die Wiedervereinigung „ohne kapitalistische Restauration" herbeizuführen. Später könne sich die reformierte SED mit der SPD verschmelzen.

Am 29. November 1956 schlägt der Staatssicherheitsdienst zu. Harich, seine Sekretärin und zwei Mitarbeiter werden verhaftet. Das Oberste Gericht der „DDR" spricht hohe Zuchthausstrafen aus. Harich erhält zehn, die Mitarbeiter bekommen zwei bzw. vier Jahre. Die Begründung: Die Angeklagten hätten eine konspirative „staatsfeindliche Gruppe" gebildet und versucht, „die Verhältnisse in der DDR durch Drohung oder Gewalt grundlegend zu verändern, die sozialistischen Errungenschaften preiszugeben und den Sturz der Regierung zu erzwingen".

Diese harten Urteile haben noch einen zweiten Zweck. Sie sollen Karl Schirdewan warnen, den Kaderchef der SED, der allgemein als Ulbrichts „Kronprinz" gilt. Schirdewan hat sich mit Ernst Wollweber verbündet, dem Nachfolger Zaissers als Staatssicherheitsminister. Die beiden opponieren seit langem gegen den Ersten Sekretär. Wenn sie auch nicht soweit gehen wollen wie Harich, so sind sie doch im Ostblock-Jargon als „Nationalkommunisten" anzusprechen. Ihr Ziel ist, die Wiedervereinigung Deutschlands nicht zu erschweren, sondern zu erleichtern. Allerdings vergessen sie dabei nicht, daß sie Leninisten sind. Nicht von der SPD erhoffen sie sich den Sieg des Sozialismus in einem wiedervereinigten Deutschland, sondern allein von einer revolutionären, als Wortführer des Nationalgedankens auftretenden SED.

Ulbricht hat die Wiedervereinigung dagegen längst aufgegeben. Er glaubt nicht, daß Westdeutschland in absehbarer Zeit kommunistisch gemacht werden könne, weder auf friedlichem noch auf gewaltsamem Weg. Also würde auch ein wiedervereinigtes Deutschland nicht kommunistisch sein können und die Wiedervereinigung für den Kommunismus nur eines bringen: Den Verlust der Bastion DDR.

Deshalb setzt Ulbricht eindeutig auf die Karte des Separatismus. Er will gemeinsam mit Moskau und unter dem Schutz Moskaus die Welt und die Deutschen in Ost und West daran gewöhnen, daß es zwei souveräne und gleichberechtigte deutsche Staaten gibt. Und um den Bruch mit der bisher dem Schein nach verfochtenen Konzeption eines einheitlichen deutschen Nationalstaates nicht zu abrupt sein zu lassen, macht er den Vorschlag einer Konföderation der beiden deutschen Teilstaaten, eines lockeren Bündnisses, das dann zu einem späteren Zeitpunkt nach gegenseitiger Anpassung zu einer tatsächlichen Wiedervereinigung führen könne.

Schirdewan und Wollweber widersetzen sich dieser Linie monatelang innerhalb des Politbüros und des Zentralkomitees. Ulbricht sucht Hilfe bei Chruschtschow und findet sie auch. Am 6. Februar 1950 stürzen die „Schirdewanisten" wegen „opportunistischer Abweichung". Politbüro-Mitglied Fred Oelßner muß gleich mitgehen, weil er sich der übertriebenen Kollektivierung in der Landwirtschaft widersetzt hat.

Doch gegenüber Harich kommen sie allesamt glimpflich davon. Schirdewan wird Leiter der Staatlichen Archivverwaltung in Potsdam, Oelßner Direktor an der Deutschen Akademie der Wissenschaften, und Wollweber darf in Ruhe seine Altersrente verzehren.

Die große Flucht

Die Bevölkerung Mitteldeutschlands ist verzweifelt. Sie lebt unter dem Zwang der SED-Herrschaft und mit den ständigen Mangelerscheinungen der Planwirtschaft ohne Hoffnung auf eine Änderung der Verhältnisse dahin. Den Glauben an eine Wiedervereinigung durch die vier Besatzungsmächte hat sie längst aufgegeben. Der Versuch eines Volksaufstandes ist fehlgeschlagen, die wiedervereinigungsfreundliche Fronde gegen Ulbricht innerhalb der SED entmachtet. Für alle jene Mitteldeutschen, die nicht bereit sind, zu resignieren, bleibt als einziger Ausweg die Flucht in die Bundesrepublik.

1954 sind es 184 000, die fliehen, 1955 253 000, 1956 279 000, 1957 262 000, 1958 204 000, 1959 144 000, 1960 199 000, 1961 wieder 207 000. Insgesamt kommen von 1952 bis 1961 rund 2,3 Millionen Flüchtlinge nach Westdeutschland. Jeder zweite ist jünger als 25 Jahre.

Die DDR-Regierung wehrt sich gegen dieses anhaltende Ausbluten der mitteldeutschen Volkswirtschaft zunächst mit dem „Republikfluchtgesetz" und droht allen, die das DDR-Gebiet ohne Genehmigung verlassen, Gefängnis bis zu drei Jahren an. Das zurückgelassene Vermögen wird beschlagnahmt. Wer „Bürgern der DDR zur Republikflucht" verhilft, gilt als „Menschenhändler" oder „Kopfjäger". Er begeht das Verbrechen der „Abwerbung" und muß mit Zuchthaus bis zu 15 Jahren rechnen.

An der Demarkationslinie zwischen Mittel- und Westdeutschland errichten die Kommunisten einen dichten Sperriegel, um den Flüchtlingsstrom zu drosseln. Sie ziehen doppelte Sperrzäune aus Stacheldraht, zwischen denen Minen liegen, bauen Bunker und Beobachtungstürme und erklären das Hinterland zu einer Sperrzone, die nur mit besonderer Genehmigung betreten werden darf. Eine Spezialtruppe bewacht die „Staatsgrenze West" genannte Demarkationslinie, die „Deutsche Grenzpolizei", die später als „Kommando Grenze" der NVA eingegliedert wird. Sie erhält den Befehl, auf Flüchtlinge rigoros zu schießen. Für jeden gestellten Flüchtling gibt es eine Prämie.

Aber die große Lücke, durch die die Masse der Fluchtwilligen den Weg in den Westen findet, kann auf diese Weise nicht geschlossen werden. Sie heißt Berlin.

Berlin bildet noch immer eine Stadt, wenn auch seit Ende 1948 mit zwei Verwaltungen. Die Siegermächte des zweiten Weltkriegs hatten beschlossen, die Hauptstadt des Deutschen Reiches keiner der Besatzungsmächte zuzuschlagen, sondern sie gemeinsam zu verwalten. Dabei ist jedem der vier Alliierten ein Sektor zugesprochen worden. Es ist verhältnismäßig leicht, vom sowjetischen Sektor in den westlichen Teil der Stadt zu gelangen. Trotz der scharfen Kontrollen durch die Ost-Berliner Volkspolizei ist eine Fahrt mit der Ost- und West-Berlin verbindenden S-Bahn die einfachste Methode zur Flucht. Hunderttausende wählen sie.

Ende 1958 versuchen die Sowjets, diesen Fluchtweg zu verstopfen. Sie kündigen den Viermächte-Status auf und bestreiten den Westmächten das Anwesenheitsrecht in der Stadt. Den Zugang zu ihr sollen, so wird verlangt, künftig mitteldeutsche Dienststellen kontrollieren. West-Berlin wird als „selbständige politische Einheit" neben der Bundesrepublik und der DDR bezeichnet. Es soll eine „entmilitarisierte Freie Stadt" werden. Chruschtschow setzt eine ultimative Frist. Wenn nicht innerhalb von sechs Monaten eine Vereinbarung auf dieser Basis zustande komme, will die Sowjetunion mit der DDR einen Friedensvertrag abschließen und ihr alle noch von Moskau ausgeübten oder Moskau zustehenden Rechte an Berlin als ganzes übertragen.

Die Westmächte beugen sich nicht, und die Sowjets müssen ihr Berlin-Ultimatum zurückziehen. Aber unter der Bevölkerung Mitteldeutschlands wird die Tendenz zur Flucht nur weiter verstärkt. Niemand weiß ja, wie lange der Fluchtweg über Berlin noch offensteht.

So nimmt die Fluchtbewegung immer eindeutiger den Charakter einer „Volksabstimmung mit den Füßen" an, zumal den Mitteldeutschen die freie Willensäußerung durch Wahlen verwehrt ist. Gerade jetzt, im Oktober 1958 bereitet die SED die dritte Scheinwahl zur Volkskammer vor, wie das machtlose DDR-Parlament heißt.

Von vornherein ist ein Wahlsieg der Staatspartei garantiert. Es gibt nämlich nur eine Einheitsliste, auf der die große Mehrheit der Kandidaten aus SED-Mitgliedern besteht. Auf dem Stimmzettel ist nicht einmal Platz für ein Nein vorgesehen. Und wenn es auch „Wahlkabinen" gibt — wer auf geheime Wahl drängt, macht sich dem Staatssicherheitsdienst verdächtig. Presse und Rundfunk plädieren obendrein für offene Stimmenabgabe. Eine „spontane Volksbewegung" macht sich breit, die ebenfalls dafür agitiert. Und in den großen Betrieben werden die Arbeiter und Angestellten verpflichtet, „hundertprozentig" offen zu stimmen. Um sich keine Unannehmlichkeiten zu verschaffen, gehen die „Wähler" in die „Wahllokale". Gleichmütig und ohne Korrektur werfen sie die Stimmzettel in die Urnen. Sie wissen, die Weltöffentlichkeit registriert diesen Wahlbetrug genau.

Ein Jahr später, im Oktober 1959, ändern die DDR-Behörden zum äußeren Zeichen ihres Anspruchs auf Souveränität die Staatsflagge. Haben sie bisher wie in der Bundesrepublik das schlichte Schwarz-Rot-Gold geführt, zeigen sie künftig zusätzlich das „DDR-Staatswappen", Hammer und Zirkel im Ährenkranz, als Symbol der „Arbeiter-und-Bauern-Macht" (wobei der Zirkel für die „werktätige Intelligenz" steht).

Anfang 1961 eröffnet die SED eine Kampagne „sozialistischer Frühling". Es wird beschlossen, auch die letzten 250 000 Einzelbauern in die Landwirtschaftlichen Produktionsgenossenschaften hineinzuzwingen, und Ende April ist es dann soweit: Ulbricht kann verkünden, daß nunmehr „alle Bauern befreit" sind. In der gewerblichen Wirtschaft gibt es kaum noch Privatbetriebe, selbst nicht auf kleinster Grundlage. Was nach außen hin als privat firmiert, ist längst gezwungen worden, den Staat als Teilhaber und wahren Besitzer aufzunehmen.

Nachdem am 7. September 1960 der Altkommunist Wilhelm Pieck stirbt, wird das Amt des Staatspräsidenten vakant. Walter Ulbricht nimmt es mit dem Titel „Vorsitzender des Staatsrats" ein. Dem letzten Bewohner der Sowjetzone ist damit klar, daß keine Hoffnung mehr auf eine Änderung der Verhältnisse besteht. Wer bisher noch gezögert hat, entschließt sich jetzt zur Flucht.

Mauer und Stacheldraht

Mitte August 1961 können die Notaufnahmelager in Berlin den Flüchtlingsandrang nicht mehr fassen. Tag für Tag melden sich 2 000 Personen, die um Asyl in Westdeutschland bitten: Männer, Frauen, Kinder — vor allem aber Jugendliche über Jugendliche. Sie werden so schnell wie möglich registriert und auf dem Luftwege ausgeflogen, um Platz für die Nachströmenden zu schaffen. Da entschließt die SED-Führung sich mit Rückendeckung aus Moskau zu einer einschneidenden Operation. In der Nacht zum 13. August 1961, einem Sonntag, rollen im Schutz der Dunkelheit Militärkolonnen mit Einheiten der Bereitschaftspolizei, der NVA und der Betriebskampfgruppen — insgesamt 40 000 Mann — in den bis dahin von Truppen freien Ostsektor Berlins. Schlag 2 Uhr besetzen sie die Sektorengrenze und sperren sie mit Stacheldrahtverhauen ab. Die wenigen Passanten, die zur Nachtzeit von einem Teil Berlins in den anderen überwechseln wollen, werden zurückgewiesen.

An den Knotenpunkten des Verkehrs entlang der Sektorengrenze, am Brandenburger Tor, am Potsdamer Platz, an der Friedrichstraße und an der Warschauer Brücke erscheinen Panzer und gepanzerte Mannschaftstransportwagen. Pioniere reißen mit Preßlufthämmern das Pflaster oder den Asphalt auf. Sie errichten Barrikaden. An überhöhten Punkten richten sie Beobachtungsposten ein. Maschinengewehre gehen in Stellung. Die Sektorengrenze gleicht in kurzer Zeit einer Hauptkampflinie. Gleichzeitig wird der Intersektorenverkehr mit U-Bahn oder S-Bahn unterbrochen.

Für die Berliner in beiden Teilen der Stadt gibt es am Morgen ein böses Erwachen. Gegen 15 Uhr ist die Absperrung durch Stacheldraht voll-

kommen. In ohnmächtiger Wut versammeln sich Zehntausende zu beiden Seiten der Sperren. Voller Verzweiflung fliehen die Bewohner der
Häuser in den Grenzstraßen. Sie werfen ihre rasch zusammengerafften
Habseligkeiten aus den Fenstern und springen hinterher. Die NVA sieht
dem nicht tatenlos zu. Sie postiert auf den Dächern Scharfschützen gegen die Flüchtlinge, die in die ausgebreiteten Sprungtücher der West-
Berliner Feuerwehr springen.
Manche springen daneben. Allein vier Menschen sterben an den Verletzungen, die sie dabei erleiden. Andere werden von den Kugeln getroffen. Besonders die Bernauer Straße erlangt ihrer vielen Toten wegen
traurige Berühmtheit. Aber auch NVA-Soldaten und Volkspolizisten
nützen in unbeobachteten Augenblicken die Gelegenheit zur Flucht.
Ost-Berlin bietet in diesen Tagen das Bild einer belagerten Stadt. Es
dauert nicht lange, und die Bevölkerung zieht sich aus den vom Militär
beherrschten Straßen und Plätzen in die Wohnungen zurück.
Am Mittwoch, dem 16. August, finden sich in West-Berlin 500 000 Menschen vor dem Schöneberger Rathaus ein. Der Regierende Bürgermeister,
Willy Brandt, appelliert an die Soldaten, Polizisten und Betriebskampf-
gruppenmänner der DDR, nicht auf die eigenen Landsleute zu schießen. Zur selben Stunde bauen NVA-Pioniere und -Baukolonnen entlang
der Sektorengrenze anstelle des Stacheldrahtverhaus eine übermanns-
hohe Mauer aus Beton, die ebenfalls mit Stacheldraht versehen wird.
Die Türen und Fenster der an der Grenze gelegenen Häuser werden
vermauert, die Bewohner — soweit sie nicht geflüchtet sind — evakuiert.
In der DDR selbst ruft die Staatsjugend FDJ ihre Mitglieder auf, sich
zum „Ehrendienst in den bewaffneten Einheiten" an der Mauer zu melden. FDJ-Regimenter werden gebildet. Gleichzeitig startet in den Städten und Dörfern Mitteldeutschlands eine Aktion militanter Jugendlicher
in FDJ-Uniform gegen den Empfang westdeutscher Fernsehsendun-
gen. Bürger, deren Antennen in Richtung Westen weisen, werden öffentlich diffamiert.

US-Präsident Kennedy sendet seinen Stellvertreter, Vizepräsident Johnson, nach West-Berlin, um die Verbundenheit der Schutzmacht Amerika
mit den Berlinern zu bekunden. Die US-Garnison in der Stadt wird
durch eine stürmisch bejubelte Kampfgruppe verstärkt. Am 24. August
fahren westliche Panzer an den zentralen Punkten der Mauer auf. Die
Sowjets antworten sofort und lassen ebenfalls Panzer rollen, die denen der Westmächte drohend gegenüberstehen. Doch zu einem Zwischenfall kommt es nicht.
Dagegen wächst die Zahl der Todesopfer bei den Fluchtvorhaben. Täglich künden Leuchtkugeln und Maschinengewehrgarben von neuen Bemühungen, die Grenzgewässer zu durchschwimmen oder die Mauer zu
überklettern. Allein 14 Versuche, die Sperren mit schweren Fahrzeugen
zu rammen und zu durchbrechen, werden registriert.
Alle Welt erregt der Tod des 18jährigen Peter Fechter, der 50 Minuten

lang angeschossen an der Mauer liegt und verzweifelt ruft: „So helft mir doch!" Unter Gefährdung des eigenen Lebens versuchen West-Berliner Polizisten, ihm Verbandspäckchen zuzuwerfen — vergebens. Peter Fechter stirbt.

Immer erfinderischer werden die zur Flucht Entschlossenen. Schließlich graben sie Tunnelstollen unter der Mauer hindurch. Bei einer einzigen dieser Aktionen gelangen 57 Menschen in die Freiheit. Dann stellen die NVA-Grenzposten sich auch darauf ein.

Bis Ende 1966 sterben mindestens 137 Personen bei Fluchtversuchen an der Berliner Mauer oder an der dichtbewachten Demarkationslinie zwischen Bunderepublik und Mitteldeutschland. Sie fallen gezielten Schüssen zum Opfer oder den Minen. Dennoch fliehen auch im gleichen Zeitraum noch etwa 24 500 Menschen auf abenteuerlichste Weise und unter erhöhter Lebensgefahr. Sie benutzen Schlauchboote, um über die Ostsee in die Freiheit zu gelangen. Sie springen in fremden Häfen oder — sind westliche Schiffe in der Nähe — auf offener See von mitteldeutschen Feriendampfern. Sie überqueren das Eis der zugefrorenen Lübecker Bucht. Sie versuchen auf gut Glück, die Minenfelder zu überwinden. Sehr oft zahlen sie mit dem Leben oder mit abgerissenen Gliedern dafür.

Die Weltöffentlichkeit nimmt den Bau der Mauer in Berlin mit Empörung und Entsetzen zur Kenntnis. Er gilt als Zeichen für den geistigen Bankrott des deutschen Kommunismus. Ein System, dem die Menschen davonlaufen, kann nicht lebensfähig sein, so meint man. Selbst in den anderen kommunistischen Parteien kommt es zur deutlichen Distanzierung. Man fühlt, daß der Makel alle Kommunisten trifft. Innerhalb des Ostblocks werden der SED hinter verschlossenen Türen schwere Vorwürfe gemacht. Und nicht wenige Kommunisten in Westeuropa — in Schweden, Dänemark und Italien — rücken sogar öffentlich von der Berliner Mauer ab.

Dennoch wird die völlige Abriegelung der DDR-Bevölkerung vom Westen auf lange Sicht gesehen ein Erfolg für Ulbricht und seine Gefolgsleute. Was das Ausland denkt, kümmert sie nicht. Unzweifelhaft kommt es in der mitteldeutschen Volkswirtschaft zu einer Beruhigung. Die Menschen stellen sich darauf ein, im kommunistischen Machtbereich leben zu müssen — und sie versuchen, sich in dem ungeliebten Gehäuse so gut einzurichten, wie es nur geht. Man weiß, daß man auf sich allein gestellt ist und nur aus eigener Kraft vorankommen kann. Und so erlebt die DDR, wenn auch mit zehnjähriger Verspätung, ebenfalls ihre bescheidene Wirtschaftsblüte.

In der Bundesrepublik und in West-Berlin allerdings nimmt der Mauerbau den Kommunisten den letzten Kredit.

Die nach 1945 neugegründete KPD in Westdeutschland ist schon bald zum Mißerfolg verurteilt. Denn wenn die Bevölkerung die Verheißungen der Kommunisten mit den Zuständen in der Sowjetzone vergleicht, ist das Urteil schnell gefällt. Und weil überdies die KPD ihre politische Betätigung im wesentlichen auf Obstruktion und Verneinung beschränkt, kann sie kein großes Echo bei einer Wählerschaft finden, die nach der Katastrophe des zweiten Weltkriegs nichts weiter sucht als Stabilität und Geborgenheit.

So nimmt es nicht wunder, daß die Kommunisten statt der 16,5 Prozent vom November 1932 bei der ersten Bundestagswahl am 14. August 1949 lediglich 5,7 Prozent oder 1,3 Millionen Stimmen erhalten. Ganze 16 Abgeordnete ziehen für sie in den Bundestag ein. Die mangelnde Anziehungskraft des Kommunismus im freien Teil Deutschlands ist eklatant.

Immerhin, die Partei verfügt noch über 347 000 Mitglieder und läßt sich nicht entmutigen, zumal die finanziellen Zuschüsse aus der Sowjetzone festen Rückhalt geben. Als dann im Jahre 1950 die Diskussion über die Wiederbewaffnung beginnt — das Schlagwort jener Tage lautet „Ohne mich!" und scheint die Stimmung der meisten jungen Deutschen wiederzugeben — schöpft die KPD Hoffnung. Endlich, so meint sie, kann sie mit ihrer Agitation bei der Bevölkerung Fuß fassen. Mit Elan stellt sie einen „Ausschuß gegen die Remilitarisierung" auf die Beine, in dessen Gründungsmanifest es heißt: „Wir stellen fest, daß das deutsche Volk von außerdeutschen Mächten zur unmittelbaren Vorbereitung eines dritten Weltkriegs gezwungen werden soll."

Die Partei gebärdet sich in völliger Verkennung der Situation in Westdeutschland von Tag zu Tag revolutionärer, verkündet den „Nationalen Widerstand auf der ganzen Linie", ruft zum „Sturz des Adenauer-Regimes" auf — und wundert sich, daß ihr die Mitglieder davonzulaufen beginnen, bis es keine 70 000 mehr sind. Selbst die Wähler werden noch weniger. Bei der Bundestagswahl von 1953 folgen keine 2,2 Prozent der KPD und ihrem Vorsitzenden Max Reimann.

Ende November 1951 schon hat die Bundesregierung beim Bundesverfassungsgericht in Karlsruhe die Feststellung beantragt, daß die KPD eine verfassungswidrige Partei im Sinne des Grundgesetzes und deshalb zu verbieten sei. Sie gehe, so begründet die Bundesregierung, nach ihren Zielen und dem Verhalten der Anhänger darauf aus, die freiheitlich-demokratische Grundordnung zu gefährden und den Bestand der Bundesrepublik zu bedrohen. Als marxistisch-leninistische Kampfpartei wolle sie die Macht in der Bundesrepublik durch gewaltsame Revolution unter Aufruf der Massen zum Aufstand ergreifen. Und sie strebe an, auf den Trümmern der zerstörten staatlichen Ordnung der Bundesrepublik Deutschland das Herrschaftssystem der sowjetischen Besatzungszone — ein totalitäres System der Gewalt und Willkür — einzuführen.

Die KPD wehrt sich und bietet acht Rechtsanwälte und Professoren zu ihrer Verteidigung auf. Sie weiß, daß es der Bundesregierung mit ihrem Verbotsantrag ernst ist und auch Karlsruhe vor Parteiverboten nicht ausweicht. Denn ebenfalls auf Antrag der Bundesregierung hat das Bundesverfassungsgericht bereits die rechtsradikale Sozialistische Reichspartei (SRP) als verfassungswidrig verboten.

Die KPD wendet vor Gericht ein, daß ihr demokratischer Charakter formal festgestellt worden sei, als sie aufgrund des Potsdamer Abkommens von den Besatzungsmächten die Lizenz erhalten habe. Ein Verbot der KPD verhindere die Wiedervereinigung und mache freie gesamtdeutsche Wahlen unmöglich. Im übrigen verkenne die Bundesregierung die Lehre des Marxismus-Leninismus. Wenn auch das Endziel dieser Lehre die sozialistische Revolution und der auf diesem Wege zu installierende Sozialismus-Kommunismus sei, so hätten doch Marx und Lenin gelehrt, daß man strategische Ziele nicht willkürlich stellen könne. Eine sorgfältige Analyse der objektiven Bedingungen in der Bundesrepublik Deutschland zeige, daß weder eine sozialistische Revolution noch die Errichtung einer sozialistischen Gesellschaftsordnung aktuell wären, jedenfalls nicht in einem geteilten Deutschland.

Das Bundesverfassungsgericht läßt sich von diesen Argumenten nicht beeindrucken und verkündet am 17. August 1956: Die Kommunistische Partei ist verfassungswidrig. Sie wird aufgelöst. Es ist verboten, Ersatzorganisationen zu schaffen oder bestehende Organisationen als Ersatzorganisationen fortzusetzen. Zur Teilnahme an gesamtdeutschen freien Wahlen sind hingegen alle Parteien zuzulassen, auch eine bis dahin verbotene KPD.

Die Partei geht in den Untergrund. 6 000 bis 7 000 ihrer Mitglieder bleiben ihr mehr oder weniger aktiv treu. Manche lassen sich zu Gefängnisstrafen verurteilen. Die Zentrale weicht nach Ost-Berlin aus. Die SED gibt das Geld für illegale Propagandaaktionen. Jährlich werden etwa 12 bis 13 Millionen DM-West ausgegeben.

In den westdeutschen Betrieben erscheinen 150 bis 200 illegale Publikationen. Auf lokaler Ebene werden 80 bis 90 Blätter unregelmäßig herausgebracht. Mit dem auf westdeutsche Verhältnisse abgestimmten sogenannten Freiheitssender 904 versucht man, die illegale Arbeit zu fördern und insbesondere die Bundeswehr zu zersetzen.

Ein Erfolg ist der Partei nicht beschieden — und ebensowenig können Parteien Anhang gewinnen, die sich von den Kommunisten unterstützen lassen, wie der „Bund der Deutschen" oder die „Deutsche Friedensunion" (DFU). Sie sind und bleiben Splittergruppen. Auch mit ihren Tarnorganisationen kommen die Kommunisten nicht weiter, ob es sich nun um den „Weltfriedensrat" handelt oder um das „Friedenskomitee", um die „Westdeutsche Frauenfriedensbewegung" oder die „Aktionsgemeinschaft gegen die atomare Aufrüstung in der Bundesrepublik" und wie die hochtönenden Namen alle lauten. Jedesmal, wenn die das

Gnadenbrot der SED verzehrenden KPD-Führer zu ihren Sitzungen zusammenkommen, müssen sie konstatieren: Und wieder ein Fehlschlag im Westen.

Jahre der Konsolidierung

Eine besonders krasse Abfuhr erteilt den Kommunisten die Bevölkerung West-Berlins. Hier ist die SED auf Beschluß der alliierten Stadtkommandanten als Partei zugelassen. Das KPD-Verbot berührt sie nicht. Sie kann sich frei und ohne Behinderung an den Wahlen zum Abgeordnetenhaus beteiligen. Doch bereits seit 1958 kommt sie nicht über zwei Prozent der Stimmen. Ein Häuflein grauhaariger Getreuer, die überwiegend in den Weimarer Jahren zur KPD gestoßen sind und sich nicht selbst eingestehen wollen, ein Leben lang den falschen Idealen gefolgt zu sein, bildet den Kern derer, die sich um Parteisekretär Gerhard Danelius, einem ehemaligen Komintern-Agenten, scharen.

Ulbricht erkennt, daß die SED etwas tun muß, um ihr so rapid gesunkenes Ansehen anzuheben. So wird den Altersrentnern gestattet, einmal im Jahr in die Bundesrepublik zu reisen — bei Todes- oder schweren Krankheitsfällen großzügigerweise sogar zweimal. Mehr als drei Millionen der 17 Millionen DDR-Bewohner werden davon betroffen. Das Ventil ist etwas geöffnet, der Überdruck kann weichen.

Zu Weihnachten 1963 trifft die DDR-Regierung mit dem West-Berliner Senat das erste Passierscheinabkommen. Es ermöglicht West-Berliner Bürgern, während der Festtage ihre Verwandten im östlichen Teil der Stadt zu besuchen. Den Ost-Berlinern dagegen bleibt ein Besuch in West-Berlin nach wie vor verwehrt. Diese Passierscheinabkommen, jeweils zu Ostern und zu Weihnachten eines jeden Jahres neu bestätigt, dienen Ulbricht jedoch in erster Linie dazu, sich ein Stück Anerkennung von Seiten West-Berlins und der Bundesrepublik zu ertrotzen. Von Mal zu Mal schraubt er die protokollarischen Bedingungen höher. Weihnachten 1966 läßt er die Verlängerung dann rücksichtslos scheitern, weil die Bundesregierung in Bonn bei diesem Spiel nicht weiter nachgeben will. Allein Weihnachten 1963 werden an den Übergangsstellen zum Ostsektor mehr als 1,2 Millionen Besucher gezählt, die mit ihren Ost-Berliner Angehörigen, aber auch mit Hunderttausenden nach Ost-Berlin geeilten Verwandten und Freunden aus der gesamten DDR zusammentreffen. Die Deutschen zeigen der Welt, daß sie sich immer noch als eine Nation betrachten.

Bei seinem Versuch, sich durch den Austausch von Botschaftern und Gesandten mit anderen Ländern politisches Prestige zu verschaffen, stößt

der SED-Staat auf den Widerstand der Bundesrepublik, die sich fast mühelos durchsetzen kann. Sie droht, ihre diplomatischen Beziehungen zu jeder Macht abzubrechen, die das Ulbricht-Regime anerkennt. Kaum ein Land kann es sich leisten, es mit der zweitgrößten Handelsnation und drittgrößten Industrienation der Erde zu verderben. Und daß sie ihre Drohung ernst meint, hat die Bundesregierung 1957 gegenüber Jugoslawien und 1963 gegenüber Kuba bewiesen.

So kommt es, daß nur kommunistische Staaten — denen Bonn neuerdings eine Sonderstellung zubilligt — mit Ost-Berlin Botschafter austauschen. (Moskau gegenüber hat die Bundesregierung ja bereits 1955 eine Ausnahme gemacht.) Die DDR muß sich außerhalb des Ostblocks mit Konsulaten und Handelsmissionen oder nur mit Außenhandelskammervertretungen begnügen, kann aber immerhin auf diese Weise in insgesamt 47 Ländern Fuß fassen.

Im Oktober 1964 fühlt die SED sich so stark, daß sie für 10 000 Strafgefangene, darunter viele politische Häftlinge, eine Amnestie und für weitere Inhaftierte eine Strafherabsetzung verkünden kann. Zwei Monate später wird auch Wolfgang Harich vorzeitig aus dem Zuchthaus entlassen.

Schon im September ist Otto Grotewohl gestorben, seiner schweren Krankheit wegen seit langem nur noch nominell Vorsitzender des Ministerrats. Die Amtsgeschäfte hat vertretungsweise der ehemalige Verteidigungsminister Stoph geführt. Jetzt wird er offiziell Regierungschef. Obgleich alter Kommunist und seit jeher Gefolgsmann Ulbrichts, hat er es verstanden, das Stigma des Stalinismus von sich fernzuhalten.

Der SED-Staat ist nunmehr 15 Jahre alt. Und er kann auf eine Epoche der Konsolidierung zurückblicken:

Seine Armee ist die drittstärkste im Ostblock. Sie wird weitgehend vom eigenen Nachwuchs geführt. Die Geburtshelfer aus den Reihen der deutschen Wehrmacht und aus dem alten kommunistischen Militärapparat sind mehr und mehr in den Hintergrund getreten.

1,6 Millionen Mitteldeutsche sind Mitglieder der SED. Die Partei beherrscht das gesamte öffentliche Leben.

Privatwirtschaftliche Gewerbebetriebe gibt es fast nicht mehr. Der Wert ihrer Jahresproduktion beträgt ganze 1,9 Milliarden Mark — gegenüber 78,2 Milliarden bei den „Volkseigenen Betrieben". Die privatwirtschaftenden Landwirte und Gärtner verfügen lediglich über eine Nutzfläche von 390 000 Hektar, die LPG und die Staatsgüter dagegen über sechs Millionen.

Die Industrieproduktion hat sich seit 1936 je Kopf der Bevölkerung verdoppelt. Bei der Versorgung mit Konsumgütern ist in der Quantität immerhin das Niveau der Bundesrepublik vom Jahre 1958 erreicht, in der Qualität das des Jahres 1954.

Mitteldeutschland hat den höchsten Lebensstandard des Ostblocks. Auf je 66 Einwohner kommt ein PKW. In Polen ist es ein PKW auf 135, in

Ungarn auf 254 Einwohner. Man muß schon westliche Zahlen nehmen (Bundesrepublik Deutschland ein PKW auf fünf Einwohner), um das Beispiel verblassen zu lassen.

Nach der Sowjetunion ist die DDR die zweitstärkste Industriemacht des Ostblocks. Ihre chemische und ihre optische Industrie sind weltmarktfähig.

In der Wirtschaft ist das „Neue Ökonomische System der Planung und Leitung" eingeführt, das den einzelnen Betriebsleitern mehr Spielraum für eigene Initiative bietet und in dem die „ökonomischen Hebel" berücksichtigt werden: Rentabilität und Gewinn.

Das Gros der Mitteldeutschen — ob Intellektuelle, ob Angestellte, ob Arbeiter — ist heute weder „klassenbewußt" noch zum Widerstand bereit. Die DDR-Bürger nehmen die SED-Herrschaft hin, wenn auch mit Vorbehalten. Sie sind bemüht, dem „politischen Rummel" soweit auszuweichen, wie es irgendwie geht, und nehmen in Kauf, daß sie schon ein Minimum an „gesellschaftlicher Arbeit" zeigen müssen, um darüber hinaus von der Partei in Frieden gelassen zu werden. So sichern sie sich ihre persönliche Freiheit im kleinen Rahmen. Und sie lächeln nachsichtig, wenn die SED mit dem Parteibarden Otto Gotsche den „Genossen Staatsratsvorsitzenden" feiert:

„Der Feind hat Haß und Hohn gespien.
Und weil sie ihn hassen, lieben wir ihn.
Unser Ruf den Feinden entgegenhalle:
Walter Ulbricht — das sind wir alle!

Sie mögen geifern, sie mögen droh'n —
Wir kämpfen mit ihm für die ganze Nation.
Wir bringen den Todfeind des Volkes zu Falle,
Denn: Walter Ulbricht — das sind wir alle!"

Tauziehen um den Redneraustausch

Am 20. November 1964 verblüffen fünf Politökonomen des Institus für Gesellschaftswissenschaften beim ZK der SED die orthodoxen Funktionäre. Sie tragen 31 Thesen vor, in denen sie zu einer „Neubewertung des Verhältnisses von Politik und Ökonomie in der Bundesrepublik Deutschland" kommen. Führender Kopf des Autorenkollektivs ist der 39jährige Institutsdirektor Professor Otto Reinhold. 1965 liegen die Theorien auch in einem 815 Seiten starken Buch vor: „Imperialismus heute. Der staatsmonopolistische Kapitalismus in Westdeutschland."

Die Lehren der verhältnismäßig jungen Parteiwissenschaftler lauten in Kurzform:

Im ersten Weltkrieg begann sich auf deutschem Boden das geschlossene System eines „staatsmonopolistischen Kapitalismus" zu bilden, das in der Gegenwart seinen Abschluß findet. In diesem System verfügt der Staat mit eigenem wirtschaftlichen Besitz über eine starke ökonomische Hausmacht und über einen Regulierungsapparat, mit dem er den wirtschaftlichen Gesamtprozeß lenkt. Dadurch wird der Konjunkturzyklus beeinflußt. Katastrophenartige Depressionen vom Ausmaß der Weltwirtschaftskrise der Jahre 1929 bis 1932 sind nicht zu erwarten — und damit auch keine Perioden der Revolutionsbereitschaft bei den breiten Massen.

Weil die Erfordernisse der technischen Revolution hohe Investitionen für Forschung und Entwicklung verlangen, ist der Staat zu langfristiger Planung gezwungen, wobei er die Methoden sozialistischer Planung und Leitung der Wirtschaft teilweise „vorwegnimmt".

Dieses System können die Kommunisten nicht mit den bisherigen Mitteln, sondern nur mit einer neuen Strategie und Taktik bekämpfen — nämlich durch Herstellung einer breiten „antimonopolistischen Front" des ganzen Volkes von der Arbeiterklasse bis zu den „nichtmonopolistischen" Kapitalisten. Kern der Front muß ein Bündnis von SED und SPD, von FDGB und DGB sein. Das Ringen der westdeutschen Gewerkschaften um Mitbestimmung verdient unter diesem Gesichtspunkt neue Würdigung.

Wenn diese antimonopolistische Front beim Kampf um echte Reformen den Einfluß der Monopole nach und nach zurückdrängt, kommt eines Tages der Augenblick, in dem die Arbeiterklasse und ihre Verbündeten den staatsmonopolistischen Regulierungsapparat sozusagen von selbst übernehmen. Das ist die Geburtsstunde der „antimonopolistischen Demokratie". Mit ihr wird der friedliche Übergang zum Sozialismus eingeleitet. Reform wird zum Modus der Revolution.

Die Ideologen vom Institut für Gesellschaftswissenschaften beim ZK der SED stützen sich mit ihrer aufsehenerregenden Analyse und ihren umwälzenden Schlußfolgerungen auf den von Moskau autorisierten Politökonomen Arsumanjan, der die „Staatswirtschaft" als den „Hauptschauplatz des Klassenkampfes" bezeichnet hat und — offensichtlich als Konzession an die Dogmatiker — zwar feststellt, daß wohl der militärische und polizeiliche Machtapparat zerschlagen werden müsse, nicht jedoch „der Teil des Staatsapparats, der wirtschaftliche Funktionen ausübt".

Die neuen Thesen stoßen innerhalb der SED auf heftigen Widerstand. Altkommunist Professor Jürgen Kuczynski will auch weiterhin auf revolutionäre Situationen im Gefolge neuer „Überproduktionskrisen" warten und warnt vor „so weitgehenden neuen theoretischen Einschätzungen". Wie zu erwarten, beruft er sich auf Lenin. Professor Sigbert Kahn schließt sich ihm an. Die Kritiker finden Rückhalt im Politbüro der SED. Aber Reinholds Rückhalt erweist sich als stärker: Ihn stützt Walter Ulbricht.

Der Staatsratsvorsitzende erklärt: „Wir haben feststellen müssen — ob es uns nun gefällt oder nicht —, daß in den letzten fünf bis acht Jahren große kapitalistische Konzerne mit Hilfe der staatsmonopolistischen

Regulierung den Prozeß der technischen Revolution mit Erfolg zu meistern verstanden."

Aber Ulbricht benutzt nicht nur Reinholds Vokabular, er folgt auch seiner Strategie. Zunächst wird im Dezember 1965 ein Staatssekretariat für gesamtdeutsche Fragen gegründet, das alle in der „Westarbeit" tätigen Partei- und Staatsinstanzen zusammenfassen soll. Am 7. Februar 1966 veröffentlicht das Zentralkomitee den berühmt gewordenen Offenen Brief an die SPD.

Reinhold bekommt den Auftrag, den ausländischen Bruderparteien darzulegen, was die SED vorhat. In der Ausgabe vom März 1966 der internationalen Zeitschrift „Probleme des Friedens und des Sozialismus" führt er aus: In Deutschland entwickeln sich unter den Bedingungen des staatsmonopolistischen Kapitalismus „viele neue Möglichkeiten für den gemeinsamen Kampf der kommunistischen und Arbeiterparteien mit den Sozialdemokraten und Gewerkschaften. Unsere Partei richtet daher das ganze Feuer gegen die CDU/CSU, die Partei des westdeutschen Monopolkapitals, und unternimmt alles, um mit der SPD und den Gewerkschaften eine Verständigung herbeizuführen."

Der Offene Brief ist an die Delegierten des Dortmunder Parteitags der SPD gerichtet und unterscheidet sich im Tonfall erheblich von 13 früheren Briefen, die von der SPD nie beantwortet worden sind. Ulbricht selbst entwirft das Schreiben und boxt es gegen den Widerstand seines präsumtiven Nachfolgers, des FDJ-Gründers und jetzigen Politbüromitglieds Erich Honecker durch. Seine Begründung: „Auch die SED kann heute keine Politik ohne Risiko mehr betreiben." Er sieht, daß die einsetzende Entspannungspolitik die Fronten des Kalten Krieges aufweicht und fürchtet, die DDR könne in die Isolierung geraten. Deshalb ist er für die Flucht nach vorn.

Der wesentliche Abschnitt des Offenen Briefes lautet: „Wir geben offen zu, daß die SED allein die Deutschlandfrage auch nicht lösen kann. Aber die beiden größten Parteien Deutschlands könnten gemeinsam den entscheidenden Beitrag zur Lösung der Deutschlandfrage leisten ... Eine Zusammenkunft von Vertretern der SED und der SPD sollte zu diesem Zweck möglichst bald stattfinden."

Die SPD ist auf eine Aktion aus Ost-Berlin vorbereitet. Denn schon im November 1964 ist ihr eine Sprachregelung der illegalen KPD in die Hände gefallen, in der in völliger Abkehr von den bisherigen Parolen die Rede davon ist, man müsse die — früher stets geleugneten — „sozialen Errungenschaften" in der Bundesrepublik zusammen mit der SPD und dem DGB verteidigen.

Die Sozialdemokraten entschließen sich, den Ball, den Ulbricht ihnen zuwirft, aufzufangen und antworten: „In allen Orten sollten die Voraussetzungen dafür geschaffen werden, daß Vertreter der im Deutschen Bundestag und in der Volkskammer vertretenen Parteien offen ihre Auffassungen über die Deutschlandfrage darlegen, vertreten oder austragen können." Dabei handeln sie mit Billigung der Bundesregierung und der anderen großen westdeutschen Parteien.

Nun liegt der Schwarze Peter bei der SED. Im Politbüro entbrennt der Streit in voller Schärfe. Ulbricht steht erstmals allein. Die Honecker-Fraktion weigert sich, den Brief der SPD, wie diese verlangt hat, zu veröffentlichen. Denn in ihm werden heikle Themen angesprochen: Der Schießbefehl für das „Kommando Grenze", die Berliner Mauer, die eingeschränkten Reisen in die Bundesrepublik und ins Ausland sowie die mangelnde Informationsmöglichkeit der DDR-Bevölkerung.

Doch es ist zu spät. Der Inhalt des Antwortbriefes wird in Mitteldeutschland mit Hilfe des West-Fernsehens und des West-Rundfunks schnell bekannt. Neue Hoffnungen wachsen bei jung und alt. Die örtlichen SED-Funktionäre werden vor allem mit der Frage bestürmt, wann denn endlich die Reisebeschränkungen fielen.

Ulbricht dringt noch einmal im Politbüro durch. Seine Begründung: „Die Unruhe bei uns ist gegenüber der Unruhe in der Bundesrepublik das kleinere Übel." Das „Neue Deutschland" bringt die SPD-Antwort im vollen Wortlaut. In der DDR setzt ein Run auf die in den freien Verkauf kommenden 20 000 Stück dieser Ausgabe ein (Gesamtauflage 850 000). Der Schwarzmarktpreis für ein Exemplar klettert bis auf 80 Mark.

Gleichzeitig veröffentlicht die SED ihre Antwort auf die Antwort. Der Hauptpunkt lautet: „Anknüpfend an die Gedanken der SPD schlagen wir vor, daß zunächst auf einer SED-Veranstaltung in Karl-Marx-Stadt Vertreter der SPD und der SED das Wort ergreifen. Wir schlagen ferner vor, daß auf einer SPD-Veranstaltung in Essen ebenfalls Vertreter der SED und der SPD das Wort ergreifen."

Die Sozialdemokraten akzeptieren im Prinzip, wünschen statt Essen jedoch Hannover und benennen für den ersten „Schlagabtausch" in Karl-Marx-Stadt (so heißt Chemnitz seit 1953) ihre drei Parteivorsitzenden als Redner: Willy Brandt, Fritz Erler und Herbert Wehner. Ihre Bedingung ist umfassende und korrekte Berichterstattung über die Veranstaltung in Presse, Funk und Fernsehen.

Diese Ankündigung läßt die Erwartungen in der mitteldeutschen Bevölkerung sprunghaft anwachsen und die Ängste in der SED-Führung ungeschminkt zu Tage treten. Honecker tritt Ulbricht hart gegenüber. Es kommt zu einem heftigen Wortwechsel, in dem der Staatsratsvorsitzende in die Enge getrieben wird: Wenn so populäre Leute wie Brandt und Wehner frei sprechen könnten, so Honecker, werde es Monate dauern, bis die Menschen in der DDR wieder zur Ruhe kämen. Die sich anbahnende „Versöhnungswelle" beginne bereits, die Moral der NVA und der Grenztruppe zu gefährden. Wie könne man Feindschaft und Wachsamkeit gegen den Klassenfeind predigen, wenn die bisher als Handlanger des Imperialismus gekennzeichneten „rechten SPD-Führer" willkommen geheißen würden?

Am 27. April tritt in Ost-Berlin das ZK zusammen. Die Atmosphäre ist gespannt. Viele örtliche Parteifunktionäre bekunden eine geradezu hysterische Angst. Sie fürchten, daß die Chemnitzer Kundgebung den Auftakt zu einem neuen Volksaufstand geben könne. Leipzigs SED-Parteisekretär Fröhlich ruft aus: „Wir hatten doch die Sozialdemokraten schon beerdigt. Aber jetzt geht es wieder los mit dem Sozialdemokratismus in unserer Partei!"

Ulbricht beschwört die Genossen vergebens. Ihm gelingt nur ein Kompromiß. Der von der SPD vorgeschlagene Mai-Termin wird abgelehnt und dagegen Mitte Juli angesetzt. Gleichzeitig wird beschlossen, das letzte Schreiben der SPD nur verstümmelt zu veröffentlichen und alles wegzulassen, was die Bevölkerung gegen die SED-Führung aufbringen müßte.

Ulbricht fährt resigniert in den Urlaub. Honecker nimmt das Heft in die Hand. Seine Erläuterung des ZK-Beschlusses für die SPD kennt weder Anrede noch Unterschrift.

Der Parteitag der SPD in Dortmund Anfang Juni 1966, auf dem keine Anzeichen für ein Anwachsen des „linken Flügels" registriert werden können, nimmt Ulbricht das letzte Argument. Er ist völlig isoliert. Auch Moskau stützt ihn in dieser Frage nicht mehr. Ministerpräsident Stoph wettert in Magdeburg: „Wehner und Erler haben auf dem Dortmunder Parteitag ihre Gemeinsamkeit mit der reaktionären CDU-Führung verkündet!" Und dann findet die SED auch den vorgeschobenen Grund, den Redneraustausch abblasen zu können:

Im Bundestag beschließen Sozialdemokraten, Freie Demokraten und die zunächst zögernden Christlichen Demokraten ein Gesetz, nach dem SED-Funktionäre bei Einreisen in die Bundesrepublik, soweit diese im Interesse der Wiedervereinigung stehen, von der westdeutschen Gerichtsbarkeit freigestellt werden können. Weil sie der einzige deutsche Staat mit einer frei gewählten Regierung ist, erhebt die Bundesrepublik den Anspruch auf Gerichtshoheit über alle Deutschen. Nun ist sie bereit, diesen Anspruch in Fällen wie dem Redneraustausch befristet fallenzulassen. Kein Staatsanwalt kann dann die eingeladenen SED-Redner etwa wegen ihrer Mitverantwortung für den Schießbefehl festnehmen lassen und vor Gericht bringen. Doch die SED nennt diese Vorlage, die den Redneraustausch überhaupt erst ermöglichen und ihren Vertretern Sicherheit geben soll, plötzlich „ungeheuerlich". Sie spricht von Anmaßung und vom „Handschellengesetz". Solange es bestehe, müsse der Redneraustausch unterbleiben.

Eine Episode gesamtdeutscher Politik findet ihren für die Kommunisten unrühmlichen Abschluß. Der Risiken scheuende Dogmatiker Honecker hat den wandlungsfähigen Taktiker Ulbricht ausgestochen.

Erich Honecker, Jahrgang 1912, stammt aus dem Saarland. Er ist der Sohn eines Bergarbeiters. Nach dem Besuch der Volksschule wird er Dachdecker. Schon mit zehn Jahren tritt er in die kommunistische Jugendbewegung ein und 1929, als 17jähriger, in die KPD. Zwei Jahre später ist er Sekretär des Kommunistischen Jugendverbandes im Saargebiet. 1936 wird er von der Gestapo verhaftet. Wegen illegaler Tätigkeit für die KPD muß er für zehn Jahre ins Zuchthaus. 1945 von der Roten Armee befreit, erhält er den Auftrag, die Freie Deutsche Jugend zu gründen.

Honecker heiratet seine drei Jahre ältere Stellvertreterin Edith Baumann, wendet sich aber bald der 15 Jahre jüngeren Leiterin der Kinderorganisation „Junge Pioniere" zu, Margot Feist. Sie gebiert ihm 1951 eine Tochter. Er läßt sich von Edith scheiden und ehelicht Margot, die heute Volksbildungsminister der DDR ist.

Das ist der einzige Zickzackweg in der so ganz und gar bürokratischen Karriere eines jungen Mannes, der steil nach oben klettert. 1955 geht er für zwei Jahre zur Schulung in die Sowjetunion. Zurückgekehrt und Kandidat des Politbüros geworden, führt er unter Ulbrichts Anleitung den Hauptstoß gegen die „Schirdewanisten". Der Parteichef dankt ihm. Honecker wird Vollmitglied des Politbüros, oberster Sicherheits- und Personalchef der Partei — und so zwangsläufig „Kronprinz".

Auf ihn bauen die alten Kader der SED, die einen Horror vor der neuen Taktik haben, mit der Ulbricht 1965 und 1966 gespielt hat und vielleicht heimlich noch immer spielt. Diese altbewährten Genossen sind für Diversion, Subversion und Bürgerkrieg geschult. Sie können von ihrem Werdegang und ihrer Veranlagung her keiner beweglichen Taktik zuneigen, die ihnen nur noch in Nebenbereichen Verwendung bieten würde. Eine Partei, die Reinholds Thesen aufgreift, müßte sich schon den Mantel einer modernen kommunistischen Reformpartei umlegen — und zwar überzeugend —, wenn sie in der Bundesrepublik auch nur schwache Aussicht auf Erfolg haben will. Die grobe, aggressive, ressentimentgeladene oberste Führungsschicht der SED ist zu einer solchen Wandlung nicht fähig. Irritiert sucht sie Schutz und Halt bei Erich Honecker, dem Jüngeren, dem offensichtlich die Zukunft gehört.

Auch er sieht die drohende Isolierung in der Außenpolitik. Doch er verzichtet auf Experimente. Er will sich einigeln, bis der Sturm vorübergetobt ist. Das allein entspricht der Mauerbau- und Schießbefehlmentalität. Dabei sucht er Halt bei der UdSSR, der die DDR sich unentbehrlich machen soll.

Diese Methode wird bereits Ende Dezember 1965 versucht, als ein neuer Handelsvertrag mit Moskau vor der Tür steht. Honecker und Alfred Neumann, der Vorsitzende des Volkswirtschaftsrats, drängen darauf, den Vertrag auf fünf Jahre abzuschließen und der Sowjetunion Lieferungen im Gesamtwert von 30 Milliarden Mark zuzusagen. Das sind etwa 50 Prozent des gesamten Exports.

Die DDR soll hochwertige Güter wie Maschinen, Chemieanlagen, elektrotechnische Ausrüstungen, Schiffe und Eisenbahnwaggons zu Preisen liefern, die weit unter dem Weltmarktpreis, zum Teil sogar unter den Gestehungskosten liegen. Umgekehrt soll sie als Gegenleistung sowjetische Rohstoffe, vor allem Rohöl, zu Preisen einführen, die weit über den Weltmarktpreisen angesetzt sind. Dabei werden Kapazitäten einkalkuliert, die die DDR-Industrie nicht besitzt, sich also erst auf Kosten des Konsums der Bevölkerung verschaffen muß, und Liefertermine, die nicht einzuhalten sind.

Planungschef Erich Apel erhebt Einspruch. Er hat seit langem gegen die einseitige Ost-Orientierung des DDR-Außenhandels Front gemacht. Ähnlich wie die Rumänen ist er der Meinung, der Außenhandelspartner dürfe nicht nach ideologischen, sondern nur nach kommerziellen Gesichtspunkten gewählt werden. Je mehr Geschäfte man mit dem Westen mache, umso größer seien auch die Chancen für diplomatische Anerkennungen, umso größer sei der politische Spielraum.

Apel — Jahrgang 1917 — ist ein Außenseiter mit kometenhaftem Aufstieg. Den jüngeren DDR-Bürgern gilt er als Vertreter der fortschrittlichen Funktionäre, die auf Sachlichkeit schwören und den Dogmatismus verachten. Während des Krieges hilft er in Peenemünde, V-Waffen zu bauen. Die Sowjets bringen ihn für sechs Jahre nach Rußland. 1955 — noch immer parteilos — wird er DDR-Minister für Schwermaschinenbau. Der SED tritt er erst 1957 bei. Allerdings gehört er bereits vier Jahre später dem obersten Gremium der Partei, dem Politbüro, als Kandidat an. Im Januar 1963 macht Ulbricht ihn zum Vorsitzenden der Staatlichen Planungskommission im Range eines Stellvertretenden Ministerpräsidenten.

Am 2. Dezember 1965 stoßen Neumann und Apel im Politbüro in aller Schärfe zusammen. Honecker schlägt in Neumanns Kerbe. Auch Ulbricht nimmt gegen Apel Stellung — denn bei aller Wendigkeit, noch nie hat er sich in einen Gegensatz zu den gerade im Kreml herrschenden Kreisen treiben lassen. Doch Apel gibt nicht nach. Brüsk lehnt er die Unterzeichnung des Handelsvertrags ab. Er droht, in einer Form zu protestieren, die internationales Aufsehen erregen werde.

Die Unterzeichnungszeremonie ist für den 3. Dezember um 11 Uhr angesetzt. Eine Stunde vorher taucht Neumann in Apels Büro im Ost-Berliner Haus der Ministerien auf. Überbringt er ein Ultimatum? Wütender Wortwechsel dringt durch die Tür. Nachdem der Besucher gegangen ist, knallt ein Schuß. Apel hat sich das Leben genommen.

Der tote Planungschef erhält ein Staatsbegräbnis. Ministerpräsident Stoph ruft ihm ein „Lieber Erich!" nach. Aber die erdrückende Last zu enger wirtschaftlicher Bindungen an die Sowjetunion hat Apel nicht von der DDR abwenden können — ebensowenig wie von seinem Freund Robert Havemann den Sturz ins Nichts und den Parteiausschluß.

Zum Unterschied von Apel ist Havemann Altkommunist. Er hat in Hitlers Zuchthäusern gesessen und ist der Vollstreckung des über ihn verhängten Todesurteils nur deshalb entgangen, weil der lebende Wissenschaftler den Nazis wichtiger ist. Er arbeitet für das Heereswaffenamt. Nach dem Krieg nimmt Havemann einen Lehrstuhl für Chemie an der Ost-Berliner Humboldt-Universität an und zeichnet sich durch besondere Linientreue aus. Stalin nennt er ungeniert den „größten Wissenschaftler unserer Zeit". In West-Berlin wird er 1950 vorübergehend inhaftiert, weil er illegal Unterschriften für ein Atomwaffenverbot sammelt.

Zehn Jahre nach Stalins Tod steht Professor Havemann in der vordersten Front jener, die für Liberalisierung im Ostblock kämpfen. Die Studenten strömen ihm zu. Seine Vorlesungen sind überfüllt. Er fordert öffentlich größere Informationsfreiheit für die DDR-Bürger, die Öffnung wenigstens der geistigen Grenzen gegenüber dem Westen und Opposition gegen „Karrieristen, Duckmäuser und Speichellecker". Der Sozialismus müsse eine Welt werden, in der „jeder nach seinem individuellen Streben handeln kann". Den „Herren, die von den Kathedern der Sowjetunion den dialektischen Materialismus" lehren, wirft er Rückkehr „zu den Positionen des Vulgärmaterialismus" vor.

Das alles muß ihm den Vorwurf eines „Jugendverderbers" und „Abweichlers" einbringen. Havemann ist nicht zur Selbstkritik bereit und verliert Lehrstuhl und Parteibuch. Sein Freund Apel verschafft ihm mit Mühe und Not einen fotochemischen Forschungsauftrag, damit er leben kann.

Noch gibt Havemann nicht auf. Er läßt westdeutschen Presseorganen Manuskripte zukommen, in denen er für eine Demokratisierung der Partei und für eine Rückkehr zu Rosa Luxemburg eintritt. Er empfiehlt, in der Bundesrepublik eine völlig neue, vom Ballast der alten unabhängige, im inneren Aufbau demokratische Kommunistische Partei zu gründen und meint: Warum solle „die Frage ‚Sozialismus oder Kapitalismus' in Deutschland nicht doch einmal durch den Volkswillen, also durch Wahlen entschieden werden?"

Aber nicht nur Havemann wird schließlich mundtot gemacht, auch der kritikfreudige Bänkelsänger Rolf Biermann muß verstummen, die Filmregisseure werden fester ans Gängelband genommen, jede freiheitliche Regung im Geistes- und Kulturleben wird nach bewährtem Brauch erstickt. Ausgerechnet Honecker wirft den widerborstigen Intellektuellen „Spießbürgerlichkeit" vor. Er wütet über ihren „lebensverneinenden Skeptizismus".

Voller Furcht, der Sowjetunion im Zuge der Entspannung einmal als „Bollwerk gegen den Imperialismus" entbehrlich zu werden, flüchten sich die SED-Führer in übersteigerten Separatismus und in die Selbstblockade. Sie gebärden sich als Moskaus getreuester Vasall und bauen auf die 20 sowjetischen Divisionen im Lande. Nicht einmal von einer lockeren Konföderation zwischen Bundesrepublik und DDR wollen sie mehr

Klassenbrüder - Waffenbrüder - unbesiegbar!

Kommuniqué. Berlin, 5. Juni 1967, ADN. – Im Rahmen der gemeinsamen Ausbildungsmaßnahmen der Vereinten Streitkräfte der Teilnehmerstaaten des Warschauer Vertrages fand auf dem Territorium der Volksrepublik Polen und im Norden der Deutschen Demokratischen Republik in der Zeit vom 27. 5. bis 5. 6. 1967 eine mehrstufige Übung höherer Stäbe und Kommandos der Polnischen Volksarmee, der Sowjetarmee und der Nationalen Volksarmee der DDR statt. Die Übung stand unter der Leitung des Ministers für Nationale Verteidigung der Volksrepublik Polen, Marschall Polens Marian Spychalski, und war eine wichtige Maßnahme, die zur Vervollkommnung der Führung moderner Gefechtshandlungen der verschiedenen Teilstreitkräfte beitrug.

Die Übung stellte die hohe Gefechtsbereitschaft der Stäbe und Kommandos sowie ein gutes Zusammenwirken der Teilstreitkräfte, Waffengattungen und Dienste unter Beweis. Sie trug zur weiteren Festigung der Waffenbrüderschaft der übenden Armeen

bei und war ein wichtiger Beitrag zur Festigung des Friedens und der Sicherheit in Europa. Anläßlich der Übung gab der Minister für Nationale Verteidigung der Deutschen Demokratischen Republik, Armeegeneral Heinz Hoffmann, ein Essen, an dem das Mitglied des Politbüros und Sekretär des Zentralkomitees der Sozialistischen Einheitspartei Deutschlands, Erich Honecker, sowie die Minister für Nationale Verteidigung der Volksrepublik Polen, Marschall Polens Marian Spychalski, der Tschechoslowakischen Sozialistischen Republik, Armeegeneral Bohumir Lomsky, sowie der Stellvertreter des Ministers für Verteidigung der Union der Sozialistischen Sowjetrepubliken, Armeegeneral Iwan Grigorjewitsch Pawlowski, teilnahmen. Des weiteren waren anwesend: der Chef der Politischen Hauptverwaltung der Polnischen Volksarmee, Divisionsgeneral Jozef Urbanowicz, der Chef des Generalstabes der Polnischen Volksarmee, Divisionsgeneral Wojciech Jaruselski, der Chef der Rückwärtigen Dienste der Polnischen

Volksarmee, Divisionsgeneral Wiktor Zieminski, der Vertreter des Vereinten Oberkommandos, der Warschauer Vertragsstaaten bei der Polnischen Volksarmee, Generaloberst Dimitri Sergejewitsch Sherebin, der 1. Stellvertreter des Chefs des Generalstabes der Tschechoslowakischen Volksarmee, Generalmajor Josef Cepisky, die Stellvertreter des Ministers für Nationale Verteidigung, Generaloberst Heinz Keßler und Generalleutnant Siegfried Weiß, der Leiter der Sicherheitsabteilung beim ZK der SED, Generalmajor Walter Borning, der Stellvertreter des Chefs der Politischen Hauptverwaltung der NVA, Generalmajor Günter Teller, und andere leitende Generale und Offiziere.

Im Auftrage der Regierung der Deutschen Demokratischen Republik verlieh der Minister für Nationale Verteidigung der DDR den Ministern Spychalski und Lomsky sowie dem stellvertretenden Minister Pawlowski die „Medaille für Waffenbrüderschaft" in Gold.

Kommuniqué über eine gemeinsame Militärübung im Sommer 1967, an der Vertreter der Sowjetunion, der Volksrepublik Polen und der DDR teilgenommen haben – abgedruckt und mit der üblichen pathetischen Überschrift versehen in der DDR-Wochenzeitung „Volksarmee"

wissen. „Sozialismus und Kapitalismus sind unvereinbar!" zetern sie. Die Existenzangst treibt sie sogar dazu, eine deutsche Kulturgemeinschaft zu leugnen. Bald sprechen sie von der „sozialistischen deutschen Nation" und versuchen, diese einer „kapitalistischen deutschen Nation" gegenüberzustellen. Anfang Februar 1967 taufen sie das Staatssekretariat für gesamtdeutsche Fragen in eines für „westdeutsche Fragen" um.

Noch halten die Kommunisten ihre Diktatur aufrecht. Die SED ist straff organisiert und energisch geführt. Erich Honecker lenkt die Kader. Über sie beherrscht die Partei den Staat, die Armee und die Volkswirtschaft. Wer aufmuckt, wird von seinem Posten entfernt. Der Staatssicherheitsdienst überwacht jeden. Ein dichtes Spitzelnetz hilft ihm dabei.

Nur — die Kader wandeln sich. Von Jahr zur Jahr gehen mehr überzeugungsstarke „alte Kämpfer" in Pension. Junge Leute nehmen die verantwortlichen Positionen ein. Sie sind erst nach dem Kriege geformt und geprägt worden. Ob unter ihnen die Fanatiker nur eine Minderheit bilden? Möglich ist es — und noch mehr gilt das für die Elite der Fachleute und Manager, die überall in Wissenschaft, Wirtschaft und Verwaltung vorzudringen beginnen. Sie bilden eine bevorrechtigte Klasse. Ihr Lebensstandard ist westlich. Sie entbehren nichts.

Sicherlich werden auch sie ihre Ideale haben. Die „Erziehung zum Sozialismus" wird an ihnen nicht spurlos vorübergegangen sein. Aber ist der Marxismus-Leninismus ihnen wirklich im gleichen Maße ein nahezu religiöses Dogma wie den „Alten"? Vielleicht erwacht in ihnen eines Tages das gesamtdeutsche Bewußtsein — zumal dann, wenn ihnen gewährleistet erscheint, in einem wiedervereinigten oder eng zusammengerückten Deutschland weder für ihr jetziges Tun strafrechtlich verfolgt noch sozial deklassiert zu werden.

X

DAS ENDE DES EXPERIMENTS

Wettlauf um Afrika und Südamerika

Auf dem XXI. Parteitag der KPdSU im Jahre 1959 kann Nikita Chruschtschow Delegierte von 70 kommunistischen Parteien als Gäste begrüßen. Insgesamt gibt es zu diesem Zeitpunkt in der Welt 83 Parteien, die auf den Marxismus-Leninismus schwören. Sie haben 33 Millionen Mitglieder. Allerdings fällt der größte Teil auf die Länder, in denen die Kommunisten die totale Herrschaft ausüben.

Chruschtschow widmet den Problemen des internationalen Kommunismus in seinem Referat große Aufmerksamkeit. Besonders beschäftigt er sich mit Asien, Afrika und Südamerika. Er doziert: Zunächst gehe es um die nationale Befreiung in diesen Gebieten, um die Vertreibung der Kolonialherren. Alle „nationalen Kräfte" müßten dabei an einem Strang ziehen. In der zweiten Phase spalte sich die Befreiungsbewegung in klassenbedingte verschiedene Richtungen, denn dann stehe die Lösung der sozialen Frage auf der Tagesordnung und müßten die Kommunisten die Führung der Arbeiter und Bauern gegen die Gutsbesitzer und Kapitalisten übernehmen.

Im rund 200 Millionen Bewohner zählenden Schwarz-Afrika gibt es allerdings kaum „Gutsbesitzer" und nur eine geringe Anzahl von Kapitalisten. Kolonialherren werden auch immer rarer, denn ein Land nach dem anderen erhält die Unabhängigkeit. Das soziale Leben wird noch weitgehend von der Sippe bestimmt, die in nicht wenigen traditionell geprägten Landstrichen den einzelnen voll und ganz beherrscht.

Die moderne Entwicklung führt aber zur Auflösung der Sippe und zur Entwurzelung, also zur Proletarisierung vieler Hunderttausender, die vor allem in den Küstengebieten und in den rasch anwachsenden großen Städten Unterschlupf suchen. Es sind vornehmlich die Unternehmungslustigen, die nach persönlicher Freiheit und Ungebundenheit Durstenden, die sich hier zusammenfinden. Der Staat, die Regierungsparteien, die vom Staat geförderten Gewerkschaften versuchen, neue Bindungen zu schaffen; der Kommunismus bemüht sich ebenso, neues Leitbild der Unzufriedenen und Haltlosen zu werden.

Grund zum Triumph haben die Kommunisten zunächst nur auf der Insel Sansibar. Hier besteht eine wirklich revolutionäre Lage. Aller Grundbesitz und alle politische Macht liegen bei den Arabern. Der Kreml erkennt das schnell. Er holt Studenten nach Moskau und schult sie gründlich. Peking hängt sich an. Waffen werden ins Land geschmuggelt. Der bewaffnete Aufruhr läßt nicht lange auf sich warten. 1964 kommt es zu einem blutigen Umsturz. Doch der neue kommunistische Staat schließt sich mit dem von der „Afrikanischen National-Union" regierten Tanganjika, dem früheren Deutsch-Ostafrika, zum Staat Tansania zusammen. Noch ist es offen, wer wen durchdringen wird.

Die DDR wittert die Chance, diplomatisch Boden zu gewinnen, muß sich dann aber doch nur mit einem Generalkonsulat begnügen. Die Bundesrepublik erweist sich als stärker. Mit ähnlichem Mißklang nach anfänglicher Hochstimmung endet das Bemühen der DDR um Guinea und um den Kongo. Ihre Kongo-Delegation, die sich fast am Ziel wähnt, wird im Februar 1963 brüsk ausgewiesen.

Gleiches widerfährt — und das zweimal — den Sowjets. Die dreißig Mann ihrer bereits errichteten Botschaft müssen das Land als „unerwünschte Ausländer" verlassen. Damit reagiert die Kongo-Regierung auf die ständigen Versuche der Sowjetunion, die Kongowirren und die anhaltenden bürgerkriegsähnlichen Kämpfe für den Kommunismus auszunützen.

Moskau konkurriert dabei übrigens mit den Chinesen, deren Emissäre sich in den benachbarten Staaten Kongo-Brazaville und Burundi festgesetzt haben. Überall in Afrika bemühen sich die beiden kommunistischen Führungsmächte, die Ernte der revolutionären Saat in die eigenen Scheuern einzufahren. Nur — ob Moskau, ob Peking, die Kommunisten handeln zu schnell und zu überstürzt. Der Erfolg bleibt aus. Und selbst die Reise des chinesischen Ministerpräsidenten Tschu En-lai durch afrikanische Länder im Jahr 1965 dient eher dazu, den dort Regierenden neues Ansehen zu verschaffen, als den oppositionellen Kommunisten Auftrieb zu geben.

Auf Sansibar wiederholt sich im gewissen Sinne, was vorher schon auf Kuba geschehen ist: Die Inbesitznahme einer ihrem Kontinent vorgelagerten Insel, die als Sprungbrett zur geistigen Durchdringung und schließlichen Eroberung des Erdteils dienen kann. Dabei kommt Kuba allerdings die weitaus größere Bedeutung zu. Überdies hat sich der revolutionäre Sprengstoff in Lateinamerika in einem Ausmaß angehäuft, daß Afrika vielfach übertroffen wird.

Kolumbus selbst hat Kuba, die Zuckerinsel im Karibischen Meer, entdeckt. Sie zählt jetzt mehr als sechseinhalb Millionen Einwohner. 1898 wurde die frühere spanische Kolonie unabhängig. Wirtschaftlich ist sie jedoch unter den Einfluß der USA geraten. Den „Yankees" gehören zuletzt 90 Prozent der Bergwerke und Farmen, 40 Prozent der Zuckerindustrie, die Hälfte der Eisenbahnen und die gesamte Erdölwirtschaft. Das Land wird seit 1952 mit eiserner Hand vom Diktator Batista regiert, einem ehemaligen Sergeanten, der zum General und Präsidenten aufgestiegen ist. Unter seiner Herrschaft gedeihen Korruption und Wohlleben der oberen Zehntausend. Gegen das Analphabetentum und gegen Schmutz und Elend bei den breiten Massen unternimmt er wenig. 1953 landet Fidel Castro mit einer Handvoll Getreuen. Er ist erst sechsundzwanzig Jahre alt, Jurist und gilt als linker Liberaler.

Der Umsturzversuch schlägt fehl. Batista wirft Castro ins Gefängnis. Doch nach seiner Entlassung sammelt der Rebell in Mexiko eine neue Verschwörerschar. Sie geht im Dezember 1956 an der Südostküste Kubas an Land und verschanzt sich in den Bergen. An Castros Seite steht Ernesto „Che" Guevara, ein Mann, dem die Begabung zur Guerillakampfführung im Blute liegt. Er hat Mao Tse-tungs Schriften fleißig studiert. Die Zahl der Rebellen beträgt bald etwa 15 000. Nur die Hälfte trägt Uniformen. Oft sind sie schlechte Schützen. Kampferfahrung fehlt ihnen. Dafür sind sie mit dem Herzen bei der Sache. Sie kennen ihren Gegner, seine Gewohnheiten, Stärken, Schwächen. Der Kleinkrieg wird erbittert geführt — zwischen Zuckerrohr- und Kaffeeplantagen, mit Panzern, Panzerspähwagen, Flugzeugen und Geschützen. Es gibt mehr Freiwillige als Gewehre. Oft holen sich die Kämpfer die Waffe erst vom Feind. Überraschung und Irreführung des Gegners, Rasanz des Angriffs sowie Beweglichkeit und Kenntnis des Geländes bilden die Hauptmerkmale dieser Kampfweise. Die Taktik zielt auf die Verwirrung und Abwertung des Gegners. Dazu gehört, daß Guevara Gefangene der Gegenseite nicht etwa bestraft, sondern — psychologisch geschickt — durch das kubanische Rote Kreuz zurückgibt.

Die „Fidelistas" — sie nennen sich stolz nach Castros Vornamen und tragen wuchernde Bärte wie er — verminen die Straßen. Sie sprengen Eisenbahnbrücken. Omnibusse, Lastwagen oder Personenautos werden auf den Chausseen in Brand gesteckt. In der Dunkelheit schleichen sich die Guerillas an die feindlichen Stellungen und beschießen sie aus dem Versteck, bis den Verteidigern der Mut ausgeht. Mit dieser Kampfführung arbeiten sich die Rebellen voran. 1959 besetzen sie die Hauptstadt Havanna und sind damit Herren der Insel geworden.

Anfangs bleibt die Frage offen, ob Castros Revolution wirklich zunächst liberale Ziele verfolgt hat und die Kommunisten erst nach dem Sieg Einfluß gewonnen haben. Nach späterer Aussage fühlte Castro sich allerdings von Beginn an als aktiver Kommunist. Er zeigt sich nun geradezu besessen von dem Gedanken, als ein kommunistischer Messias den Geist der Revolution über seine Insel, über Südamerika und schließlich über die ganze westliche Hemisphäre zu verbreiten.

Er errichtet ein diktatorisches Regime. „Che" Guevara wird Finanzminister. Der Großgrundbesitz von Inländern wie Ausländern wird enteignet. Viele bis dahin wohlhabende Kubaner und mit ihnen viele Gegner des Kommunismus verlassen die Insel. 1960 läßt Castro die US-amerikanischen Ölraffinerien besetzen. Amerikanisches Eigentum verfällt rigoroser Enteignung. Die Spannung hält an und verschärft sich. Im nächsten Jahre bereiten Exilkubaner eine Invasion von den USA her vor. Mit Bombenangriffen und einer Landung in der Schweinebucht erzwingen sie sich am 17. April 1961 den Zugang zur Insel. Aber das Unternehmen bricht schon innerhalb von vier Tagen zusammen. Und nun wirft Castro nicht nur den USA vor, den Überfall völkerrechtswidrig unterstützt zu haben, sondern er verkündet ausdrücklich die Umwandlung Kubas in einen kommunistischen Staat und scharfe Maßnahmen gegen die katholische Kirche.

Damit ist der Zeitpunkt gekommen, in dem der Diktator außenpolitisch den offenen Anschluß an die Sowjetunion und an die übrigen Staaten des Ostblocks sucht. Das führt auch zu einer engeren Zusammenarbeit mit der DDR, und das hat dann weiter den Abbruch der diplomatischen Beziehungen der Bundesrepublik zu Kuba zur Folge.

Castro stattet der Sowjetunion einen Besuch ab. Bei dieser Gelegenheit wird er als erster Ausländer zum „Helden der Sowjetunion" ernannt. „Che" Guevara hingegen verschwindet von der politischen Bühne. Hat Fidel einen lästigen Konkurrenten heimlich beseitigt? Oder ist der alte Partisan auf den Kontinent gegangen, um einen neuen Guerillakrieg zu führen? Ist er dort gefallen? Lateinamerika hat einen Mythos mehr ...

Die kubanische Revolution, die erste im revolutionsreichen Erdteil, die diesen Namen wirklich verdient, erweist bald ihre große Ausstrahlungskraft. In allen südamerikanischen Ländern wachsen die nationalistischen und sozialrevolutionären Bewegungen an. Der Kontinent zählt rund 225 Millionen Einwohner, überwiegend Weiße und Mestizen, also Mischlinge aus Weiß und Rot. Sie machen zusammen 85 Prozent der Bevölkerung aus. Lediglich 20 Millionen Menschen gelten als reinrassige Indios. Etwa zehn Millionen stammen von Afrikanern und Asiaten ab. Überall ist eine starke Binnenwanderung zu verzeichnen. Die Massen strömen in die sich lawinenartig ausbreitenden Städte, an deren Rändern dichte Elendsgürtel entstehen. Die Einkommensunterschiede sind kraß. Millionen erreichen nicht einmal das Existenzminimum und werden vom wirtschaftlichen Kreislauf überhaupt nicht berührt. Zu ihnen gehören — je nach dem einzelnen Land unterschiedlich — 30 bis 75 Prozent der Bevölkerung.

In Paraguay besitzen 1,1 Prozent der landwirtschaftlichen Betriebe 86,7 Prozent der gesamten Nutzfläche. Selbst in Chile, das am besten wegkommt, besitzen immerhin noch 2,8 Prozent aller Grundbesitzer 37,3 Prozent des Bodens. Dazu kommen die Inflationen, die den Kontinent durchschütteln. In den wirtschaftlich stärksten Staaten — Argentinien, Brasilien und Chile — steigen die Preise zwischen 1955 und 1962 bis zu 600 Prozent.

In den wenigen Ländern, in denen die Kommunisten zur Wahl antreten können — weil in ihnen freie Wahlen möglich sind und die KP überdies nicht verboten ist — kommen sie nicht über zwei bis vier Prozent der Wählerstimmen. Nur in Chile erreichen sie — bei ganzen 23 000 eingeschriebenen Mitgliedern — zwölf Prozent zur letzten Parlamentswahl und 1963 bei einer Gemeindewahl sogar 29 Prozent. Die Sowjets geben sich damit nicht zufrieden und wenden in Südamerika Jahr für Jahr etwa 100 Millionen US-Dollar für Propagandatätigkeit auf. Dazu kommt die gesteigerte Agitation der Rotchinesen.

150 Jahre lang haben die Machtkämpfe innerhalb einer feudalen dünnen Oberschicht den Ablauf der südamerikanischen Geschichte bestimmt. Wird die zunehmende Radikalisierung der Massen eine Zäsur herbeiführen? Vorerst schalten sich in den einzelnen Staaten die Generale ein. Militärdiktaturen können jedoch keine Lösung bedeuten. Allenfalls bringen sie Aufschub. Und so erhebt sich die Frage, ob diese Frist für durchgreifende Reformen genützt werden soll und überhaupt noch genützt werden kann.

Chruschtschows Sturz

Nikita Chruschtschow ist nicht gewillt, in Geduld die Möglichkeit abzuwarten, daß den Kommunisten ganz Südamerika als reife Frucht in den Schoß fällt. Er hält sich an das, was er schon besitzt: Kuba. Sein Treffen mit dem neuen US-Präsidenten Kennedy in Wien im Juni 1961 endet für ihn mit der Überzeugung, einen Gegenspieler zu haben, der ihm nicht gewachsen ist. „Den jungen Mann habe ich das Fürchten gelehrt", rühmt er sich. Und er entschließt sich, Fidel Castros Insel vor Amerikas Toren zu einem schwer bestückten sowjetischen Militärstützpunkt auszubauen.

Seit Mitte Juli 1962 trifft täglich mindestens ein Schiff mit Rüstungsmaterial in Kuba ein. Der Seeverkehr der Sowjets nach Westindien nimmt sprunghaft zu. Im August alarmieren kubanische Emigranten den US-Geheimdienst mit den ersten Meldungen von der Existenz sowjetischer Raketen auf der Zuckerinsel. Allein zwischen dem 3. und dem 15. August gehen 1 200 Sowjetsoldaten in Arbeitsuniform an Land. Auf den Inselstraßen rollen in dichter Folge motorisierte sowjetische Militärkolonnen.

Der Kreml reagiert auf die wachsende amerikanische Nervosität und spricht beruhigend von „Technikern" und „Beratern". Das US-Verteidigungsministerium, das Pentagon, befiehlt verstärkte Aufklärungsflüge mit der U-2. Ende August bringen die Maschinen Fotos mit nach Haus, auf denen Batterien von Fliegerabwehrraketen mit einer Reichweite von 40 Kilometern ausgemacht werden. Sollen sie lediglich zur Verteidigung Kubas bei etwaigen amerikanischen Invasionen eingesetzt werden — oder dienen sie dem Schutz von Fernraketen, die Ziele in den USA erreichen können und die man logischerweise erst aufbaut, wenn die Luftabwehr steht?

Der Flug einer U-2 am 14. Oktober läßt dann keinen Zweifel mehr: Bei San Cristóbal, bei Remedios, bei Sagua la Grande und bei Guanajay entstehen sowjetische Raketenbasen. Und in den nächsten Tagen werden drei weitere Stützpunkte erkannt. Sechs der Basen sind für Mittelstrecken-, drei für Langstreckenraketen eingerichtet. Jede Basis verfügt über vier Abschußrampen. Von ihnen aus kann jeder Ort in der westlichen Hemisphäre unter Feuer genommen werden.

An insgesamt 47 Orten werden sowjetische Truppen entdeckt, außerdem drei sowjetische Flugplätze (unter anderem mit strategischen Bombern vom Typ Iljuschin-28) und eine sowjetische Marinestation. Agenten melden schließlich noch, daß die Sowjets 23 Felsenhöhlen als Untergrund-Arsenale ausgebaut haben. Mindestens eine dieser Höhlen ist mit Bleiwänden für die sichere Lagerung von Atomsprengköpfen ausgestattet.

Kennedy läßt den Nationalen Sicherheitsrat zusammentreten. Die Beamten des Außenministeriums sehen in Chruschtschows Raketenaufmarsch den Versuch, die USA in der Berlin-Frage nach dem Motto zu erpressen: „Wenn ihr auf West-Berlin verzichtet, räumen wir Kuba." Die Militärs dagegen vertreten den Standpunkt, das viele Gerede über Berlin habe nur dazu gedient, Washington einzuschläfern und das zu kaschieren, was sich vor Amerikas Haustür abgespielt hat. Geht die Entwicklung so weiter, erklären sie, ist Kuba in wenigen Wochen eine uneinnehmbare Festung geworden und der Vorsprung der USA in der Raketenrüstung ausgeglichen. Während die Vereinigten Staaten und ihre Verbündeten im Herbst 1962 über 389 einsatzbereite Fernraketen verfügen, die jeden Quadratmeter Sowjetboden treffen können, besitzen die Sowjets nur 75. Diese Unterlegenheit machen Mittelstreckenraketen auf Kuba jedoch wieder wett.

Unabhängig von dem, was der Kreml wirklich vor hat: Kein US-Präsident kann Raketenstellungen auf Kuba dulden. Die Amerikaner beschließen den Gegenschlag. Rasch ziehen sie 19 Kreuzer und Zerstörer zusammen, die um die Insel einen Halbkreis mit einem Radius von 800 Kilometern bilden. In Florida werden fast über Nacht an die tausend Kampfflugzeuge massiert, deren konventionelle Feuerkraft der in England 1944 vor der Landung in der Normandie entspricht. Gleichzeitig marschieren an der Küste Luftlandedivisionen, Panzerverbände und Einheiten der Marineinfanterie auf, insgesamt 100 000 Mann. Sie sind zur Invasion bereit.

In sämtlichen US-Garnisonen schrillen die Alarmglocken. Die acht Atom-U-Boote gehen auf Positionen, von denen ihre Polarisraketen Ziele in der Sowjetunion erreichen können. Und in allen Atlantik-, Pazifik- und Mittelmeerhäfen mit US-Kriegsschiffen am Kai zeigt sich dasselbe Bild: Schlagartig stechen die Flugzeugträger, Kreuzer, Zerstörer oder U-Boote in See.

Das Strategische Bomberkommando — seit 16 Jahren schon in einer Art routinemäßigem „Kriegszustand" — erhält die Anweisung „Höchste Alarmbereitschaft". Die Übungsflüge werden abgebrochen. Auf mehr als 80 Bomberflugplätzen der USA rund um den Erdball rollen die Maschinen aus den Hangars. Sie werden aufgetankt, mit Atombomben versehen und startklar gemacht. Die Langstreckenbomber vom Typ B-52 begeben sich sogar geschlossen in die Luft (und werden volle dreißig Tage lang nicht mehr landen).

Jetzt kann Kennedy zur politischen Offensive übergehen. Ernst tritt er am 22. Oktober 1962 vor die Fernsehkamera und spricht zur Nation. 18 Minuten dauert die Rede — keine Sekunde länger. Aber sie ist wohl die bedeutsamste Rede, die jemals im Verlauf der menschlichen Geschichte gehalten worden ist. Jedermann weiß nun: Die Menschheit steht am Rande des dritten Weltkriegs, des Atomkriegs, ihrer eigenen Vernichtung.

Der Präsident verlangt, daß die Sowjets die Raketen wieder zurückziehen. Er bezichtigt Moskau klipp und klar der Lüge, weil es bis zuletzt die Installierung von Offensivwaffen auf Kuba geleugnet habe. Wörtlich sagt Kennedy: „Wir wollen nicht voreilig oder unnötig einen weltweiten Atomkrieg riskieren, bei dem selbst die Früchte des Siegs nur Asche in unserem Mund wären, aber wir werden auch nicht davor zurückschrecken, wann immer wir dazu gezwungen werden." Und er macht deutlich, daß Berlin kein Preis ist, den er zahlen würde.

Über Kuba wird die Blockade verhängt. Die Embargo-Liste umfaßt „Boden-Boden-Raketen, Bomber, Luft-Boden-Raketen, atomare Sprengköpfe für diese Waffen, mechanische oder elektrische Anlagen zur Bedienung dieser Waffen und jede andere vom Verteidigungsminister noch zu bestimmende Art von Material". Sie gilt für die Schiffe aller Nationen.

Chruschtschows erste Reaktion ist offene Wut. Er spricht von Piraterie. Dann droht er mit dem dritten Weltkrieg, der ausbrechen werde, sobald man den Versuch mache, auch nur ein einziges unbewaffnetes Sowjet-Handelsschiff auf der Fahrt nach Kuba zu stoppen. Schließlich macht er den Vorschlag eines Tauschgeschäfts: Er will Kuba räumen lassen, wenn die Amerikaner ihre Raketenbasen in der Türkei abbauen.

Kennedy bleibt hart. Er besteht auf der Kapitulation der Sowjets. Der Kreml gibt nach. Zunächst verlangsamen die sowjetischen Schiffe mit Kurs Kuba ihre Fahrt, dann drehen sie bei und dampfen in die Heimat zurück. Am 26. Oktober, einem Sonntag, wendet Chruschtschow sich über den Rundfunk an die Vereinigten Staaten und teilt mit, er habe befohlen, die von den Amerikanern „als offensiv angesehenen Waffen" abzubauen, zu verpacken und in die Sowjetunion zurückzubefördern.

Die Menschheit atmet auf. Sie zollt Kennedy Beifall, einem Mann, der unter härtester Belastung nicht die Nerven verloren und als Staatsmann gehandelt hat. Und sie nimmt zur Kenntnis, daß der Vabanque-Spieler Chruschtschow so stark an Ansehen verliert, daß seine Stellung ins Wanken gerät.

Die auf Kuba installierten Atomraketen erweisen sich als selbstgelegte Minen. Die Kuba-Krise gibt den Auftakt zu Chruschtschows Sturz. Vorerst jedoch versteht es der bauernschlaue Ukrainer noch, über die Runden zu kommen. Er versucht, sich den Mantel des großen Staatsmannes umzuhängen, dessen Weisheit der Welt in gefährlicher Stunde den Frieden erhalten habe. Und er kennt auch den Schuldigen, der einen atomaren Schlagabtausch zwischen der Sowjetunion und den Vereinigten Staaten provozieren wolle, um dann lachender Dritter zu sein: Rotchina. Wenn Peking meine, es scheue einen Atomkrieg nicht, weil selbst bei einem Verlust von 200 bis 300 Millionen Menschen genug Chinesen übrigbleiben würden, um dem Kommunismus auf der ganzen Erde zum Siege zu verhelfen, müsse er, Nikita Chruschtschow antworten: „Sie wissen nicht, von was sie sprechen. Sie sind entweder Kinder oder Idioten."

Die Führer der Volksrepublik China lassen diesen Vorwurf nicht auf sich sitzen. Niemand habe den Kreml ermutigt, nach Kuba Atomraketen zu schaffen, stellen sie fest. Denn das sei eine „abenteuerliche Politik" gewesen. Allerdings — nachdem die Raketenrampen einmal gestanden haben, hätte man sie nicht wieder zerstören dürfen. Chruschtschow verdiene den Titel eines „Häuptlings der Kapitulanten" und eines „Verräters der proletarischen Revolution". Das „jämmerliche" und „feige" Zurückweichen vor Kennedy verrate eine völlig falsche Einschätzung der Situation. Nicht Waffen, allein die geballte Kraft der organisierten Massen würden den Ablauf der Weltgeschichte bestimmen. Die Atombombe, sagt Mao Tse-tung, ist ein „Papiertiger".

Chruschtschow entschließt sich, den Konflikt mit Peking auszutragen und ohne Rücksicht auf die Chinesen die Entspannungspolitik — den Versuch einer Teilung der Weltherrschaft mit Amerika — wieder aufzunehmen. Die Frucht dieser Bemühungen: Am 5. August 1963 unterzeichnen die Außenminister der Atommächte Sowjetunion, USA und Großbritannien in Moskau den Atomstopp-Vertrag, der Atomexperimente in der Atmosphäre untersagt.

Nur zwei Staaten von Gewicht verweigern den Beitritt: Frankreich, die jüngste und kleinste Atommacht, die meint, noch nicht ausreichende atomare Erfahrungen gesammelt zu haben — und China, das dem Ziel, Atommacht aus eigener Kraft zu werden, unentwegt zusteuert.

Nicht von ungefähr bricht die Französische Republik zu diesem Zeitpunkt mit ihrer bisherigen China-Politik. Sie erkennt Peking an und nimmt zu den chinesischen Kommunisten diplomatische Beziehungen auf. Mao Tse-tung, den offenen Zwist mit Moskau vor Augen, mit Washington tödlich verfeindet, sieht die Chance, die „Dritte Welt" zu mobilisieren und mit ihrer Hilfe das Übergewicht der Atomgiganten auszugleichen. Im Februar 1964 gibt er französischen Parlamentariern zu verstehen: „Frankreich selbst, Deutschland, Italien, England — unter der Voraussetzung, daß es nicht als Makler Amerikas auftritt — Japan und wir, das ist für mich die Dritte Welt."

Doch niemand greift diesen Versuchsballon auf. Und der „Vorsitzende Mao" sieht sich unversehens einem Generalangriff von Seiten des Kreml ausgesetzt, der die volle Aufmerksamkeit erfordert. Chruschtschow lädt alle kommunistischen Parteien zu einer Weltkonferenz ein, die über den künftigen Weg des Kommunismus entscheiden soll. Der Kreml-Chef ist sicher, daß eine qualifizierte Mehrheit auf diesem Konzil erneut die Vorrangstellung der KPdSU bestätigen würde. Gleichzeitig sollen die chinesischen „Abweichler" verdammt und — tun sie nicht Buße — feierlich ausgestoßen werden.

Mao braucht nichts zu befürchten. Die Konferenz wird abgelehnt. Die russischen Kommunisten erfahren ein zwar höfliches, aber deutliches Nein. Sie müssen zur Kenntnis nehmen, daß Stalins Zeiten zu Ende sind. Moskaus Stimme findet nicht mehr absolutes Gehör. Selbst der Kompromißvorschlag, zunächst am 15. Dezember 1964 eine „Vorkonferenz" der 25 bedeutendsten kommunistischen Parteien abzuhalten, stößt nicht auf Gegenliebe. Niemand möchte der Wahrheit ins Auge blicken und den Bruch zwischen den beiden mächtigsten Ostblock-Staaten besiegeln.

Die sowjetischen Militärs, die nach wie vor in Amerika und seinen Verbündeten den eigentlichen Gegner sehen, rücken ebenso von Chruschtschow ab, wie die Mehrzahl der ausländischen Kommunistenführer. Und nachdem feststeht, daß allenfalls elf der eingeladenen Parteien nach Moskau kommen wollen, bildet sich auch im Parteipräsidium (das kurz darauf den alten Namen Politbüro zurückerhält) eine Mehrheit gegen den Ersten Sekretär.

Am 14. Oktober 1964 wird der „ruhmbedeckte Sohn unseres sowjetischen Vaterlandes und hervorragende Genosse Nikita Sergejewitsch Chruschtschow" — so das damalige Staatsoberhaupt Woroschilow im Jahre 1958 — nach elfjähriger Herrschaft gestürzt. Nachfolger werden Leonid Breschnew als Parteichef (bald wieder wie Stalin mit dem Titel „Generalsekretär") und Alexej Kossygin als Regierungschef.

Der 70jährige geht stumm in Pension. Keine Hand rührt sich für ihn. Niemand vergießt eine Träne. Aber es atmet auch niemand wie nach Stalins Tod auf. Vom Land wird keine Last genommen. Das Leben in der Sowjetunion geht weiter seinen Gang — eintönig und alltäglich. Nur Mao Tse-tung schießt einen makabren Salut. Zwei Tage später, am 16. Oktober, explodiert in der Wüste von Singkiang die erste chinesische Atombombe. (Bis zur Zündung der ersten Wasserstoffbombe Pekings am 17. Juni 1967 vergehen dann nicht einmal drei Jahre.)

Breschnew und Kossygin entbehren des persönlichen Glanzes. Lenin umgab das Charisma des genialen Volksführers, Stalin die Dämonie absoluter Macht, Chruschtschow besaß den Nimbus eines faszinierenden Schaumannes. Die neuen Kremlherren wirken dagegen nüchtern und bieder. Sie wollen das Verhältnis zu China in sachlicher Weise bereinigen, die Verständigung mit Amerika ohne spekulative Erwartung weiterverfolgen und — nicht zuletzt — in Europa ohne Rücksichtnahme auf fremde Gefühle den Status quo aufrechterhalten. So schlagen sie als erstes der Bundesrepublik Deutschland gegenüber einen rüden Ton an, der den Bonner politischen Kräften jede Hoffnung auf einen Kurswechsel nehmen soll. Den von Chruschtschow für das Frühjahr 1965 in Aussicht gestellten Besuch am Rhein sagen sie ab.

Diese wenig phantasievolle Politik entspricht dem Werdegang beider Männer. Breschnew, Jahrgang 1906, Hüttenarbeitersohn aus der Ukraine und Ingenieur, ist erst 1931 der Partei beigetreten. 1939 Parteisekretär in Dnjepropetrowsk, gerät er in den Bannkreis Chruschtschows. Während des Krieges Politgeneral, wird er nach 1945 in Moskau verwandt und als Gefolgsmann seines Entdeckers bald Mitglied des Parteipräsidiums. Von 1960 bis 1964 bekleidet er ruhig und unauffällig das Amt des Staatsoberhaupts.

Noch unpolitischer im Sinne der alten bolschewistischen Berufsrevolutionäre verläuft die Karriere Kossygins. Er gehört zum Jahrgang 1904, stammt aus St. Petersburg, studiert an einem Textil-Institut, wird Wirtschaftsmanager und Verwaltungsfachmann und als solcher 1939 Volkskommissar für die Textilindustrie sowie ZK-Mitglied. 1943 macht Stalin ihn zum Ministerpräsidenten der Unionsrepublik Rußland und nach dem Krieg zum sowjetischen Finanzminister. Unter Chruschtschow wird Kossygin Leiter der obersten Planungsbehörde. „Übersehen Sie den nicht", sagt Chruschtschow 1960 in Paris zu Journalisten über seinen Reisebegleiter, „der kann noch einmal mein Nachfolger werden."

Ein neues Schlagwort findet Freunde: Polyzentrismus

Kaum einen Begriff liebte Stalin mehr als diesen: Monolithisch — aus *einem* Steinblock. Monolithisch mußten ihm die „Partei der Arbeiterklasse" sein und der Weltkommunismus (und sie waren es auch). In der Chruschtschow-Ära taucht ein neues Schlagwort auf: Polyzentrismus — *viele* Zentren sind nötig. Die Abkehr vom alten Ideal geht soweit, daß nicht allein die Vorstellung von der unabdingbaren Geschlossenheit des Ostblocks suspekt wird. Mehr und mehr Kommunisten außerhalb der Sowjetunion sträuben sich selbst gegen den Gedanken, Moskau wenigstens noch als einziges Haupt einer locker gefügten politischen Gemeinschaft zu respektieren. Den kleineren kommunistischen Mächten kommt der Anspruch Pekings, gleichberechtigtes Zentrum zu sein, sehr gelegen. Je mehr Zentren es gibt, um so größer ist die eigene Bewegungsfreiheit. Teile und herrsche, lautet die Devise der Großen, teile die Herrschenden die der Kleinen.

Das markanteste Beispiel für eine unabhängige, nationalkommunistische Politik bietet Rumänien. Es tritt in die Fußspuren von Polen und Ungarn, wenn diese sich auch in den letzten Jahren den Sowjets gegenüber etwas anpassungswilliger zeigen: Polen, weil es angesichts eines erstarkenden Deutschlands meint, die Oder-Neiße-Linie nur unter sowjetischem Schutz als Westgrenze halten zu können — Ungarn, weil es als Folge des niedergeworfenen Volksaufstands vier sowjetische Divisionen im Land dulden muß. Dennoch ist es das Ungarn Janos Kadars, das auch dem rumänischen Nachbarn weitgehend als Modell für die eigene Entwicklung dient.

SOWJETUNION
heute
1 **12. Jahrgang 1. Januar 1967**

Sehen sich so die Sowjets nach fünfzigjähriger Herrschaft der Kommunisten selbst?
(Titelbild der in deutscher Sprache erscheinenden sowjetamtlichen Zeitschrift „Sowjetunion heute".) Väterchen Frost steuert den mit guten Gaben beladenen Sowjet-
schlitten mit festem Griff in eine bessere Gegenwart — der Hand seiner anmutigen
Begleiterin jedoch entgleitet bedrohlich eine Rakete.

Kadar steht nach 1956 vor einer schweren Aufgabe: Es den Sowjets recht zu machen und gleichzeitig ein erbittertes und verzweifeltes Volk mit seinem Schicksal, d. h. dem Kommunismus auszusöhnen. Mit Umsicht und Intelligenz geht er ans Werk. Er proklamiert die „sozialistische nationale Einheit" und die „sozialistische Demokratie". Er sagt in Umkehrung einer bewährten Parole autoritärer Systeme: „Wer nicht gegen uns ist, ist für uns." Auch die Klassenkampftheorie findet eine neue Deutung. Alle, die mithelfen, daß die Wirtschaft blüht und gedeiht, bringen den Sozialismus voran, bekämpfen den „Klassenfeind" und sind gute „Klassenkämpfer", ob sie es im Herzensgrunde wollen oder nicht. Mit diesen ideologischen Tricks wird die sich entfaltende Konsum- und Wohlstandsgesellschaft gerechtfertigt.

Die Rumänen hören mehr auf Formeln wie „Nation", „Vaterland" und „Patriotismus". Parteichef Gheorghiu-Dej kalkuliert ein, daß der Kommunismus Moskauer Provenienz für die erdrückende Mehrheit der Bevölkerung mit Fremdherrschaft identisch ist. Und so setzen sich die Kommunisten schlankweg an die Spitze der „nationalen Bewegung". Sie weigern sich, die Entstalinisierung auf Kommando mitzumachen (und vollziehen sie stillschweigend doch). Sie verweigern dem Kreml die unbedingte Gefolgschaft im China-Konflikt. Sie stellen — wenn auch wider die historische Wahrheit — die These auf, die Rumänen hätten sich vom Faschismus „selbstbefreit". Und sie graben Lenin-Zitate aus, in denen sich der große Meister gegen die willkürliche „Beseitigung der nationalen Unterschiede" nach dem Sieg der kommunistischen Bewegung ausgesprochen hat.
Heftigen Widerstand leisten die rumänischen Kommunisten dem sowjetischen Plan, die „sozialistische Arbeitsteilung" innerhalb des Comecon auf die Spitze zu treiben. Denn die Comecon-Planung sieht für Rumänien lediglich die Rolle eines Lieferanten für Erdöl und Agrarprodukte vor. Gheorghiu-Dej will dagegen die volle Industrialisierung seines Landes auf allen Gebieten. Vor allem drängt er auf den Ausbau einer eigenen Schwerindustrie. Er bezichtigt die Sowjets öffentlich der „Ausbeutung Rumäniens". Chruschtschow muß einlenken und bestätigen, daß die Zusammenarbeit zwischen kommunistischen Staaten auf den „Prinzipien der Souveränität und Egalität sowie des gegenseitigen Nutzens beruhe".
Gheorghiu-Dejs Nachfolger Ceausescu verficht diese Linie nach dem Tod des Chefs konsequent weiter. Er fordert sogar trotz wütender Worte in der sowjetischen Presse die Rückgliederung Bessarabiens, das Stalin 1940 im Bündnis mit Hitler annektiert hat. Und er setzt 1967 als erster Ostblockparteiführer gegen die Querschüsse aus Moskau und unbeirrt von der Schimpfkanonade aus Ost-Berlin die Aufnahme der diplomatischen Beziehungen zu der Bundesrepublik Deutschland durch.
Im Juli 1965 tauft sich die Rumänische Arbeiterpartei offiziell in Kommunistische Partei Rumäniens um. Sie begründet den Namenswechsel:

Die „Etappe der Vollendung des sozialistischen Aufbaus" ist auch für Rumänien angebrochen. Nun werden Land und Partei dem „Endziel" entgegengehen, „dem Aufbau der kommunistischen Gesellschaft".
Auch das ist eine sichtbare Demonstration, die den Führungsanspruch der Sowjetunion zurückweisen und die Gleichberechtigung der Rumänen unterstreichen soll.

Der erste Theoretiker des Polyzentrismus ist bezeichnenderweise kein Partei- oder Regierungschef aus dem Ostblock, sondern derselbe Mann, der die Kommunisten mit der Forderung nach einem „Dialog mit der katholischen Welt" zuerst vor den Kopf stößt, dann aber überzeugt: Palmiro Togliatti, lange Zeit Kominternsekretär in Moskau, dann kurze Zeit stellvertretender Ministerpräsident seines Heimatlandes und für mehr als zwanzig Jahre unbestrittener Führer der Kommunistischen Partei Italiens.
Die KPI ist 1921 gegründet, doch schon drei Jahre später von Mussolini verboten worden. 1944 taucht sie aus dem Untergrund auf und wächst schnell zur an Mitgliedern und Einfluß stärksten kommunistischen Partei in Europa außerhalb des Ostblocks an. 1,8 Millionen Kommunisten besitzen ihr Parteibuch. 7,8 Millionen Wähler geben ihr bei der Parlamentswahl von 1963 die Stimme.
Die Mehrzahl der mittelitalienischen Städte und Gemeinden steht unter kommunistischer Kontrolle, ebenso die italienische Gewerkschaftsbewegung und — kommt es hart auf hart — über die 33 600 kommunistischen Betriebszellen auch die bedeutendsten Industriebetriebe sowie das Verkehrswesen des ganzen Landes. Dazu gesellt sich ein beträchtlicher Einfluß auf das kulturelle Leben der Appeninhalbinsel, auf den Erziehungssektor und auf die Presse. In wichtigen Städten wie Florenz, Siena, Bologna, Ferrara, Modena, Parma, Reggio Emilia und Livorno führen die Kommunisten die Polizei. In Mailand, Genua und Neapel ist die Polizei stark mit Kommunisten durchsetzt.
Vieles spricht für die Annahme, daß die KPI schon vor Jahr und Tag in der Lage gewesen wäre, die Macht auf gewaltsamem Wege zu ergreifen, wenn sie es gewollt hätte. Aber nach den Beschlüssen von Jalta — an die sich die Sowjets bisher zumindest formell gehalten haben — gehört Italien zur westlichen Einflußsphäre. Eine kommunistische Revolution wäre zweifellos mit der militärischen Intervention der Amerikaner und Engländer beantwortet worden. So haben sich Togliatti und seine Partei gezwungen gesehen, die legale Eroberung Italiens durch loyale Mitarbeit in den demokratischen Institutionen anzustreben. Dieses Unterfangen konnte nicht ohne Einfluß auf die geistige Haltung der italienischen Kommunisten bleiben — genausowenig wie die Tatsache, daß sich 99,5 Prozent aller Italiener zum römisch-katholischen Glauben bekennen.
Togliatti appelliert an seine Parteifreunde, die alten Formen, „die der Wirklichkeit von heute nicht mehr entsprechen", zu liquidieren. Vor al-

lem müßten sie die „atheistische Propaganda" aufgeben, sonst könne aus der angestrebten „Verschiebung der katholischen Massen nach links" nichts werden und würden die Katholiken die ihnen von den Kommunisten hingestreckte Hand „nur als Mittel zum Zweck, fast als Heuchelei" auffassen. Er ruft zum ernsthaften „Dialog mit der katholischen Welt" auf.

Fast von selbst versteht sich, daß Togliatti den Sowjets in der Chinafrage in die Quere kommt. Die von Chruschtschow gewünschte Weltkonferenz zur Verdammung der gelben Häretiker wird von ihm entschieden zurückgewiesen. Und als er dann während eines Kuraufenthalts auf der Krim im Sommer 1964 an einem Gehirnschlag stirbt — wie wenige Wochen vor ihm und auch in Rußland Frankreichs KP-Chef Thorez — gibt es ernsthafte Ostexperten, die von einem Mord an dem unbequem gewordenen Italiener sprechen. Beweise besitzen sie allerdings nicht.

Die KPI veröffentlicht trotz sowjetischer Interventionen ein kurz vor seinem Tod von Togliatti verfaßtes Memorandum, „Testament" genannt, in dem er davor warnt, China an den Katzentisch zu verweisen und den Amerikanern zu sehr zu vertrauen. Er plädiert in ihm für den parlamentarischen Weg zur Macht, für die stärkere Berücksichtigung der individuellen Freiheit dort, wo die Kommunisten bereits herrschen, für eine mehr demokratische Willensbildung in den kommunistischen Parteien und für nationale Eigenständigkeit innerhalb eines polyzentrischen Weltkommunismus.

Togliattis Nachfolger Luigi Longo — Jahrgang 1900, im ersten Weltkrieg königlicher Offizier, im Spanischen Bürgerkrieg Generalinspekteur der Internationalen Brigaden, im zweiten Weltkrieg Kommandeur der Partisanen-Brigade „Garibaldi" — setzt diese Politik fort. „Sollten wir etwa", so fragt er, „nur weil wir Leninisten sind, in der Welt vor vierzig Jahren stehen bleiben?" Er will — vertrauter Klang — den „italienischen Weg zum Sozialismus", lehnt die Diktatur einer einzigen, auch seiner Partei (nicht ganz unglaubwürdig) ab, spricht von der kommenden „pluralistischen sozialistischen Gesellschaft", die nur über freie Wahlen und Koalitionsregierungen zu erreichen sei und propagiert — ähnlich wie in der DDR Otto Reinhold — ein „antimonopolistisches Europa".

Mag manches daran Taktik sein, eines hat die KPI begriffen: Nie wird sie aus Italienern rote Ameisen einer von sturen Apparatschiks kommandierten Zwangsgesellschaft machen. Also muß sich die KPI ändern, wenn ihre Führer — selbst mehr der westlichen als der östlichen Lebensweise zugetan — zum Zuge kommen wollen.

Auch die Kommunisten Frankreichs haben in letzter Zeit ihre Sympathie für die „pluralistische Gesellschaft" entdeckt, deren Kennzeichen das gleichberechtigte Nebeneinanderbestehen mehrerer Parteien und Weltanschauungen ist — und ihre Liebe für den Katholizismus. Roger Garaudy, Chefideologe der KPF, erhofft sich, daß Christen und Kommunisten in Zukunft „am gleichen Strang ziehen". Er beteuert: „Nicht erst seit heute erkennen wir an, daß das Christentum einen unersetzbaren Beitrag zur Geschichte der Menschheit geleistet hat."

Die Katholische Kirche kommt diesen Bemühungen entgegen, seit Papst Johannes XXIII. am Gründonnerstag 1963, während des Zweiten Vatikanischen Konzils, die Enzyklika „Pacem in terris" verkündet hat — „Frieden auf Erden". In ihr wird unter deutlicher Anspielung auf Kommunismus und Sozialismus dazu ermahnt, das „Gute" und „Anerkennenswerte" dieser Bewegungen zu sehen. 1967 empfängt dann Papst Paul VI. — ein geradezu revolutionäres Ereignis — das sowjetische Staatsoberhaupt Podgorny zu einem Gespräch in Rom. Die wenig später verkündete Enzyklika „Populorum progressio" — „Der Fortschritt der Völker" — enthält scharfe antikapitalistische Züge.

Frankreichs KP ist nach der italienischen die größte Westeuropas. Sie zählt 250 000 Mitglieder, kontrolliert den mit zwei Millionen Mitgliedern bedeutendsten Gewerkschaftsbund des Landes und erhält bei der Parlamentswahl von 1967 22,5 Prozent der Stimmen. Als einzige Partei außer den Sozialisten verfügt sie über eine straffe Organisation und über eine zentrale Führung — was ihr vermutlich auf lange Sicht wieder mehr Einfluß bringen wird, als sie es zur Zeit im Bannkreis des Staatspräsidenten de Gaulle ausüben kann. Gelingt es der KPF, die Mauer zu durchbrechen, hinter der die anderen politischen Kräfte sie mehr als 40 Jahre lang mit Erfolg isoliert gehalten haben, steht ihre Rolle als ein sehr maßgeblicher Faktor in der französischen Politik erst noch bevor. Die Ansätze dazu sind unverkennbar.

Schon einmal — im zweiten Weltkrieg — ist die KPF dank ihrer Tätigkeit in der Widerstandsbewegung gegen die deutsche Besatzung eng an die Seite der anderen Parteien gerückt. Das bringt ihr, ähnlich wie der Bruderpartei in Italien, eine kurzfristige Koalitionsbeteiligung ein. 1947 gibt Parteichef Thorez dann die Erklärung ab, daß die Kommunisten im Falle eines Konflikts Frankreichs mit der Sowjetunion im Lager Moskaus stehen würden. Dies ist Anlaß genug für die politischen Gegner, über die KPF wieder die Quarantäne zu verhängen.

In noch viel stärkerem Maße sind die anderen kommunistischen Parteien Westeuropas von jeder wirklichen Einflußnahme auf das politische Leben ihrer Völker ausgeschlossen — ob in Großbritannien, in Skandinavien, in den Beneluxstaaten, in der Schweiz. Ihre Kriterien: Personelle Schwäche, soziale Verfemung, sektiererhaftes Auftreten. Die einzige Ausnahme bildet Finnland. Hier im unmittelbaren Einzugsbereich der Sowjetunion, ist die KP (wenn auch knapp) die relativ stärkste Partei des Landes und seit 1966 auch wieder in der Regierungskoalition.

Angesichts der wenig aussichtsreichen Lage in Europa nimmt es nicht wunder, daß der Weltkommunismus nach 1945 in erster Linie auf die asiatische Karte gesetzt hat.

1928 flimmert erstmals der sowjetische Film über die Kinoleinwand, der dank seiner kühnen Kombination von Realistik und Bildsymbolik, Bildmontage und Bewegung zusammen mit Eisensteins „Panzerkreuzer Potemkin" weltweite Wirkung auf die Filmkunst ausüben soll: Pudowskins „Sturm über Asien" — die Geschichte eines Volksaufstandes gegen „imperialistische Unterdrücker". (Der Deutsche Willi Münzenberg ist Produzent.) Rund 20 Jahre später versuchen die Kommunisten, den Sturm über Asien zu verwirklichen. Neben die Eroberung Chinas und den Koreakrieg treten die Kämpfe in Vietnam, um Malaya und auf den Philippinen.

Vietnam — der Zusammenschluß von Tongking, Annam und Kotschinchina — gehört seit der Mitte des vorigen Jahrhunderts zum französischen Kolonialgebiet Indochina. 1941 wird das Land im Verlauf des zweiten Weltkriegs von den Japanern besetzt. Kurz bevor Japans militärische Lage unhaltbar wird, proklamiert es die vietnamesische Unabhängigkeit. Die von ihm eingesetzte Marionettenregierung unter Kaiser Bao Dai verliert ihre Macht innerhalb weniger Tage an die nationalistische Widerstandsbewegung Vietminh, die mit alliierter Hilfe einen Guerillakrieg gegen die Japaner geführt hat. Ihre Führer sind die Kommunisten Ho Tschi Minh und Giap.

Aber die Franzosen kehren zurück. Schon im Oktober 1945 rücken ihre Truppen in Saigon ein. Ho Tschi Minh verschanzt sich im Norden und fliegt zu Verhandlungen nach Paris — vergeblich. Keine Seite gibt nach. Am 19. Dezember 1946 überfallen die Vietminh die französischen Unterkünfte und Stützpunkte im ganzen Land. Der erste der beiden blutigen Kriege in Vietnam hat begonnen. Er soll acht Jahre dauern.

Die französischen Soldaten — unter ihnen viele deutsche Fremdenlegionäre — kämpfen tapfer und ausdauernd so, wie sie es von Europa her gewohnt sind: Mit Panzern, Flugzeugen und schwerer Artillerie. Sie errichten befestigte Stellungen, verteidigen starre Linien, setzen sich in Bunkern und in als uneinnehmbar geltenden Forts fest. Die Vietminhs dagegen führen einen Abnutzungskrieg nach den Prinzipien Mao Tsetungs: „Gib jedes Gebiet auf, das du nicht sicher halten kannst. Beschränke dich auf den Guerillakampf, solange der Gegner zahlenmäßig überlegen ist und bessere Waffen hat. Gehe zur Offensive mit regulär organisierten Truppen erst dann über, wenn du des Endsieges völlig sicher bist."

1954 ist es soweit. Bei Dien Bien Phu, nahe der Grenze nach Laos, legen die Franzosen eine Riegelstellung an. Sie wollen die Guerillas zur offenen Feldschlacht herauslocken, um sie mit Hilfe der stärkeren Feuerkraft ihrer Verbände zu vernichten. Die Rechnung geht nicht auf. Zwar nehmen die Vietminh die Herausforderung an. Aber mit zahlenmäßig so überlegenen Kräften schließen sie Dien Bien Phu ein, daß sie den Abwehrring der Verteidiger, die sich heldenhaft wehren, Schritt für Schritt weiter zusammendrücken können. Am 7. Mai 1954 fällt die Festung. Die Entscheidungsschlacht ist geschlagen.

Die Franzosen sind zu einem Waffenstillstand bereit, der Nordvietnam den Kommunisten überläßt. Die vereinbarten gesamtvietnamesischen Wahlen kommen nicht zustande. Jede Seite gibt — wie immer — der anderen die Schuld. Und während in Nordvietnam unter der Herrschaft von Ho Tschi Minh ein stabiles kommunistisches Regime errichtet werden kann, stürzt Südvietnam ins Chaos. Ein Militärputsch löst den anderen ab. An die Stelle der abziehenden Franzosen treten die Amerikaner, die den Vormarsch des Kommunismus in Südostasien stoppen wollen.

Aus dem Norden sickern neue Partisanen ein, Vietcong genannt, die bald das flache Land unter ihre Kontrolle bringen. Die Amerikaner bauen eine gut bewaffnete und organisierte südvietnamesische Armee auf. Doch sie wird mit den Kommunisten nicht fertig. US-Truppen landen in Südvietnam, erst 10 000, dann 100 000, dann an die 400 000 Mann. Ihnen stehen die modernsten Kampfmittel und eine erdrückend überlegene Luftwaffe zur Verfügung. Ihre Flugzeuge entlauben mit zerstäubten Chemikalien den Dschungel, in dem die Vietcongs sich verborgen halten. Ihre Bomber fliegen Nordvietnam an, aus dem der kommunistische Nachschub kommt. Aber es gelingt den Amerikanern unter schweren Verlusten an Blut und großen materiellen Opfern lediglich, den Vormarsch der Kommunisten zum Stehen zu bringen, nicht aber, sie zu besiegen.

Mehr Erfolg haben die Engländer in Malaya. Hier beginnen die Kommunisten 1948 mit offenen Terroraktionen. Ihr Ziel ist, das Vertrauen des Volkes in eine Regierung, die es nicht beschützen kann, zu erschüttern. Obgleich die Guerillas nie mehr als 5 000 Mann umfassen, halten sie sich fast zehn Jahre lang und versetzen das Land in Angst und Schrecken. (Die meisten von ihnen sind chinesischer Abstammung.)

Die Engländer stellen ihnen eine Truppe von 35 000 Mann entgegen, die eng mit der malaischen Bevölkerung zusammenarbeitet und sich schnell auf die Guerillakriegführung einstellt. Dazu kommen rund 60 000 Polizisten und 250 000 malaische Milizionäre. Dem Aufgebot dieser Kräfte gelingt es, die Partisanen aus den dicht besiedelten Landstrichen zu vertreiben und in die Randgebiete des Dschungels zu drängen. Hier stützen die Kommunisten sich auf die sogenannten wilden Siedler, außerhalb der staatlichen Gemeinschaft lebende Bauern.

Diese gegen den Kommunismus immun zu machen und gleichzeitig von dem auf ihnen lastenden kommunistischen Terror zu erlösen, ist das nächste Ziel der Engländer. Vom Juni 1950 bis Ende 1953 werden mehr als eine halbe Million der wilden Siedler umgesiedelt. Die Regierung errichtet für sie rund 600 neue Dörfer in belebten Gebieten mit guten Straßen, Wasser, Kanalisation und elektrischem Strom. Außerdem erhält jeder Bauer in das Grundbuch eingetragenen Boden als Eigentum zugesichert. Die dem Dschungel zugewandten Dörfer werden mit Stacheldraht eingezäunt und nachts mit Scheinwerfern angestrahlt. Diese

Maßnahmen sind von verblüffender Durchschlagskraft. Binnen kurzem bricht die Guerillakriegsführung der Kommunisten zusammen.

Ähnlich geht die philippinische Regierung gegen die sogenannten Huks vor. Die Huks sind Ende 1941 als Widerstandsbewegung gegen die Japaner entstanden — wie die Vietminh in Indochina. Sie stehen von Anfang an unter kommunistischer Führung. Ihr Oberbefehlshaber ist Luis Taruc. Aber die Amerikaner unterstützen sie mit Waffen und Verpflegung, bis Japan die Philippinen räumt.

Nach dem Krieg liefern die Huks die Waffen nicht ab, sondern deponieren sie — die USA haben den Philippinen inzwischen die Unabhängigkeit gegeben — für den Kampf gegen die neue Regierung. Fünf Jahre lang halten sie im wesentlichen still. 1951 beginnen sie die militärische Offensive mit mindestens 15 000 gut bewaffneten Kämpfern und weiteren 80 000 Mann Hilfstruppen. Ihre Parolen finden bei der Landbevölkerung Widerhall, die sich wirtschaftlich völlig in der Hand der Großgrundbesitzer befindet, denen sie 70 Prozent der Ernte als Pacht abliefern muß.

Präsident Magsaysay sorgt für eine umfassende Bodenreform. Er verspricht den Huks Land, wenn sie die Waffen niederlegen und sich zur legalen Regierung bekennen — und er hält sein Versprechen. Mustersiedlungen entstehen auf jungfräulichem, frischgerodeten Boden. Auf genossenschaftlicher Basis wird das flache Land erschlossen. Brücken werden errichtet, Gemeindestraßen angelegt, Brunnen gebohrt und Schulen erstellt.

Gleichzeitig baut Magsaysay die bewaffneten Einheiten zu einer schlagkräftigen, in der Bandenbekämpfung geschulten Polizeitruppe von etwa 30 000 Mann um, die in unkonventioneller Kriegführung die Partisanenbanden zerschlägt. Dabei hilft ein System von Geldprämien für das Aufspüren der kommunistischen Kommandeure schnell dazu, den Gegner führerlos zu machen. Luis Taruc stellt sich den Regierungtruppen im Mai 1954 selbst. Damit ist den Guerillas auf den Philippinen das Rückgrat gebrochen.

Völlig aus eigener Kraft, allerdings mit einem entsetzlichen Blutbad unter den Verfolgten, werden die Indonesier mit ihren Kommunisten fertig. Die indonesische KP besitzt 1965 3,5 Millionen Mitglieder. Sie ist die drittstärkste der Welt, auf Peking eingeschworen und von Staatspräsident Sukarno gefördert, der in ihr ein Gegengewicht zur nach rechts tendierenden Armee sieht. Anfang Oktober 1965 versuchen die Kommunisten unter ihrem Führer Aidit einen Putsch, der fehlschlägt und zum anderen Extrem führt. Armeechef Suharto entmachtet Sukarno. Die KP wird verboten und aufgelöst. Zu Hunderttausenden werden die Kommunisten verhaftet, eingekerkert oder niedergeschossen. Eine „weiße" Terrorwelle rast monatelang über die Inseln.

Dagegen gelingt es den Kommunisten nie, in zwei der bedeutendsten, aber in ihrer Struktur von Grund auf verschiedenen asiatischen Ländern wirklich Fuß zu fassen: In Japan und in Indien. Japan ist reich und hochindustrialisiert. Es verfügt über eine große und verhältnismäßig links orientierte Sozialistische Partei, die dennoch stark in der alten japanischen Tradition verwurzelt ist. Vermutlich finden die Kommunisten so wenig Anklang, weil sie ins Ausland, nach Moskau oder Peking blicken.

Auch im 450 Millionen Einwohner zählenden und bitter armen Indien, in dem — erschütternde Feststellung — nach einer Statistik aus dem Jahr 1955 ganze 13 Millionen im westlichen Sinne in den volkswirtschaftlichen Kreislauf einbezogen sind, bilden die Kommunisten nur eine einflußlose Gruppierung, die zudem noch in die verschiedensten, einander heftig befehdenden Richtungen aufgespalten ist. Die starke religiöse Bindung der meisten Inder hält die Kommunisten klein — und der Haß auf die Chinesen, die 1962 einen wochenlangen Grenzkrieg am Himalaya gegen die Inder führen, die schwere Verluste erleiden und zurückweichen müssen. Lediglich im südindischen Staat Kerala kommen die Kommunisten zu Erfolgen. Sie nützen hier die antizentralistische Stimmung der Bevölkerung für ihre Zwecke aus.

Zum Unterschied von ihren indischen Gesinnungsfreunden verstehen es die Sowjets selbst sehr wohl, sich Sympathien auf dem Subkontinent zu verschaffen. Sie sind mit den Namen Bhilai und Taschkent verbunden. Ähnlich wie die Deutschen in Rourkela, errichten die Sowjets im Rahmen der Entwicklungshilfe in Bhilai eines der größten indischen Stahlwerke. Und in der Hauptstadt der sowjetischen Unionsrepublik Usbekistan, in Taschkent, schlichtet Ende 1965 Sowjet-Ministerpräsident Kossygin im zweiten Kaschmir-Krieg zwischen Indien und Pakistan mit dem Ergebnis, daß die Waffen schweigen.

Mit gedrosseltem Motor ins Konsumzeitalter

Die Sowjetunion versucht sich in Asien als „Ordnungsmacht" — was die lautstärkste Verfechterin des Status quo in Europa längst ist. Auch ihr Drängen nach einem globalen Atomsperrvertrag, der die Weitergabe von Atomwaffen und Atomgeheimnissen sowie deren Annahme verbieten soll, entspringt nicht allein dem Wunsch, den Weltfrieden zu erhalten. Er zielt auf die Erhaltung der Machtverhältnisse so wie sie sind. Aus den Revolutionären sind nach fünfzigjähriger Herrschaft Konservative geworden. Von da aus ist der Schritt zur Reaktion oft nicht weit. (Zumindest auf dem Gebiet der Kulturpolitik haben die Sowjets ihn längst beschritten.)

Dem steht das Verhalten des Kreml in der jüngsten Nahost-Krise nicht entgegen. Die Sowjets versuchen offensichlich nicht primär, ihren Einflußbereich im Mittelmeerraum zu verstärken, sondern das vor dem wirtschaftlichen Bankrott und dem militärischen Desaster stehende, aber von Amerika unabhängige Ägypten Nassers — und damit den gesamten antiwestlichen arabischen Block — vor dem totalen Zusammenbruch zu bewahren.

Also nicht eine Machtverschiebung zu ihren Gunsten zu erreichen, sondern eine Machtverschiebung zu ihren Ungunsten zu verhindern, ist das wesentliche Ziel der Sowjetunion in den dramatischen Junitagen des Jahres 1967. Dabei sind die Kremlführer einsichtig genug, trotz heftigen propagandistischen Beschusses die Existenz Israels anzuerkennen. Wie schon in Taschkent, so erweist sich Sowjet-Ministerpräsident Kossygin auch bei seinem Zusammentreffen mit USA-Präsident Johnson unter der Gluthitze von Glassboro als nüchterner, konservativer, den Status quo bewahrender Staatsmann.

Die Fahrt ins Konsumzeitalter — das begann, als dank der technischen Revolution die wichtigsten Probleme der Massenproduktion gelöst waren — ist auch für die Sowjetgesellschaft kaum noch aufzuhalten. Mehr als den Motor drosseln und vorsichtig bremsen können Chruschtschows Nachfolger nicht. Um so deutlicher und mit sichtbarem Stirnrunzeln distanzieren sie sich deshalb von dem Gehabe des Ukrainers, von seinem Überoptimismus, von seinen übertriebenen und nicht erfüllbaren wirtschaftlichen Zielsetzungen, von seiner allzu raschen Begeisterung für alles, was neu ist und nach Reform aussieht, von seiner hektischen Arbeitsweise.

Chruschtschow ist den Herren zu dynamisch. Und Dynamik lieben sie, diese zaudernden, bürokratischen Verwalter eines zum Ritual erstarrten revolutionären Erbes, nun einmal nicht. Ihre Devise lautet: Nur keine übereilten Schritte. Oder: Beständig bleiben und abwarten. Ruhe ist ihnen die erste Bürgerpflicht. Sie halten wenig von Initiative und Eigenverantwortung in Wirtschaft und Verwaltung, um so mehr aber von „verstärkter Kontrolle". Ihre Reden kennen keine Improvisationen, weder Würze noch Lebendigkeit. Es sind nüchtern-geschäftsmäßige Rechenschaftsberichte, die den Zuhörern den Schlaf in die Augen treiben. Breschnew und Kossygin, der erste noch konservativer als der zweite, sind vom Typ her der Anti-Lenin und der Anti-Trotzki in Person.

Von der Vision, den „vollentfalteten Kommunismus" schon 1980 zu erreichen, sprechen sie nicht mehr — nur noch, wie gehabt, vorsichtig vom „Übergang zum Kommunismus". Die Aufteilung der Sowjetunion in 104 Volkswirtschaftsräte, die Sownarchosen, wird rückgängig gemacht. Zentralisierung ist wieder Trumpf — aber auch das ja nicht zu sehr. Ohne Enthusiasmus, nur aus Verstandesgründen, folgen Breschnew und Kossygin dem Programm von Professor Libermann.

Jewsei G. Libermann, heute 70 Jahre alt, veröffentlicht am 9. September 1962 in der „Prawda" — noch mit Chruschtschows Billigung — den Artikel „Plan, Gewinn, Prämie", in dem er anregt, die sowjetische Planwirtschaft durch den Rückgriff auf das Gewinnprinzip rentabler zu machen. Musterbetriebe entstehen, die nach seinen Reformplänen arbeiten. Bisher werden jedem Betrieb die Ein- und Ausgaben, die Ein- und Ver-

Noch fährt dieser kleine Moskauer im Tretrad-Auto auf der Spielwiese. Gehört er einer Generation an, der das eigene Kraftfahrzeug einmal ebenso selbstverständlich sein wird wie heute schon dem Facharbeiter in der westlichen Welt?

kaufspreise, die Produktionsmenge, die Löhne, die Investitionen, kurzum alles vorgeschrieben. Jetzt sollen die Musterbetriebe die Preise und die Löhne selbst festsetzen, also die Kosten in eigener Regie decken und versuchen, sie möglichst niedrig zu halten. Die Ersparnis ist ihr Gewinn. Bereits nach einem Jahr können sie die Produktionskosten durchweg um zehn Prozent senken.

Ein Arbeitsplatz in diesen Betrieben ist begehrt. Wer ihn erhält, dankt es mit besonderer Leistung. Aus den Betriebsgewinnen werden „Ermunterungs- und Förderungsfonds" gebildet, deren Gelder den Arbeitern und Angestellten als lohnsteigernde Prämien zufließen. Außerdem werden aus ihnen Wohnungen, Kindergärten, Erholungsheime und Klubräume finanziert. Selbstverständlich wird der Direktor dabei nicht vergessen und mit einer kräftigen Tantieme bedacht.

Libermann, der 1924 und 1929 je ein Jahr lang in Deutschland studiert und dabei die Management-Methoden von AEG und Siemens untersucht hat, bezeichnet sich selbst als Schüler des „Vaters" der Betriebswirtschaftslehre, des verstorbenen Kölner Professors Eugen Schmalenbach. Er verteidigt seine Theorien gegen mißtrauische Dogmatiker: „Das, was gut und richtig war für die Periode der Akkumulation industrieller Kräfte und sogar in der Periode der Überwindung schwerer Folgen des zweiten Weltkriegs, ist nunmehr veraltet für den heutigen Tag des friedlichen Wettbewerbs mit den kapitalistischen Ländern. Das Hauptkriterium dieses Wettbewerbs wird der Lebensstandard der Menschen sein. Wir müssen in radikaler Art die Methoden der Wirtschaftsführung ändern, um unsere Industrie zweckmäßig einzusetzen."

Zwar sind, wie Libermann versichert, diese Gedanken nicht etwa durch das Studium der kapitalistischen Wirtschaft wachgerufen worden. Aber er gibt zu, daß er den „unzweifelhaften Nutzen eines solchen Studiums durchaus nicht abstreitet". Nicht dadurch würden sich Sozialismus und Kapitalismus von einander unterscheiden, daß der Kapitalismus den Gewinn bejahe, der Sozialismus ihn aber leugne. Bedeutsam sei vielmehr, auf welche Art der Gewinn entstehe und wozu er verwendet werde. Und: „Unter den Bedingungen des Sozialismus kann niemand den Gewinn zum Erwerb von Produktionsmitteln im Privatinteresse ausnützen."

Neben diesen Formen des „wirtschaftlichen Anreizes" zur Produktionssteigerung erleben aber auch die alten, schon unter Stalin beliebten Methoden des „moralischen Anreizes" eine Renaissance: Wettbewerbe, Wimpel, Ehrentafeln, Titel und Orden. Wie jede Bewegung verläuft die „Liberalisierung" in der Sowjetunion in Wellen. Im Wellental taucht das bereits Hinweggeschwemmte kurz wieder auf. Nicht immer geht es schließlich völlig unter.

Im Großen ist der Wandel unverkennbar. Und wenn auch die Führer nüchtern und schwunglos wirken, für die russische Wirklichkeit von heute trifft das nicht ohne Einschränkung zu. Die Städte wachsen, Moskau an der Spitze. Besucher bringen den Eindruck zurück, daß es endlich dabei ist, den Charakter eines großen Dorfes abzustreifen und eine moderne Stadt zu werden. Man beginnt, die roten Backsteinbauten zu verputzen und die Fassaden bunt und lebendig zu streichen. Die geradlinigen, monotonen Straßenfluchten früherer Jahre verschwinden. Eine aufgelokkerte Bauweise greift Platz. Die Motorisierung nimmt zu, wenn auch nur allmählich. Auf den Bürgersteigen flanieren mehr junge Männer in gutgeschnittenen Anzügen als je zuvor, und die Frauen zeigen eine oft pariserische Eleganz. Der Ton ist freier, munterer, ungezwungener. Es wird häufiger gelacht und weniger politisiert. Der Fußball interessiert, das Abschneiden der sowjetischen Sportler bei den Olympiaden und Länderkämpfen, der Wettflug mit den USA zum Mond.

Ohne Zweifel gehören diese Kinder der modernen Konsum- und Industriegesellschaft vorwiegend der privilegierten Schicht an, der „Neuen Klasse", die schon unter Lenin entstand, von Stalin bewußt gehätschelt wurde und im Zuge der fortschreitenden Industrialisierung wächst und wächst, so daß sie immer mehr den Status einer dünnen Aristokratie verliert und sich zu einem breiten, Zuversicht ausstrahlenden Mittelstand wandelt.

Die Parallelen zum Westen sind unverkennbar. Ob Rußland, ob Amerika, ob Kommunismus, ob Christentum — das Industriezeitalter schafft sich die ihm gemäße Gesellschaftsordnung, eine unscharfe Hierarchie mit verschwimmenden Übergängen. Die Basis bildet die breite Schicht der Arbeiter und Angestellten. Durch zunehmende Produktivität wachsen ihr Wohlstand und ihre soziale Sicherheit. Und dank dem gebrochenen Bildungsprivileg strömen ihre Söhne und Töchter in die Staat, Wirtschaft und Gesellschaft prägende Mittelschicht ein. Die eigene Tüchtigkeit entscheidet über den sozialen Aufstieg. Parteibuch oder Verbindungen helfen allenfalls nach. Der Mittelschicht wiederum entstammt das Topmanagement, die Gruppe der Generaldirektoren, der Minister, der Spitzenreiter in Kunst und Wissenschaft.

Die Eigentumsfrage, bei Libermann nach kommunistischem Brauch noch stark betont — sie ist zweitrangig geworden. Im Osten gehören die Produktionsmittel überwiegend dem Staat und den vom Staat kontrollierten Genossenschaften. Im Westen gehören sie außer dem Staat vor allem Körperschaften wie den Aktiengesellschaften (deren Anteilscheine ihre Streuung mehr und mehr unter der gesamten Bevölkerung finden), den Genossenschaften und sogar den Gewerkschaften, immer weniger einzelnen Privaten.

Selbst die — von einer rabiaten Erbschaftssteuer zielstrebiger Dezimierung ausgesetzten — privaten Eigentümer großer Vermögen können nur einen Teil des Kapitalertrags dem persönlichen Verbrauch und der eigenen Verwendung zuführen. Der große Rest fließt direkt oder indirekt in die Investition — soweit ihn nicht bereits die Einkommensteuer frißt. Und die eigentliche Verfügungsgewalt über das Wirtschaftspotential treffen hüben wie drüben nicht die nominellen Eigentümer „Volk" oder

„Kapitalist", sondern die aus dem Mittelstand aufsteigenden Manager. Die Wirtschaftspolitik aber bestimmt allein der Staat.

Den Kommunismus marxistischer Prägung hat das Schicksal aller revolutionären Strömungen getroffen. Seine Kader sind arriviert, seine Schwungkraft erlahmt — die anvisierte „Endzeit" vollkommenen Glücks und ständiger Harmonie ist dagegen noch lange nicht in Sicht. Sie liegt „nirgendwo", auf Utopia. Die menschliche Natur will keine Sprünge. Sie will Evolution.

120 Jahre nach Erscheinen des „Kommunistischen Manifestes" schreckt niemanden in Europa mehr das Gespenst des Kommunismus. Es geht nicht länger um. Es tritt ab, es dankt ab. Ein Experiment nähert sich dem Ende. Die Mitwelt atmet auf. Sie gibt sich selbstbewußter, seit sie begriffen hat, daß sie sich angesichts des militärischen Gleichgewichts auch den Drohungen mit Waffengewalt nicht zu beugen braucht. Und außerhalb Europas? Wird Peking den Kommunismus retten?

Die Zeitgenossen sind Augenzeugen eines gigantischen Aufbegehrens der altgläubigen chinesischen Kommunisten gegen die Erfordernisse der Industriegesellschaft. Sie erleben den wütenden Amoklauf eines Greises, dessen Illusionen zerstieben, und seiner jungen Garden gegen den nach dem Beispiel der Sowjetunion klar und eindeutig vorgezeichneten Marsch in den „Revisionismus". Aber dauerhafte Wirkung kann ihnen nicht beschieden sein. Siegen Mao Tse-tung und seine „Große Proletarische Kulturrevolution", scheidet China als Weltmacht aus und kehrt es zurück in den jahrhundertelang durchlebten Dämmerzustand des allein von sich selbst und seinen Problemen erfüllten schlafenden Riesen — falls der Nachbar ihn schlafen läßt. Siegt die Richtung Liu Schaotschi, ist die Verbürgerlichung, der Niedergang des Kommunismus, unaufhaltsam.

Man hat den Kommunismus ein religiöses Phänomen genannt und ihn als „politisch-soziale Religion", als Ersatzreligion, als Religionsersatz verstanden. Das Wort von der „roten Gegenkirche" ist gefallen. Die Ersatzreligion Kommunismus findet Gläubige und Lippenbekenner. Die Zahl der bloßen Mitläufer wächst.

Oft kommt es in der Geschichte sozialer Bewegungen zu Rückfällen in den Fanatismus der Gründungszeit. Dann erwacht der alte Kampfgeist wieder, der unbedingte Bekehrungswille, ohne den noch keine Gemeinschaft die erste Generation überstanden hat. Und vielfach wird der längst vergessene Ruf nach dem „Heiligen Krieg" lebendig. Gilt das auch für den Kommunismus? Wird die Losung von der Weltrevolution noch einmal Millionen begeisterter „Proletarier" in den Bann schlagen? Es liegt auf der Hand, daß eine Diesseitsreligion, die sich auf die exakten Wissenschaften beruft, angesichts des ständigen Fortschreitens menschlicher Erkenntnisse nicht überdauern kann.

Je mehr die Lehren von Marx und Engels und Lenin an Glanz verlieren, um so heller erstrahlt im Osten wieder die „Nation". Sie wird zur Stütze für Führer und Geführte, denn Staat und Macht können niemals

Selbstzweck werden — sie bedürfen der Verklärung und einer Ideologie. Nicht mehr der Glaube an eine auch um den Preis von Gut und Blut zu erkämpfende bessere Welt hält den Giganten Sowjetunion als staatliche Einheit zusammen, sondern allein der Wunsch der in ihm lebenden Menschen nach privatem Glück unter öffentlichem Schutz — und nach nationaler Größe. (Und für die anderen kommunistischen Staaten Europas gilt das gleiche.) Nicht die Leidenschaftlichkeit kommunistischer Agitatoren, nicht eine schlummernde Revolutionsbereitschaft verzweifelter Proletarier erschüttern die freiheitliche Ordnung und bedrohen den Frieden der Welt. Eher geht die Gefahr von *dem* Faktor aus, der vor allem Moskau den Rang einer Weltmacht verleiht: Es ist die Armee, die größte auf diesem Planeten, ein gepanzerter Koloß von gewaltiger Kampfkraft. Formell ist die KPdSU die gewalthabende Institution. Sie ist am Verdorren. Besinnen die Sowjetbürger sich eines Tages auf den Geist der Demokratie? Oder treten stattdessen national-autoritär ausgerichtete Militärs das Erbe der Partei Lenins an?

Die Menschheit sollte wachsam sein — doch ohne Furcht.